Contact Lens :
Principles and
Practice

최신

콘택트렌즈
임상학

한국콘택트렌즈학회 지음

군자출판사

최신

콘택트렌즈 임상학

Contact Lens : Principles and Practice

첫째판 1쇄 인쇄 | 2015년 10월 22일
첫째판 1쇄 발행 | 2015년 11월 2일

지 은 이 한국콘택트렌즈학회
발 행 인 장주연
출 판 기 획 이경헌
편집디자인 박선미
표지디자인 전선아
일 러 스 트 김경렬
발 행 처 군자출판사
　　　　　등록 제4-139호(1991. 6. 24)
　　　　　본사 (110-717) 서울특별시 종로구 창경궁로 117 (인의동 112-1) 동원빌딩 6층
　　　　　전화 (02) 762-9194/5　　팩스 (02) 764-0209
　　　　　홈페이지 | www.koonja.co.kr

ISBN 978-89-6278-411-4

정가 125,000원

Contact Lens :
Principles and
Practice

최신
콘택트렌즈
임상학

한국콘택트렌즈학회 지음

집필진 (가나다순)

▌편집위원

김미금	서울대학교 의과대학 교수	**윤경철**	전남대학교 의과대학 교수
김재용	울산대학교 의과대학 교수	**이상목**	한림대학교 의과대학 교수
김진형	인제대학교 의과대학 교수	**최진석**	새빛안과병원 원장
송종석	고려대학교 의과대학 교수		

▌저자

김명준	울산대학교 의과대학 교수	**이상목**	한림대학교 의과대학 교수
김미금	서울대학교 의과대학 교수	**이승혁**	분당 연세플러스안과 원장
김영진	신촌새빛안과 원장	**이원희**	이원희안과 원장
김재용	울산대학교 의과대학 교수	**이윤상**	이윤상안과 원장
김진형	인제대학교 의과대학 교수	**이재림**	소중한빛안과 원장
김태임	연세대학교 의과대학 교수	**이종수**	부산대학교 의과대학 교수
김태진	미래안과 원장	**이지은**	부산대학교 의과대학 교수
김현승	가톨릭대학교 의과대학 교수	**이형근**	연세대학교 의과대학 교수
김홍균	경북대학교 의학전문대학원 교수	**정 인**	연세정인안과 원장
박영기	YK안과 원장	**정소향**	가톨릭대학교 의과대학 교수
송종석	고려대학교 의과대학 교수	**최진석**	새빛안과병원 원장
윤경철	전남대학교 의과대학 교수	**현준영**	서울대학교 의과대학 교수
이동호	빛사랑안과 원장		

머리말

한국콘택트렌즈학회에서 교과서를 처음 발간한 지 18년이 지나 강산이 거의 두 번 바뀌는 세월이 지나는 동안 3번째 교과서로 최신 콘택트렌즈 임상학을 발간하게 되었습니다.

이번에 개정된 콘택트렌즈 교과서의 내용은 크게 콘택트렌즈의 개론, 콘택트렌즈의 장착 전 검사, 기본 콘택트렌즈의 장착, 특수 콘택트렌즈, 콘택트렌즈의 합병증, 콘택트렌즈의 관리, 콘택트렌즈의 미래 부분으로 나누어서 집필을 하였고, 특히 콘택트렌즈의 광학, 공막렌즈, 콘택트렌즈 착용 시 생길 수 있는 불편함, 그리고 콘택트렌즈의 미래에 관한 내용들이 새롭게 추가되면서 전편의 콘택트렌즈 임상학에 비해 책의 내용도 거의 2배로 늘어나게 되었습니다. 또한, 다양하게 사용되던 콘택트렌즈의 용어를 한 가지 표준용어로 통일하였고, 한글용어를 사용하면서 이해를 돕기 위해서 영문용어를 같이 표기하고, 약자를 사용하는 용어는 괄호 안에 한글용어와 영문용어를 함께 사용하여 내용의 흐름이 원할 하도록 개정하였습니다. 그리고, 흔히 사용되는 약자의 리스트는 독자들이 쉽게 찾아볼 수 있도록 목차의 뒤편에 첨부하여 사용하기에 편리하도록 집필하였습니다.

이번 최신 콘택트렌즈 임상학의 교과서 개정작업에 최선을 다해 주신 김미금, 이상목, 윤경철, 송종석, 김진형, 김재용, 최진석 편집위원들과 환자의 진료와 학생교육이 바쁘신 가운데도 집필해 주신 여러 교수님과 원장님들, 그리고 일러스트레이션과 원고정리 등 교과서 개정작업에 참여해 주신 군자출판사 여러분들의 수고와 노고에 진심으로 감사를 드립니다.

새로 개정된 최신 콘택트렌즈 임상학의 교과서가 안과분야의 전문서적으로, 올바른 콘택트렌즈의 지식과 정보를 제공하면서 안과회원들의 콘택트렌즈 연구활동이나 임상진료에 도움을 주고 나아가 국내의 콘택트렌즈학 발전에 기여할 수 있기를 기대합니다.

2015년 11월

한국콘택트렌즈학회 회장 **이종수**

차례

머리말 ·· v

약어 ·· xiv

용어정리 ·· xvi

SECTION Ⅰ 콘택트렌즈 개론   1

CHAPTER 01 콘택트렌즈 역사 ··· 3

1. 콘택트렌즈의 세계 역사 ··· 3

2. 콘택트렌즈의 한국 역사 ··· 6

CHAPTER 02 산소투과율과 재질의 특성 ······························ 13

1. 산소투과율과 산소전달률 ·· 13

2. 콘택트렌즈 재질의 기초 ·· 14

3. 소프트콘택트렌즈의 재질과 물리적 특성 ···················· 14

4. 하드콘택트렌즈의 재질과 물리적 특성 ························· 21

CHAPTER 03 콘택트렌즈 광학 ··· 23

1. 눈의 광학 ··· 23

2. 소프트콘택트렌즈의 광학 ·· 30

3. RGP콘택트렌즈의 광학 ··· 32

SECTION **II** 콘택트렌즈 피팅 전 검사 37

CHAPTER 04 환자 선택 시 고려해야 할 인자 및 피팅 전 검사 ·········· 39

1. 환자 선택 시 고려해야 할 인자 ······················ 39

2. 피팅 전 검사 ·························· 42

CHAPTER 05 각막형태검사 ························· 47

1. 정상 각막 ···························· 47

2. 각막표면 측정을 위한 장비 ···················· 47

3. 각막형태검사의 원리 ························ 48

4. 각막형태검사에 영향을 미치는 요인 ················· 50

5. 각막형태검사의 적응증 ······················ 50

6. 각막형태검사의 해석 ······················· 50

7. 정상 각막의 각막형태검사 소견 ·················· 51

8. 각막형태검사에서 사용되는 통계지표 ················ 51

9. 콘택트렌즈 장착에 있어서 각막형태검사의 활용 ··········· 52

SECTION **III** 기본 콘택트렌즈 피팅 57

CHAPTER 06 소프트콘택트렌즈 기본피팅 ················ 59

1. 렌즈와 관련된 용어 ······················· 59

2. 소프트콘택트렌즈의 특성과 재질 ·················· 61

3. 소프트콘택트렌즈의 분류 ····················· 62

4. 소프트콘택트렌즈의 적응증 ·· 64

5. 소프트콘택트렌즈의 금기증 ·· 65

6. 처방을 위한 안구표면 검사와 측정 ·· 65

7. 렌즈의 삽입과 제거방법 ·· 66

8. 렌즈의 피팅법 ··· 67

9. 잘 처방된 렌즈의 특징과 검사 ··· 68

10. 렌즈 처방의 평가 ··· 69

11. 착용 스케줄과 적응방법 ··· 70

CHAPTER 07   RGP콘택트렌즈 기본피팅 ······································· 73

1. RGP콘택트렌즈의 적응증 ·· 73

2. RGP콘택트렌즈 피팅과 관련된 안구의 해부학적 특징 ····························· 74

3. RGP콘택트렌즈 착용에 작용하는 역동적인 힘 ······································· 75

4. 기초디자인과 세부명칭 ··· 78

5. 구면 및 비구면 RGP콘택트렌즈 ··· 82

6. RGP콘택트렌즈 기본피팅을 위한 일반지침 ·· 83

7. RGP콘택트렌즈의 피팅 상태를 판정하는 방법 ·· 92

8. 눈깜빡임 ·· 98

CHAPTER 08   토릭콘택트렌즈 기본피팅 ······································ 103

1. 콘택트렌즈의 난시교정에 대한 기초 ·· 103

2. 토릭소프트콘택트렌즈의 기본피팅 ·· 105

3. 토릭RGP콘택트렌즈의 기본피팅 ··· 111

CHAPTER 09 치료콘택트렌즈 ·· 117

1. 서론 ·· 117

2. 치료콘택트렌즈의 작용기전 ··· 117

3. 치료콘택트렌즈의 선택 ·· 118

4. 치료콘택트렌즈의 종류와 장착 ··· 118

5. 치료콘택트렌즈 환자의 경과 관찰 ·· 121

6. 치료콘택트렌즈의 적응증 ·· 121

7. 치료콘택트렌즈를 통한 약물 투여 ·· 126

8. 치료콘택트렌즈의 용도 ·· 127

9. 치료콘택트렌즈의 합병증 ·· 127

SECTION IV 특수 콘택트렌즈   129

CHAPTER 10 미용컬러콘택트렌즈 ·· 131

1. 미용컬러콘택트렌즈 ·· 131

CHAPTER 11 노안교정 콘택트렌즈 ·· 139

1. 서론 ·· 139

2. 노안 교정방법의 선택 ·· 140

3. 대표적인 콘택트렌즈 ·· 142

4. 콘택트렌즈 착용 전 검사 ··· 144

5. 처방절차 ·· 145

6. 결론 ·· 145

Chapter 12 각막교정(Ortho-K)렌즈 ·· 147

1. 각막교정술의 방법 ·· 147

2. 렌즈 디자인 ·· 150

3. 환자 선택과 사전검사 ·· 152

4. Ortho-K렌즈 장착의 실제 ·· 153

5. 문제해결 ·· 157

6. 추적관찰 및 사후관리 ·· 160

7. 각막교정술의 현재와 미래 ·· 161

Chapter 13 원추각막교정 콘택트렌즈 ··· 165

1. 원추각막 ·· 165

2. 콘택트렌즈를 이용한 원추각막의 교정 ·· 167

Chapter 14 수술 후 각막의 콘택트렌즈 피팅 ·· 183

1. 각막이식수술 ··· 183

2. 굴절수술 ·· 189

Chapter 15 공막콘택트렌즈 ··· 193

1. 공막콘택트렌즈 ··· 193

2. 공막콘택트렌즈의 역사 ·· 194

3. 공막콘택트렌즈의 장점과 단점 ·· 197

4. 공막콘택트렌즈의 적응증 ··· 199

5. 공막콘택트렌즈의 처방 ·· 200

6. 공막콘택트렌즈의 합병증 ··· 204

7. 공막콘택트렌즈의 관리 ·· 205

8. 국내의 공막콘택트렌즈 ·· 206

SECTION Ⅴ 콘택트렌즈와 합병증 209

CHAPTER 16 콘택트렌즈와 각막 생리의 변화 ·· 211

1. 각막의 산소 공급과 대사 ·· 211

2. 콘택트렌즈 착용과 저산소증 ·· 213

3. 콘택트렌즈 착용이 상피세포에 미치는 영향 ·· 214

4. 콘택트렌즈 착용과 신생혈관 ·· 215

5. 콘택트렌즈 착용과 각막의 신경감각 ·· 216

6. 콘택트렌즈 착용이 실질에 미치는 영향 ··· 216

7. 콘택트렌즈 착용이 내피세포에 미치는 영향 ··· 217

CHAPTER 17 콘택트렌즈 불편감 ··· 221

1. 정의 및 분류 ·· 221

2. 역학 ·· 222

3. 콘택트렌즈 재질, 디자인 및 관리방법 ··· 222

4. 콘택트렌즈 불편감의 신경생물학 ··· 224

5. 안구표면 및 안구부속기와 콘택트렌즈의 상호작용 ·· 225

6. 눈물막과 콘택트렌즈의 상호작용 ··· 225

7. 콘택트렌즈 불편감의 관리 ·· 225

8. 향후 연구 ··· 227

CHAPTER 18 소프트콘택트렌즈 피팅 합병증 및 문제해결 ················ 229

1. 증상 ·· 229
2. 징후 ·· 233

CHAPTER 19 RGP콘택트렌즈 피팅 합병증 및 문제해결 ················ 247

1. 시력과 관련된 문제점 및 해결방안 ·· 247
2. 중심이탈의 원인 및 해결방안 ·· 251
3. 각막건조의 원인 및 해결방안 ·· 252
4. 소프트콘택트렌즈에서 RGP콘택트렌즈로의 교체 처방 시 문제점 및 해결방안 ········ 255
5. 렌즈 착용 시 착용감의 문제점 및 해결방안 ····························· 255

CHAPTER 20 콘택트렌즈와 감염 ·· 257

1. 콘택트렌즈와 미생물 ··· 257
2. 콘택트렌즈의 종류에 따른 감염각막염 ··································· 258
3. 각막교정렌즈와 감염각막염 ·· 259
4. 콘택트렌즈의 보관과 감염각막염 ·· 259
5. 감염각막염의 임상양상 및 감별진단 ······································ 259
6. 감염각막염의 치료와 예방 ·· 265

SECTION VI 콘택트렌즈의 관리   271

CHAPTER 21 콘택트렌즈 관리시스템 : 세척, 습윤, 보존액의 이해 ······· 273

1. 소프트콘택트렌즈 관리용액 ·· 273
2. RGP콘택트렌즈 관리용액 ·· 278

CHAPTER 22   콘택트렌즈 처방 후 환자관리 ·· 283

1. 환자교육 및 순응도 ··· 283

2. 소프트콘택트렌즈 관리 ··· 283

3. RGP콘택트렌즈 관리 ·· 286

4. RGP콘택트렌즈 장착 후 환자관리 ································· 291

SECTION VII   콘택트렌즈의 미래   297

CHAPTER 23   콘택트렌즈 발전과 미래 ·· 299

1. 콘택트렌즈 발전과정 ·· 299

2. 콘택트렌즈의 다양성 ·· 300

3. 근시의 조정 ··· 300

4. 혁신적인 콘택트렌즈 ·· 302

찾아보기 ·· 305

약어

약어	영문용어	한글용어
AEC	axial edge clearance	축가장자리틈새
AEL	axial edge lift	축가장자리들림
BC	base curve	기본커브
BCR	base curve radius	기본커브반경
BOZD	back optic zone diameter	후면광학부직경
BOZR	back optic zone radius	후면광학부반경
BVP	back vertex power	후면정점굴절력
CLARE	contact lens-induced acute red eye	콘택트렌즈유발 급성충혈안
CLD	contact lens discomfort	콘택트렌즈 불편감
CLPC	contact lens-induced papillary conjunctivitis	콘택트렌즈유발 유두결막염
CLPU	contact lens-induced peripheral ulcer	콘택트렌즈유발 주변부궤양
Dk	oxygen permeability	산소투과율
Dk/t	oxygen transmissibility	산소전달률
EOP	equivalent oxygen percentage	당량산소백분율
EWC	equilibrium water content	평형함수율
E값	eccentricity value	편심률
FOZD	front optic zone diameter	전면광학부직경
FOZR	front optic zone radius	전면광학부반경
FVP	front vertex power	전면정점굴절력
HEMA	hydroxyethyl methacrylate	
K값	K value	각막곡률값(치)
LARS	left add, right subtract	
MPS	multipurpose solution	다목적관리용액
n	refractive index	굴절지수

약어	영문용어	한글용어
Ortho-K렌즈	orthokeratology lens	각막교정렌즈
PCW	peripheral curve width	주변부커브폭
PMMA	polymethylmethacrylate	
RGP(콘택트)렌즈	rigid-gas permeable (contact) lens	산소투과경성(콘택트)렌즈
SA	silicone acrylate	실리콘 아크릴레이트
Sim K	simulated keratometry	모의각막곡률
t_C	geometric centre thickness	중심두께
TD	total diameter	전체직경
t_{EA}	axial edge thickness	축가장자리두께

Dk와 Dk/t는 식약처 고지 용어와 통일하기 위해, 개정판에서 한글용어가 변경되어 이전 판과 다름을 양지드립니다.

용어정리 (가나다순)

ㄱ

가스투과(콘택트)렌즈	gas permeable (contact) lens
가스투과경성(콘택트)렌즈	rigid gas permeable (contact) lens
가장자리결손	edge defect
가장자리들림	edge lift
가장자리틈새	edge clearance
가파른	steep
각공막(콘택트)렌즈	corneoscleral (contact) lens
각막(콘택트)렌즈	corneal (contact) lens
각막교정렌즈	orthokeratology lens
각막교정술	orthokeratology
각막꼭지점	corneal apex
각막정점	corneal apex
각막지형도피팅	videokeratoscopic fitting
각막탈진증후군	corneal exhaustion syndrome
경계부두께	carrier junction thickness
경성(콘택트)렌즈	rigid (contact) lens, hard (contact) lens
경험적피팅	empirical fitting
계면활성세척	surfactant cleaning
곡률	curvature
곡률반경측정계	radiuscope
공막(콘택트)렌즈	scleral (contact) lens
공모양(콘택트)렌즈	spherical (contact) lens
과녁	bull's eye
구면(콘택트)렌즈	spherical (contact) lens
굴절교정콘택트렌즈	refractive contact lens
굴절률	refractive index

	근거리첨가도수	add power
	기본커브, 기본곡선, 기본만곡	base curve
	기본커브반경, 기본곡선반경, 기본만곡반경	base curve radius
	기포눌림자국	dimple veil
	기포눌림자국염색	dimple staining
ㄴ	나비넥타이모양	bow tie pattern
	난시교정(의)	toric
	난시교정(콘택트)렌즈	toric (contact) lens
	높이지도	elevation map
	눈깜박, 순목	blinking
	눈꺼풀 가장자리	lid margin
	눈꺼풀 테	lid margin
	눈꺼풀사이피팅	interpalpabral fit
	눈꺼풀틈새	palpebral aperture, palpebral fissure
	눈물띠	tear meniscus
	눈물막압착압력	tear film squeeze pressure
	눈물반달	tear meniscus
	눈물저장소	tear reservoir
	눈물층굴절력	tear lens
	느슨한 피팅	loose fit
ㄷ	다목적관리용액	multipurpose solution
	다중커브, 다중곡선, 다중만곡	multicurve
	다초점(콘택트)렌즈	multifocal (contact) lens
	단량체	monomer

당량산소백분율   equivalent oxygen percentage

동심원(의)   concentric

뒤틀림   warpage

따로보기   monovision

ㄹ

렌즈가장자리   lens edge

렌즈굴절력   optical power

렌즈뒤눈물막   post-lens tear film

렌즈앞눈물막   pre-lens tear film

렌즈유착증후군   tight lens syndrome

렌즈케이스   lens case

렌즈파라미터   lens parameter

ㅁ

마이너스렌즈   minus lens

마이너스렌즈모양   minus lenticular, negative carrier

매일착용   daily wear

모듈루스   modulus

모세관압   capillary force

무도수렌즈   plano lens

무도수볼록렌즈   planoconvex lens

무도수오목렌즈   planoconcave lens

뮤신볼   mucin ball

미니공막렌즈   miniscleral lens

미용(콘택트)렌즈   cosmetic (contact) lens

ㅂ	방부제	preservative
	방사가장자리두께	radial edge thickness
	방사가장자리들림	radial edge lift
	보조구로서의 렌즈, (홍채렌즈)	prosthetic lens
	보존액	conditioning solution, soaking solution
	볼록	convex
	볼록렌즈	plus lens
	봉쇄	seal off
	불소실리콘	fluorosilicone
	불투명 컬러	opaque tint
	블렌드	blend
	블렌딩	blending
	비구면(콘택트)렌즈	aspheric (contact) lens
ㅅ	산소전달률	oxygen transmissibility
	산소투과(콘택트)렌즈	gas permeable (contact) lens
	산소투과경성(콘택트)렌즈	rigid gas permeable (contact) lens
	산소투과율	oxygen permeability
	삼중초점렌즈	trifocal lens
	삼중커브, 삼중곡선, 삼중만곡	tricurve
	색척도	color scale
	샌드위치공법	sandwich method
	선반(절삭)가공(콘택트)렌즈	lathe—cut (contact) lens
	선반절삭법	lathe cut
	세척	cleansing

소독	disinfection
소프트(콘택트)렌즈	soft (contact) lens
소프트토릭(콘택트)렌즈	soft toric (contact) lens
수면착용	overnight wear
수평홍채직경	horizontal visible iris diameter
습윤성	wettability
습윤점안제	rewetting drop
습윤제	wetting agent
시상깊이	sagittal depth
시상높이	sagittal height
시상지도	sagittal map
시험(콘택트)렌즈	trial (contact) lens
시험렌즈피팅	trial fitting
실리콘(콘택트)렌즈	silicone (contact) lens
실리콘하이드로겔(콘택트)렌즈	silicone hydrogel (contact) lens
써클렌즈	circle lens

ㅇ

안검력	eyelid force
안검연	lid margin
안대(콘택트)렌즈	bandage (contact) lens
압착	impression
양면토릭, 양면난시교정(의)	bitoric
역커브, 역곡선, 역만곡	reverse curve
연마	polishing
연마세척제	abrasive cleaner
연성(콘택트)렌즈	soft (contact) lens

연성난시교정(콘택트)렌즈	soft toric (contact) lens
연속착용	extended wear
연속착용(콘택트)렌즈	extended wear (contact) lens
오목	concave
오목렌즈	minus lens
윗눈꺼풀지지피팅	upper attachment fit
유착	adherence
이중초점(콘택트)렌즈	bifocal (contact) lens
이중커브, 이중곡선, 이중만곡	bicurve
인벤토리	inventory
일회용	daily disposable

ㅈ

전면광학부반경	front optic zone radius
전면광학부직경	front optic zone diameter
전면정점굴절력	front vertex power
전면주변부반경	front peripheral radius
전면주변부직경	front peripheral diameter
전면주변부커브, 전면주변부곡선, 전면주변부만곡	anterior peripheral curve
전면토릭, 전면난시교정(의)	front toric
전체직경	total diameter, overall diameter
접선곡률	instaneous radius of curvature
접선지도	tangential map
접촉	bearing, touch
정렬	alignment
정렬커브, 정렬곡선, 정렬만곡	alignment curve

정렬피팅   alignment fit

정점(의)   apex, apical

정점부접촉   apical bearing

정점부틈새   apical clearance

조이는 피팅   tight fit

주변부커브, 주변부곡선, 주변부만곡   peripheral curve

주변부커브폭, 주변부곡선폭, 주변부만곡폭   peripheral curve width

주조성형법   cast moulding

중간주변부   midperipheral

중력   gravitational force

중심두께   geometric center thickness

중심부근   paracentral

중심융기   central island

중심이탈   decentration

중심잡기   centration, centering

중합체   polymer

ㅊ

차이지도   difference map

착색   tinted

착색(콘택트)렌즈   tinted (contact) lens

창   fenestration

축가장자리두께   axial edge thickness

축가장자리들림   axial edge lift

축가장자리틈새   axial edge clearance

축곡률   axial radius of curvature

축지도   axial map

	층판	laminated
	치료(콘택트)렌즈	therapeutic (contact) lens
	친수(콘택트)렌즈	hydrophilic (contact) lens
ㅋ	컬러콘택트렌즈	colored contact lens
	콘택트렌즈	contact lens
	콘택트렌즈 불편감	contact lens discomfort
	콘택트렌즈못견딤	contact lens intolerance
	콘택트렌즈유발 급성충혈안	contact lens–induced acute red eye
	콘택트렌즈유발 유두결막염	contact lens–induced papillary conjunctivitis
	콘택트렌즈유발 주변부궤양	contact lens–induced peripheral ulcer
ㅌ	타원	ellipse
	타코검사	taco test
	토릭	toric
	토릭(콘택트)렌즈	toric (contact) lens
	토크효과	torquing effect
	틀제조법	moulding technique
	틈새	clearance
ㅍ	편심률	eccentricity
	편평커브, 편평곡선, 편평만곡	flat curve
	편평한	flat
	편평한 피팅	flat fit
	표면장력	surface tension force
	표층상피활모양병변	superficial epithelial arcuate lesions

표층점상상피병증 superficial punctate epitheliopathy

프리즘밸러스트 prism-ballast

플라스마 plasma

플러스렌즈 plus lens

플러스렌즈모양 plus lenticular, positive carrier

피기백 piggyback

피팅 fitting

피팅렌즈세트 diagnostic (fitting) lens set, trial lens set

피팅커브, 피팅곡선, 피팅만곡 fitting curve

ㅎ

하드(콘택트)렌즈 hard (contact) lens

하이드로겔(콘택트)렌즈 hydrogel (contact) lens

하이브리드 hybrid

혼성중합 copolymerization

혼성중합체 copolymer

황소눈 bull's eye

회전축운동 pivot movement

효소세척 enzymatic cleaning

후면경계부 back surface junction

후면광학부반경 back optic zone radius

후면광학부직경 back optic zone diameter

후면정점굴절력 back vertex power

후면주변부반경 back peripheral radius

후면주변부직경 back peripheral diameter

후면주변부커브, 후면주변부곡선, posterior peripheral curve
후면주변부만곡

	후면토릭, 후면난시교정(의)	back toric
	휘어짐	flexure
	흠집	scratch
	흡입컵	suction cup, suction holder
기타	3시9시각막건조, 3시9시각막미란	3,9o/c dessication

용어정리 (알파벳순)

A

abrasive cleaner	연마세척제
add power	근거리첨가도수
adherence	유착
alignment	정렬
alignment curve	정렬커브, 정렬곡선, 정렬만곡
alignment fit	정렬피팅
anterior peripheral curve	전면주변부커브, 전면주변부곡선, 전면주변부만곡
apex, apical	정점(의)
apical bearing	정점부접촉
apical clearance	정점부틈새
aspheric (contact) lens	비구면(콘택트)렌즈
axial edge clearance	축가장자리틈새
axial edge lift	축가장자리들림
axial edge thickness	축가장자리두께
axial map	축지도
axial radius of curvature	축곡률

B

back optic zone diameter	후면광학부직경
back optic zone radius	후면광학부반경
back peripheral diameter	후면주변부직경
back peripheral radius	후면주변부반경
back surface junction	후면경계부
back toric	후면토릭, 후면난시교정(의)
back vertex power	후면정점굴절력
bandage (contact) lens	안대(콘택트)렌즈

base curve	기본커브, 기본곡선, 기본만곡
base curve radius	기본커브반경, 기본곡선반경, 기본만곡반경
bearing	접촉
bicurve	이중커브, 이중곡선, 이중만곡
bifocal (contact) lens	이중초점(콘택트)렌즈
bitoric	양면토릭, 양면난시교정(의)
blend	블렌드
blending	블렌딩
blinking	눈깜박, 순목
bow tie pattern	나비넥타이모양
bull's eye	황소눈, 과녁

C

capillary force	모세관압
carrier junction thickness	경계부두께
cast moulding	주조성형법
centering	중심잡기
central island	중심융기
centration	중심잡기
circle lens	써클렌즈
cleansing	세척
clearance	틈새
color scale	색척도
colored contact lens	컬러콘택트렌즈
concave	오목
concentric	동심원(의)
conditioning solution	보존액

	contact lens	콘택트렌즈
	contact lens discomfort	콘택트렌즈 불편감
	contact lens intolerance	콘택트렌즈못견딤
	contact lens–induced acute red eye	콘택트렌즈유발 급성충혈안
	contact lens–induced papillary conjunctivitis	콘택트렌즈유발 유두결막염
	contact lens–induced peripheral ulcer	콘택트렌즈유발 주변부궤양
	convex	볼록
	copolymer	혼성중합체
	copolymerization	혼성중합
	corneal (contact) lens	각막(콘택트)렌즈
	corneal apex	각막꼭지점, 각막정점
	corneal exhaustion syndrome	각막탈진증후군
	corneoscleral (contact) lens	각공막(콘택트)렌즈
	cosmetic (contact) lens	미용(콘택트)렌즈
	curvature	곡률
D	daily disposable	일회용
	daily wear	매일착용
	decentration	중심이탈
	diagnostic (fitting) lens set	피팅렌즈세트
	difference map	차이지도
	dimple staining	기포눌림자국염색
	dimple veil	기포눌림자국
	disinfection	소독

E

eccentricity	편심률
edge clearance	가장자리틈새
edge defect	가장자리결손
edge lift	가장자리들림
elevation map	높이지도
ellipse	타원
empirical fitting	경험적피팅
enzymatic cleaning	효소세척
equivalent oxygen percentage	당량산소백분율
extended wear	연속착용
extended wear (contact) lens	연속착용(콘택트)렌즈
eyelid force	안검력

F

fenestration	창
fitting	피팅
fitting curve	피팅커브, 피팅곡선, 피팅만곡
flat	편평한
flat curve	편평커브, 편평곡선, 편평만곡
flat fit	편평한 피팅
flexure	휘어짐
fluorosilicone	불소실리콘
front optic zone diameter	전면광학부직경
front optic zone radius	전면광학부반경
front peripheral diameter	전면주변부직경
front peripheral radius	전면주변부반경

	front toric	전면토릭, 전면난시교정(의)
	front vertex power	전면정점굴절력
G	gas permeable (contact) lens	산소투과(콘택트)렌즈, 가스투과(콘택트)렌즈
	geometric center thickness	중심두께
	gravitational force	중력
H	hard (contact) lens	하드(콘택트)렌즈
	horizontal visible iris diameter	수평홍채직경
	hybrid	하이브리드
	hydrogel (contact) lens	하이드로겔(콘택트)렌즈
	hydrophilic (contact) lens	친수(콘택트)렌즈
I	impression	압착
	instaneous radius of curvature	접선곡률
	interpalpabral fit	눈꺼풀사이피팅
	inventory	인벤토리
L	laminated	층판
	lathe cut	선반절삭법
	lathe—cut (contact) lens	선반(절삭)가공(콘택트)렌즈
	lens case	렌즈케이스
	lens edge	렌즈가장자리
	lens parameter	렌즈파라미터
	lid margin	눈꺼풀 가장자리, 눈꺼풀 테, 안검연
	loose fit	느슨한 피팅

M

midperipheral	중간주변부
miniscleral lens	미니공막렌즈
minus lens	마이너스렌즈, 오목렌즈
minus lenticular	마이너스렌즈모양
modulus	모듈루스
monomer	단량체
monovision	따로보기
moulding technique	틀제조법
mucin ball	뮤신볼
multicurve	다중커브, 다중곡선, 다중만곡
multifocal (contact) lens	다초점(콘택트)렌즈
multipurpose solution	다목적관리용액

N

| negative carrier | 마이너스렌즈모양 |

O

opaque tint	불투명 컬러
optical power	렌즈굴절력
orthokeratology	각막교정술
orthokeratology lens	각막교정렌즈
overall diameter	전체직경
overnight wear	수면착용
oxygen permeability	산소투과율
oxygen transmissibility	산소전달률

P

| palpebral aperture, palpebral fissure | 눈꺼풀틈새 |
| paracentral | 중심부근 |

peripheral curve   주변부커브, 주변부곡선, 주변부만곡

peripheral curve width   주변부커브폭, 주변부곡선폭, 주변부만곡폭

piggyback   피기백

pivot movement   회전축운동

plano lens   무도수렌즈

planoconcave lens   무도수오목렌즈

planoconvex lens   무도수볼록렌즈

plasma   플라스마

plus lens   플러스렌즈, 볼록렌즈

plus lenticular   플러스렌즈모양

polishing   연마

polymer   중합체

positive carrier   플러스렌즈모양

posterior peripheral curve   후면주변부커브, 후면주변부곡선, 후면주변부만곡

post-lens tear film   렌즈뒤눈물막

pre-lens tear film   렌즈앞눈물막

preservative   방부제

prism-ballast   프리즘밸러스트

prosthetic lens   보조구로서의 렌즈, (홍채렌즈)

R

radial edge lift   방사가장자리들림

radial edge thickness   방사가장자리두께

radiuscope   곡률반경측정계

refractive contact lens   굴절교정콘택트렌즈

refractive index   굴절률

reverse curve	역커브, 역곡선, 역만곡
rewetting drop	습윤점안제
rigid (contact) lens	경성(콘택트)렌즈
rigid gas permeable (contact) lens	RGP(콘택트)렌즈, 산소투과경성(콘택트)렌즈, 가스투과경성(콘택트)렌즈

S

sagittal depth	시상깊이
sagittal height	시상높이
sagittal map	시상지도
sandwich method	샌드위치공법
scleral (contact) lens	공막(콘택트)렌즈
scratch	흠집
seal off	봉쇄
silicone (contact) lens	실리콘(콘택트)렌즈
silicone hydrogel (contact) lens	실리콘하이드로겔(콘택트)렌즈
soaking solution	보존액
soft (contact) lens	소프트(콘택트)렌즈, 연성(콘택트)렌즈
soft toric (contact) lens	소프트토릭(콘택트)렌즈, 연성난시교정(콘택트)렌즈
spherical (contact) lens	구면(콘택트)렌즈, 공모양(콘택트)렌즈
steep	가파른
suction cup	흡입컵
suction holder	흡입컵
superficial epithelial arcuate lesions	표층상피활모양병변
superficial punctate epitheliopathy	표층점상상피병증
surface tension force	표면장력
surfactant cleaning	계면활성세척

T		
	taco test	타코검사
	tangential map	접선지도
	tear film squeeze pressure	눈물막압착압력
	tear lens	눈물층굴절력
	tear meniscus	눈물띠, 눈물반달
	tear reservoir	눈물저장소
	therapeutic (contact) lens	치료(콘택트)렌즈
	tight fit	조이는 피팅
	tight lens syndrome	렌즈유착증후군
	tinted	착색
	tinted (contact) lens	착색(콘택트)렌즈
	toric	토릭, 난시교정(의)
	toric (contact) lens	토릭(콘택트)렌즈, 난시교정(콘택트)렌즈
	torquing effect	토크효과
	total diameter	전체직경
	touch	접촉
	trial (contact) lens	시험(콘택트)렌즈
	trial fitting	시험렌즈피팅
	trial lens set	피팅렌즈세트
	tricurve	삼중커브, 삼중곡선, 삼중만곡
	trifocal lens	삼중초점렌즈
U		
	upper attachment fit	윗눈꺼풀지지피팅
V		
	videokeratoscopic fitting	각막지형도피팅

W	warpage	뒤틀림
	wettability	습윤성
	wetting agent	습윤제

Other	3,9o/c dessication	3시9시각막건조, 3시9시각막미란

*Dk와 Dk/t는 식약처 고지 용어와 통일하기 위해, 개정판에서 한글용어가 변경되어 이전 판과 다름을 양지드립니다.

*국제표준규격에 따른 콘택트렌즈 용어는 ISO 홈페이지에서 확인하실 수 있습니다.

(https://www.iso.org/obp/ui/#iso:std:iso:18369:-1:ed-1:v1:en:sec:2.1.2.4.5)

Section

I

콘택트렌즈 개론

Chapter 01 콘택트렌즈 역사

Chapter 02 산소투과율과 재질의 특성

Chapter 03 콘택트렌즈 광학

콘택트렌즈 역사
History of contact lens

이 종 수, 이 원 희

1. 콘택트렌즈의 세계 역사

1) 콘택트렌즈의 역사적 개요

눈에 직접적으로 시력을 교정할 수 있는 굴절교정기구를 장착하는 보조구의 개발 가능성은 오래전부터 논의되어 왔으나, 콘택트렌즈의 광학적 원리를 처음으로 언급한 사람은 이탈리아의 다빈치(Leonardo da Vinci)였다. 1508년 다빈치는 물이 가득 찬 둥근 유리그릇에 얼굴을 담그고 작은 물체를 보니 또렷이 보인다고 하였다(그림 1-1).[1] 그러나 그는 조절의 기전에 관한 연구로 이 실험을 시행하였을 뿐 콘택트렌즈가 시력을 교정하는 굴절이나 기전에 연관된 사실은 인지하지 못하였다.

1936년 프랑스의 과학자 데카르트(Rene Descartes)는 물이 가득 채워진 둥근 유리막대가 직접 각막에 접촉하는 원통형의 튜브에 관해 처음으로 언급하였다(그림 1-2).[2] 튜브의 끝은 투명한 유리로 제작되어 가시거리가 길어지는 망원경의 원리가 적용된 것이고, 이런 기구를 이용하면서 눈의 굴절을 광학적으로 교정할 수 있는 현대적인 콘택트렌즈의 원리를 처음으로 발표하였다. 그러나 눈을 깜박거릴 수 없는 제한성으로 실제로 임상에는 적용되지 못하였다.

1801년 토마스 영(Thomas young)이 조절의 기전을 연구하던 중 액체가 차있는 원통의 튜브를 고안하였는데, 눈 깜박임이 가능하다는 점에서 데카르트보다는 더욱 실용적인 모델을 고안하였다(그림 1-3).

그림 1-1
다빈치의 실험

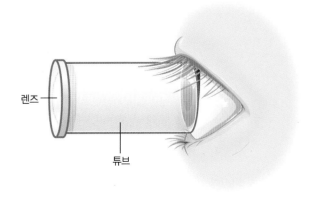

그림 1-2
데카르트의 원통튜브

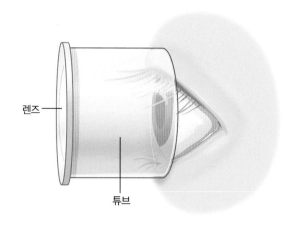

그림 1-3

토마스 영의 원통튜브

1845년 헤르셀(John Herschel)에 의해 불규칙한 각막을 교정하는 방법으로 각막표면에 동물의 젤리로 채워진 구 모양의 유리캡슐을 놓이게 함으로써 시력을 교정할 수 있다는 콘택트렌즈의 실제적인 이론을 제시하였다. 그 이후로 40년이 지나면서 각막의 형태를 지니면서 투명한 매개체를 사용한 콘택트렌즈의 개발이 본격화되기 시작하였다.[2,3]

2) 1880년대

1880년대에 콘택트렌즈에 관한 많은 연구가 이루어지면서, 독일의 안과 의사인 휘크(Adolf Eugene Fick)가 처음으로 콘택트렌즈를 제조하여 토끼를 대상으로 무한초점의 공막콘택트렌즈를 사용하였고, 그 후에 자신을 비롯한 소수의 지원자에게 공막콘택트렌즈를 처음으로 인체에 사용하기 시작하였다.[4]

1888년 프랑스의 안과 의사인 칼트(Eugene Kalt)는 원추각막을 가진 두 명의 환자에 휘크의 기법으로 공막콘택트렌즈를 사용하여 뛰어난 시력교정 효과를 얻었다.[3] 1889년에는 독일의 Keil 대학에서 의대생인 뮐러(August Müller)가 자신의 고도근시를 직경 20 mm, 중심 광학부 8 mm, 주변부 12 mm의 공막콘택트렌즈에 처음으로 도수를 추가함으로써 원하는 시력교정의 효과를 얻었다. 사용된 렌즈는 광학 기술자인 힘러(Karl Otto Himmler)에 의해 제작되었고, 현재 그는 광학적인 원리를 기초로 한 최초의

콘택트렌즈를 제조한 사람으로 인정되고 있다.

3) 1930년대

1920년대까지는 콘택트렌즈의 재질이 유리였으나 1930년대 들어오면서 플라스틱재질인 PMMA (polymethyl methacrylate)가 사용되었다. 1936년에는 투명한 플라스틱재질인 PMMA가 미국시장에 소개되면서, 과학자 페인브룸(Feinbloom)이 불투명한 플라스틱의 지지부와 투명한 유리의 렌즈 광학부로 구성된 공막렌즈(scleral lens)를 고안하였다. 연이어 PMMA 재질이 콘택트렌즈의 제조에도 이용되게 되었는데, 사용되는 가장 중요한 이유로 PMMA가 인체에 생물학적으로 무해하고 가볍고 충격에 강하면서 가공이 쉽다는 점을 들 수 있다. 그러나 산소투과력이 없어서 각막에 손상이 잘 생기는 단점도 있기에 콘택트렌즈의 재질에 신중한 선택이 필요하기도 하다. 또한 1936년, 안과 의사인 다로스(Dallos)는 콘택트렌즈를 제조하면서 렌즈 아래에 눈물의 흐름을 촉진하는 디자인을 고안하였는데, 콘택트렌즈의 주변부커브(peripheral curve)를 만들면서, 각막과 공막의 이행부에 창(fenestration)을 만들어 흡입효과를 줄이고 나아가 눈물의 순환을 향상시키기도 하였다.[5]

4) 1940년대

각막렌즈의 발전은 현재의 하드렌즈의 발전사를 반영하는 것으로, 광학기술자인 튜이(Kevin Touchy)가 실험실에서 행한 오류의 결과로 시작되었다. 즉, 1930년대부터 사용되던 PMMA 공막렌즈는 지지부와 각막부분의 분리가 자주 생겨 각막보다 크기가 작은 렌즈를 착용할 수 있도록 주변부를 제거하고 디자인을 제조하였다. 이때 튜이렌즈는 각막의 직경보다 작고 각막부분중심의 두께는 0.3 mm 정도로, 기본커브(base curve)는 편평하게 제작된 것으로 공막렌즈보다는 장시간 착용이 가능하였다. 이런 튜이렌즈는 현재 하드콘택트렌즈의 개발에 직접적으로 기여하게 되었고, 1948년 2월에는 이에 관한 콘택트렌즈의 제조특허를 신청하기도 하였다.[6]

구모양의 튜이렌즈는 좁은 정점부틈새(apical clearance)

로 인해 각막의 찰과상과 부종 발생이 잘 되며 과도하게 주변부를 제거하면서 렌즈가 빠지기 쉽다는 2가지 단점이 있었는데, 이런 문제점은 콘택트렌즈 후면부의 주변부커브(후면주변부커브)를 변화시킴으로써 극복이 가능하게 되었다. 이런 디자인의 혁신이 현재에 널리 쓰이고 있는 다구면, 비구면 모양의 콘택트렌즈의 시조가 되어 점차 발전을 거듭하게 되기도 하였다.

5) 1950년대

1952년에는 '미세각막 콘택트렌즈'(microcorneal contact lens)가 제작되었는데, 이는 튜이렌즈보다 약 1/2 정도 직경이 작은 각막렌즈로 눈물의 순환이 더 개선된 디자인이다. 1956년에는 웨슬리(Newton Wesley)와 젠슨(George Jessen)이 직경이 작은 9.2 mm의 'Spherocone lens'를 소개하였고, 1950년대 후반기에는 소퍼(Joseph Soper)가 'steeper than K' 개념을 도입해서 각막기하계(topogometer)를 사용하여 광학부의 크기를 측정하고 시상깊이(sagittal depth)의 개념을 더함으로써 현재 원추각막에 사용되는 콘택트렌즈의 디자인을 임상에 적용하기도 하였다.[5]

6) 1960년대

콘택트렌즈의 재료 중에 널리 사용되는 실리콘 탄성중합체(silicone elastomer)는 재료 자체의 물리적 특성 때문에 '소프트렌즈'로 불리며, 소프트렌즈의 재질로 주로 사용되지만, 물을 포함하지 않는 성질로 인하여 하드렌즈에서도 이용 가치가 있기도 하다. 일반적으로 실리콘 탄성중합체는 산소와 이산화탄소에 투과성이 좋으므로 각막대사의 가스교환에 장점이 있지만, 제조하기가 까다롭고 표면이 비친수성으로 편안하게 착용을 하기 위해서는 한 단계 작업을 더거쳐야 하고, 렌즈표면의 습윤성을 향상시켜야 하는 문제가 있었다. 따라서, 실리콘 중합체 렌즈가 상업적으로 유통되는 시기는 1960년대 중반에서 70년대 초반까지이며, 1965년 안과 의사 만델(Mandel)에 의해 이런 종류의 렌즈를 10명의 환자들에게 착용하여 사용하였는데, 임상적으로 좋은 결과는 얻지 못하였다.

7) 1970년대

위히터리(Otto Wichterle)에 의해 HEMA (hydroxyethyl methacrylate)가 렌즈의 재료로 사용되었고, 최초로 인체에 착용 가능했던 소프트렌즈의 출현시기는 1961년 후반으로 추정되며, 소프트렌즈의 상업적 특허는 1971년 미국의 Baush & Lomb이 FDA승인을 받으면서 획득하였다. 그리하여, 1972년부터 전 세계의 콘택트렌즈 시장에 소프트콘택트렌즈가 본격적으로 시판되기 시작하였다.[7]

HEMA로 만들어진 콘택트렌즈는 뛰어난 착용감과 생체 적합성 때문에 활성화되면서 시장이 확장되었으나 초창기의 HEMA 렌즈는 착용할 때 두꺼운 렌즈로 인하여 각막의 대사작용에 좋지 못한 결과를 초래하였다. 즉, 소프트렌즈를 조금 더 얇게 만들고 함수율(Water content)과 Dk (Oxygen permeability, 산소투과율)을 높여 기존의 두꺼운 콘택트렌즈 때문에 생기는 각막의 생리적인 대사작용에 따른 각막 부작용을 줄이려고 하였다. 현재도 콘택트렌즈의 생체적합성을 최적화하고 Dk를 높여 단백질이나 지질, 눈물의 다른 구성성분을 최소로 흡착시키는 방법에 대한 연구들이 꾸준히 지속적으로 이루어지고 있다.

1974년, 가이로드(Norman Gaylord)는 실리콘을 PMMA 구조에 결합시켜 silicone acrylates라는 새로운 렌즈 재질의 개발하여 Rigid Gas Permeable (RGP) 렌즈의 시대를 열었다. PMMA의 단점은 각막대사와 연관되는 산소와 이산화탄소의 교환이 어려운 점인데, 이런 단점을 극복하기 위한 단계로 가스교환에 용이한 하드콘택트렌즈의 재료를 개발하는 것이 필수적이었다. 가스교환이 가능한 첫 번째 하드콘택트렌즈의 재료로 시도되었던 것이 1973년 린코(Rynco)가 개발한 cellulose acetate butyrate (CAB)인데, Dk는 향상되었지만 쉽게 굽어지는 재질의 성질 때문에 임상에 활발하게 이용은 되지 못하였다. 그 이후에 silicone acrylates이 개발되면서 styrene, fluorine 같은 새로운 성분들이 하드콘택트렌즈의 재료로 혼합되어 개발되면서 임상에 광범위하게 적용되고 렌즈의 생체적합성도 향상되게 되었다.

8) 1980년대

소프트콘택트렌즈의 초창기에는 렌즈가 사용하기 불편해질 때까지 장기간 사용하였고 이로 인한 렌즈의 부작용으로 안통, 각막손상, 시력장애 등이 발생하였다. 콘택트렌즈로 인한 이런 합병증 증상들은 정기적인 콘택트렌즈의 교체로 해결이 되지만, 콘택트렌즈의 구입비용이 늘어남에 따라 사용자에게는 경제적인 부담이 늘어났다. 1980년대 초기에, 스웨덴의 닐슨(Klas Nilsson)은 환자들에게 6개월마다 주기적으로 렌즈를 교체하는 것으로 콘택트렌즈를 처방을 하여 실제로 콘택트렌즈 교체의 중요성에 관한 개념이 이때부터 생겨나기 시작하였다.

1981년에는 유연성이 좋은 'Silsoft'라는 실리콘렌즈가 개발되어 무수정체 연속착용렌즈로 사용되었고, 1983년에는 'Silsight' 하드실리콘콘택트렌즈가 개발되었다.[3] 한편, 덴마크의 베이(Michael Bay)가 콘택트렌즈의 조형과정을 개발하여 'Danalens'로 유럽 매장에 1984년부터 제품으로 다량 생산하여, 최초의 일회용렌즈(Disposable conatct lens)가 이때 생기게 되었다. 그러나 미국의 존슨 & 존슨사가 1984년에 이 렌즈회사를 매입하면서, 1988년 6월, 주별(weekly interval)로 콘택트렌즈의 교체가 가능한 아큐브(Acuvue) 렌즈가 출시되기도 하였다.

9) 1990년대

1994년, 영국에서 일회용으로 사용이 가능한 'Premier'가 출시되었고, 존슨 & 존슨사에서는 '원데이 아큐브'가 출시되었다. 그리고 1997년에는 CIBA Vision이 'Dailies'라는 제품으로 일회용 콘택트렌즈 시장에 동참하게 되었다. 실리콘 중합체의 콘택트렌즈가 가지는 Dk와 재질의 문제점을 실리콘하이드로겔렌즈(silicone hydrogel lens)가 개발되면서 어느 정도 극복할 수 있게 되었는데, 장기간의 연구와 실험을 통하여 2개의 구면 디자인을 가진 실리콘하이드로겔콘택트렌즈가 1998년에 시장에 출시되었다. 이 렌즈의 도입은 HEMA가 소프트콘택트렌즈의 재질로 도입된 이후, 가장 큰 콘택트렌즈 발전상의 업적으로 간주된다.

현재는 난시교정용, 다초점용 콘택트렌즈 디자인으로 매일 교체 가능한 렌즈가 생산되고 있지만, 미래에는 항세균성(anti-infective) 혹은 항염증성(anti-inflammatory) 렌즈의 재질 개발이 예상되며 각 개인에게 맞춤형의 소프트렌즈가 사용되거나 장기간 사용할 수 있는 'single use'의 콘택트렌즈가 개발될 것으로 생각된다. 외국의 경우 콘택트렌즈의 발전에 중요한 사실을 역사적으로 도식화하면 아래와 같다(그림 1-4).

2. 콘택트렌즈의 한국 역사

1) 1950년대

1957년 안과 의사인 공병우에 의하여 50대 환자의 단안 무수정체안에 시력교정을 하기 위하여 국내 처음으로 콘택트렌즈가 사용되었다.[8] 당시에는 미국의 Wesley-Jessen 회사로부터 주문을 해서 사용하였는데, 운송시간이 1달 이상 걸리고 장착 시 어려움이 많아 재주문하는 경우가 거의 대부분으로 임상적 활용이 매우 힘들었다. 이런 불편함을 극복하면서 국내의 콘택트렌즈 분야가 발전을 하기 시작하였는데, 그 시조로 1958년 '한국콘택트렌즈연구소' 설립을 들 수 있다. 국내에서 사용되는 콘택트렌즈의 제조를 직접 담당하였으나, 당시에는 한 달 처방수요가 3개 정도로 아주 미비하였다.[9]

2) 1960년대

국내에서는 1960년 이후부터 전국적으로 콘택트렌즈의 보급이 시작되었고, 60년대 말경 콘택트렌즈의 착용자수는 약 10만명 정도로 추정되었다. 1960년에 국내 처음으로 하드콘택트렌즈 제작에 성공하게 되었지만, 안과 의사들의 관심과 콘택트렌즈에 관한 일반인들의 인식도가 낮아 임상적으로 활용은 적었다. 1962년 4월 30일 '콘택트렌즈 뉴스(The contact lens news)'라는 간행물이 발간되어 콘택트렌즈에 대한 일반인들의 이해도를 높이고자 하는 노력이 시도 되었고(그림 1-5), 1963년에는 백내장수술 후 무수정체안에 single cut lens를 시도하게 되었다.[9]

1967년에는 노안용 이중초점 하드콘택트렌즈가 제작되어 환자들에게 수차례 착용을 권고하였으나 임상에 여전히

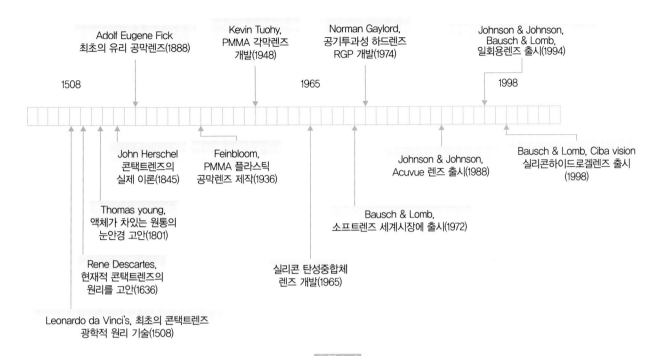

그림 1-4

콘택트렌즈의 외국역사 도식도

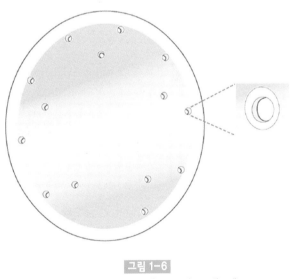

그림 1-6

주변부 작은 여러 개의 창을 만든 하드콘택트렌즈

그림 1-5

국내 최초의 콘택트렌즈 간행물

이용되지는 못하였고, 1968년에 국산 하드콘택트렌즈의 재료가 개발되면서 콘택트렌즈를 일본으로 수출까지 하게 되었다. 초창기에 사용되었던 하드콘택트렌즈는 Dk가 좋지 못한 플라스틱 재료를 사용했기에 실제로 콘택트렌즈를 착용 시 각막부종이나 각막조직의 대사장애가 심하게 나타났고, 이를 해소하기 위하여 하드콘택트렌즈의 주변부에 직경 0.05 mm 창을 여러 개 만들고 누액의 교환이나 흐름을 고려하여 제작되었다(그림 1-6). 그러나, 단점으로 점액덩어리(mucus plug)의 침착이 많아지고, 구멍으로 인한 이미지의 상이 왜곡되는 단점이 생겼기에 크게 인기는 없었다.[10]

1960년대가 광복 후 안과의 변천사에서는 매우 중요한 변화의 시기며, 콘택트렌즈의 도입으로 감염성 각막 및 결막질환에 관한 학문적 발전의 근간이 된 시기이기도 하다. 현재 사용되는 각막곡률계를 이용한 안과의 진단기구도 콘택트렌즈 사용과 더불어 60년대 중반 이후부터 보편적으로 사용되면서, 1969년 9월에는 국내 최초로, 대한안과학회지에 '한국 콘택트렌즈 착용자에 관한 몇가지 조사 성적'이라는 콘택트렌즈 관련 연구논문이 게재되기도 하였다.[10]

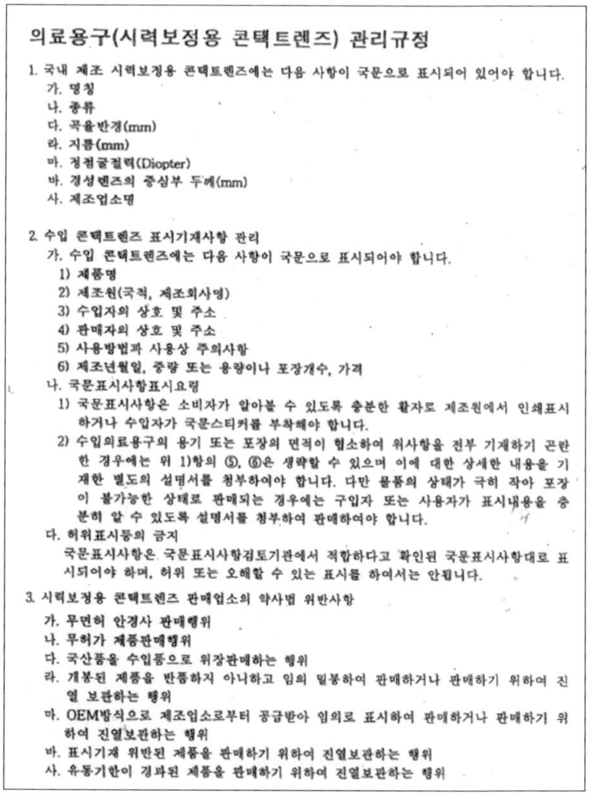

의료용구(시력보정용 콘택트렌즈) 관리규정

1. 국내 제조 시력보정용 콘택트렌즈에는 다음 사항이 국문으로 표시되어 있어야 합니다.
   가. 명칭
   나. 종류
   다. 곡율반경(mm)
   라. 지름(mm)
   마. 정점굴절력(Diopter)
   바. 경성렌즈의 중심부 두께(mm)
   사. 제조업소명

2. 수입 콘택트렌즈 표시기재사항 관리
   가. 수입 콘택트렌즈에는 다음 사항이 국문으로 표시되어야 합니다.
      1) 제품명
      2) 제조원(국적, 제조회사명)
      3) 수입자의 상호 및 주소
      4) 판매자의 상호 및 주소
      5) 사용방법과 사용상 주의사항
      6) 제조년월일, 중량 또는 용량이나 포장개수, 가격
   나. 국문표시사항표시요령
      1) 국문표시사항은 소비자가 알아볼 수 있도록 충분한 활자로 제조원에서 인쇄표시하거나 수입자가 국문스티커를 부착해야 합니다.
      2) 수입의료용구의 용기 또는 포장의 면적이 협소하여 위사항을 전부 기재하기 곤란한 경우에는 위 1)항의 ⑤, ⑥은 생략할 수 있으며 이에 대한 상세한 내용을 기재한 별도의 설명서를 첨부하여야 합니다. 다만 물품의 상태가 극히 작아 포장이 불가능한 상태로 판매되는 경우에는 구입자 또는 사용자가 표시내용을 충분히 알 수 있도록 설명서를 첨부하여 판매하여야 합니다.
   다. 허위표시등의 금지
      국문표시사항은 국문표시사항검토기관에서 적합하다고 확인된 국문표시사항대로 표시되어야 하며, 허위 또는 오해할 수 있는 표시를 하여서는 안됩니다.

3. 시력보정용 콘택트렌즈 판매업소의 약사법 위반사항
   가. 무면허 안경사 판매행위
   나. 무허가 제품판매행위
   다. 국산품을 수입품으로 위장판매하는 행위
   라. 개봉된 제품을 반품하지 아니하고 임의 밀봉하여 판매하거나 판매하기 위하여 진열 보관하는 행위
   마. OEM방식으로 제조업소로부터 공급받아 임의로 표시하여 판매하거나 판매하기 위하여 진열보관하는 행위
   바. 표시기재 위반된 제품을 판매하기 위하여 진열보관하는 행위
   사. 유통기한이 경과된 제품을 판매하기 위하여 진열보관하는 행위

그림 1-7
국내 최초의 콘택트렌즈 관련법규(1976년)

3) 1970년대

1971년에는 국내 처음으로 소프트콘택트렌즈가 개발되어 소개되고 그 이후로 다양한 제품들이 만들어져 영국, 캐나다 등지까지 수출되기도 하였다. 이때 사용되던 소프트콘택트렌즈는 B, F, J, N의 4가지 시리즈가 있어서 각각의 K값(K value)에 맞는 렌즈를 처방하도록 되어 있어, 현재와 같이 한두 가지 렌즈로 간단하게 처방되는 콘택트렌즈의 장착보다는 훨씬 까다롭게 제작되어 있었고, 장기적으로 연속착용은 할 수 없는 단점이 있었다. 1976년에 컬러소프트콘택트렌즈가 개발에 성공하여 임상에 적용되기도 하였으나 당시에는 크게 실용화되지는 못하였다.

1960년대 이후 콘택트렌즈의 수요가 증가하면서 무면허로 콘택트렌즈를 취급하는 경우가 많아지고 이로 인한 콘택트렌즈의 부작용이나 실명이 사회적 이슈가 되면서, 정부는 콘택트렌즈를 의료용구로 지정하고 콘택트렌즈의 제조와 품질 등을 정부의 허가와 감독하에 있도록 하는 콘택트렌즈 관련 법규를 1976년 4월 14일에 공포하기도 하였다(그림 1-7).

4) 1980년대

1980년대는 일회용 콘택트렌즈의 사용이 증가하는데, 80년초에는 HEMA를 이용한 소프트콘택트렌즈를 임상질환인 각막미란, 신경영양각막염, 각막천공 등에 사용하였다. 그러나, 1980년과 1982년에는 연속착용이 가능한 Dk를 가진 고함수성 소프트콘택트렌즈인 'Perma' 렌즈와 'Breath-O' 렌즈가 국내에 소개되면서 무수정체안에 연속착용이 되기도 하였다. 국내에서는 1982년에 'Hypa 2'라는 일회용 연속착용렌즈가 국내에서 제작되었는데, 착용감은 좋으나 소프트콘택트렌즈가 가지고 있는 난시교정의 어려움, 짧은 수명, 다양하고 빈번한 각결막염의 합병증으로 사용에는 제한이 있었다. 1983년에는 국내 최초로 RGP렌즈(Rigid Gas Permeable contact lens, 산소투과하드콘택트

렌즈)가 개발에 성공하여 '베스콘(Bescon)'이란 이름으로 임상에 사용되었다.[8] 그 당시 이 렌즈의 개발은 일본보다도 약 6년 정도 제작기술이 앞서 있었고, 선진국의 콘택트렌즈 제조기술과 비교하여도 손색이 없을 정도의 수준으로, 당시 로널드 레이건 미국 대통령이 국산 RGP렌즈를 착용하고 안경 없이 연설문을 읽었다는 에피소드도 있다.

1983년 9월에는 국내에 한국 콘택트렌즈연구회가 결성되면서, 1984년 3월부터는 콘택트렌즈 분야가 서울의과대학교에서 처음으로 교육 강좌로 채택되기도 하였다. 1985년엔 홍채 소프트콘택트렌즈가 개발되어 홍채가 없거나 홍채가 손상된 환자에게 미용 목적으로 사용되었고, 1987년 이후에는 값이 싸고 소독이 필요 없는 일회용 소프트콘택트렌즈가 개발되어 기존의 치료용 콘택트렌즈의 대체용으로 간편하게 지금까지 사용되고 있다. 1986년 아시안게임과 1988년 서울올림픽에서는 참가한 세계 각국의 운동선수들에게 콘택트렌즈를 공급하여 제품의 우수성을 세계에 알리기도 하였다.

1988년에는 일본보다 먼저 난시를 교정하는 'Hypa 3' 소프트콘택트렌즈가 제조되었고, 1989년에는, 비구면 하드콘택트렌즈가 각막난시가 있는 중등도, 고도의 근시, 장시간 혹은 연속착용을 원하는 경우, 원추각막, 이식수술 후, 외상 후 불규칙 각막을 가진 경우, 노안 및 잔여난시가 있는 경우에 사용되기도 하였다. 그리고, 80년대 말에는 각막지형도(Topography) 검사가 활성화되면서 각막곡률계보다 각막면적에 정량적, 정성적 평가가 용이하여 콘택트렌즈의 기본커브 및 디자인을 측정하는 데 매우 편리하게 이용되었다.

그러나 1989년 콘택트렌즈 완제품의 판매를 안경사(안경점 또는 사설 콘택트렌즈 취급소)에게 하도록 보건복지부의 허가사항이 공포됨으로써 비의료인의 처방에 의한 콘택트렌즈의 부작용이나 합병증의 빈도도 점차 증가하는 추세로 현재에 이르러, 향후 안과학회 및 안과 의사들의 국민들을 대상으로 한 적극적인 콘택트렌즈 사용과 합병증에 관한 예방 차원의 홍보와 대처방안이 필요하다.

5) 1990년대

90년대는 치료용 콘택트렌즈의 사용범위가 확대되어 각막상피 재생장애, 수포각막증, 반복각막미란, 실모양각막염 등을 치료할 수 있게 되었고, 굴절교정레이저 각막절제술 후 각막상피층의 원활한 재생과 통증을 줄이는 데 임상에 이용되기도 하였다. 또한, 오염된 물이나 토양 속에 서식하는 가시아메바(Acanthamoeba)에 의한 감염각막염이 콘택트렌즈의 사용으로 점차 발생빈도가 증가하면서 안과학계에 주목을 받기 시작하였고, 지금까지 제작되었던 구면렌즈에 더불어 비구면 콘택트렌즈가 1990년대는 활성화되기 시작하였다.

1992년에는 수입에만 의존하여 왔던 미용을 위한 컬러 콘택트렌즈(colored contact lens)가 개발되었고, 1993년에는 기존 난시교정용 소프트콘택트렌즈보다 두께가 절반으로 얇아진 'Hypa T' 렌즈가 만들어졌다.

한편, 국내에 근시를 교정할 수 있는 Ortho-K렌즈(orthokeratology lens, 각막교정렌즈)인 'OK' 렌즈가 미국으로 부터 수입되어 레이저각막굴절교정수술을 시행할 수 없는 어리고 젊은 학생들을 대상으로 임상에 적용되기 시작하였다. 국내에서는 1993년에 미국에서 수입된 Ortho-K 렌즈를 이용한 1세대의 시력교정술이 시작되는데, 이때 사용되었던 콘택트렌즈는 시력을 교정하는 기간이 길고 각막에 대한 부작용이 자주 발생하여 시력교정 효과가 미비하였다. 1994년도 1세대 렌즈의 단점을 보완한 2세대의 Ortho-K렌즈가 국내에서 제작되었지만,[11] 역시 렌즈의 재질과 디자인의 한계 때문에 널리 보급되지는 못하였다. 현재 임상적으로 많이 사용되는 3세대 렌즈는 1998년에 개발되어 근시뿐만 아니라 난시까지 교정할 수 있는데, 교정범위의 경우 근시는 −4.0∼−6.0 디옵터, 난시는 −0.75∼−2.0 디옵터까지 적용되어 1, 2세대의 렌즈에 비해 임상적용이 훨씬 넓고 피팅방법도 용이해졌다.

1994년에는 노안용 다초점 콘택트렌즈인 'Hyper day'가 개발되었고, 1995년은 Dk가 획기적으로 높은 새로운 RGP 콘택트렌즈인 'MK3'가 만들어져 임상에 사용되기도 하였다. 각막두께측정계(Pachymeter)와 경면현미경(Specular microscope)의 보급으로 콘택트렌즈 착용 후 렌즈나 각막의 변화를 초기부터 관찰할 수 있어 콘택트렌즈에 의한 단기 및 장기의 착용에 따른 각막이나 결막의 부작용 연구에

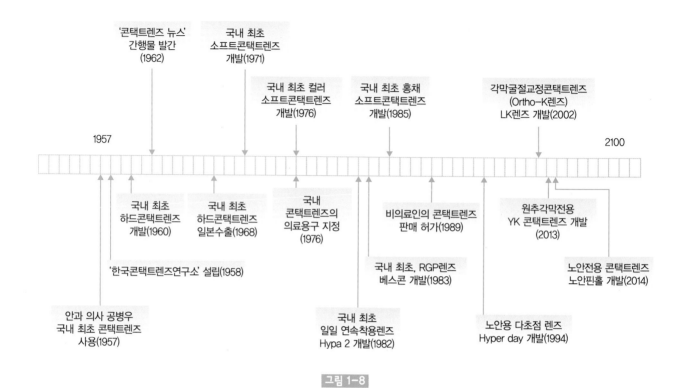

그림 1-8
콘택트렌즈의 국내역사 도식도

많이 이용되고 있다.[12]

6) 2000년대

2002년 3월에는 국내최초로 허가받은 각막교정렌즈인 'LK'렌즈가 출시되었는데, 이 렌즈는 5개의 곡면으로 만들어져 피팅과정이 쉽고 적은 수의 피팅렌즈로 되어 있어 임상에 매우 유용하다. 2006년 9월에는 비구면 콘택트렌즈인 'Extra'렌즈가 출시되었고, 이 렌즈는 렌즈가 각막에 닿거나 들뜨는 현상이 없고 일정하게 균일한 간격을 유지함으로써 눈물의 순환이 원활하게 이루어져 착용 시 편안함을 제공하는 장점이 있다. 비슷한 시기에 구면렌즈인 'Advance' 렌즈가 개발되었는데, 렌즈 내 커브의 접점 부분을 부드럽게 하는 디자인으로 렌즈 모서리가 유선형으로 콘택트렌즈의 초기 착용시 불편감이나 이물감을 개선하였다.

2008년에는 안과 의사 박영기에 의해 한국인의 특성에 맞는 'YK렌즈'가 디자인되어 구면인 'YK-SP', 비구면인 'YK-ASP', 맞춤렌즈인 'YK-CM' 3종류가 개발되었고,

2013년에는, 원추각막의 진행 정도에 따른 다양한 형태의 처방이 가능한 국내 최초의 원추각막전용 렌즈인 'YK-KC' 렌즈가 출시되었다. 노안용 다초점 하드렌즈인 다초점 RGP렌즈인 'GP-multifocal'도 이때 생산되어 처음으로 임상에 적용되기도 하였다. 또한, 미니 공막렌즈인 'MSD'가 출시되어 불규칙하고 거친 각막의 표면에 혹은 각막이식술을 받은 이후, 기존의 하드렌즈로 교정이 힘든 심한 원추각막의 경우에 착용이 가능하게 되었다.

2014년 4월에는, 돋보기 없이 시력이 교정되는 노안전용 핀홀 콘택트렌즈인 '노안핀홀'이 개발되었는데, 돋보기 착용을 꺼리고 다초점 안경에서 어지러움을 느끼면서 적용 못하는 경우에 사용되며 외국까지 수출이 되고 있다. 2015년에는 미용목적의 컬러소프트렌즈에 대한 대체품으로 공막렌즈에 색을 넣은 컬러하드렌즈가 임상 적용을 앞두고 있는 등 국내 업체들의 콘택트렌즈 개발에 관한 활발한 활동이 이루어지고 있다(그림 1-8).

▶ 참고문헌

1. Hofstetter HW, Graham R. Leonardo and contact lenses. Am J Optom 1953;30:41-4.

2. Herschel JFW. Light, Encyclopaedia Britannica, 6th ed. Edinburgh:Encyclopaedia Britannica, Inc., 1823.

3. Graham R. Historical Development. In : Manell RB, eds. Contact Lens Practice, 3rd ed. Springfield Illinois USA: Charles C Thomas, 1981;5~15,495-518.

4. Fick AE. A contact-lens. Arch Ophthalmol 1888;17:215-26.

5. Taddeo AA. Historical Development of Contact Lenses. In: Soper JW, Goughary PB, eds. Contact Lens Manual. Reston: Contact Lens Society of America, 1999;v.1,;3-12.

6. Orbig T, Salvatori P. Contact Lenses, 3rd ed. NY: Orbig Laboratories, 1957;158,753.

7. Wichterle O, Lim D. Hydrophilic gels for biological uses. Nature(Lond) 1960;185:117.

8. 조성일. 한국 콘택트렌즈의 발전역사. 미발행

9. 김재호. 콘택트렌즈의 역사. In: 한국콘택트렌즈연구회, RGP콘택트렌즈, 서울:현문사, 1998;13-15.

10. 한국콘택트렌즈연구회. 콘택트렌즈 임상학, 1판. 서울: 내외학술, 2007;1-10.

11. 이무석. 콘택트렌즈 이야기. 서울:의학출판사, 1993;17-20.

12. 대한안과학회50년사 발간위원회. 대한안과학회 50년사. 서울: 최신의학사, 1998;46-8,234.

산소투과율과 재질의 특성

Oxygen permeability and properties of lens material

김홍균

1. 산소투과율과 산소전달률

각막은 대기 중으로부터 대부분의 산소를 공급받기 때문에 Dk (oxygen permeability, 산소투과율)은 콘택트렌즈의 가장 중요한 특성 중 하나이다. Dk는 물질 자체의 특성으로 Dk 값으로 표시되는데 이때 D는 기체의 확산계수(diffusion coefficient)이며 k는 기체의 용해도(solubility)이다. 확산계수는 물질을 통해서 산소가 얼마나 빠르게 통과하는지 측정하는 것인 반면에 용해도는 얼마나 많은 산소를 물질이 잡고 있는지를 측정하는 것이다. 콘택트렌즈 Dk는 렌즈의 크기, 모양 또는 표면 상태와는 관계가 없는 렌즈 재질 자체의 특성으로 온도에 영향을 받아 온도가 높으면 Dk가 높아진다. 전통적인 하이드로겔 재질의 소프트콘택트렌즈의 Dk는 함수율의 증가에 따라 로그함수관계에 의해 증가한다. EWC (Equilibrium water content, 평형함수율)와 Dk의 관계는 다음과 같다.

$$Dk = 1.67e^{0.0397EWC} \text{ (e = natural logarithm)}$$

함수율이 38%→55%→75%로 증가하면 Dk는 9→18→36 정도로 증가한다.[1] 그러나 최근에 널리 사용되기 시작한 실리콘하이드로겔 재질의 소프트콘택트렌즈는 함수율이 낮을수록 (실리콘 함량이 많을수록) Dk가 증가한다(그림 2-1).

Dk/t (oxygen transmissibility, 산소전달률)는 렌즈를 통과하여 렌즈 아래의 눈물막에 도달할 수 있는 산소량을 나타낸 것으로 Dk를 렌즈의 두께(L 또는 t)로 나눈 값이며 Dk/L 또는 Dk/t로 표시한다. 최근에는 국제 표준화 작업으로 렌즈의 두께 표시를 L 대신에 t로 바꾸어 Dk/L 대신에 Dk/t로 표시하고 있다.[1,2] 이 Dk/t는 렌즈 재질의 Dk 값과 렌즈의 두께(t)에 따라 달라지는데 그 관계식은 다음과 같다.

$$\text{산소전달률} = \text{산소투과율} \times 0.1 \text{ mm} / \text{렌즈중심두께(mm)}$$

Dk의 단위는 전통적으로 Fatt 단위 또는 Barrer를 사용하고 있으며 다음과 같다.

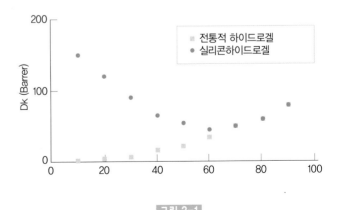

그림 2-1

전통적인 하이드로겔과 실리콘하이드로겔에서 Dk와 EWC와의 관계

$$Dk \ (Barrer) = 10^{-11} \ (cm^2 \times ml \ O_2) \ / \ (s \times ml \times mmHg)$$

$$Dk/t(Barrer/cm) = 10^{-9} \ (cm^2 \times ml \ O_2) \ / \ (s \times ml \times mmHg)$$

그러나, 압력의 ISO 단위는 pascal (Pa)로서 기존의 Barrer 혹은 Fatt 은 ISO 단위로 환산이 필요한 경우가 많다. 기존의 Dk/t값에 0.75006을 곱하면 ISO Dk/t 단위로 전환할 수 있다.

매일착용렌즈의 경우 각막부종을 막기 위해 24 Dk/t값이 요구되고 연속착용렌즈는 34 Dk/t가 되어야 하는데[1,3], 30 Dk 재질의 렌즈는 두께가 0.12 mm, 60 Dk의 경우는 0.25 mm 이하가 되면 매일착용렌즈 기준을 맞출 수 있다. 일반적으로 RGP렌즈는 같은 두께의 소프트렌즈에 비해 2~3배의 산소를 각막표면에 공급할 수 있는데, 이는 RGP 렌즈 재질의 Dk가 일반적으로 소프트렌즈의 Dk 보다 높고 한 번 눈 깜박임에 의해 렌즈뒤눈물막(렌즈와 각막전면사이 눈물막)의 10~20%가 교환되는데 비해 소프트렌즈에서는 그 교환비율이 1% 정도로 낮기 때문이다.[4] RGP렌즈의 경우 렌즈의 중심두께를 0.25 mm 미만으로 제작하기는 어려우므로 렌즈 재질의 최소 Dk는 25는 되어야 한다.

2. 콘택트렌즈 재질의 기초

1) 중합체(Polymers)

모든 콘택트렌즈 재료는 중합체로 분류된다. 'polymer' 란 용어는 고대 그리스어에서 유래되어 'many parts'의 의미를 가진다. 즉, 중합체는 기체나 액체에 비해 비교적 단단한 물질로서 고분자무게 사슬(high molecular weight chain)으로 구성되어 있고 단량체(monomer)의 반복구조로 이루어져 있다. 즉, 중합체의 가장 독특한 특성은 특정 원자를 서로 한데 묶어 안정된 결합을 가진 것이다. 가장 대표적인 원자로 탄소(carbon)가 있는데, 이것은 수소(hydrogen), 산소(oxygen), 질소(nitrogen), 황(sulphur), 염소(chlorine) 등과 묶여진다. 이러한 중합체는 셀룰로오스와 같은 생중합체에서부터 일부 합성물로 치환된 복합생중합체 그리고 PMMA와 같은 완전 합성중합체가 있다.

실리콘(silicon)은 탄소와 유사한 면이 있어서 탄소, 수소, 산소와 결합을 이룰 수 있는데, 여러 가지 다양한 성질을 가진다. 최근의 콘택트렌즈 재질의 가장 큰 발전은 탄소 간 결합에 의한 성질이 실리콘그룹의 유용한 성질과 병합되어 사용할 수 있게 되었다는 점이다.

중합체의 가장 큰 특징은 중합의 배열과 단량체의 종류에 따라 물리적 성질을 조정할 수 있다는 데 있다. 즉 단단한 유리와 같은 중합체도 'plasticizer'를 첨가하면 구부러지는 유연한 성질을 가지도록 유도할 수 있다.

중합체를 이루게 만드는 중합반응(polymerization)은 단량체가 단계적 응축(condendation) 혹은 사슬 연장(addition)의 반응으로 이루어지는데, 하이드로겔은 사슬 연장 중합반응으로 형성된다. 중합반응은 1) 단량체, 2) 교차결합제(cross linking agent), 3) 반응-유발제(initiator)의 혼합으로 이루어지게 된다.

3. 소프트콘택트렌즈의 재질과 물리적 특성

안구표면 환경에 사용될 하이드로겔은 안정된 눈물막을 유지해야 하며, 정상 각막대사를 유지하기 위한 최적의 산소 및 이온투과도를 가지고, 착용하기 편안해야 하며, 광학적으로 안정된 특성을 유지해야 한다.

1) 소프트렌즈의 물리적 특성

(1) 광학적 투명도

최고의 시력을 얻기 위해서는 콘택트렌즈 재질은 광학적으로 투명해야만 한다. 하이드로겔은 가시광선의 90% 이상을 투과하므로 유용하게 사용된다. 한 분자 내에 존재하는 서로 다른 고분자 사슬들은 스스로 미세 상분리(micro-phase separation)를 일으켜 불투명해지기도 하고, 온도 상승에 의해 하이드로겔이 불투명해지기도 한다.

(2) 기계적 특성

하이드로겔은 수화된 상태에서는 부드럽고 유연하지만

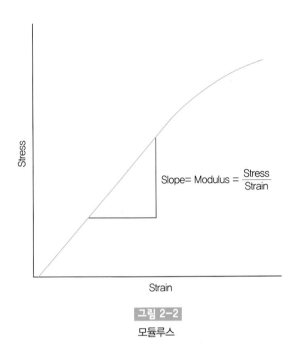

그림 2-2
모듈루스

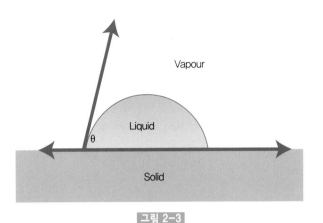

그림 2-3
접촉각을 측정하는 sessile drop technique의 모식도

탈수가 되면 단단하고 부러지기 쉽다. 즉, 중합체의 함수율이 낮을수록 더 단단하고 부러지기 쉽다. 하이드로겔은 친수성이므로 물을 흡수하며 이는 하이드로겔을 부드럽게 하고 탄성의 특성(elastic properties)을 가질 수 있도록 해준다. 하이드로겔은 힘을 가했을 때(stress) 변형되지만 힘이 사라지면 원래의 크기와 모양으로 되돌아가는 완벽한 탄성 물질과는 달리 점탄성(viscoelastic)의 특성을 가진다. 이는 힘이 가해졌을 때 시간-의존적으로 변형이 되고 힘이 사라지면 시간-의존적으로 회복됨을 의미한다. 이론적으로 영구적인 물질의 변형을 가져올 수 있다.

모듈루스(modulus)는 안검에 의한 렌즈의 변형 정도를 나타내며 렌즈 피팅 시 영향을 준다. 이 모듈루스는 렌즈에 힘을 가해(stress) 렌즈가 변형(strain)될 때까지의 힘의 기울기로 측정되는데 그 관계식은 다음과 같다(그림 2-2).

기울기(slope) = 모듈루스 = stress/strain

모듈루스(E)와 렌즈의 두께(t)는 렌즈의 경직성(stiffness)를 결정한다. Dk/t가 산소전달률을 나타내는 것처럼 E×t는 렌즈의 변형에 대한 상대적 저항성을 나타낸다. 스트레스는 단위 면적당 가해지는 힘(force)으로 정의된다. SI 단위는 N/m²이다. 1 N/m²은 매우 작은 힘으로 MN/m²

(mega newtons per square meter or 10^6 N/m²)이 더 유용하게 사용된다. Pascal은 압력(pressure)의 SI 단위로 스트레스에서 같은 방식(force/unit area)으로 정의된다. 모듈루스의 단위는 다음과 같다.

1 Pa = 1 N/m²
1 MPa = 1 MN/m²

(3) 표면 특성(Surface properties)

렌즈의 표면 특성은 눈물막과 직접적으로 상호작용하여 안구환경에서의 생체적합성에 영향을 미친다. 습윤성(wettability)은 렌즈 착용 시 눈 깜박임에 의해 눈물막이 콘택트렌즈표면에 골고루 퍼져 렌즈 전면에 잘 묻어 있을 수 있는 성질을 나타낸다. 액체방울의 표면과 고체표면이 이루는 접촉각(angle of contact 또는 wetting angle)은 친수성이 강할수록 0도에 가깝고 소수성이 강하면 180도에 가깝게 된다(그림 2-3). 렌즈표면의 눈물막이 쉽게 마르면 렌즈표면에 침착물(deposits)이 쉽게 형성되어 착용감과 시력을 저하시키는 주요 원인이 된다.

(4) 함수율(Water content)

RGP렌즈는 수분함유량이 극히 미미하므로 이 함수율은 소프트렌즈 재질의 특성을 결정짓는 주요요소로 하이드로겔렌즈의 EWC는 다음의 식으로 표현된다.

함수율(%) = 렌즈의 수분무게/소프트렌즈의 무게×100

표 2-1 소프트콘택트렌즈 재질의 FDA 분류

Group 1 (<50% H_2O, nonionic)		Group 2 (>50% H_2O, nonionic)		Group 3 (<50% H_2O, ionic)		Group 4 (>50% H_2O, ionic)	
Crofilcon A	CSI EW	Alphafilcon A	Soflen66	Balafilcon A	Purevision	Etafilcon A	Acuvue
Hefilcon A	Optima Toric	Hilafilcon B	Resolution	Bugilcon A	Soft Mate B	Focofilcon A	Fre-flex
Hioxifilcon B	Alden HP	Hioxifilcon A	Satureyes	Ocufilcon A	Tresoft	Methafilcon A	Frequency 55
Lotrafilcon A	Night & Day	nelfilcon A	Focus Dailies	Phemfilcon A	Fresh Look	Ocufilcon F	Hydrogenics 60
Galyfilcon A	Acuvue Advance	Omafilcon A	Proclear			Perfilcon A	Pemalens
Tetrafilcon A	Preference	Vasurfilcon A	Precision UV			Vilfilcon A	Focus 1~2 Week

0.9% 생리 식염수에서 평형을 이루었을 때 소프트렌즈의 함수율은 25~80%의 범위 안에 있는데 45% 미만을 저함수율, 45~60% 범위를 중간 함수율, 60%를 초과하는 경우 고함수율로 임의적으로 분류한다. 한편 미 FDA에서는 소프트렌즈 재질의 함수율 및 화학적 성질(이온 또는 비이온상태)에 따라 다음의 표 2-1과 같이 분류하는데 함수율이 높고 이온상태일수록 단백질 침착에 의한 렌즈오염이 쉽게 되는 특성을 보인다. 이 함수율은 일정한 값이 아니라 실제 콘택트렌즈 착용 시에는 대기 중의 습도나 온도, 눈물막의 pH, 오스몰 농도에 따라 변하게 되는데 함수율이 감소하면 렌즈의 TD (total diameter, 전체직경) 및 두께가 감소하고 기본커브(base curve)가 감소하여 꽉 조이는 피팅이 되고(tight fit) 렌즈굴절력(optical power)도 변하게 된다.

(5) 당량산소백분율(Equivalent oxygen percentage, EOP)

콘택트렌즈를 통한 산소투과를 측정하는 또 다른 방법으로 실제 콘택트렌즈를 착용한 눈에서(in vivo) 렌즈뒤눈물막에 녹아 있는 산소량을 표시하는 값으로 최대치는 대기 중의 산소백분율인 21%가 된다. 이 값은 렌즈재질의 특성뿐만 아니라 실제 렌즈의 두께 및 디자인에 의해 영향을 받게 되는데 대기 중의 산소 중 실제 콘택트렌즈에 의해 차단되는 산소량을 제하고 실제로 각막표면에 공급되는 산소의 백분율을 나타낸다. 이 값이 낮으면 콘택트렌즈 착용 시 각막 저산소증, 각막부종, 각막내피세포변화 등의 렌즈 착용 부작용이 심해지므로 임상적으로 중요한 의미를 가진다(그림 2-4).

(6) 용액 및 이온 투과도

하이드로겔은 적절한 렌즈의 움직임을 위해 최소한의 투수계수(hydraulic permeability)가 유지되어야 한다. 이것은 눈을 깜박이고 난 후 다시 눈물막이 렌즈 뒤쪽에 형성되도록 하게 한다. 나트륨이온 투과도는 눈물 성분유지에 매우 중요하다. 수분과 같이 이동하며 겔의 수분함량이 20% 미만이 되면 이온의 이동에 제한을 받는다.[5]

(7) 굴절률(Refractive index)

렌즈회사에서 제공하는 굴절률은 최고 수화상태(fully hydrated)에서 측정된 값으로 수분함량에 따라 직선적인 반비례관계가 있다. 즉 굴절률은 하이드로겔 소프트렌즈의 함수율에 따라 달라지는데 80% 함수율에서는 1.37, 42% 함수율에서는 1.44로 선형적으로(linearly) 변하게 된다. 실리콘하이드로겔 소프트렌즈는 1.43의 굴절률을 갖고 있다.

(8) 체적 안정성과 부종인자
(Dimensional stability and swell factor)

하이드로겔은 온도, 삼투압, 산성도에 따라 수분함량이나 부피가 영향받을 수 있는데, 이러한 변화에 저항하는 성질을 체적 안정성이라고 한다. 수분을 흡수하여 부피가 커지는 성질은 콘택트렌즈의 제조 상태부터 사용하기까지 매우 중요한 인자가 된다. 이 인자를 부종인자(swell factor)라고 하고 다음의 공식으로 표현한다.

Swell factor (SF) = wet dimension / dry dimension

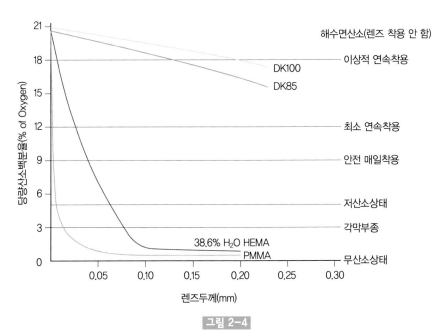

그림 2-4
당량산소백분율과 렌즈두께에 따른 임상적 의의

(9) 렌즈 비중(Gravity)

일정 온도에서 RGP렌즈의 무게를 같은 온도에서 렌즈와 같은 부피를 가진 물의 무게로 나눈 값을 말하는데 저비중(≤1.10), 중간비중(1.11~1.20), 고비중(>1.20)으로 분류한다. 렌즈 재질의 비중이 높아 렌즈가 아래로 처지게 되는 경우에는 렌즈의 두께를 얇게 만들어 렌즈 전체의 무게를 감소시킴으로써 문제를 해결할 수 있다.

(10) 온도

온도 상승은 하이드로겔 소프트콘택트렌즈의 함수율을 감소시키는데 고함수율의 렌즈는 기본커브가 가파르게 된다.

(11) 긴장도(Tonicity) 및 pH

소프트콘택트렌즈는 눈물층의 삼투압이나 pH가 다른 용액에 보관 시에는 렌즈의 TD가 변화되거나 뒤틀림(warpage)현상이 발생할 수 있으므로 주의해야 한다.

2) 소프트콘택트렌즈의 재질

대부분의 소프트렌즈 재질은 하이드로겔 중합체(hydrogel polymer)로 이는 여러 종류의 단량체(monomer)들을 교차결합제(cross-linking agents)로 결합하여 친수성 중합체(hydrophilic polymer)로 만든 것이다. 교차

결합은 소프트렌즈 재질의 물리적 안정성과 수분에 녹지 않게 하는 역할을 한다. 하이드로겔 재질은 전통적 하이드로겔 재질과 실리콘하이드로겔 재질로 크게 두 가지로 나눌 수 있다.

(1) 전통적 하이드로겔 재질

최초로 이용되었던 하이드로겔은 polyhydroxyethyl methacrylate (polyHEMA)로 2-HEMA 단량체를 교차결합제인 ethylene glycol dimethacrylate (EGDMA)로 결합하여 만든 것이다(그림 2-5). HEMA의 친수성은 단량체 끝에 수산화기(OH)가 붙어있기 때문으로 이 위치에서 물분자와 결합하게 된다. PolyHEMA로 만들어진 렌즈는 충분히 수화된 상태에서 약 40%의 물을 함유한다. 이 렌즈는 저산소증을 유발할 수 있다는 문제점이 있었다. 렌즈의 Dk/t를 증가시키기 위해 매우 얇은 렌즈를 개발하거나 높은 함수율을 가진 렌즈를 개발할 필요가 있었다.

서로 다른 두 개 이상의 단량체를 혼합하여 중합시켜 만든 중합체를 혼성중합체(copolymer)라 하고 그 중합과정을 혼성중합(copolymerization)이라고 한다. EWC가 높은 렌즈의 개발은 HEMA 혼성중합체의 발전을 가지고 왔다. 가장 성공적인 혼성중합 중 하나는 N-vinyl pyrrolidone

(NVP)와의 중합이다(그림 2-5). 아마이드 성분(N-C=O)은 매우 극성을 띠며 물 분자 2개와 수소결합을 형성한다. 그러나 아마이드그룹은 수산화그룹보다 물과의 결합력이 낮아 이 혼성중합체는 비교적 높은 수분 증발률을 가지게 되며 이로 인해 렌즈의 안정성 및 편안함에 문제가 생길 수 있다. 또한 polyHEMA 기반의 렌즈보다 온도 감수성이 높아 렌즈를 눈에 착용한 상태에서 렌즈의 특성이 변할 수 있는 문제점이 있다.

또 다른 단량체로 methyl methacrylate (MMA)가 있다(그림 2-5). 하드렌즈 재질인 PMMA를 만드는 데 주로 이용되는 단량체이다. 소수성이 매우 크지만 렌즈의 내구성과 강도를 증가시키므로 소프트렌즈에서 유용하게 사용된다.

Methacrylic acid (MAA)는 친수성 단량체로 음전하를 띠게 되어 더 많은 양의 물을 흡수하게 한다(그림 2-5). 따라서 MAA의 함량이 높을수록 EWC는 증가하며 Dk 역시 증가한다.

Glyceryl methacrylate (GMA)는 두 개의 수산화기를 함유한 단량체로 HEMA보다 친수성이 더 크다. GMA와 HEMA를 중합하여 만든 렌즈는 높은 함수율의 비이온상태 렌즈이다. 이 렌즈는 뮤신의 친수성 성질을 모방하여 생체 적합성을 향상시켰다. 탈수율이 낮고 재수화가 빠르며 비교적 침전에 강하고 pH 6~10의 범위에서는 pH변화에 민감하지 않다.

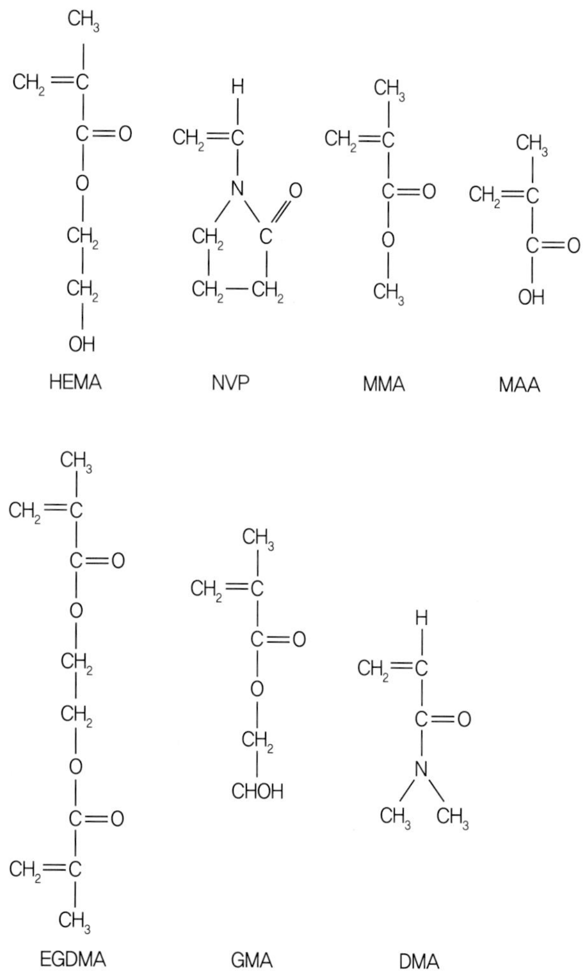

(2) 실리콘하이드로겔 재질

1984년 Holden과 Mertz는 각막부종을 막기 위해 매일 착용(daily wear) 렌즈는 24.1 Barrer/cm, 연속착용(extended wear) 렌즈는 87 Barrer/cm의 Dk/t가 요구된다고 하였다. 전통적 하이드로겔 재질에서는 EWC의 증가로 얻을 수 있는 Dk/t는 상한치가 있다(그림 2-4). 이론적으로 90%의 EWC와 0.1 mm의 두께를 가지는 하이드로겔은 60 Barrer/cm의 Dk/t를 가지나 이는 밤 사이 각막 부종을 막기에는 부족한 수치이다. 밤사이 각막 부종을 막기 위해서는 렌즈 두께가 0.06 mm 정도 되어야 하나 이는 불가능하다. 연속착용렌즈에서 Dk/t를 높이기 위해서는 새로운 재질의 개발이 필요하였다.

실리콘 고무 형태인 polydimethyl siloxane (PDMS)는 산소용해도와 Dk가 물보다 몇 배 더 높고, PMMA나 무수 polyHEMA보다 백배 이상 더 높다. 하이드로겔과 결합 시 Dk가 현저하게 증가하게 된다. 실리콘 함유 중합체의 비율이 증가하면 함수율이 결과적으로 감소하고 Dk는 증가하여 100 Barrers 이상이 되게 된다. 또 다른 단량체로 Tri-methylsiloxy-methacryloxy-propylsilane (TRIS)가 있다(그림 2-6). 이는 높은 Dk를 가지는 실리콘 고무와 MMA를 결합시킨 siloxymethacrylate 단량체이다.

소수성인 실리콘과 친수성인 전통적 하이드로겔 단량체

그림 2-5

하이드로겔렌즈의 단량체들

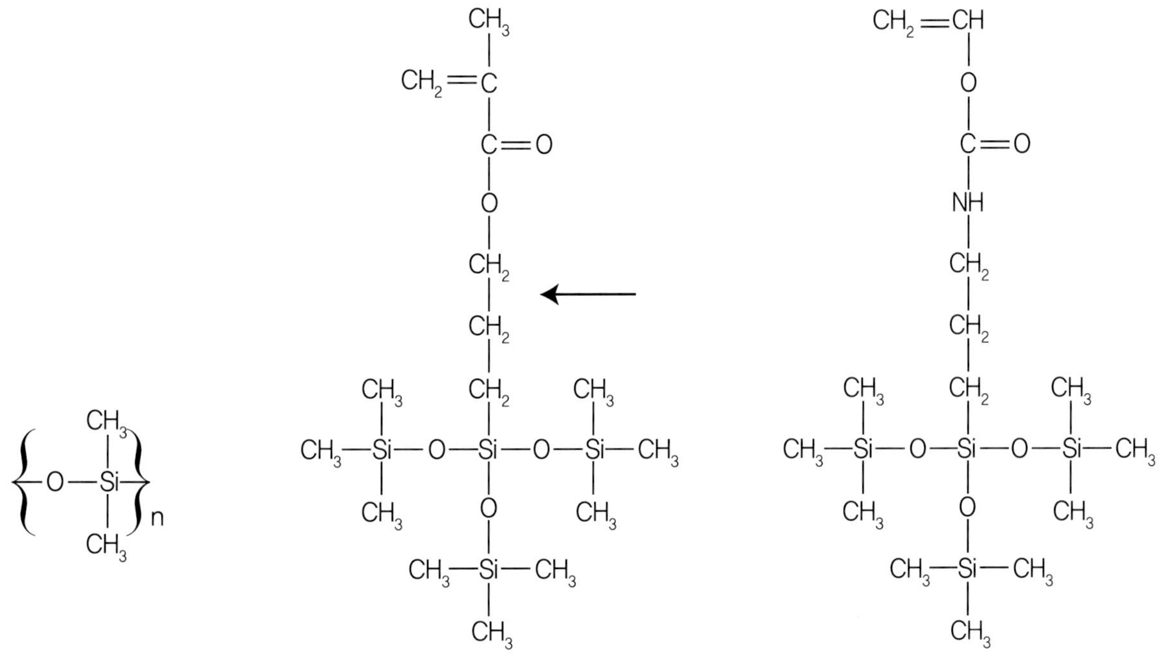

그림 2-6
실리콘하이드로겔렌즈의 단량체들

를 결합하여 수화시키는 것은 마치 물과 기름을 혼합하는 것과 같이 어려운 일이었다. 상이 분리되고 시각적 명료성이 떨어진다. 이 문제를 해결하기 위해 두 가지 방법이 시도되었다. 첫 번째 방법은 극성 물질을 TRIS 분자에 삽입하여 친수성 단량체와 보다 쉽게 융합될 수 있게 하였다. 두 번째 방법은 거대단량체(macromere)를 사용하는 것이다. 거대단량체는 마지막 중합체에 특정 속성을 부여하여 만들어진 구조적 구성단위로 커다란 단량체이다.

1990년 후반에 최초의 두 가지 실리콘하이드로겔렌즈가 출시되었다. 바슈롬의 PureVision 렌즈와 시바비젼의 Air Optix Night and Day 렌즈이다. 두 렌즈 모두 30일간의 연속착용이 가능하다. PureVision 렌즈(balafilcon A)는 36%의 EWC와 110 Barrer/cm의 Dk/t를 갖는다(-3.0 D). 이 렌즈의 성분은 Carbamate로 대체된 TRIS 기반 재질인 TPVC이다(그림 2-6). TPVC는 NVP와 혼성중합되어 balafilcon 재질을 형성한다.

Air Optix Night and Day 렌즈(lotrafilcon A)는 24%의 EWC와 175 Barrer/cm의 Dk/t를 갖는다(-3.0 D). 이 렌즈는 양극성을 가진다. 이는 산소와 수분투과성이 서로 의존적이지 않음을 의미한다. 실리콘상은 산소의 투과를 하이드로겔상은 렌즈의 운동성을 좋게 하였다. 이 렌즈는 희석액 하에서 TRIS와 N,N-dimethyl acrylamide (DMA)를 혼성중합하여 만들어진 fluoroether macromer 이다.

두 렌즈의 재질은 표면이 매우 소수성이므로 착용에 문제가 있을 수 있다. 이 문제를 해결하기 위해 가스 플라스마(gas plasma) 기술을 이용하여 렌즈표면을 처리하였다. 이 기술은 산소, 탄소 또는 질소 등의 기체를 플라스마 상태로 만들고 이를 렌즈표면에 반응시켜 친수성 및 습윤성을 높인다.

이 렌즈들과 전통적인 하이드로겔과의 중요한 차이점은 높은 탄성 모듈루스(modulus)를 가진다는 것이다. 이는 렌즈가 더 뻣뻣하다는 것을 의미한다. 이런 기계적 특징은 렌즈를 다루기 쉬운 장점도 있으나 임상적인 합병증을 가지고 온다.

기존의 실리콘하이드로겔렌즈의 기계적/표면 특성을 향상시킬 수 있는 2세대 실리콘하이드로겔렌즈가 개발되었다 (표 2-2). 기존의 실리콘하이드로겔렌즈와 비교 시 주된 장점은 함수율의 증가, 모듈루스의 감소와 표면처리가 필요하지 않다는 것이다. 기계적/표면 특성은 전통적인 하이드로겔과 초기 실리콘하이드로겔의 중간수준이라고 보면 된다.

Acuvue Advance와 Acuvue Oasys는 변형된 TRIS 분자, 실리콘 거대단량체와 HEMA나 DMA와 같은 친수성 단량체를 사용하고 있다. 이 렌즈들에서 사용되는 고분자량 polyvinyl pyrrolidone (PVP)는 내부 습윤인자(Hydra-clear)로 표면처리 없이 렌즈에 적당한 습윤성을 부여한다.

Biofinity 렌즈(comfilcon A)는 실리콘 함유 거대단량체로 구성되며 TRIS 단량체를 사용하지 않는다. 이 렌즈는 표면처리나 습윤인자를 필요로 하지 않으며 함수율에 비해 더 높은 Dk/t를 보인다.

표 2-2 실리콘하이드로겔렌즈

Brand name	Pure vision	Focus Night & Day	O₂ Optix	Avaira	Biofinity	Acuvue Advance	Acuvue Oasys	TruEye	PremiO	Clariti
Manufacturer	Bausch & Lomb	CIBA Vision	CIBA Vision	Cooper-Vision	Cooper-Vision	Johnson & Johnson	Johnson & Johnson	Johnson & Johnson	Menicon	Sauflon
USAN*	Balafilcon A	Lotrafilcon A	Lotrafilcon B	Enfilcon A	Comfilcon A	Galyfilcon A	Senofilcon A	Narafilcon A	Asmofilcon A	–
Water content (%)	36	24	33	46	48	47	38	46	40	58
Oxygen permeability (Barrers)†	91	140	110	100	128	60	103	100	129	60
Modulus (MPa)	1.50	1.52	1.00	0.50	0.75	0.43	0.72	0.66	0.91	0.50
Surface tretment	Plasma oxidation	Plasma coating	Plasma coating	None (internal wetting agent, undisclosed)	None (internal wetting agent, undisclosed)	None (internal wetting agent, PVP)	None (internal wetting agent, PVP)	None (internal wetting agent, PVP)	Plasma treatment	None (wetting process not disclosed)
Principal monomers†	NVP, TPVC, NCVE, PBVC	DMA, TRIS, siloxane monomer	DMA, TRIS, siloxane monomer	NVP, VMA, IBM, TAIC, M3U, FM0411M, HOB	NVP, VMA, IBM, TAIC, M3U, FM0411M, HOB	MPDMS, DMA, HEMA, EGDMA, siloxane macomer, PVP	MPDMS, DMAm HEMA, siloxane macomer, TEGDMA, PVP	MPDMS, DMAm HEMA, siloxane macomer, TEGDMA, PVP	SIMA, SIA, DMA, pyrrolidone derivative	Not disclosed

* United States adopted name.
† Manufacturer-reported values.
‡ (Partly from Jones and Dumbleton, 2005)
PVP = polyvinyl pyrrolidone; NVP = N vinyl pyrrolidond; TPVC = tris(trimethyl siloxysilyl) propylvinyl carbamate; NCVE = N-carboxyvinyl ester; PBVC = poly(dimethylsiloxy) di (silybutanol) bis (vinyl carbamate); DMA = N,M-dimethylacrylamide; TRIS = trimethyl siloxysilyl; VMA = N-vinyl-N-methylacetamide; IBM = isobornyl methacrylate; TAIC = 1,3,5-triallyl-1,3,5-triazine-2,4,6(1H,3H,5H)-trione; M3U = bis(methacryloyfoxyethyl iminocarboxy ethyloxypropyl)-poly(dimethylsiloxane)-poly(trifluoropropylmethylsiloxane)-poly(methoxy-poly[ethyleneglycol] propylmethylsiloxane); FM0411M = methacryloyloxyethyl iminocarboxyethyloxypropyl-poly(dimethylsiloxy)-butyldimethylsiland; HOB = 2-hydroxybutyl methacrylate; EGDMA = ethyleneglycol dimethacrylate; MPDMS = monofunctional polydimethlsiloxane; HEMA = hydroxyethyl methacrylate; TEGDMA = tetraethyleneglycol dimethacrylate; SIMA = siloxanyl methacrylate; SIA = siloxanyl acrylate.

Methyl methacrylate　　　　　Poly (methyl methacrylate)

그림 2-7

Methyl methacrylate와 자유 라디칼(free radical)의 중합(polymerization) 을 이용하여 PMMA를 만드는 과정의 모식도

4. 하드콘택트렌즈의 재질과 물리적 특성

하드렌즈는 과거에 사용된 PMMA 재질의 렌즈와 1970 년대에 개발되어 사용되기 시작한 Dk가 좋은 RGP렌즈로 크게 나뉜다.

1) PMMA 렌즈

Polymethyl methacrylate 재질로 만든 렌즈로 유리 각 공막렌즈(glass corneoscleral lens)를 대체하는 첫 각막렌즈(corneal lens)였다. PMMA 렌즈는 methyl methacrylate와 자유 라디칼(free radical)의 중합으로 만들어진다 (그림 2-7). 이 렌즈는 광학적 특성이 우수하고(excellent optical properties) 제작이 쉬우며 친수성이면서도 표면전하(surface charge)가 없어 표면 습윤성이 우수하고 침착물이 잘 달라붙지 않으며 세척이 쉽고 오랫동안 사용이 가능하다는 여러 장점이 있다. 그러나 치명적 단점으로 재질 자체가 산소투과성이 없어 각막 산소공급은 렌즈 아래 눈물층의 교환에 의해서만 이루어지므로 가능한 렌즈를 작게 만들어야 했다. 산소공급 부족에 의한 각막 저산소증, 각막부종, 각막미란, 각막형태변화 등이 잘 생겨 현재는 거의 사용하지 않고 있다.

2) RGP(Rigid gas permeable) 렌즈

Polycon Laboratories의 Norman Gaylord 는 1974년 과 1978년에 제출한 특허로 인해 RGP렌즈가 콘택트렌즈 재료로 사용되는데 크게 기여하게 된다. 두 가지 큰 업적은

siloxy-methacrylate 단량체의 업계표준이 되는 TRIS (Tris (trimethyl-siloxy)-methacryloxy-propylsilane)를 개발한 것과 fluoroalkyl methacrylates의 삽입이 Dk를 크게 증진시킨다는 것이다.[6,7]

SA (Silicone acrylate, 실리콘 아크릴레이트) 재질은 PMMA의 제조 용이성과 실리콘 고무(silicone rubber)의 높은 Dk의 장점을 동시에 가진다. Dk가 우수한 실리콘 재질과 메타크릴레이트, 습윤제, 교차결합제가 주요 구성성분이다. 실리콘은 산소와 결합하여 실록산 형태로 존재하고 습윤제와 교차결합제는 각각 실리콘에 의한 소수성 증가와 렌즈가 너무 잘 휘는(flexible) 단점을 감소시키는 역할을 한다. Dk 증가를 위해 실리콘양을 증가하면 각막건조(corneal dessication), 렌즈 침착물, 휘어짐(flexure) 및 뒤틀림(warpage)이 잘 생기고 습윤제가 증가하면 렌즈 재질 수화(hydration)가 증가하여 렌즈 안정성이 감소하고 교차결합제가 많아지면 렌즈가 쉽게 깨지게(brittle) 된다. 이 렌즈 재질의 표면은 친수성(음이온) 및 소수성(실리콘)의 성질을 다 갖고 있어 단백질과 지방 성분이 잘 침착한다.

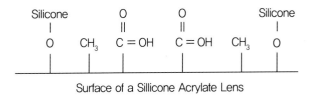

Surface of a Sillicone Acrylate Lens

불소실리콘 아크릴레이트(Fluorosilicone acrylate)는 Dk를 높이기 위해 실리콘 아크릴레이트의 실리콘양을 증가시킬 때 생기는 문제를 해결하기 위해 산소용해도가 높은 불소화합물을 SA물질에 첨가하여 실리콘양을 감소시키면서도 Dk를 증가시킬 수 있게 한 RGP렌즈 재질이다. 80년대 말에 개발된 이 렌즈는 Dk 외에도 습윤성이 좋아 SA 렌즈 착용 시 느끼는 건조감이 적게 느껴져 착용감이 좋으며 침착물이 잘 달라붙지 않고 그 결합력도 약하여 세척이 쉬운 장점이 있다. 단점으로는 단백질 침착이 잘되는 SA 재질과 달리 지방 성분의 침착물이 잘 생기는데 로숀, 샴푸, 비누, 화장품 성분 중의 지방 비슷한 물질도 잘 침착된다. 90년대 말에서 2000년대 초기에 걸쳐 이 재질의 렌즈는 한층 개선되어 높은 Dk값(Super Dk: 61~100, Hyper

Dk>100)을 보이면서도 물리적 특성도 우수한 재질이 개발되어 사용하게 되었다.

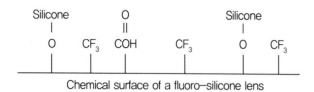

Chemical surface of a fluoro-silicone lens

폴리스티렌(Polystyrene)은 80년대에 도입된 렌즈 재질 비중이 낮아 가볍지만 강한 특성을 갖고 있어 렌즈 휘어짐에 대한 저항성이 크다. 주변부는 소프트렌즈 재질이며 광학부는 RGP렌즈 재질로 이루어진 시바비젼사의 Soft Perm 렌즈는 광학부 RGP렌즈의 재질로 polystyrene을 사용한다. 이 Soft Perm 렌즈는 초기 착용감이 좋고 난시 교정효과 및 중심잡기가 좋아(good centration) 원추각막, 각막외상 등으로 인해 부정난시가 있는 경우에 좋지만 가격이 비싸고 중심 RGP렌즈와 주변 소프트렌즈 경계부위가 잘 찢어지는 등의 단점이 있다.

Silicone elastomer는 바슈롬사의 Silsoft 렌즈에 사용된 재질로 Dk가 340이나 되지만 소수성이 커서 건조감이 심하고 점액질이 잘 달라 붙으며 각막에 렌즈가 붙어버리는 경우가 흔하여 소아 무수정체안 외의 경우에는 사용되지 않는다.

▶ 참고문헌

1. Cannella A, Bonafini JA Jr. Polymer chemistry. In : Bennett ES, Weissman BA, eds. Clinical contact lens practice. Philadelphia: Lippincott Williams & Wilkins, 2005; Chap. 10.

2. Bennett ES, Levy B. Matrial selection. In : Bennet ES, Henry VA. Eds. Clinical manual of contact lenses. 2nd ed. Philadelphia: Lippincott Williams & Wilkins, 2000; Chap. 3.

3. Holden BA, Mertz GW. Critical oxygen levels to avoid corneal edema for daily and extended wear contact lenes. Invest Ophthal Vis Sci 1984; 25: 1161-7.

4. Mandell RB, Liberman GL et al. Corneal oxygen supply: RGP versus soft lenses. Contact Lens Spectrum 1987; 2: 37

5. Tighe B. Silicone hydrogels: structure, properties and behavior. Oxford: Butterworth-Heinemann, 2004;1-27.

6. Gaylord NG. (to Polycon Lab Inc). Oxygen-permeable contact lens composition methods and article of manufacture. US patent 3 808 178, 1974.

7. Gaylord NG. (to Syntex USA Inc). Methods of correcting visual defects: compositions and articles of manuafacture useful therein. US patent 4 120 570, 1978.

콘택트렌즈 광학
Contact lens optics

김 명 준

1. 눈의 광학(Visual optics)[1]

1) 정시안에서의 기본 광학

(1) 일반적 특성

안구에서 광학적 굴절력의 약 3/4은 각막의 앞면으로부터 유래하며, 나머지는 수정체에 의한 미세 조절 능력에 따라 각기 다른 거리에 위치한 물체의 상이 정확하게 망막에 맺히도록 한다. 그러나 실제적으로 안구의 모든 광학 표면은 비구면으로 이루어져 있어 그러한 미세 조절 능력이 수

차 조절에도 중요한 역할을 담당하게 된다.

(2) 모델안(Model eyes)에서의 광학

실제의 안구는 광학적으로 보다 복잡하지만(표 3-1) 실제적인 적용을 위해서는 안구의 광학을 축상으로 단순 도식화하여 표현하고자 하는 노력이 많이 이루어졌다(그림 3-1). 하지만 실제로는 안구의 길이가 보다 길거나 짧은 경우에도 실제 굴절상태는 정시일 수 있으며 이는 여러 다른 요인이 굴절상태에 영향을 미침을 알 수 있다. 그림 3-2의 단순화한 모델안에서 굴절면 곡률의 반지름이 r, 굴절률

표 3-1 인간 눈의 paraxial model의 파라미터들

		Schematic eye	Simplified schematic eye	Reduced eye
Surface radii (mm)	Anterior cornea	7.80	7.80	5.55
	Posterior cornea	6.50	–	–
	Anterior lens	10.20	10.00	–
	Posterior lens	−6.00	−6.00	–
Distances from anterior cornea (mm)	Posterior cornea	0.55	–	–
	Anterior lens	3.60	3.60	–
	Posterior lens	7.60	7.20	–
	Retina	24.20	23.90	22.22
Refractive indices	Cornea	1.3771	–	–
	Aqueous humor	1.3374	1.333	1.333
	Lens	1.4200	1.416	–
	Vitreous humor	1.3360	1.333	–

Dimensions are in milimeters
(Adapted from Charman, W. N., 1991a Optics of the human eye. In Vision and Visual Dysfunction. Vol. 1: Visual Optics and Instrumentation (W. N. Charman, ed.), pp. 1-26, Macmillan.)

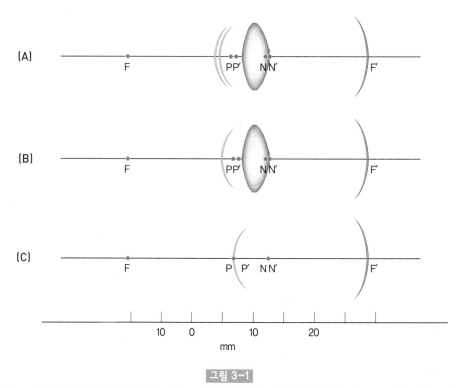

그림 3-1

인간 눈의 paraxial model의 예들. 모든 그림에서 F, F′는 first and second focal points, P, P′는 first and second principal points, 그리고 N, N′은 first and second nodal points를 의미한다. (A) Unaccommodated schematic eye with four refracting surfaces. (B) Simplified, unaccommodated eye with three refracting surfaces. (C) Reduced eye with a single refracting surface. (Adapted from Charaman, W. N. (1991a) Optics of the human eye. In Vision and Visual Dysfunction Vol. 1: Visual Optics and Instrumentation (W. N. Charman, ed.), pp. 1-26, Macmillan.)

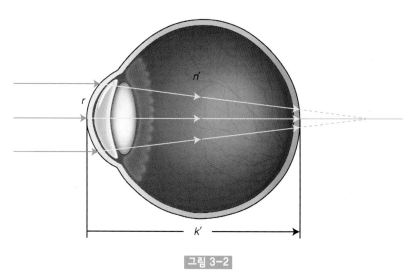

그림 3-2

원시상태의 reduced eye model의 예. r: 굴절면에서의 곡률반경(radius of curvature of the refracting surface), k′: 안축장, n′굴절률

(refractive index)이 n′ 이라고 한다면 안구의 굴절력 F_e는
$F_e = n′/r$로 표현할 수 있다. 또한, 안구 전체의 굴절력 거리
(dioptric length)가 K′ 이라고 한다면 측정된 굴절력 K는

$$K = K′ - F_e$$

라고 표현할 수 있다. 정시안의 경우 K′ 와 F_e가 같으며
근시안의 경우 K′ 가 F_e보다 작고[이때, K′ 즉 안축장이 너
무 긴 경우를 축근시(axial myopia), F_e가 너무 강한 경우
를 굴절 근시(refractive myopia)가 된다.] 반대로 원시안에
서는 K′ 이 F_e보다 크다.

보다 복잡한 모델안에서의 광학도 계산 적용할 수 있겠
지만 실제 콘택트렌즈 처방을 위한 임상환경에서 이보다
복잡한 요인을 고려한 모델안에서의 광학은 적용 가능하지
않으며 또한 필요하지도 않다.

2) 각막지형도

각막의 앞면은 전체 굴절률 과 수차 발생에 가장 중요한
굴절면이자 렌즈 피팅(fitting)에 있어 가장 중요한 요소이
기 때문에 콘택트렌즈 처방에 있어 각막지형도를 통한 각
막 앞면 측정은 필수적이다. 이때 각막을 하나의 원뿔형태
로 파악했을 때 전체적인 모양을 나타내는 수치로서 p-

factor를 사용하는데 완전한 원형태인 1을 기준으로 하여
각각의 형태를 표현할 수 있다. (p<0 hyperboloid, p=0
paraboloid, 0<p<1 flattening (prolate) ellipsoid, p=1
sphere, p>1 steepening (oblate) ellipsoid) 이와 관련하여
Q factor와 편심률(eccentricity)을 표현하는데 이 변환은
$p=1+Q=1-e^2$과 같다.

3) 동공 크기와 망막의 상

그림 3-3에서 근시 모델안에서 동공의 모양이 구형이라
할 때 망막에는 구면 탈초점이 맺히게 되고 이를 망막 blur
circle이라 한다. 즉, 동공의 크기로부터 망막 blur circle을
계산할 수 있다. 하지만 이러한 망막 blur circle은 최소인식
각(minimum angle of resolution; MAR)보다 다소 작은
것으로 알려져 있어 굴절이상이 1 D보다 작은 경우 회절,
수차, neural adaptation이 탈초점에 의한 retinal blur보다
더욱 중요하다.

동공의 크기는 주변 조도에 영향을 받으며 같은 탈초점
정도에서 동공의 크기가 작아지는 경우 망막 blur circle은
작아지게 된다. 즉, 교정되지 않은 경도의 근시는 주변이 밝
은 경우 원거리 흐려보임을 덜 호소하게 되며 반대로 야간
운전 등의 동공이 커지는 경우, 보다 심한 흐려보임을 호소

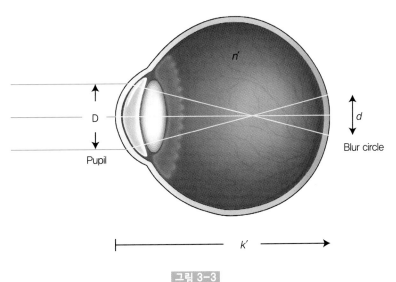

그림 3-3
근시안에서의 망막 blur circle의 형성, D: 동공크기(직경), d: blur circle의 직경

하게 된다.

4) 회절 및 수차 효과

(1) 회절

안구의 시기능이 회절효과에 의해서만 결정된다면 한 점의 물체에 대한 in-focus 망막상은 에어리 회절 형태(Air diffraction pattern)가 된다.

(2) 단색수차

수차는 in-focus와 out-focus상 모두에 상의 흐려보임을 유발하는 데 이 단색수차의 원인은 기본적으로 광학 단면의 다양한 비구면성, 기울어짐, 중심이탈 및 불규칙성 등에 의해 발생한다. 단색수차는 흔히 파면수차(wavefront aberration)라 표현된다. 완벽한 광학계에서는 물체로부터의 빛이 광학계를 거친 후 한 점으로 모여들게 된다(그림 3-4A). 하지만 만약 수차가 존재한다면 빛은 한 점에 모일 수 없게 된다(그림 3-4B). 이러한 파면수차는 동공 면에서 이상적인 기준구면으로부터 실제파면의 거리로 표현된다(그림 3-4C).

이러한 파면수차를 측정하는 데 가장 흔하게 사용되는 검사장비가 바로 Hartmann-Shack 파면센서이다. 이 Hartmann-Shack 파면센서를 이용하여 Zernike polyno-

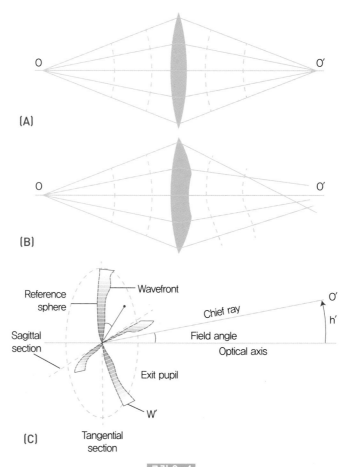

그림 3-4

파면수차(wavefront aberration)의 이해. (A) With a perfect lens, rays from the object converge to a single image point. Alternatively we can visualize divergent spherical wavefronts (shown as dashed lines) from the object point converging as spherical wavefronts to the image point. (B) If the lens suffers from aberration, the imaging rays fail to converge to a single point and the corresponding wavefronts are not spherical. (C) The wavefront aberration, W′, is specified as the distance between the ideal wavefront, or reference sphere, centred on the gaussian image point, O′, and the actual wavefront in the exit pupil. It is usually adjusted to be zero at the centre of this pupil.

mials에서의 개별 요소의 수차, 전체 수차의 합인 total root mean square (RMS) 등을 측정할 수 있다.

(3) 색수차

빛의 파장에 따라 안구 매체의 굴절률이 다르기 때문에 수직 혹은 수평 방향의 색수차가 발생하게 된다. 이 중 황반부에선 수직 방향의 색수차가 더욱 중요하다.

5) 콘택트렌즈와 안경의 광학적 차이

안경과 콘택트렌즈는 모두 in-focus 망막상이 망막에 정확하게 맺히도록 하는데 똑같이 유효하지만, 둘은 2차적 효과에서 다양한 차이점이 발생한다. 이는 대부분 콘택트렌즈는 각막 바로 위에 위치하고 안경은 각막과의 거리가 있다는 점에 기인한다. PRK, LASIK 등의 각막굴절교정수술도 기본적으로 콘택트렌즈와 마찬가지의 효과를 나타내게 된다.

(1) 유효성

원거리 시력 교정의 목적은 안구에서 원점(far point)의 상을 망막에 정확히 맺히게 하는 데 있다. 이때, 안경과 콘택트렌즈는 정점거리의 차이로 인해 정확한 교정에 필요한 굴절력의 차이가 발생하게 된다(그림 3-5).

그림 3-5에서 알 수 있듯이 원시의 경우 안경보다 콘택트렌즈에서 더욱 강한 굴절력의 콘택트렌즈가 필요하게 되

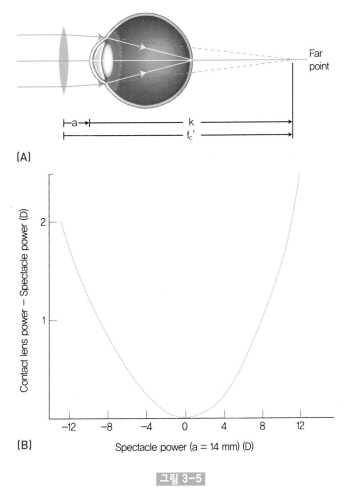

그림 3-5

콘택트렌즈와 안경의 굴절력 차이. (A) Geometry relating the far point of an ametropic eye (hypermetropic in the case shown) and the correcting lens. (B) Difference between the required powers of contact lens and spectacle corrections, as a function of the spectacle correction, assuming that the vertex distance of the spectacle lens is 14 mm.

며, 근시의 경우 이 반대 현상이 나타나게 된다. 또한, 0.25 디옵터보다 큰 즉 의미가 있는 요구되는 굴절력 차이는 근시와 원시 모두에서 최소 4 디옵터 이상의 굴절이상이 있을 때로 한정됨을 알 수 있다.

(2) 안경 확대

안경 확대란 굴절이상을 교정하지 않은 상태에 비하여 안경 등을 이용하여 정시 상태로 교정하였을 때 인식되는 상의 크기를 비율로 나타낸 것이다. 이는 부등시의 경우 의미를 가지며 이런 환자에서 상의 왜곡으로 인한 불편감을 나타낼 수 있다.

각막에 직접 놓이는 콘택트렌즈의 경우에는 광선의 주행을 변화시키지 않기 때문에 망막 상의 확대현상이 나타나지 않는 반면, 안경의 경우에는 광선의 주행을 변화시켜 플러스 굴절력 안경은 상의 크기를 확대시키고 마이너스 굴절력 안경은 상의 크기를 축소시킨다. 이때, 상의 확대 혹은 축소 현상은 정점거리가 길어질수록 크게 나타난다. 확대율은 렌즈의 굴절력을 F, 렌즈와 동공면까지의 거리를 a라 할 때 다음과 같이 나타낼 수 있다.

$$Maginificatition = 1/(1-aF)$$

근시의 경우 콘택트렌즈 착용자는 안경에 비해 상의 확대 현상을 느끼게 되고 이는 시력의 증가를 가져올 수 있다. 굴절교정수술 후 느끼는 상의 확대 현상도 이와 마찬가지라고 할 수 있다.[2]

부등시의 경우 안경을 착용하였을 때 두 눈 간의 확연한 상의 확대현상 차이로 인해 부등상시증(aniseikonia)을 느낄 수 있다. 이러한 증상은 콘택트렌즈 착용 시 확연히 감소될 수 있다. 또 한 가지의 고려사항은 바로 프리즘효과이다. 예를 들어 부등시 환자의 우안 굴절이상이 -3 디옵터 좌안 -6 디옵터이며 안경을 착용하여 근거리를 볼 때 정점거리가 8 mm라면 우안의 프리즘효과는 2.4 프리즘디옵터 base down, 좌안의 프리즘효과는 4.8 프리즘디옵터 base down이 된다. 이 차이는 정상 융합 한계를 초과하게 되고 안경을 착용한 부등시 환자는 이상 머리위치를 통해 이를 보상하게 된다. 하지만 중심잡기가 잘 이루어진 콘택트렌즈에서는 이러한 현상이 나타나지 않는다.

(3) 조절요구도

조절요구도는 object vergence가 L, 정점거리가 a, 안구의 굴절률이 K라 할 때, 다음과 같이 표현할 수 있다.

$$A = -L (1+2 aK)$$

콘택트렌즈의 경우 a가 0에 해당하므로 근시의 경우(K가 음에 해당함) 콘택트렌즈 착용 시 안경에 비해 더 많은 조절력이 요구 된다. 원시의 경우는 반대가 된다. 안경과 콘택트렌즈 착용의 두 가지 교정법에서 조절요구도가 유의하게(0.25 디옵터 이상) 차이가 나려면 굴절이상이 약 3 디옵터 이상이어야 한다. 즉, 중등도 이상의 근시의 경우에는 초기 노안이 있을 때 안경을 쓰는 경우에 조절 요구도가 작아지며 반대로 중등도 이상의 원시의 경우에는 콘택트렌즈를 이용한 교정이 근거리 시력에 유리하다고 할 수 있다.

(4) 눈모음 요구도

콘택트렌즈의 경우 눈과 함께 렌즈가 움직이기 때문에 눈모음 요구도는 비교정상태와 차이가 나지 않는다. 이와 달리 근시가 마이너스 굴절력 안경을 착용한 경우 근거리를 볼 때 base-in 프리즘효과가 나타나게 된다. Base-in 프리즘효과는 눈모음 요구도를 줄이게 된다. 이와 반대로 원시가 플러스 굴절력 안경을 사용했을 때 base-out 프리즘효과로 눈모음 요구도가 커지게 된다(그림 3-6). 하지만 대부분의 경우 눈모음 요구도는 대게 융합능력에 비해 작기 때문에 큰 문제가 되지 않는다. 눈모음과 조절 요구도 모두 근시가 콘택트렌즈를 착용하였을 때 많이 필요하며 원시의 경우에는 적게 필요하다고 할 수 있다.

(5) 시야 및 주시

안경을 착용한 채 중심 주시 점 외의 부분을 볼 때, 근시가 마이너스 굴절력 안경을 착용하였을 때 비교정 상태에 비하여 더 많은 움직임이 필요하고 원시의 경우는 더 적은 움직임이 필요하게 된다(그림 3-7).

콘택트렌즈는 눈과 함께 움직이기 때문에 이러한 효과는 콘택트렌즈 착용 시에는 나타나지 않지만, 만약 콘택트

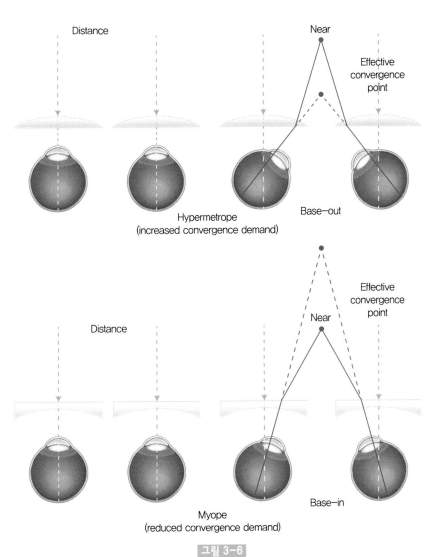

Distance

Near

Effective
convergence
point

Hypermetrope
(increased convergence demand)

Base-out

Distance

Effective
convergence
point

Near

Myope
(reduced convergence demand)

Base-in

그림 3-6

근거리 작업시 원거리용 안경의 프리즘 효과

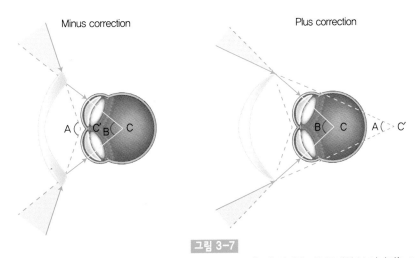

Minus correction

Plus correction

그림 3-7

안경 교정시의 시야. C: 안구회전 중심점(the centre of rotation of the eye), C′: 안경렌즈를 통해서 본 이미지(its image as seen through the spectacle lens), B: 명확한 황반부 시야(apparent macular field of view), A: 실제 시야(the actual field)

렌즈의 광학부가 작은 경우에는 시야의 협착 혹은 후광 보임 등의 증상이 나타날 수 있다. 굴절교정수술 후에 광학부가 작은 경우에도 마찬가지의 증상을 느낄 수 있다.

(6) 미용적 효과

안경 착용 시에 나타나는 또 한 가지 문제는 단순히 안경착용 때문에 나타나는 미용적 불만족뿐 아니라 플러스 굴절력 안경 착용 시에는 눈이 크게 보이고, 마이너스 굴절력 안경 착용 시에는 눈이 작게 보인다는 점도 고려되어야 한다. 이에 반해 콘택트렌즈 착용 시에는 이러한 미용적 단점이 발생하지 않는다.

2. 소프트콘택트렌즈의 광학
(Soft contact lens optics)[3]

1) 개요

소프트콘택트렌즈는 광학적으로 수많은 장점을 가지고 있다. 소프트렌즈는 각막정점에 거의 정확하게 위치하며 아주 작은 움직임만을 가지기 때문에 렌즈와 안구 사이에 비대칭적인 수차가 거의 발생하지 않는다. 소프트렌즈의 광학부는 정상적으로 어떠한 조도에서도 동공의 크기보다 크기 때문에 각막굴절교정수술이나 몇몇 RGP렌즈 착용 시에 나타날 수 있는 빛 주위의 후광(halo) 등이 보이는 경우가 없다. 또한 전체직경이 각막보다 크기 때문에 RGP렌즈와 달리 주변부 시야의 흐려보임이나 빛의 산란 등의 증상도 나타나지 않는다. 또한, 굴절률이 거의 각막과 같기 때문에 (1.37-1.48) 프레스넬 반사 소실(Fresnel reflection loss)도 안구에서 일어나는 것과 차이가 거의 나지 않는다. 재질의 특성 때문에 각막표면에 잘 안착하기 때문에 피팅과 관련한 문제도 거의 발생하지 않는다.

반면에 특유의 신축성으로 인해 눈물층굴절력(tear lens) 효과를 거의 가지지 않기 때문에 중등도 이상의 각막난시 교정효과를 거의 가지지 않는다. 또 다른 광학적 단점은 렌즈 휘어짐과 수화도의 변화로 인해서 렌즈 착용 시 굴절력의 변화가 나타날 수 있다는 점이다.

2) 착용 시 굴절력 변화

착용 전에 실온 상태에서 소프트렌즈가 완전히 수화된 상태이기 때문에 소프트렌즈의 BVP (back vertex power, 후면정점굴절력)은 정상적으로 측정되지만, 소프트렌즈 자체의 특성인 신축성 때문에 소프트렌즈는 안표면을 완전히 덮게 되어 소프트렌즈의 후면의 모양은 각막 앞면과 거의 유사한 모양으로 변하게 된다. 이러한 점은 렌즈 피팅을 쉽게 하면서 동시에 이와 관련된 렌즈 곡률 및 두께의 변화는 실제 렌즈 착용시 굴절력의 변화를 가져오게 된다.

완전히 각막을 덮게 되면 눈물층굴절력이 나타나지 않지만 실제 임상적용 시에는 그렇지 않다. 약 10 μl의 눈물이 존재한다면 약 −0.15 디옵터의 눈물층굴절력이 나타날 수 있다고 알려져 있다.[4] Weissman et al.은 경도의 마이너스 렌즈는 적은 양의 눈물을 렌즈와 각막 사이에 가지는 반면 (약 5.5 μl) 경도의 플러스렌즈는 더 많은 양의 눈물을 포함하게 되어 실제적으로 의미 있는 눈물층굴절력을 나타낼 수 있다고 하였다.[5]

수화도의 변화는 렌즈의 재질이나 디자인, 착용자의 습관, 주변 환경 등에 영향을 받아 굴절률과 렌즈의 기하학에 영향을 끼쳐 결국 렌즈 굴절력에 영향을 줄 수 있다. 전형적으로 렌즈 착용 1시간 이내에 수화도는 약 5~10% 정도 감소하게 된다. 얇은 렌즈는 더욱 빠르게 이러한 평형상태에 도달하고 두꺼운 렌즈는 천천히 평형상태에 도달하게 된다. 렌즈의 성분에 의한 영향도 있는데 함수율이 높은 렌즈는 더 탈수가 되고 빠르게 평형상태에 도달한다. 또한, 근거리 작업 시에는 눈 깜박임 횟수가 감소함에 따라 더 많은 탈수 현상이 나타나게 되며 주변 습도가 낮은 경우에도 마찬가지 변화가 나타나게 된다. 각막의 온도는 대략 섭씨 32~35도에 달하는데 렌즈가 눈에 착용되기 전의 실온이 대략 섭씨 20도 정도라 할 때, 이러한 온도의 변화도 수화도나 굴절률에 영향을 주게 된다.

이러한 실제 렌즈 착용 시 굴절력 변화의 총합을 수학적으로 계산하려는 많은 노력이 있었지만 현재까지 명확하게 확립된 모델은 없으며 이 변화는 그림 3-8과 같은 것으로 대략 추정하고 있다. 따라서 실제 소프트콘택트렌즈 처방 시에는 보다 위에 기술된 다양한 요인에 대한 고려도 필요

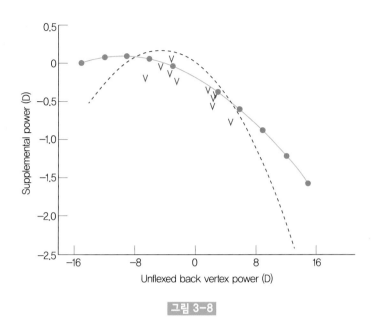

그림 3-8

착용 전 in vitro 렌즈 굴절력에 따른 보조 렌즈 굴절력(렌즈 착용 상태와 착용 전 in vitro 상태에서의 렌즈 굴절력의 차이)의 변화. The smooth curves are from Holden et al. (1976; continuous line) and Weissman (1984; dashed line); the checks are experimental data obtained by Plainis and Charman (1998).

하다.

3) 수차

소프트렌즈는 각막을 완전히 덮기 때문에 중심이탈이 발생하는 경우가 거의 없어 소프트렌즈 착용과 관련하여 발생이 가능한 수차는 구면수차이다. 하지만 실제적으로 소프트렌즈 착용과 관련하여 시각 증상을 일으킬 정도의 구면수차는 발생하지 않는다. 오히려 눈의 수차를 최소화하여 시력의 질을 높일 수도 있다(그림 3-9).

이러한 비구면 소프트렌즈를 이용한 시력의 질을 높이려는 시도는 환자의 구면수차가 정상적인 각막의 양성 구면수차를 가지며, 환자의 total RMS 중 구면수차가 가지는 비중이 가장 크며, 실제 렌즈 착용 시 렌즈의 휨에 따라 비구면렌즈의 비구면도가 크게 변화하지 않으며, 심각한 중심이탈이 일어나지 않는다면 도움이 될 수 있다. 많은 임상 연구 결과가 이를 뒷받침하고 있다.[6]

이러한 일정량의 구면수차 유도 목적을 가진 고정된 형태의 비구면렌즈는 정상 범위의 각막 수차를 가진 환자에게서는 약간의 시력의 질 호전을 기대할 수 있지만, 대개 일반 구면렌즈에 비하여 확연한 효과 차이가 나지 않으며 구

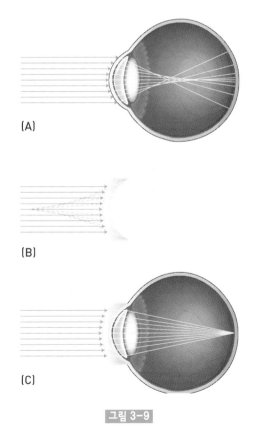

그림 3-9

양의 구면수차를 동반한 근시안에서 음의 구면수차를 갖는 마이너스렌즈를 이용한 시력교정의 개념. (A) 양의 구면수차를 동반한 근시안, (B) 음의 구면수차를 갖는 마이너스렌즈, (C) 교정된 상태

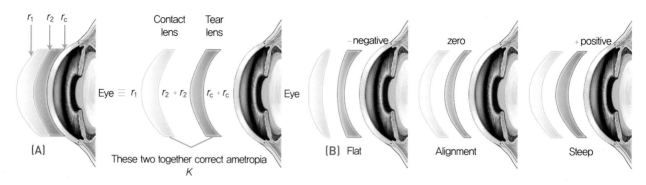

(A) 기본적인 눈물층굴절력의 개념(콘택트렌즈와 눈물층 사이, 눈물층과 각막 사이의 공기는 무시할 것). r_1: 렌즈 전면광학부반경, r_2: 렌즈 후면광학부반경, r_c: 각막 전면의 곡률반경 (B) 렌즈 피팅 상태에 따른 기하학적 모식도

면수차로 인한 심한 시각 증상을 호소하는 환자에서는 불충분한 교정이 될 수 있다는 점을 고려하여야 하며 이러한 환자에서는 고위수차를 파면수차 측정계로 정확히 측정한 후 개별화된 구면수차 교정이 요구된다.

3. RGP콘택트렌즈의 광학
(Rigid contact lens optics)[7]

1) 개요
소프트콘택트렌즈와 달리 RGP렌즈는 실제 착용 시에도 그 후면의 형태를 유지하게 된다. 이러한 특성으로 각막과 렌즈 사이에 예측할 수 있는 눈물층굴절력이 발생하게 된다. RGP렌즈 착용 시 망막의 상을 결정하게 되는 광학 요소는 렌즈, 눈물렌즈, 안구자체의 3가지로 이루어지게 된다(그림 3-10A)

2) 눈물층굴절력의 기본특성
눈물층굴절력은 RGP렌즈와 각막 앞면 광학부의 상대적 기하학에 따라 결정된다. 그림 3-10B에서 보여주듯이 눈물층굴절력은 피팅상태에 따라 음성부터 양성의 굴절력을 가지게 된다.

임상적으로 RGP렌즈를 처방할 때는 눈물렌즈의 굴절력의 정도를 결정하는 것과 BOZR(back optic zone radius, 후면광학부반경)에 따라 그 굴절력이 어떻게 달라지는지 결정하는 것이 중요하다. 만약 렌즈 전면광학부반경이 r_1, 후면광학부반경이 r_2, 각막 전면의 곡률반경이 r_c였을 때, 눈물렌즈의 전면 반경은 r_2, 후면 반경은 r_c가 된다. 눈물의 굴절률이 n_T라 하면 이때 눈물렌즈의 굴절력은 다음과 같다.

$$F_T = (n_T-1)(1/r_2-1/r_c) = (n_T-1)(r_c-r_2)/r_2r_c$$

이때, 눈물의 굴절률은 1.336이며, r_2와 r_c는 평균적으로 약 8 mm에 해당하므로

$$F_T = (1.336-1)(r_c-r_2)/(64×10^{-6})$$

이 된다. 이때 만약 r_c-r_2가 0.05 mm라면

$$F_T = (0.336)(0.05×10^{-3})/64×10^{-6} = +0.25 \text{ D}$$

즉, RGP렌즈 착용 시 렌즈 BOZR이 각막곡률반경보다 0.05 mm 가파르다면 눈물층굴절력은 + 0.25 디옵터가 된다. (rule of thumb)

3) 피팅렌즈 착용 시 눈물층굴절력
RGP렌즈 피팅 시 BOZR 선택을 위해서 피팅렌즈를 사용하는데 이러한 피팅렌즈에 덧댐 굴절검사를 하여 최종 렌즈 처방을 하게 된다. 이때, 주문할 렌즈의 BVP는 피팅렌즈의 BVP와 덧댐 검사에서의 굴절력의 합으로 정한다. 이때, 실제적으로는 약간의 차이가 발생하지만 이 차이는 무시해도 좋을 정도의 차이이다(그림 3-11).

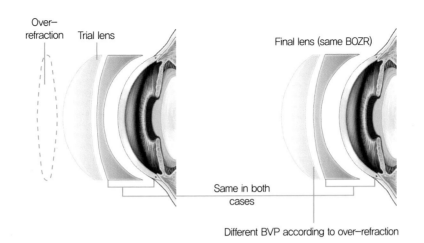

그림 3-11

최종 처방된 렌즈와 같은 BOZR의 시험렌즈를 이용했을때 RGP와 눈물층의 기하학적 모식도

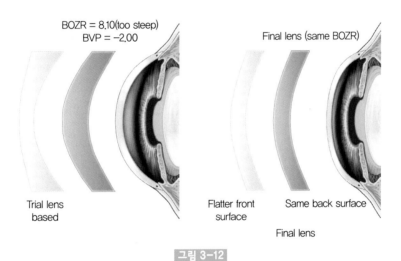

그림 3-12

최종 처방된 렌즈와 다른 BOZR의 시험렌즈를 이용했을 때 눈물층의 기하학적 변화와 그에 따른 BVP의 변화

4) 피팅렌즈와 다른 BOZR을 가진 렌즈를 주문 시 요구되는 BVP

그림 3-12에서와 마찬가지로 만약 가지고 있는 피팅렌즈 중 가장 환자의 눈 상태에 근접하게 잘 맞는 BOZR이 8.10 mm이고 이에 덧댐 검사에서 +1.00 디옵터가 측정되었을 때, 아직 여전히 피팅렌즈의 경사가 급하다면 그래서 8.25 mm의 BOZR의 렌즈를 주문하려고 할 때, BVP는 얼마로 하여야 할까?

8.10 mm의 BOZR의 렌즈 착용 시 눈물층 전면굴절력은

$$(1.336-1)/(8.10\times10^{-3}) = +41.48 \text{ D}$$

이때, −2.00 디옵터의 정점굴절력을 가졌으므로 최종 렌즈를 착용하여 중화된 굴절력은

$$-2.00+41.48 = +39.48 \text{ D}$$

8.25 mm의 BOZR의 렌즈 착용 시 눈물층 전면굴절력은

$$(1.336-1)/(8.25\times10^{-3}) = +40.73 \text{ D}$$

즉, 필요한 정점굴절력은

$$39.48 - 40.73 = -1.25 \text{ D}$$

이다.

이 결과는 0.05 mm 변화당 0.25 디옵터가 요구된다는 rule of thumb과도 같다(8.25-8.10 = 0.15 mm, 0.15 = 0.05×3, 즉 0.25×3 = 0.75 D가 변환되어야 함).

5) 구면 RGP렌즈에 의한 각막난시 중화

각막난시는 각막 전면의 두 주경선의 곡률반경이 다르기 때문에 발생하는데 이러한 각막난시는 일반적인 구면 RGP렌즈에 의해서도 각막과 렌즈 사이의 눈물층굴절력에 의해 중화될 수 있다.

그러나 이러한 각막난시 중화 효과는 2.00 디옵터가 넘는 각막난시에는 충분한 효과를 거두기 어렵다. 이러한 많은 양의 각막난시에서는 (후면) 토릭RGP렌즈가 필요하다.

또한, 심하지 않은 난시를 가진 환자에서 구면 RGP렌즈 사용 후에도 잔여 난시가 남는 경우 이는 수정체난시에 의한 난시로 생각해야 하며, 흔하지 않지만, 각막난시가 있지만, 수정체난시에 의해 이가 완벽히 중화되어 굴절난시가 전혀 없는 경우에는 구면 RGP렌즈 사용 시 각막난시가 중화되어 수정체난시가 현성 난시화될 수 있으므로 이러한 경우에는 구면 소프트렌즈(또는 전면토릭RGP렌즈)가 더 도움이 될 수 있음을 고려해야 한다.

6) RGP렌즈의 수차

소프트렌즈와 마찬가지로 중심잡기가 잘 이루어져 있는 렌즈에서는 RGP렌즈의 급격한 표면 곡률이 망막상과 관련된 주요 수차가 되며 이는 즉, 구면수차를 의미한다. 이러한 구면수차는 렌즈 전면의 모양에 의해 대부분 결정된다. 다시 말해, 비구면렌즈를 이용해 렌즈 장착 시의 구면수차 정도를 적절히 조정할 수도 있다. 이 효과는 소프트렌즈 장착 시보다 더 크다.

Atchinson[8]은 중심잡기가 잘 이루어진 비구면 RGP렌즈는 전체 구면수차를 많이 줄일 수 있으나 이러한 효과는 만약 렌즈가 1 mm 이상 중심이탈이 발생하였을 때 상당한 양의 코마 수차나 탈초점 수차를 유발할 수 있다고 하였다(그림 3-13).

각막난시 중화 효과와 마찬가지로 구면 RGP렌즈에 의해 각막의 비대칭성이나 불규칙성에 의한 각막고위수차를 중화할 수 있다. 이 중화 효과 또한, 수정체에 의한 고위수차는 중화할 수 없다. 즉, RGP렌즈 착용 시 전체적인 파면 수차는 콘택트렌즈 전면에서의 고위수차와 수정체 전면에서의 고위수차의 합이라고 추정할 수 있다.

RGP렌즈 착용과 관련된 수차에서 중요한 것은 RGP렌즈 착용 시에는 렌즈의 비대칭적 움직임이나 중심이탈 등에 의해 구면수차 외에도 코마 수차 혹은 다른 비대칭 수차가 발생할 수 있다는 점을 고려해야 한다는 것이다. RGP렌즈 착용 시 각막 뒤틀림 현상이 나타날 수 있는데, 이 현상에 의한 수차 변화는 눈물층굴절력에 의해 그리 크게 나타나지 않는다.

7) 기타 RGP렌즈 효과

(1) 중심이탈 혹은 렌즈 기울어짐에 의한 프리즘효과

렌즈의 중심이탈 혹은 렌즈 기울어짐에 의해 프리즘효과가 발생할 수 있다. 이는 대개 위 눈꺼풀의 압력 효과에 의해 발생한다. 각막, 렌즈, 눈물층굴절력의 중심이 동공 중심과 차이가 나게 되면 프렌티스 법칙에 의해 프리즘효과가 나타나게 된다.

(2) 휘어짐 효과

각막의 난시도가 크고 렌즈가 얇은 경우 심한 각막 경사에 의해 렌즈가 휘는 효과가 나타날 수 있다. 이는 각막난시 중화 효과 상실로 이어지게 된다. 이러한 효과는 렌즈와 눈의 상대적인 움직임에 따른 결과이다.

(3) RGP렌즈에 의한 기타 시각증상

만약 렌즈의 광학부가 작고 동공이 이에 비해 상대적으로 크다면, 동공 바깥쪽 부분이 완전히 교정이 되지 않고 이에 따라, 후광보임 효과가 나타날 수 있다. 렌즈의 중심

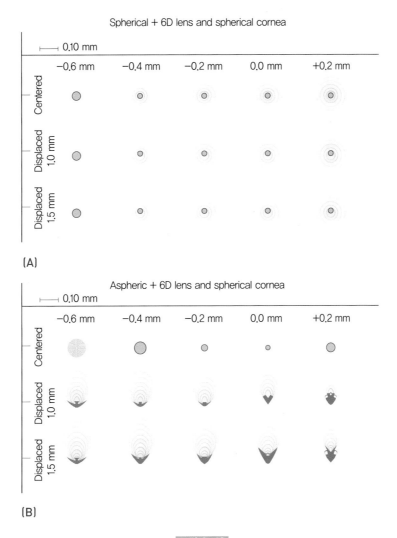

(A)

(B)

그림 3-13

구면 각막에 +6.00 D 렌즈를 더했을 때 편위(decentration)와 defocus에 의한 spot diagrams의 변화. Lens displacements are 0 mm (top row), 1.0 mm (middle row) and 1.5 mm (bottom row). Each row shows various planes of focus. The gaussian image plane towards the cornea. (A) Spherical contact lens. (B) Rigid contact lens with an aspheric front surface (ρ = +0.6): the chosen ρ-value nearly eliminates spherical aberration, giving minimal blur in the gaussian image plane (0.0 mm). (Adapted from Atchison, D. A. (1995) Aberrations associated with rigid contacr lenses. J. Opt. Soc. Am. A., 12, 2267-2273)

이탈에 의해서도 이러한 효과가 나타날 수 있다. 렌즈의 TD (total diameter, 전체직경)가 각막보다 작은 경우 주변부 시야의 흐려보임 현상이 나타날 수 있으며 공막렌즈의 경우 렌즈 침착물이나 공기방울 등에 의한 시각 증상이 나타날 수 있다.

▶ 참고문헌

1. Charman W. Visual optics. Contact Lens Practice, second ed Elsevier chapter 3.30-44.

2. Applegate RA, Howland HC. Magnification and visual acuity in refractive surgery. Arch Ophthalmol. 1993;111:1335-42.

3. Charman W. Soft lens optics. In : Efron N., eds. Contact Lens Practice, 2nd ed. Oxford: Elsevier Butterworth-Heinemann, 2010; chap. 7.

4. Weissman BA, Zisman F. Approximate tear volumes under flexible contact lenses. Am J Optom Physiol Opt. 1979;56:727-33.

5. Weissman BA, Gardner KM. Power and radius changes induced in soft contact lens systems by flexure. Am J Optom Physiol Opt. 1984;61:239−45.

6. Efron S, Efron N, Morgan PB. Optical and visual performance of aspheric soft contact lenses. Optom Vis Sci. 2008;85:201−10.

7. Charman W. Rigid lens optics. In : Efron N., eds. Contact Lens Practice, 2nd ed. Oxford: Elsevier Butterworth−Heinemann, 2010; chap. 14.

8. Atchison DA. Aberrations associated with rigid contact lenses. J Opt Soc Am A Opt Image Sci Vis. 1995;12:2267−73.

Section

II

콘택트렌즈 피팅 전 검사

Chapter 04 환자 선택 시 고려해야 할 인자 및 피팅 전 검사

Chapter 05 각막형태검사

환자 선택 시 고려해야 할 인자 및 피팅 전 검사

Assessment of patient and preliminary examination for contact lens fitting

이 지 은

콘택트렌즈는 특정한 경우에만 제한적으로 사용되거나 안경과 함께 사용되는 경우도 있지만 여전히 시력 교정의 중요한 방법이다. 콘택트렌즈 처방을 위해서는 환자가 착용에 적합한지를 살피고 렌즈의 종류 및 재질을 적절히 선택하여야 처방에 필요한 시간적 소모를 줄일 수 있다. 최근에는 환자의 동기가 충분하고 금기증이 없다면 어떤 형태의 각막에도 처방 가능하며, 특히 원추각막과 같은 비정상적 병적 상태에서는 절대적 적응증이 된다.

1. 환자 선택 시 고려해야 할 인자

1) 심리적 인자

한 보고에 의하면 외향적이고 적응력이 뛰어나며 안정적인 사람들이 불안하고 내향적인 사람들에 비해 콘택트렌즈에 성공적으로 적응하는 경향이 있다고 한다.[1] 즉, 환자에게 안경 착용과 콘택트렌즈 착용의 차이점을 미리 주지시키는 과정이 필요하고, 이때 콘택트렌즈 전반에 관한 안내책자를 배부하는 것이 도움이 될 수 있다.

렌즈 처방에 소요되는 시간은 의사의 숙련도 및 렌즈 형태에 따라 다르겠지만, 대략 2~3시간이 필요할 것이고, 이후 여러 차례 방문이 필요할 수도 있다. 또한 처방 후 렌즈 순응도를 알기 위해서는 4시간에서 2주 정도까지 시간의 걸릴 수도 있다.

소아의 경우 좀 더 많은 시간이 소요된다. 16세 이전이라면 부모가 동행하는 동안 처방을 시행하는 게 좋은데, 이는 아이에게 확신을 심어줄 수 있고 부모에게 렌즈 관리에 관한 시범을 보여줄 수 있다는 점에서 장점을 가진다. 또한 소아에서는 장시간 한 번의 진료보다 짧게 여러 번 방문하는 것이 더 좋은 방법이 될 수 있다.

처방 전 환자에게 렌즈 착용 후 각막과 눈꺼풀의 감각 이상, 눈부심, 렌즈 벗은 후 흐림 증상 등이 생길 수 있음을 미리 설명을 해주어야 하고, 착용시간은 서서히 증가시키게 하는 것이 필요하다. 또한 렌즈는 습윤과 보습이 필요하고 눈으로의 균 전파 위험이 있기 때문에 관리 및 보관 시에는 특수용액이 필요하다는 점도 주지시켜야 한다. 즉, 렌즈의 청결과 위생을 위해서는 시간과 렌즈 유지를 위한 금전이 부가적으로 필요하므로 이를 실행할 수 없는 환자들은 매일착용 렌즈를 고려하거나 안경을 계속 착용하는 것이 현명하다.

2) 병리적 인자

(1) 전신상태

당뇨환자에서는 눈꺼풀염증, 건성안, 각막상피 치유속도 저하, 각막염, 굴절력의 불안정성뿐 아니라, 각막지각 저하, 세균 및 진균 감염 위험 증가로 인해 렌즈 처방이 어렵다.[2,3] 소프트렌즈는 착용 가능하지만 연속착용은 피해야 한다. 감염 위험을 낮출 수 있는 RGP렌즈가 보다 흔히 이용되지만 3시9시각막건조에 유의하여야 하고 착용시간을 줄이는 것이 좋다.

갑상선항진증에서도 안구돌출 및 눈깜빡임 부족으로 인해 눈물순환이 부족하여 렌즈 착용이 어렵다.

만성적인 부비동염이 있는 경우 눈물의 점액질로 인해 시력장애를 초래하고 렌즈표면에 침착을 일으키며, 공막렌즈의 경우에는 렌즈 뒷면에 점액이 실모양으로 나타나기도 한다. 각막미란이 발생하게 되면 감염의 위험이 증가하고, 코눈물관폐쇄가 동반되면 눈물흘림이 악화되기도 한다.

알레르기 반응 또한 유념해야 하는데 콘택트렌즈 용액에 들어있는 방부제 성분 및 렌즈표면에 형성된 침착물에 대한 과민반응 혹은 지연성 과민반응으로 인해 발생하는 경우가 대부분이다.[4] 그러므로, 렌즈 피팅 전 세심한 검사를 통해 윗눈꺼풀결막에 유두 결막염의 징후가 있는지 살펴보아야 한다.

알레르기 결막염 환자에서는 렌즈 착용 시 더 많은 문제들이 발생하지만, 적절한 치료로 만족스러운 착용시간을 얻을 수 있다고 보고된 바 있다.[5] 아토피 환자에서는 렌즈 중단 가능성이 5배나 더 높은 것으로 알려져 있어,[6] 알레르기 증상이 악화되는 계절에는 콘택트렌즈 착용시간을 줄이도록 해야 한다.

알레르기 반응을 최소화하기 위해서는 다음과 같은 사항에 유의해야 한다.

① 침착물 형성을 방지하기 위해 렌즈 세척을 엄격히 한다.
② 소프트렌즈의 경우 방부제(preservative)가 없는 소독제를 사용한다.
③ RGP렌즈의 경우 방부제가 최소한으로 들어있는 보존액 및 습윤제를 사용한다.
④ 방부제가 없는 깨끗한 생리식염수로 세척용액을 충분히 씻어낸다.
⑤ 렌즈 착용 전 보존액을 완전히 씻어낸다.
⑥ 렌즈표면에 방부제가 결합하는 것을 방지하기 위해 비이온성 계면활성제를 사용한다.
⑦ 단백질제거를 규칙적으로 하고 단백질제거제 자체도 충분히 씻어낸다.

쇼그렌증후군에서는 고산소투과율의 RGP렌즈를 우선적으로 사용해야 하며, 실리콘하이드로겔 소프트렌즈 및 공막렌즈도 인공눈물을 적절히 병용하면 착용 가능하다.[7]

(2) 눈상태

① 눈꺼풀

윗눈꺼풀결막은 눈깜빡임이나 눈을 감을 때 렌즈전면 대부분과 접하게 되는 반면, 아래눈꺼풀은 렌즈의 아래부분과만 접하게 되므로 다음 사항에 유의해야 한다.

- 결막결석이 많거나 눈꺼풀결막에 융기된 부분이 있다면 렌즈 착용 전 치료받아야 한다.
- 여포 및 유두는 이측과 비측에는 정상적으로 분포하지만 눈꺼풀판위 부위는 매끄러워야 하는데,[8] 이 부위에 생긴 경우 알레르기 결막염의 가능성이 많으므로 렌즈 착용시 주의하여야 하며, 과도한 움직임을 유발할 수 있는 얇은 소프트렌즈는 피해야 한다.
- 이전에 수술이나 외상으로 인해 결막낭 깊이가 얕아져 있다면 소프트렌즈나 공막렌즈 착용은 어렵다.

윗눈꺼풀처짐이 있는 경우에는 특수공막렌즈를 착용할 수 있으며, 양안의 눈꺼풀을 비교하여 가벼운 정도라도 눈꺼풀처짐이 있는지를 반드시 확인하여 나중에 발생할 수 있는 콘택트렌즈유발 눈꺼풀처짐과 감별해야 한다.

눈꺼풀연축이 지속되는 경우에는 RGP렌즈는 불편감을 초래할 수 있으므로 공막렌즈가 도움이 될 수 있다. 소프트렌즈도 가능하지만 과도한 눈꺼풀 압력으로 렌즈가 움직이거나 변형될 수 있다.

눈꺼풀염이 있는 경우에는 각막 감염의 위험이 증가하고 RGP렌즈를 착용하면 눈꺼풀 감각이 예민해져서 불편감을 초래한다.

눈꺼풀틈새가 작고 눈꺼풀이 팽팽한 경우에는 작은 렌즈를, 눈꺼풀틈새가 크고 눈꺼풀이 느슨하면 큰 렌즈를 사용하는 것이 좋다.

② 안구돌출

안구돌출이 있는 경우 렌즈가 각막 위에 잘 유지되도록

하기 위해 약간 가파르게 처방해야 하지만 렌즈 뒤로 눈물 순환이 감소할 위험이 있다.

③ 결막 및 공막

검열반은 콘택트렌즈에 의해 자극을 쉽게 받으므로 환자에게 결막충혈이 발생하여 미용적으로 문제가 발생할 수 있음을 설명하여야 한다. 익상편이나 이전의 수술반흔이 있으면 렌즈 착용이 어렵고 렌즈에 의해 자극받을 수 있다. 각막윤부의 융기된 병변이 있거나 판누스가 존재한다면 주의를 기울여야 하고, 각막윤부를 걸치는 크기가 큰 RGP렌즈를 착용하는 경우에는 느슨한 결막조직이 쉽게 충혈되며 신생혈관이 자라 들어올 수 있다.

④ 각막

각막윤부의 혈관이 각막내로 2 mm 이상 자라 들어온 경우에는 소프트콘택트렌즈를 착용하지 않도록 한다. RGP렌즈의 경우 각막만곡도가 45.00 D 넘으면 광학부 크기를 작게, 41.00 D보다 적으면 광학부 크기를 크게 조절하는 것이 중심잡기에 유리하다.

⑤ 동공크기 및 반사

RGP렌즈의 경우 광학부가 야간 동공크기보다 작으면 야간운전 시 흐림이나 달무리로 인해 불편감을 일으킬 수 있으며, 소프트렌즈의 경우 이러한 문제점은 덜 발생하는 편이다.

⑥ 굴절상태

가. 근시와 원시

콘택트렌즈는 안경에 비해 망막에 맺히는 상이 크므로 처음에는 적응이 필요하지만 시력개선 효과는 더 뛰어나다. 또한 안경에 의한 상의 축소가 없어지므로 눈이 더 커 보이게 된다. 그러나, 안경에 비해 더 많은 조절과 폭주가 필요하므로 근거리 작업에 어려움을 호소할 수 있고, 물체가 주시점에서부터 더 멀게 느껴진다. 원시의 경우는 이와 반대의 효과를 가져온다.

나. 난시

안경으로 난시를 교정하는 경우 왜곡된 망막상은 중추신경계가 보상하여 적응하게 되며, 렌즈를 처음 착용하게 되는 경우에도 이러한 보상작용이 나타나 처음에는 어지러움을 느낄 수 있으나 곧 적응하게 된다.

잔여난시는 굴절난시와 각막난시를 비교하여 예측할 수 있는데, 1 D 이상의 굴절난시가 있는 경우에는 토릭소프트렌즈가 필요하고, 각막난시가 수정체난시를 중화하고 있는 경우에는 소프트렌즈를 처방하는 것이 이상적이다.

다. 부등시

대부분의 선천부등시는 안축장 길이 차이에 의해 발생하므로, 이론적으로는 안경을 착용했을 때 망막에 맺히는 상의 크기가 유사해지지만, 실제적으로는 콘택트렌즈를 착용했을 때 더 나은 양안시를 제공해준다.[9]

핵경화로 인한 백내장은 근시를 유발하는데, 한 눈에 심하게 생긴 경우 굴절부등시를 일으킨다. 이러한 경우 콘택트렌즈 착용 시 양안시가 더 좋아지고 핵경화가 진행됨에 따라 렌즈도수도 용이하게 변화 가능하다.

라. 양안시

안경으로 부등시를 교정했을 때 나타나는 안구움직임을 중추신경계가 보상하게 되는데, 콘택트렌즈를 처음 착용 시에도 이러한 중추신경계의 보상작용이 일어나 불일치사위가 나타날 수 있다.

단안 무수정체안에서는 안경으로는 불가능한 양안시를 콘택트렌즈로 얻을 수는 있으나, 렌즈가 교점(nodal point) 앞에 위치하게 되므로 잔여 부등상시(aniseikonia)가 발생하여 양안시를 방해할 수 있다. 이러한 경우 환자는 양안시로 인해 발생하는 피로증상으로 인해 단안시를 오히려 선호하게 된다.

약시가 있는 경우에는 콘택트렌즈 착용으로 인해 시력이 개선되어 극복하기 힘든 정도의 복시가 발생하지 않는지 유의해야 한다.

외안근 부전이 있는 경우 콘택트렌즈는 안경에 의한 프리즘 효과를 얻지 못하므로 동향운동이나 이향운동에 영향을 미칠 수 있다.

렌즈 착용 자체는 위험할 수 있으므로 단안 환자에서 미용목적으로 렌즈를 처방하는 것은 바람직하지 못하다.

3) 외부인자

(1) 연령과 성별

젊은 연령일수록 렌즈를 착용하고자 하는 동기가 크고 렌즈 관리 능력도 뛰어나다. 노안이 진행된 경우에는 이중 초점렌즈 혹은 따로보기(monovision)를 이용하거나 별도의 근거리 안경이 필요하다.

눈물막파괴시간은 여성보다 남성에서 좀 더 길지만 나이가 들수록 감소한다.[10] 각막지각도 연령이 증가함에 따라 감소되고 여성의 경우 월경 전과 월경기에 감소한다.[11] 눈꺼풀 조직은 나이가 들면 콘택트렌즈를 충분히 지지하지 못하게 되고 눈물 배출 기능도 떨어지게 된다.

폐경기의 여성은 안건조로 인해, 임신 여성은 각막의 대사변화로 인해 렌즈 착용에 어려움을 겪을 수 있으며 이러한 호르몬 영향은 심리적으로도 영향을 끼쳐 렌즈 착용에 대한 동기를 감소시킬 수 있다.[12] 호르몬 불균형은 각막 및 눈꺼풀 조직의 함수율에 변화를 일으켜 각막의 두께나 굴곡을 변화시키므로 RGP렌즈의 경우 렌즈가 조이게(tight) 된다. 렌즈를 재처방할 수 있으나 임신이 끝나면 각막이 정상으로 돌아온다는 점을 고려해야 한다. 소프트렌즈는 또 다른 문제를 일으키는데 이러한 조직 함수율 증가 시기에 눈물 분비가 감소하여 착용 자체가 어렵게 된다.

(2) 렌즈 관리 능력

환자가 렌즈를 적절하게 관리할 수 없는 경우에는 콘택트렌즈를 처방해서는 안된다. 렌즈에 가벼운 색조를 넣는 것이 도움이 될 수 있으며 무수정체안의 경우에는 안경테의 한쪽에는 도수를 넣고 다른 한쪽은 비어있는 채로 아래쪽 테를 제거하여 처방하면 안경을 쓴 채로 한쪽 눈에 콘택트렌즈를 착용한 후에 반대쪽 눈은 안경을 벗고 착용할 수 있다.

손움직임이 서툴거나 손떨림이 있는 환자의 경우에는 가능하다면 연속착용렌즈를 처방하는 것이 좋으며 환자 주변의 다른 사람에게 렌즈 착용, 제거를 비롯한 필요한 모든 정보를 제공하여 정기적으로 렌즈를 제거하여 세척할 수 있도록 하여야 한다.

(3) 직업 및 주거환경

다음과 같은 환경에서는 렌즈 착용이 어려울 수 있다.
① 먼지나 연기가 많이 발생하는 환경
② 덥거나 추운 환경
③ 바람이 많이 부는 환경
④ 건조한 환경

비행기 기내에는 습도가 낮아 렌즈의 탈수로 인해 불편감을 일으킬 수 있으며,[13] 고지대에서 작업하는 경우 산소부족으로 인해 각막부종이 일어날 수 있다. 화학공장과 같이 독성증기 발생 환경에서는 소프트렌즈를 착용해서는 안 된다.

(4) 운동

운동선수의 경우 RGP렌즈를 주변부틈새를 최소화하여 잘 빠지지 않도록하여 착용할 수 있으나 소프트렌즈가 더 선호된다. 그러나 가시아메바각막염과 같은 감염을 피하기 위하여 수영할 때에는 렌즈를 착용하지 않거나 물안경을 사용하도록 한다.

(5) 약제

여러 가지 약제들은 대사에 변화를 일으켜 콘택트렌즈에 영향을 줄 수 있으므로 렌즈에 적응할 수 있는 기간을 충분히 두고 살펴야 한다.

호르몬 치료를 받고 있는 여성이나 스테로이드를 복용하는 환자들은 눈물 분비가 감소하여 각막부종이 쉽게 일어날 수 있으며,[14] 베타차단제나 이뇨제는 눈물 분비를 감소시키고 리소자임의 농도변화를 가져올 수 있다.[15,16] 그 밖에 항히스타민제나 삼환계항우울제도 안구건조증을 일으키는 것으로 알려져 있다.

2. 피팅 전 검사

1) 시력

시력검사는 렌즈 피팅 전 가장 먼저 시행해야될 검사로 환자의 평소 시력을 알 수 있고 법적근거로도 사용될 수 있다. 원거리 및 근거리에서 나안 혹은 안경 낀 시력을 모두 측정해야 한다. 특히 안경으로 완전교정이 되지 않는 환자의 경우 콘택트렌즈 착용 시 얻은 시력과 비교해 볼 수 있다.

2) 굴절검사

맨먼저 시행해야 할 검사는 검영굴절검사로, 매번 시행할 필요는 없으나 객관적이고 정성적 검사이므로 유용한 정보를 제공해준다. 특히 다음과 같은 경우 필요하다.
① 안경 교정시력이 20/20 이하인 경우
② 난시도가 높고 난시축이 바뀌어 원추각막이 의심되는 경우
③ 가위반사와 같이 불규칙한 각막형태에 대한 검사가 필요한 경우
④ 가성근시의 경우

그러나, 굴절검사를 가장 잘 구현해낼 수 있는 검사는 시험렌즈 착용 후 시행하는 주관적 굴절검사로 비교적 조절을 덜 유발하는 것으로 알려져 있다. 예를 들어, 본인 안경이나 콘택트렌즈로 20/20의 시력이 나오지만 눈피로나 양안시 문제 등 시력과 관련 없는 증상이 나타나는 경우 시험렌즈로 주관적 굴절검사를 시행해보면 이전 안경이나 콘택트렌즈가 과교정되었음을 알아낼 수 있다.

3) 눈구조측정

콘택트렌즈 처방을 위해서는 전안부의 해부학적 구조를 측정해야 한다. RGP렌즈의 경우 각막에 대한 윗눈꺼풀 및 아래눈꺼풀 위치를 관찰해야 하는데, 전형적인 위치는 아래눈꺼풀은 아래쪽 윤부에 위치하고 윗눈꺼풀은 위쪽 윤부를 1~2 mm 살짝 덮는 형태이다.[17] 이는 렌즈 크기를 선택하고 나아가 렌즈 착용감을 높이는 데 도움을 준다.

4) 각막곡률측정

각막곡률검사는 각막정점 3 mm의 곡률을 측정하는 검사로 콘택트렌즈 처방 전 중요한 검사 중 하나이다.
RGP렌즈의 경우 첫 시험렌즈의 BC (base curve, 기본 커브)를 선택하는 데 유용하게 사용되는데, 특히 각막곡률

값의 난시양을 굴절난시와 비교하여 렌즈 착용 후 수정체 난시 혹은 불규칙난시로 인한 잔여난시가 어느 정도 남을 것인지를 예상해 볼 수 있다.

간단하고 빠르며 덜침습적인 검사이기는 하지만, 각막의 중심 3 mm 지름만을 측정하기 때문에 규칙난시를 가진 구면각막이라는 가정하에만 정확히 측정된다는 단점과 함께 36.00에서 53.00 D 내의 값만 측정할 수 있다.

5) 각막지형도

각막지형도는 각막에 일련의 동심원(placido disc)을 투사하여 각막의 전반적인 형태를 측정해낼 수 있다. 가장 흔히 사용되는 형태는 축지도(axial map)로 환자의 시축을 기준으로 계산된 곡률값을 나타내어 주는데 직난시, 원추각막, 굴절수술 후 상태 등 다양한 각막 상태를 진단하는 데 이용된다. 접선지도(tangential map)는 각 지점에서의 곡률값을 근거로 계산되어지므로, 보다 자세하고 정확한 값을 제공해 준다. 그러므로 특히 원추각막, 술후 각막 등에서 국소적 변화를 감지하는 데 유용하게 사용된다.

6) 세극등현미경검사

세극등현미경검사는 전안부 상태를 평가하여 콘택트렌즈 착용에 적합한 눈상태인지를 살펴보는 데 이용된다. 또한 렌즈 착용 전 기준 상태를 기록해 두고 이후 착용 후 상태와의 비교 자료를 위해서도 중요한 검사이다. 콘택트렌즈 착용 전 세극등현미경을 통해 전안부 6개 영역에 관한 검사를 시행하여야 한다(그림 4-1).

7) 눈물층검사

눈물층검사에는 증상 및 병력청취, 세극등현미경을 통한 눈물층 높이 평가, 눈물막파괴시간 측정을 통한 눈물안정성 검사, 염색법을 이용한 안표면 평가, 눈깜빡임 횟수 및 정도를 통한 눈꺼풀 평가 및 쉬르머검사를 통한 눈물분비 기능검사들이 있다.

8) 검안경검사

안저검사는 안질환을 선별해내는 기본 검사이다. 시력

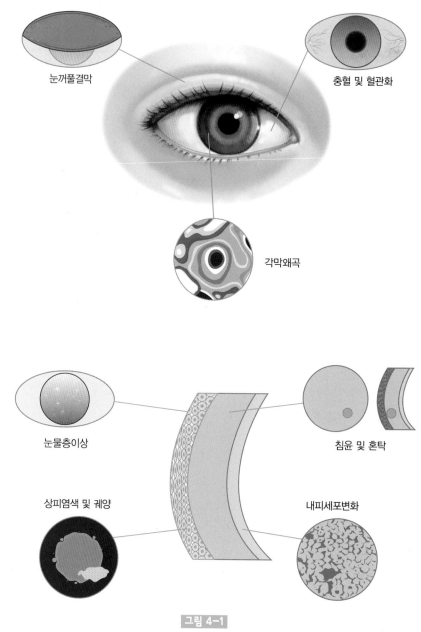

눈꺼풀결막

충혈 및 혈관화

각막왜곡

눈물층이상

침윤 및 혼탁

상피염색 및 궤양

내피세포변화

그림 4-1

콘택트렌즈 착용전 세극등현미경 검사를 통해 평가해야 할 전안부 6개 영역

감소가 있거나 비문증 등의 증상이 있을 때 유용하게 사용된다.

9) 양안시검사

　콘택트렌즈와 안경은 눈모음 및 조절에 필요한 요구량이 서로 다르므로 눈모음 혹은 조절 부족이 있는 환자에서 콘택트렌즈를 착용하면 그 증상이 더욱 악화될 수 있다. 고도 근시의 경우, 콘택트렌즈를 착용하면 근거리 작업 시 눈모음 및 조절을 더 많이 해야 하므로 노안을 더 빨리 느낄 수 있다. 그러므로 근거리 시력에 장애가 있었던 환자에서는 눈모음 및 조절에 관한 평가가 반드시 필요하다.

10) 그 외 검사

(1) 각막지각검사

눈수술을 받았거나 각막감염이 있었던 환자에서는 각막지각이 감소될 수 있으므로 이에 대한 검사가 필요하다.

(2) 시야검사

주변부 시야장애가 있거나, 안저검사 소견이 명확하지 않거나 혹은 원인 미상의 시력감소가 있는 환자에서는 시야검사를 시행하여야 한다. 콘택트렌즈는 시야를 호전시킬 수도 있고 감소시킬 수도 있는데, 원시의 경우 안경 착용 시 생길 수 있는 중간주변부 암점을 개선시킬 수 있고, 컬러소프트콘택트렌즈는 시야를 협착시킬 수 있다.[18]

(3) 안압검사

40세 이전의 환자에서 안압측정을 필수검사로 해야하는지에 관해서는 의견이 다양하다. 일반적으로 녹내장은 40세 이후 발생하지만 이보다 더 젊은 연령대에서도 유두패임 증가나 유두비대칭 소견을 보여 안압검사가 필요할 수도 있기 때문이다.

(4) 입체시검사

노안을 교정하기 위해 콘택트렌즈를 이용하여 따로보기(monovision)를 만들면, 근거리를 보는 한눈으로 인해 양안시에 영향을 줄 수 있는데 이때 입체시검사를 통해 양안시 장애 정도를 정성화할 수 있다.[19]

(5) 색각검사

남자의 8%, 여자의 0.5%에서 적록색맹이 발견되므로 콘택트렌즈를 처음 착용하는 환자에서는 적어도 한번쯤은 색각검사를 시행할 필요성이 있다.

▶ 참고문헌

1. Nelson DM, West L. Adapting to lenses: the personality of success and failure. J Br Contact Lens Assoc 1987;10:36–7.

2. O'Donnell C, Efron N. Contact lens wear and diabetes mellitus. Cont Lens Anterior Eye 1998;21:19–26.

3. Rubinstein MP. Diabetes, the anterior segment and contact lens wear. Contact Lens J 1987;15:4–11.

4. Jennings B. Mechanisms, diagnosis and management of common ocular allergies. J Am Optom Assoc 1990;61:S32–41.

5. Hingorani M. The compromised eye: tear film abnormalities and atopic disease. Optom Today 1999;19:28–34.

6. Kari O, Haahtela T. Is atopy a risk factor for the use of contact lenses? Allergy 1993;47:295–8.

7. O'Callaghan GJ, Phillips AJ. Rheumatoid arthritis and the contact lens wearer. Clin Exp Optom 1994;77:137–43.

8. Larke J. The eye in contact lens wear. London: Butterworths, 1985.

9. Winn B, Ackerley RG, Brown CA, et al. The superiority of contact lens in the correction of all anisometropia. Trans BCLA Conference 1986;95–100.

10. Millodt M. Influence of age on sensitivity of the cornea. Invest Ophthalmol 1977;16:240–3.

11. Guttridge NM. Change in ocular and visual variables during the menstrual cycle. Ophthalmol PHysiol Opt 1994;14:38–48.

12. Imafidon C, Akingbade A, Imafidon J, Onwudiegwu U. Anterior segment adaptations in gestation. Optom Today 1993;33:25–9.

13. Fatt I, Rocher P. Contact lens performance in different climates. Optom Today 1994;34:26–31.

14. Mathers WD, Stovall D, Lane JA, Zimmerman MB, Johnson S. Menopause and tear function; the influence of prolactin and sex hormones on human tear production. Cornea 1998;17:353–8.

15. Bergmann MT, Newman BL, Johnson NC. The effect of a diuretic (hydrochlorothiazide) on tear production in humans. Am J Ophthalmol 1985;99:473–5.

16. Mackie IA, Seal DV, Pescod JM. Beta–adrenergic receptor blocking drugs: tear lysozyme and immunological screening for adverse reaction. Br J Ophthalmol 1977;61:354–9

17. Bruce AS. Rigid gas–permeable lens fitting and eyelid geometry (CD–ROM). In : Hom M, Bruce AS, eds. Manual of Contact Lens Fitting and Prescribing with CD–ROM, 3rd ed. Boston MA: Butterworth–Heinemann Elsevier, 2006.

18. Bruce AS, Vingrys AJ. Does a coloured contact lens change the visual sensitivity of patients? Clin Exp Optom 1990;73:200–4.

19. Collins MJ, Bruce AS. Factors influencing performance in monovision. J Br Contact Lens Assoc 1994;17:83–9.

각막형태검사
Corneal topography

김재용, 현준영

콘택트렌즈 처방 시 콘택트렌즈의 기본커브(base curve)를 결정하기 위해 일반적으로 각막곡률계(keratometer)를 사용하는데, 각막곡률계는 각막중심부의 커브에 대한 정보만을 제공한다. 보다 더 정확한 콘택트렌즈 처방을 위해서는 각막 전반의 형태를 보다 세밀하게 평가할 수 있는 검사가 필요한데, 그 중 임상적으로 가장 유용한 것이 각막형태검사(corneal topography)이다. 각막형태검사는 모든 경선에 대한 각막의 형태를 정확하게 기술하기 위한 것으로 진단, 치료 및 경과 관찰에 매우 중요한 수단으로 널리 사용된다. 콘택트렌즈 처방에 있어서 각막형태검사를 이용하면, 보다 정확하고 재현성 높은 정보를 얻을 수 있을 것이다.

1. 정상 각막

각막은 안구에서 가장 큰 굴절력을 보이며, 각막정점(apex)에서 43~44 디옵터로 사람의 눈의 굴절력 중 약 2/3를 차지한다. 곡률반경은 평균 7.8 mm이다. 각막은 위치에 따라 크게 4개의 지역으로 나눌 수 있다.

1) 중심부
각막 중심의 4 mm 부분으로 동공을 덮고 있으며, 이 부분은 거의 구면에 가깝고 각막정점으로 불린다.

2) 중심부근부
이 부분에서부터 각막이 편평해지기 시작한다.

3) 주변부

4) 윤부

2. 각막표면 측정을 위한 장비

1) 각막곡률계
RGP렌즈 처방을 위해서는 각막곡률을 정확하게 파악하는 것이 무엇보다 중요하다. 대부분의 각막곡률을 정량화하기 위한 방법들은 볼록한 각막의 정점으로부터 각막지형에 따라 변화하는 빛의 반사를 이용하는데, 임상적으로 가장 먼저 사용된 방법은 각막곡률계이다. 각막곡률계는 중심부 3 mm 직경의 각막부위에 대한 곡률반경을 정량화하는데, 일정한 거리에서 크기를 알고 있는 이미지의 반사되는 상을 곡률반경의 함수로 나타낼 수 있다는 점을 이용한다.

r : anterior corneal radius

d : distance from mire to cornea

I : image size

O : object (mire) size

$$r = 2d \frac{I}{O}$$

위와 같이 나타낼 수 있으며, 굴절력은 337.5/r로 나타낼 수 있다.

각막곡률계에 의한 오차는 다음과 같은 요인에 의해 나타난다.

(1) 기구 자체에 의한 오차

마이어(mire)가 반사하는 주변부 각막의 곡률반경이 각막정점에서의 곡률반경과 같다는 가정인 paraxial ray theory의 부정확성

(2) 검사자에 의한 오차

정확히 초점이 맺히지 않은 상태에서 측정에 의한 오류

(3) 환자에 의한 오차

주시를 제대로 하지 못하는 경우나 각막의 비틀림(distortion)

대개 임상적으로 콘택트렌즈 처방 시 처음 시험렌즈(trial lens)를 선택할 때 각막곡률계를 사용해 오고 있지만, 각막곡률계는 각막중심의 직경이 3.0~3.5 mm 부위만을 평가하므로 전반적인 각막모양을 평가하는 데는 지표가 되지 못한다. 각막곡률계에 의해 측정된 각막난시와 굴절검사에 의한 난시를 비교하는 것도 렌즈를 선택하는 데 도움이 되며, 연성콘택트렌즈와 RGP렌즈 중에서 어느 것이 더 나은 시력교정 효과를 가져올 수 있는지, 토릭렌즈(toric lens)가 필요한지 등에 대한 정보를 얻을 수 있다.

2) 각막계(keratoscope) 또는 사진각막계(photokeratoscope)

플라시도 디스크(Placido disc)나 안쪽에 빛을 발하는 고리형태가 있는 원뿔 모양을 각막표면에 비추어 반사되어 나오는 빛을 정성적으로 평가하는 방법이다. 각막계에서 타원 모양으로 마이어가 뒤틀린 것은 난시를 의미하며, 마이어가 좁은 간격으로 배열된 부분이 굴절력이 크고, 가파르며, 곡률반경이 짧은 부분이다. 각막계는 전산화된 각막형태검사가 널리 쓰이면서 거의 사용되고 있지 않는데, 전산화된 각막형태검사는 정성적인 평가뿐만 아니라 정량적인

분석이 가능하고, 해상력이 우수하며, 주변부 각막에 대하여 더 민감하다. 플라시도 디스크 방법은 각막이 구면이라는 가정에서 출발하는데, 각막중심부의 정보를 얻을 수 없고 한정된 지점에서의 정보만을 획득하며 각막의 고도가 아닌 경사면을 측정한다는 단점이 있다.

3) 전산화비디오각막경(computerized videokeratoscopy)

전산화비디오각막경은 현대적인 각막형태검사로 널리 쓰이기 시작하였는데, 콘택트렌즈와 레이저굴절수술의 보급으로 임상에서 중요한 검사의 하나가 되었다. 전산화비디오각막경은 고전적인 각막곡률계나 각막계와 비교하여 더 넓은 면적의 각막에서 더 많은 지점으로부터 정보를 얻을 수 있으며, 추후 경과 관찰을 위하여 기록을 저장할 수 있다는 장점이 있다.

3. 각막형태검사의 원리

각막의 모양은 각막곡률계에 의해 평가되는 것보다 훨씬 더 복잡하며, 개인차이가 있지만, 주변부가 편평한 prolate 타원(ellipse)으로 표현될 수 있다. 일반적으로 사용되는 각막형태검사 장비는 반사장비(reflective device)와 세극주사장비(slit scanning device)로 나뉜다. 반사장비인 플라시도에 기반한 각막형태검사는 고리 형태의 빛을 생성하는 원뿔(cone) 혹은 반구(bowl) 형태의 조명장치가 있으며, 컴퓨터에 부착된 카메라가 각막 중심 약 10 mm 부위에서 반사되는 고리 모양을 수동 또는 자동으로 영상을 얻는다. 임상에서 가장 널리 쓰이며 비교적 간단하고 신뢰할 수 있는 방법으로 각막 중심과 주변부의 곡률을 측정할 수 있지만,[1-3] 정렬에 따른 오차, 각막정점에 대한 예측, 공식에서의 가정들에 의해 발생하는 내재적인 오류를 가지고 있으며, 여러 가지 소프트웨어에 의해 이러한 문제점이 줄어들고 있으나 근본적으로 제거될 수는 없다.[4-6] 또한 플라시도에 기반한 시스템은 각막의 앞쪽 표면에서만 데이터를 얻으므로 Sim K (simulated keratometry)와 같이 각막후면에 대한 정보가 필요한 지표들을 계산하는 공식에서 가정과 추정에

따르는 오차를 보인다.

세극주사방법에 의한 높이(elevation)의 측정은 고전적인 각막형태검사와 비교해 큰 진전으로 평가할 수 있는데, 이는 3차원적인 세극주사영상을 합성하여 각막의 전면과 후면을 분석할 수 있으며 각막의 두께도 효과적이고 재현성 높게 측정할 수 있다.[7,8] 각막형태검사는 영상분석을 통해 여러 경선에서 고리의 위치를 찾아내고 데이터는 등고선지도(contour map)나 Sim K 측정값으로 표시된다. 지도는 동일한 곡률반경의 영역을 연결하고 각 영역을 단계별로 가파른 부위는 적색, 편평한 부위는 청색으로 표시하여 만들어진다.

1) 등고선 지도의 종류

(1) 시상지도(sagittal map)

축지도(axial map)라고 불리며, 굴절이 일어나는 표면이 대칭으로 모든 광선이 대칭축에 초점을 맺을 것이라는 가정인 paraxial ray theory에 의해 만들어 진다. 이는 재현성이 매우 높고, 가장 많이 사용되지만 각막 정점이나 굴절 이상에 의해 절삭된 부위 같은 영역에 대한 정보에 오류가 발생할 수 있다.

(2) 접선지도(tangential map)

접선지도는 단일한 축에 의존하지 않고 수학적으로 계산되는 곡률반경에 의한 곡률반경 중심에 기반하여 만들어진다. 이러한 지도는 각막정점이나 다른 각막구조에 대해 더 정확한 정보를 제공하며 형광염색 형태와 비교했을 때 각막형태를 더 잘 반영한다. 그러나 시상지도에 비해 재현성이 떨어진다.[9] 시상지도와 접선지도는 정성적으로 각막형태를 비슷하게 나타내지만 접선지도는 시상지도에 비해 좀 더 작고 중심축에 가깝게 표시한다. 이러한 현상은 각막 주변부로 갈수록 더 커지므로 콘택트렌즈 장착에 있어서 임상적으로 매우 중요한 차이를 보일 수 있어서, 접선지도는 콘택트렌즈 환자의 추적관찰 시 매우 유용하다.[10,11]

(3) 높이지도(elevation map)

높이지도는 기준이 되는 가상의 구(best-fit sphere)에 대한 각막의 높이에 기초하여 만들어진다. 각막 모양을 가장 직접적으로 측정하나, 재현성은 가장 떨어진다. 따뜻한 색(적색 방향)은 기준구면보다 올라온 부분을 나타내고, 차가운 색(청색 방향)은 기준구면보다 낮은 부분을 의미한다. 표시되는 색상은 곡률(curvature) 표시에 사용되는 색상과 같지만, 높이지도에서는 이러한 색상이 곡률이 아닌 높이 차이를 의미하며 초록색은 가상구면과 각막표면이 일치하는 부위를 나타낸다(그림 5-1).

(4) 굴절력지도(refractive power map)

굴절력지도는 각막의 어느 지점에서 계산된 곡률반경을 각막의 굴절지수를 감안하여 굴절력으로 변환하여 만들어진다.

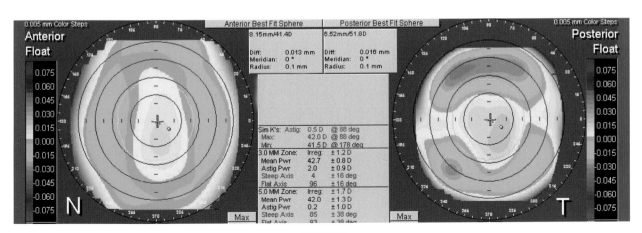

그림 5-1

Orbscan 시스템으로 표시된 높이지도

4. 각막형태검사에 영향을 미치는 요인

각막형태검사는 검사 자체가 가지는 표현적 왜곡에서 오는 부정확성 이외에도 다음과 같은 오차가 발생할 수 있는 원인이 있다.

① 각막질환 또는 각막상피질환, 눈물막의 불안정성, 초점이 잘 맞지 않을 경우 영상이 정확하게 만들어지지 않거나 깨어지게 된다.

② 각 고리마다 측정되는 포인트 수가 같기 때문에 각막 주변부로 갈수록 동일한 영역당 측정되는 포인트 수는 감소된다.

③ 고리를 좁고 촘촘하게 배열하면 표본추출은 증가하지만 각막에 비틀림이 있는 경우 이를 알아내기가 힘들다.

④ 반구에 기반한 각막형태검사에서 주변부의 고리는 코, 눈썹에 의한 그림자에 의해 제한을 받을 수 있다. 원뿔 모양 각막형태검사의 경우 이 문제를 피할 수 있으며, 좀더 넓은 범위의 각막을 해석할 수 있다.

⑤ 조절이나 이향운동이 정확도에 영향을 미칠 수 있다.

⑥ 난시가 있는 각막의 주경선은 동일한 평면에 상을 맺지 않는다.

⑦ 환자의 높은 자세나 좋지 않은 시력이 정렬 오차를 유발하게 된다.

⑧ 가장 유의한 오류는 상이 각막중심축과 일치하지 않는 시축에 맺힘으로 인해 발생한다. 이로 인해 마이어의 상이 코 쪽으로 치우치게 되어 오차가 발생하는데, 이측보다는 비측의 측정값에서 오류가 크게 나타나며 비구면 표면에서 주변부 곡률을 계산하는 데 오차를 일으킨다.

5. 각막형태검사의 적응증

비디오 각막형태검사는 외상이나 다른 질환으로 불규칙해진 각막을 평가하거나 Ortho-K렌즈(orthokeratology lens, 각막교정렌즈)를 처방하는 경우, 원추각막 또는 굴절교정수술 후의 각막을 평가할 때 보다 유용하게 사용된다.

① 굴절수술 전후의 평가

② 각막이식수술 전후의 평가

③ 부정난시

④ 각막이상증

⑤ 원추각막의 진단 및 추적관찰

⑥ 각막궤양의 추적관찰

⑦ 외상 후 각막 반흔

⑧ 콘택트렌즈 장착

⑨ 눈물막의 평가

⑩ 백내장 수술 전후 각막상태의 변화 평가

6. 각막형태검사의 해석

각막형태검사의 의미 있는 해석을 위해서는 지형도 형태에 대한 임상경험과 각막형태검사에 대한 세밀한 지식이 필요하다. 먼저 색척도(color scale)에 대한 이해가 필요한데, 현대적인 각막형태검사들은 각막표면의 굴절력을 표현하기 위하여 Louisiana State University Color-Coded Map을 사용한다. 디옵터로 측정되는 굴절력 값이 mm로 표현되는 곡률반경에 비해 많이 쓰이지만, 대부분의 각막형태검사에서 양쪽 값을 모두 사용할 수 있다.

각막지형도에서 사용되는 척도는 절대척도와 상대척도가 있다. 절대척도는 지도에 상관없이 항상 같은 척도가 사용되어 지도들 간을 직접 비교하는 데 유용하지만, 해상력이 떨어지고 명확한 이상 소견만이 지도에서 나타날 수 있다. 상대척도는 각 지도에 따라 다른 척도가 사용되는데, 컴퓨터가 해당하는 지도에서 곡률의 최소치와 최대치를 결정하여 그에 따라 색상을 부여하게 된다. 이는 특정 환자의 경과 관찰에 유용하며 절대척도에 비해 척도 간격이 세밀하여 해상력이 높은 지도를 얻을 수 있다. 상대척도에서는 미세한 이상도 나타낼 수 있지만 정상 각막이 비정상 소견으로 보이거나 비정상인 각막이 정상 소견에 가깝게 보일 수 있다.

각막형태검사는 각막이 불규칙해질수록 정확도가 떨어지며 기종에 따라 편차가 크다. 대부분의 각막형태검사 장비 모델들은 특정 렌즈를 착용하였을 때 예상되는 형광염색을 예측하는 프로그램을 내장되어 경험적 피팅(empirical fitting)의 정확성을 높일 수 있다. Orbscan IIz 각막분석장치(Bausch and Lomb, Inc., Rochester, NY, USA)의 경우 플라시도 영상과 더불어 세극주사 방식을 이용하여 등고선 지도를 얻어 연속된 각막의 단면 영상을 측정할 수 있으며, Pentacam (Oculus, Inc., Oculus, Wetzlar, Germany) 의 경우 한 개의 샤임플러그(Scheimpflug) 카메라를, Galilei (Ziemer Ophthalmic Systems AG, 2562 Port, Switzerland)의 경우는 두 개의 샤임플러그 카메라와 플라시도 영상을 이용하여 등고선 지도 및 굴절력 지도를 얻을 수 있다. 이러한 방법을 이용하면 각막 전면과 후면의 곡률에 대한 정보뿐만 아니라 전방각, 전방 깊이, 전방용적이나 각막두께와 같은 전안부의 정보를 얻을 수 있다.

7. 정상 각막의 각막형태검사 소견

각막형태검사를 평가할 때는 정상 각막이 매우 다양한 소견을 보일 수 있다는 것을 염두에 두어야 한다. 구면(spherical)과 같은 규칙적인 형태를 보이는 각막은 존재하지 않으며 아래와 같은 다양한 형태를 보인다.

① 구면
② 직난시
③ 도난시
④ 편위된 정점
⑤ 불규칙

정상 각막에서 비측 각막은 이측 각막보다 편평하여 각막형태검사에서 더 빠르게 푸른색으로 나타난다. 생리적으로 0.75 디옵터 정도의 난시가 존재하게 되는데, 위쪽 축과 아래쪽 축이 같지 않을 수 있다.

일반적으로 같은 사람의 양쪽 눈은 매우 비슷한 형태를 가지며 서로의 거울상(mirror image)으로 나타난다. 이러한 현상을 거울상이성질체(enantiomorphism)라고 하며 각막이 정상인지 비정상인지를 판단하는 데 큰 도움이 된다.

일생을 거치면서 각막에 변화가 생기는데, 유아기에 어느 정도 구면성을 갖고 있던 각막은 학동기와 청소년기를 거치면서 약간의 직난시를 보이게 되고 중년기에 들어서면 다시 구면성을 회복하였다가 이후에는 도난시가 생기는 경향을 보인다. 단기변동(short-term fluctuation)이나 일중변이(diurnal variation)는 정상 각막에서는 매우 드물며, 각막이상증, 저안압증, 방사상각막절개술 후 또는 콘택트렌즈를 착용하는 경우에 나타날 수 있다.

8. 각막형태검사에서 사용되는 통계지표

1) Sim K(Simulated keratometry)
고전적으로 사용되어오는 각막곡률계의 굴절력 값에 대응시키기 위한 지표로 각막중심 3 mm에서 가장 가파른 축과 가장 편평한 축에서의 굴절력을 표시한다.

2) 구면렌즈대응력(Spherical equivalent power)
각막중심부 3 mm 이내의 모든 경선의 각막 굴절력을 계산한다. 불규칙 난시의 경우 각막곡률계보다 더 정확한 구면렌즈대응력 값을 얻을 수 있다.

3) 비구면도(Asphericity)
각막표면의 비구면성은 Q값, 형태인자(shape factor, P), 편심률(eccentricity)로 표현할 수 있는데,

$$P=Q+1, Q= - \xi^2$$

의 관계를 갖는다.

4) 표면불균형지수(Surface asymmetry index, SAI)
180도 떨어진 지점의 각막 굴절력 차이를 모두 합하여 계산하는데, 정상 각막에서는 일반적으로 0.5 이하이며, 원추각막과 같이 비대칭인 각막에서는 5 이상으로 증가할 수 있다.

5) 상하값(Inferior-superior(I-S) index)
각막 중심에서 위쪽과 아래쪽 3 mm 지점에서의 굴절력

차이를 표시한다.

6) 원추각막예측지수(keratoconus Prediction Index, KPI)

각막형태검사에서 제공되는 8가지 지표[sim K1, sim K2, SAI, differential sector index (DSI). irregularity astigmatism index (IAI), analyzed area (AA)]를 이용하여 원추각막을 진단하는 지표를 계산한다.

7) Klyce / Maeda keratoconus index(KCI)

KPI와 논리에 기반한 판단 알고리듬을 이용하여 각막형태가 원추각막일 가능성을 제시하며, 원추각막의증(keratoconus suspect)을 진단하지는 않는다.

8) 표면규칙지수(Surface regularity index, SRI)

중심 4.5 mm의 가상의 동공위 각막표면의 국소적인 규칙성을 계산한다.

9. 콘택트렌즈 장착에 있어서 각막형태 검사의 활용

1) 렌즈장착 과정 중 각막형태 변화 관찰

콘택트렌즈를 착용하는 환자에서 경과 관찰 중 각막형태의 비교에는 정성적인 분석이 도움이 된다. 특히 서로 다른 기종으로 기록된 각막형태검사를 비교하는 경우에는 정량적인 지표들을 직접적으로 비교할 수 없다. 만약, 같은 장비를 이용하여 시간에 따라 연속적으로 검사를 하고 결과를 비교할 때에는 차이지도(difference map)를 이용하는 것이 좋다. 차이지도는 선택된 두 개의 지도 간의 차이를 수학적으로 계산하여 만들어지는데, 특히 RGP렌즈 착용 중 각막 뒤틀림(corneal warpage)이나 장착 후 각막의 변화를 감시하는 데 유용하다. 차이지도는 각막 뒤틀림이 있는 경우 환자가 렌즈 착용을 중단하였을 때 회복여부를 평가하는 데도 도움이 된다. 일반적으로 두 개의 연속적인 각막형태지도가 보여지고 두 지도의 굴절력 차이가 디옵터로 표시된다(그림 5-2). 모든 종류의 콘택트렌즈는 일시적인 또는 영구적인 각막 뒤틀림과 같은 각막표면의 변형을 일으

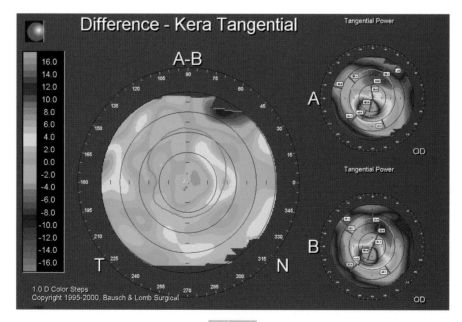

그림 5-2

차이지도(difference map)로서, 검사시기가 다른 두 개의 접선지도 간의 차이를 계산하여 표시한다.

킬 수 있다. 각막형태검사를 이용하면 이러한 각막의 변형을 쉽게 찾아낼 수 있으며, 불규칙적이고 의도하지 않은 변형이 일어나는 경우 조기에 교정이 가능하다.

Ortho-K렌즈의 경우에는 의도적으로 각막의 변형을 일으켜 계획적으로 각막형태의 변화를 유도한다. 정상 각막은 prolate 모양으로 중심이 가파르고 주변이 편평한 형태를 취하고 있는데, Ortho-K렌즈 착용은 각막이 편장된 형태를 의도적으로 oblate 형태로 변형시켜 레이저 시력교정굴절수술에 의해 근시를 교정한 것과 같은 형태로 바꾸게 한다. 각막형태검사는 Ortho-K렌즈 착용 후 각막의 변화를 감시하는 데 필수적인데, 가장 이상적인 각막의 형태는 중심이 편평하고 주변이 고르게 가파른 전이 지역이 나타나는 것으로 접선지도에서 가장 잘 관찰할 수 있다(그림 5-3). Ortho-K렌즈의 효과는 E값(eccentricity, 편심률)에 의해서도 관찰할 수 있는데, 많은 각막형태검사 장비들이 E값을 측정할 수 있다. 편심률은 각막주변부가 편평해지는 정도를 말하고, 주변부가 편평해지지 않은 완벽한 구(circle)는 E값이 0이며, 주변부가 완전히 편평해진 경우를 1.0으로 했을 때, 정상 각막은 평균 0.55의 E값을 보인다. Ortho-K렌즈 사용 시 E값이 0에 가깝게 낮아지며 근시가 감소하게 되는데, 사용 전 편심률이 높은 환자에서는 더 큰 근시교정효과를 얻게 된다.[12] 한편, 각막표면의 비구면성은 Q값을 통해서도 알 수 있는데, 주변부로 갈수록 편평해지는 prolate 표면은 음의 Q값을 가지며, 각막은 평균 −0.26의 Q값을 가진다.

장기간 콘택트렌즈를 편평하게 착용한 환자에서도 의도하지 않게 oblate 형태로 각막 변형이 일어날 수 있는데, 이러한 각막뒤틀림은 난시가 규칙적이고 환자의 최대교정시력이 유지되는 동안에는 각막곡률계나 현성굴절검사로는 발견되지 않을 수 있으며, 각막형태검사에 의해서만 진단이 가능할 수 있다. PMMA (polymethyl methacrylate)렌즈 또는 Dk (Oxygen permeability, 산소투과율)이 낮은 RGP렌즈의 장기간 착용이나 상방으로 이탈된 RGP렌즈는 아래쪽 각막을 가파르게 하여 원추각막과 같은 형태의 변화를 초래할 수 있다. 이러한 각막뒤틀림의 회복은 렌즈 종류에 따라 다르게 나타날 수 있는데, 연속착용 소프트콘택트렌즈(extended-wear soft lens)는 평균 11.6주, 소프트토릭콘택트렌즈(toric soft lens)는 5.5주, 매일착용 소프트콘택트렌즈(daily-wear soft lens)는 2.5주, RGP렌즈는 8.8주가 걸린다고 보고되었다.[13] 각막형태검사는 이러한 변화를 조기에 확인할 수 있으나 콘택트렌즈에 의한 각막뒤틀림, 원추각막, 투명각막가장자리변성 등 역시 비슷한 소견을 보여 진단이 어려울 수 있다. 각막형태검사 장비 중에는 원추각막을 진단하기 위한 소프트웨어를 내장하고 있어, 이러한 질환들의 감별진단에 도움을 준다.

2) 각막형태검사에 기반한 RGP렌즈 장착

각막형태검사는 각막중심부에 대한 각막주변부의 정보를 제공하여 RGP렌즈 장착에 도움을 준다. RGP렌즈는 정상 각막의 가장 가파른 경선에 따라 움직이려는 경향을 보이므로 각막형태에 대한 이해 없이 중심이탈된 렌즈를 교정하는 것이 어려울 수 있다. 정상 각막은 상대척도의 시상지도에서의 모양에 따라 다섯 가지 형태로 분류할 수 있는데, Bogan 등[14]은 정상 각막 400안을 분석하여 32.1%는 비대칭 나비넥타이모양 난시(asymmetric bow-tie astigmatic pattern), 22.6%는 원형, 20.8%는 난형, 17.5%는 대칭적인 나비 넥타이모양 난시(symmetric bow-tie astigmatic pattern), 7.1%는 불규칙한 형태를 갖는다고 하였다. 이러한 각막형태검사는 직경 6 mm 이상의 각막영상을 분

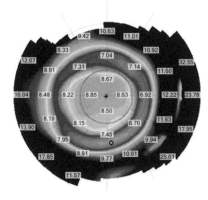

그림 5-3

Ortho-K 렌즈 착용 후 각막형태검사로서, 각막 중심이 편평하고 주변이 고르게 가파른 전이 지역이 나타나는 것을 확인할 수 있다. (사진 제공: YK 안과 박영기)

석한 것이므로, 각막의 중심 주위 3.0~3.5 mm의 부위만을 분석하는 각막곡률계와는 크게 다를 수 있다.

각막형태검사에 의한 렌즈 장착 전 분석에서는 각막형태에 대한 확인과 렌즈 디자인 및 피팅 관련성(fitting relationship)에 대한 어느 정도의 사전 결정이 이루어져야 한다. 각막에서 가장 가파른 부위를 확인하고 RGP렌즈가 이러한 가장 저항이 적은 경로를 따라 움직이게 될 것을 염두에 두어야 한다. 만약, 하이측 부위의 각막이 가장 가파르다면 렌즈가 같은 위치로 중심이탈할 수 있음을 생각하여 렌즈가 좀 더 위쪽에 위치하거나 눈꺼풀에 걸리기 쉽도록 편평하게 렌즈를 디자인하거나 좀 더 큰 렌즈를 처방할 수 있다.

3) 원추각막에서의 이용

시상지도와 접선지도에서 나타나는 각막정점의 위치와 곡률이 크게 다르게 나타날 수 있는데, 접선지도에서는 각막 정점의 위치는 시상지도에서보다 항상 각막 중심에 가깝게 나타난다(그림 5-4). 또한, 접선지도에서의 정점 곡률반경은 거의 항상 시상지도에서보다 가파르게 나타난다. 시상지도와 접선지도에서의 곡률차이는 각막 원추(cone)의 위치와 원추각막의 중증도에 따라 달라지는데, 원추의 위치가 중심에서 멀어지고 정점의 곡률이 가파를수록 그 차

이가 커진다.[15]

이러한 각막형태검사에서 얻어지는 데이터는 원추각막 환자에게 RGP렌즈를 처방할 때 필수적이다. 원추각막 환자에게 RGP렌즈를 처방하는 방법은 일반적으로 정점에 접촉되는 정도에 따라 여러 가지가 있다. 우선 원추의 형태를 파악해야 하는데, 유두 원추(nipple cone) 또는 중심 원추(central cone)와 늘어진 또는 난형원추(sagging or oval cone)로 나눌 수 있으며, 분류를 위해서는 각막형태검사의 접선지도가 필요하다. 중심원추는 가파른 부분이 시축에 가깝게 위치하며, 직경이 작고 주변이 편평한 각막이 고르게 분포한다. 늘어진 원추는 가파른 부위가 더 크고 주로 시축의 하이측에 위치하며 원추와 같은 사분영역의 각막 주변에 얇아진 부위가 있다. 원추각막에서의 콘택트렌즈 처방에 대해서는 13장에서 자세히 다룬다.

4) 수술 후 렌즈 장착

각막곡률계는 각막의 중심 주위 3.0~3.5 mm의 부위만을 측정하므로, 주변부 각막의 곡률을 평가하기 어려워 수술 후 각막 형태를 파악하는 데 매우 제한적이다. 주변각막곡률계를 이용하더라도 각막주변부의 실제적인 모양을 알기 어려우며, 특히, 각막곡률계는 각막을 구면원주(spherocylindrical) 형태로 가정하고 있는데, 수술 후 각막에서는

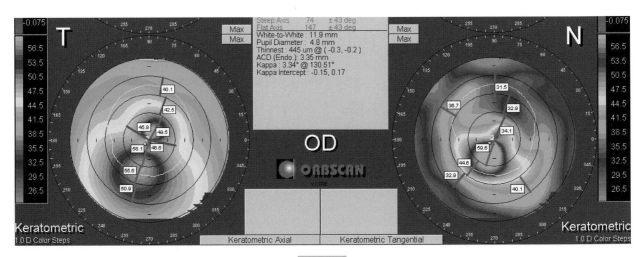

그림 5-4

원추각막환자에서의 시상지도(좌)와 접선지도(우)로서, 접선지도에 비교하여 시상지도에서는 각막의 변화가 더 미만성을 나타낸다. 한편, 시상지도에 비교하여 접선지도에서는 각막정점의 위치가 더 각막의 중심에 가깝고 가파르게 나타난다.

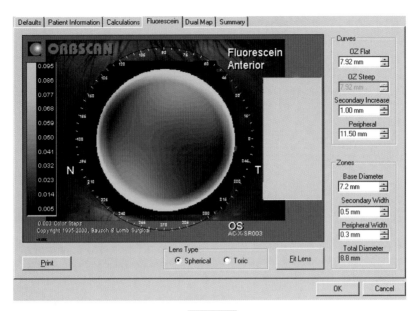

그림 5-5
각막형태검사를 이용하여 콘택트렌즈 장착 시 형광염색형태를 가상할 수 있다.

이로 인한 오차가 더 커지게 된다. 결론적으로 각막형태검사는 수술 후 각막표면을 측정하는 데 필수적이며, 이는 어떤 종류의 각막수술에서도 적용된다.

5) 콘택트렌즈 모듈

각막형태검사에서 소프트웨어의 많은 발전과 다양한 형태의 지도가 표시될 수 있게 됨으로써 콘택트렌즈 처방에 많은 도움을 주고 있다.[16-19] 많은 각막형태검사 장비들이 내장된 소프트웨어를 이용하여 RGP렌즈 디자인에 따른 형광염색 형태를 가상하여 보여주는데, 각막의 E값이나 높이 정보를 이용하여 미리 설정된 눈물층에 따라 렌즈의 기본 커브를 계산한다(그림 5-5). 이러한 소프트웨어의 이용은 콘택트렌즈 장착과정에서 장착 횟수를 줄이는 등 효율을 높일 수 있으나, 반드시 시험렌즈를 장착하고 임상결과를 통해 적절한 변화를 주어야 한다. 대부분의 프로그램은 각막 중심에 렌즈가 위치하는 것을 기본으로 하여 형광염색 형태를 계산하므로 눈꺼풀의 장력 등과 같이 렌즈 위치에 영향을 줄 수 있는 다양한 요인들을 임상적으로 적용하여야 한다.[20]

▶ **참고문헌**

1. Jeandervin M, Barr J. Comparison of repeat videokeratography: repeatability and accuracy. Optom Vis Sci 1998;75:663-9.

2. Koch DD, Wakil JS, Samuelson SW, Haft EA. Comparison of the accuracy and reproducibility of the keratometer and the EyeSys Corneal Analysis System Model I. J Cataract Refract Surg 1992;18:342-7.

3. Wilson SE, Verity SM, Conger DL. Accuracy and precision of the corneal analysis system and the topographic modeling system. Cornea 1992;11:28-35.

4. Cairns G, McGhee CN, Collins MJ, et al. Accuracy of Orbscan II slit-scanning elevation topography. J Cataract Refract Surg 2002;28:2181-7.

5. Dave T, Ruston D, Fowler C. Evaluation of the EyeSys model II computerized videokeratoscope. Part I: Clinical assessment. Optom Vis Sci 1998;75:647-55.

6. Mandell RB, Chiang CS, Klein SA. Location of the major corneal reference points. Optom Vis Sci 1995;72:776-84.

7. Lattimore MR, Jr., Kaupp S, Schallhorn S, Lewis Rt. Orbscan pachymetry: implications of a repeated measures and diurnal variation analysis. Ophthalmology 1999;106:977-81.

8. Marsich MW, Bullimore MA. The repeatability of corneal thickness measures. Cornea 2000;19:792-5.

9. Roberts C. Corneal topography: a review of terms and concepts. J Cataract Refract Surg 1996;22:624-9.

10. Roberts C. The accuracy of 'power' maps to display curvature data in corneal topography systems. Invest Ophthalmol Vis Sci 1994;35:3525-32.

11. Roberts C. Characterization of the inherent error in a spherically-biased corneal topography system in mapping a radially aspheric surface. J Refract Corneal Surg 1994;10:103-11; discussion 12-6.

12. Mountford J. An analysis of the changes in corneal shape and refractive error induced by accelerated orthokertology. ICLC 1997;24:128-44.

13. Wang X, McCulley JP, Bowman RW, Cavanagh HD. Time to resolution of contact lens-induced corneal warpage prior to refractive surgery. CLAO J 2002;28:169-71.

14. Bogan SJ, Waring GO, 3rd, Ibrahim O, et al. Classification of normal corneal topography based on computer-assisted videokeratography. Arch Ophthalmol 1990;108:945-9.

15. Szczotka LB. Corneal topography and contact lenses. Ophthalmol Clin North Am 2003;16:433-53.

16. Jani BR, Szczotka LB. Efficiency and accuracy of two computerized topography software systems for fitting rigid gas permeable contact lenses. CLAO J 2000;26:91-6.

17. Szczotka LB. Clinical evaluation of a topographically based contact lens fitting software. Optom Vis Sci 1997;74:14-9.

18. Szczotka LB, Reinhart W. Computerized videokeratoscopy contact lens software for RGP fitting in a bilateral postkeratoplasty patient: a clinical case report. CLAO J 1995;21:52-6.

19. Szczotka LB, Capretta DM, Lass JH. Clinical evaluation of a computerized topography software method for fitting rigid gas permeable contact lenses. CLAO J 1994;20:231-6.

20. Bufidis T, Konstas AG, Mamtziou E. The role of computerized corneal topography in rigid gas permeable contact lens fitting. CLAO J 1998;24:206-9.

Section **III**

기본 콘택트렌즈 피팅

Chapter 06 소프트콘택트렌즈 기본피팅

Chapter 07 RGP콘택트렌즈 기본피팅

Chapter 08 토릭콘택트렌즈 기본피팅

Chapter 09 치료콘택트렌즈

소프트콘택트렌즈 기본피팅

Basic fitting of soft contact lens

이 형 근

소프트콘택트렌즈(soft contact len)는 1970년대 초반에 소개가 되었으며 현재 전세계적으로 가장 많이 처방되는 렌즈로 전체 렌즈 처방의 80% 이상을 차지한다. 지난 30여 년 동안 렌즈의 재질과 제조 방법에 있어 많은 발전이 있어 왔다. 하이드로겔렌즈(hydrogel lens)는 매일착용(daily-wear)과 연속착용(continuous-wear, overnight)으로의 처방이 가능해졌으며 교체 주기도 하루에서 한 달 사이로 다양해졌다. 지난 10년 동안 소프트콘택트렌즈 기술에 있어 가장 큰 발전은 역시 실리콘하이드로겔렌즈(silicone hydrogel lens)의 개발이다.

소프트콘택트렌즈는 수화되면 손상 없이 접거나 다룰 수 있으며 쉽게 각결막 부위에 장착할 수 있다. 'hydrogel'이란 뜻은 물을 흡수하고 결합할 수 있는 중합체(polymer)로 된 구조를 가리키며 따라서 분자구조에 따라 일정한 비율의 물을 포함하게 되며 이를 함수율이라고 한다.

Hydrogel이 물을 머금기 전의 상태를 'xerogel'이라고 하며 매우 딱딱하다. 소프트콘택트렌즈를 제조할 때는 이런 xerogel 상태에서 제조하며 생리식염수나 물에 담가 수화시킨 후 착용하게 된다.

이 장에서는 소프트콘택트렌즈의 특성, 재질, 분류, 사용의 적응증, 금기증, 착용과정 등을 다루게 된다.

1. 렌즈와 관련된 용어(Terminology)

렌즈의 교체 주기나 착용 기간에 따라 소프트콘택트렌즈를 분류할 수 있는데 가끔 혼돈되는 경우가 있어 1996년 Doughman와 Massare가 콘택트렌즈 관련 용어를 정의하여 이 기준이 일반적으로 받아들여지고 있다.[1] 하지만, 이와는 별도로 ISO (International Organization for Standardization)에서도 콘택트렌즈와 관련된 다양한 용어들의 표준화 작업을 진행하고 있는데 가장 최신판인 2006년판의 용어 정의는 표 6-1에 정리하였다.

1) Soft contact lens wearing modality

(1) 매일착용(daily wear)

이 렌즈는 일할 때만 잠시 착용하는 렌즈로 8~16시간 정도의 착용 스케줄을 갖는다. 벗은 후에는 세척하거나 소독을 해서 다시 착용하거나 혹은 single use daily disposable lens의 경우는 버린다.

(2) Flexible wear

flexible wear base에 의한 렌즈는 대개는 매일착용으로 착용하나 때때로 연속착용으로 착용할 수 있는 렌즈이다. 역시 벗은 후에는 세척/소독 과정을 거치거나 버릴 수 있다.

표 6-1 ISO 콘택트렌즈 분류 정의(2006)

2.1.10 Contact lens usage and wear modality

2.1.10.1

disposable contact lens: contact lens intended for a single use (wearing period)

Note : A disposable contact lens is not intended to be reused. It is intended to be discarded after removal from the eye.

2.1.10.2

reusable contact lens: contact lens intended to be reprocessed for reuse according to the manufacturer's instructions between periods of wear

Note: Reprocessing of a reusable contact lens would conventionally include contact lens cleaning and disinfection.

2.1.10.3

replacement frequency: time period recommended by the manufacturer for discarding a contact lens

Note: The replacement frequency is determined starting from the first use of the lens until the recommended time for discarding is reached.

2.1.10.3.1

frequent replacement contact lens: planned replacement contact lens for which the replacement period is three months or less

2.1.10.3.2

planned replacement contact lens: contact lens for which the manufacturer has recommended a replacement period

2.1.10.4

contact lens wear modality: prescribed form or manner in which a contact lens is worn

2.1.10.4.1

daily wear: contact lens wear modality in which a contact lens is worn only during waking periods

2.1.10.4.2

extended wear: contact lens wear modality in which a contact lens is worn continuously during successive waking and sleeping periods

(3) 연속착용(extended wear)

이 렌즈는 7일까지 낮과 밤을 연속으로 착용하는 렌즈로 정의되는데, ISO에서는 7일이라는 제한을 두지 않고 매일착용의 반대개념으로 낮과 밤에 연속으로 착용하는 렌즈는 모두 이 범주로 분류하여 continuous wear의 개념을 포함한 개념으로도 쓰이고 있으므로 확인이 필요하다. 제거한 후 세척/소독과정을 거치는 reusable extended wear lens와 버리는 disposable extended wear lens로 나뉠 수 있다.

Reusable extended wear lens는 역사적으로 무수정체 혹은 고도의 굴절이상이 있는 경우 교정 목적으로 사용되어왔다. 최근 실리콘하이드로겔렌즈는 1주 간격으로 착용과 세척을 반복하여 한 달까지 연속으로 착용 후 버리는 렌즈가 개발되어 있다.

(4) Continuous wear

1970년대 들어 CooperVision에서 만든 Permalens 렌즈 등이 3개월까지 사용할 수 있도록 제작되었으나 1980년대 들어 이런 렌즈들이 microbial keratitis의 빈도를 높이는 것을 알게 되었다. 이 결과는 1989년에 출판되었고[2,3] 연속적으로 착용하는 일수를 늘리는 만큼 감염이 증가된다는 것을 경고하였다. 이 결과, FDA는 연속착용 일수를 30일에서 7일로 감소시키면서 '연속착용'을 무의미하게 만들었다. 이후, 실리콘하이드로겔렌즈가 등장하면서 continuous lens가 다시 등장하였으며 24시간 동안 30일간 착용하는 렌즈가 소개되었다. ISO에서는 continuous wear lens를 extended wear에 포함시켜서 분류하고 있으므로 주의를 요한다. 렌즈는 이 기간 전에 제거할 수 있으며 제거 후에는 반드시 세척/소독 과정을 거쳐 다시 사용할 수 있다.

2) Soft contact lens replacement schedule

소프트콘택트렌즈가 처음 소개되었던 1970년대에는 렌즈의 교체는 오직 영구히 손상되거나 심한 deposit이 있는 경우에 한해서였다. 하지만, 렌즈의 교체가 착용감을 증가시키고 합병증을 줄인다는 것을 알게 되었고[4-7] 이에 따라 렌즈는 착용주기를 권장하며 이를 이용해 렌즈를 분류한다. 이 기준은 ISO와 차이를 보이고 있으므로 확인을 요한다(표6-1).

(1) Conventional replacement

매 6~18개월마다 교체 주기를 갖는 렌즈들이다. 일부 환자들은 이보다 더 오래 사용하지만 이는 합병증을 늘리고 착용감을 안 좋게 한다.

(2) Planned replacement

이런 렌즈들은 2주에서 6개월 이내에 교체되는 렌즈를 가리킨다.

(3) 일회용렌즈(disposable lenses)

이 렌즈들은 착용 후 버리거나 다른 렌즈로 교체되는 렌즈를 가리키며 따라서 세척이나 소독을 거치지 않는다.[1] 예를 들면 매일착용 일회용렌즈(daily disposable lens)는 하루만 착용되는 렌즈이며 extended or continuous type 의 일회용렌즈는 7~30일의 착용주기 후 버려지는 렌즈를 가리킨다.

가장 최근의 ISO 2006년 분류에 의하면 소프트콘택트 렌즈는 아래와 같이 구분된다.

2.1.10 렌즈의 사용과 착용양상(Contact lens usage and wear modality)

2.1.10.1 일회용렌즈(disposable contact lens) : 이 렌즈들은 일회용으로 한 번 착용 후에는 더 이상 소독과 세척 없이 버려지며 재사용할 수 없는 렌즈이다.

2.1.10.2 재사용가능렌즈(reusable contact lens) : 이 렌즈들은 제조사가 권고하는 착용주기에 의해 소독과 세척과정을 거쳐 재사용될 수 있는 렌즈이다.

2.1.10.3 렌즈의 교체주기(replacement frequency)
제조사들에 의해 권고되는 렌즈의 제거 및 교체 기간을 의미하며 아래와 같이 분류된다.

2.1.10.3.1 frequent replacement contact lens : 3개월이나 혹은 이보다 짧게 교체되는 planned replacement 렌즈를 의미한다.

2.1.10.3.2 planned replacement contact lens : 렌즈제조사들에 의해 교체 주기가 정해진 렌즈를 의미한다.

2.1.10.4 렌즈 착용 양상(modality)에 의한 구분

2.1.10.4.1 매일착용렌즈(daily wear) : 깨어 있는 시간에만 착용 가능한 렌즈

2.1.10.4.2 연속착용렌즈(extended wear) : 자고 깨어 있는 시간에 계속적으로 착용 가능한 렌즈

2. 소프트콘택트렌즈의 특성과 재질
(soft contact lens properties and materials)

산소투과율(Oxygen permeability)은 렌즈를 만드는 재료의 고유값이며 두께와는 관계가 없다. 이는 'Dk' value로 표현되며 여기서 D는 diffusion coefficient, k는 산소에 대한 용해도(solubility of oxygen)를 의미한다.[8,9] 임상적인 관점에서, 각막으로의 산소의 전달은 Dk값과 재질의 두께를 같이 고려해야 하며 따라서, 같은 재질이라면 두께가 얇은 렌즈가 산소전달률이 더 높다.

Dk/t는 산소의 전달률(oxygen transmissibility)을 나타내며 렌즈를 착용하고 있는 눈에 산소가 전달되는 양을 의미하게 된다. 따라서, 임상적으로는 Dk보다 Dk/t가 더 흔하게 사용된다.

산소투과력만을 생각한다면 이상적인 소프트콘택트렌즈는 높은 Dk값을 가지며 각막 중심에서의 렌즈 두께가 얇은 것이라 하겠다. 하지만 이런 렌즈는 매우 빠르게 탈수 (dehydration)를 일으켜 각막에 심한 미란(erosion)을 일으키므로 너무 얇은 렌즈를 만드는 것이 항상 좋은 것만은 아니다.[10] 또한, 렌즈를 가능한 얇게 만드는 것 역시 기술적인 어려움이 있어서 실제 렌즈의 두께는 임상적으로 이상적인 Dk/t 보다는 좀 두껍게 제작된다.

표 6-2는 실제 사용되는 하이드로겔렌즈와 RGP렌즈들

표 6-2 일반 렌즈 재질 Dk/t의 전형적 예시

Hydrogels	Dk/t	RGPs	Dk/t
Low water content (38%)	15	Silicone-acrylates	27
Mid water content (55%)	27	Fluorosilicone acrylates	60
High water content (70%)	35	Fluoropolymers	130

의 −3.00 D 두께에서 Dk/t값을 표시하였다. 일반적으로 RGP렌즈에 비해 하이드로젤렌즈는 더 낮은 Dk/t값을 갖는다.

1) 렌즈의 재질

모든 렌즈의 재료는 단량체 여러 개가 연속적으로 결합된 중합체 사슬(polymer chain)에 사슬들 간의 cross-linking이 있는 구조를 가지며 이런 구조적 특성이 렌즈의 강도와 다른 특성을 결정한다. 대부분의 렌즈 재질이 갖는 함수율은 24~85% 사이이며 일반적인 contact lens에 가장 많이 사용되는 단량체 재료는 poly-2-hydroxyethyl methacrylate (polyHEMA)이다.

PolyHEMA는 ① 콘택트렌즈로의 제조가 쉽고, ② 상대적으로 싸며, ③ 매우 flexible하고, ④ 온도나 pH 등과 같은 물리적 변화에 상대적으로 안정적이어 콘택트렌즈의 재료로 우수한 특성을 가지고 있다. polyHEMA의 가장 큰 단점은 산소의 투과가 수분(water)의 함유량에 의존한다는 것이다. 물은 산소를 전달하는데 용해시키고 전달해야 하는 과정에서 효율이 감소하며 따라서 이 재료로 만든 렌즈의 일반적인 Dk (oxygen permeability, 산소투과율)는 80 Dk unit 정도이다.

Hydrogel의 Dk value를 높이기 위하여 물과 친화력이 있는 N-vinyl pyrrolidone (NV) 혹은 methacrylic acid (MA) 같은 중합체를 결합시키기도 하며 이런 물질들의 결합이 Dk값을 급격히 상승시킨다. Dk값을 상승시키는 다른 방법은 중합체에 silicone을 결합시키는 것이다.[11,12] Silicone-rubber base의 소프트콘택트렌즈는 치료용으로 혹은 소아용으로 오랜 기간동안 사용했지만[13] 임상적 사용에는 몇가지 제한점이 있다. 첫째는 fluid가 이 물질을 통과하기 어려워 렌즈가 안구표면에 쉽게 달라 붙는 것이며[14] 둘째는 렌즈의 표면이 매우 hydrophobic하여 지방이나 점액(mucus) 등이 쉽게 달라 붙는 것이다.

silicone hydrogel은 렌즈 재료로서 silicone rubber에 하이드로젤 단량체를 결합시킨 것으로 silicone 재료는 높은 Dk를 제공하고 hydrogel은 렌즈의 수분투과도, flexibility와 습윤성(wettability)을 제공하여 렌즈의 움직임을

돕는다. 현재 다섯 종류의 실리콘하이드로젤렌즈 재료가 사용되고 있으며 이는 표 6-3에 정리되어 있다.

2) 함수율과 두께(water content and thickness)

소프트콘택트렌즈는 함수율에 따라 흔히 아래와 같이 분류된다.

20~44%	low water content
45~59%	mid water content
60% 이상	high water content

현재는 low water content lens의 hypoxic 합병증으로 인해 중등도 이상의 함수율을 갖는 렌즈의 처방이 증가하고 있다. 실리콘하이드로젤렌즈의 경우 낮은 water content에서도 높은 Dk를 보이며 특히 함수율과 Dk가 반비례관계가 있음을 기억해야한다. 즉, 높은 Dk value는 낮은 함수율을 의미한다.

3. 소프트콘택트렌즈의 분류
(Soft contact lens classification)

다양한 소프트콘택트렌즈 재료가 사용되고 있기에 소프트콘택트렌즈를 분류하는 것은 쉽지 않다. 현재는 4가지의 소프트콘택트렌즈 분류시스템이 이용된다.

1) Commercial name

가장 흔하게 렌즈사용자들로부터 분류되는 시스템으로 렌즈 제조사가 정한 이름을 그대로 사용하는 것이다. 예를 들면 Acuvue나 Focus Night & Day이다.

2) United states adopted name (USAN)

etafilcon 혹은 tetrafilcon과 같은 렌즈를 제조하는 재료의 이름을 그대로 이용하는 것이다. Polymacon은 poly-HEMA의 generic term이며 제조사가 붙인 이름들은 동일한 USAN을 사용하여 붙인다. 예를 들면 Acuvue, 1-day Acuve, Acuvue Bifocal and Surevue는 모두 etafilcon을

표 6-3 | 실리콘하이드로겔렌즈 재질

Proprietary name	Focus Night & Day	AIR OPTIX	PureVision	Acuvue OASYS	Acuvue Advance
United States Adopted Name	lotrafilcon A	lotrafilcon B	balafilcon A	senofilcon A	galyfilcon A
Manufacturer	CIBA Vision	CIBA Vision	Bausch & Lomb	Vistakon	Vistakon
Centre thickness (@−3.00D) (mm)	0.08	0.08	0.09	0.07	0.07
Water content	24%	33%	36%	38%	47%
Total diameter (mm)	13.8	14.2	14.0	14.0	14.0
Back optic zone radius (mm)	8.4; 8.6	8.6	8.6	8.4	8.3; 8.7
Prescription range (D)	+6.00 to −10.00	+6.00 to −10.00	+6.00 to −12.00	−0.50 to −6.00	+8.00 to −12.00
Recommended replacement schedule	4 weeks	2 weeks	4 weeks	1~2 weeks	2 weeks
Oxygen permeability (x10^{-11}) (Dk)	140	110	91	103	60
Oxygen transmissibility (x10^{-9}) (Dk/t)	175	138	101	147	86
Modulus(psi)*	238	Unpublished	148	Unpublished	65
Surface treatment	25 nm plasma coating with high refractive index	25 nm plasma coating with high refractive index	Plasma oxidation process	No surface treatment. Internal wetting agent (PVP) throughout the matrix that also coats the surface	No surface treatment. Internal wetting agent (PVP) throughout the matrix that also coats the surface
FDA group	I	I	III	I	I
Principal monomers	DMA + TRIS + siloxane macromer	DMA + TRIS + siloxane macromer	NVP + TPVC + NCVE + PBVC	mPDMS + DMA + HEMA + siloxane macromere + TEGDMA + PVP	mPDMS + DMA + EGDMA + HEMA + siloxane macromer + PVP

*Modulus data taken from Steffen&McCabe(2004)
DMA (N,N−dimethylamide); EGDMA (ethyleneglycol dimethacrylate); HEMA (poly−2−hydroxyethyl methacrylate); mPDMS (monofunctional polydimethylsiloxane); NVP (N−vinyl pyrrolidone); TEGDMA (tetraethyleneglycol dimethacrylate); TPVC (tris−(trimethylsiloxysilyl) propylvinyl carbamate); NCVE (N−carboxyvinyl ester); PBVC (poly[dimethysiloxy] di [silybutano] bis[vinyl carbamate]); PVP (polyvinyl pyrrolidone).

주 재료로 사용한 렌즈들이다.

3) FDA categorization

FDA 분류는 렌즈의 함수율과 ionic charge의 두 가지 요소로 분류하는 매우 간편한 방법이다. 일반적으로 함수율이 50% 이상을 high water content lens라고 하며 ionic content의 농도가 0.2% 이상을 ionic하다고 이야기한다(표 6-4). 이러한 분류는 렌즈가 눈표면과 어떻게 작용하는지를 예측하는 데 매우 유용한 분류법이다. 예를 들면, Group 1에 속하는 렌즈는 가장 안정적으로 눈물이나 눈표면의 환경에 의해 영향을 받지 않는다. 하지만 Group IV와 같이 함수율과 ion content가 높은 렌즈는 양전하(positive charge)를 띠는 눈물 내 단백질과 결합하며 눈표면의 눈물 상태에 쉽게 반응하는 렌즈이다. Group II and III는 이 둘의 중간 정도에 해당한다.

실리콘하이드로겔렌즈는 FDA group I and III에 해당된다고 볼 수 있겠지만 정확히는 위 4그룹에 포함되지 않는 다섯 번째 그룹으로 분류하는 것이 더 적절하다.

4) ISO classification

이 분류법은 International Standards EN ISO 11539: 1999에 의해 분류된 방법으로 하드콘택트렌즈는 'focon'이란 접미사를 붙이고, 소프트콘택트렌즈는 'filcon'이란 접미사를 붙여 분류하도록 하였다(표 6-5).

표 6-4 하이드로겔콘택트렌즈렌즈 재질의 FDA 분류

		Water content (%)	Metharylic acid (% m/m)
Group I	Low water content, non-ionic	<50	<0.2
Group II	High water content, non-ionic	>50	<0.2
Group III	Low water content, ionic	<50	>0.2
Group IV	High water content, ionic	>50	>0.2

표 6-5 렌즈 재질의 ISO 분류

Group suffix	Rigid lenses – focon	Soft lenses – filcon
I	Does not contain silicone or fluorine	<50% water content, non-ionic
II	Contains silicone but not fluorine	≥50% water content, non-ionic
III	Contains both silicone and fluorine	<50% water content, ionic
IV	Contains fluorine but not silicone	≥50% water content, non-ionic

Examples include Filcon 1a (polyHEMA) and Focon 1a (polymethyl methacrylate) (Kerr & Meyler 2001).

4. 소프트콘택트렌즈의 적응증

아래와 같은 경우가 소프트콘택트렌즈의 적응증이며 장점에 해당한다.

1) 편안감(Comfort)

소프트콘택트렌즈는 높은 유연성과 함께 직경이 각막전체를 덮을 수 있기에 하드콘택트렌즈에 비해 높은 편안감을 제공한다. 따라서, 하드콘택트렌즈를 착용할 수 없는 민감한 눈에 적절하며 하드콘택트렌즈 착용 시 초기에 경험하는 눈물흘림이나 눈부심과 같은 증상을 거의 경험할 수 없다는 장점이 있다.

2) 빠른 적응(Rapid adaptation)

소프트콘택트렌즈가 제공하는 높은 편안감은 빠르게 렌즈에 대해 적응할 수 있게 하여 공부나 일을 할 수 있도록 한다.

3) 가끔 착용(Occasional wear)

렌즈를 착용하는 많은 환자들은 가끔씩 착용하는 경우가 많으며 이런 경우 소프트콘택트렌즈는 안경으로부터 빠르게 렌즈에 적응할 수 있게 해준다.

4) 단안 착용(Uniocular wear)

한쪽 눈만 렌즈를 착용해야 하는 경우 하드콘택트렌즈에 비해 소프트콘택트렌즈가 더 편하게 렌즈를 착용할 수 있다. 하지만, 하드콘택트렌즈의 착용이 필요한 원추각막이나 외상에 의한 각막손상의 경우가 여기에 해당하지는 않는다.

5) 운동이나 직업적인 장점

높은 안전성과 초기의 편안감은 운동을 할 때 많은 사람들이 소프트콘택트렌즈를 착용하는 이유이다. 잘 착용된 렌즈는 눈을 비비거나 눈꺼풀의 장력(lid tension)에 의해 렌즈가 빠지거나 공막쪽으로 쉽게 밀리지 않는다. 또 직업적으로 분진이 많거나 먼지가 많은 경우에서 일하는 사람에게도 넓은 면적을 보호하는 장점으로 인해 하드콘택트렌즈에 비해 선호된다.

6) 하드콘택트 착용 시 빛번짐이 발생하는 경우

하드콘택트렌즈를 착용하는 사람이 만일 넓은 동공면적을 가지고 있다면 어두운 곳에서 빛번짐(flare)을 느끼기 쉬운데 소프트콘택트렌즈는 그러한 문제가 거의 없다.

7) 지속적인 3시9시각막미란(3, 9 o'clock staining)

RGP렌즈를 착용하는 사람에서 높은 negative diopter 렌즈를 사용하거나 넓은 눈꺼풀틈새(palpebral aperture), 불완전한 눈깜빡임(incomplete blinking), low/high riding 경우 많이 보이는 3시9시각막미란을 피할 수 있다는 장점이 있다.

5. 소프트콘택트렌즈의 금기증

많은 장점에도 불구하고 소프트콘택트렌즈는 단점도 가지고 있으며 아래와 같은 경우 사용 시 주의를 요한다.

1) 시력의 불안정(Variable vision)

눈물막의 변화와 눈깜박임에 의해 소프트콘택트렌즈 착용자에게서 시력의 변화가 심하거나, 난시를 가지고 있어 소프트콘택트렌즈로 교정이 어려운 경우 하드콘택트렌즈로 바꾸는 것이 더 나을 수 있다.

2) 렌즈파손 또는 눈물흘림(Breakage and tearing)

렌즈가 쉽게 부서지거나 눈물이 너무 나는 경우라면 렌즈의 교체가 필요할 수 있다.

3) 침착(Deposition)

소프트콘택트렌즈는 오래 착용하면 손상되며 눈물로부터 나오는 단백질, 점액, 지질 혹은 칼슘 등이 렌즈에 침착된다. 이런 경우 심한 불편감을 초래할 수 있고 시력을 감소시켜서 렌즈의 교체가 필요할 수 있다.[15]

4) 세균 감염 발생 가능한 렌즈 관리 시스템
(Lens care)

매일착용 일회용(daily disposable)이나 연속착용 일회용렌즈(single use continuous lens)의 경우를 제외하면 세균 감염을 예방하기 위한 렌즈의 주기적인 세척과 소독이 필요하다. 좋은 세척제와 렌즈 관리법들이 개발되고 있지만 아직 세균으로 인한 문제는 하드콘택트렌즈에 비해 더 흔히 발생하고 있다.

5) 렌즈파라미터 수정이 어려운 경우
(Inability to modify soft lenses)

렌즈의 파워나 처방을 위한 파라미터(parameter)의 수정이 쉽지 않다. 만일 환자의 굴절력이 변하는 경우는 반드시 새로운 렌즈로의 교환이 필요하다. 또, 많은 경우에서 렌즈의 BVP (back vertex power, 후면정점굴절력)나 다른 렌즈의 파라미터가 온도, storage solution 등에 의해 변하는 경우가 많아 정확한 값을 측정하는 것이 어렵다.

6) 오염의 위험성이 있는 경우(Chemical contamination)

소프트콘택트렌즈는 그 자체가 가지고 있는 porous structure로 인해 여러 chemical들의 침투가 쉽다. 예를 들면 수영장의 chlorinated water 등이다. 또, 대부분의 안약을 렌즈가 있는 상태에서 사용되는 것은 권장되지 않으며 약물이나 방부제(preservative) 등이 allergic 혹은 과민반응을 일으킬 수 있다. 따라서, 녹내장 약물 등과 같이 오랫동안 점안을 해야하는 환자에게서 소프트콘택트렌즈의 착용은 권장되지 않으며 렌즈의 삽입전 후에 약물을 사용하거나 자주 렌즈를 교체할 수 있는 타입의 소프트콘택트렌즈 사용이 권장된다.

6. 처방을 위한 안구표면 검사와 측정

렌즈의 처방을 위하여 아래와 같은 검사는 필수적이다.

1) 안구표면 검사(Ocular surface integrity)

세극등현미경을 통한 눈꺼풀, 결막, 각막의 검사는 필수적이다.

2) 각막 직경(Corneal diameter)

세극등현미경을 통한 수평홍채직경(horizontal visible iris diameter)을 측정하거나 동공 간 거리(pupillary distance)는 측정되어야 한다. 일반적으로 수평홍채직경에 비해 각막직경은 1.25 mm 더 큰 것으로 되어있으며[16] 소프트 콘택트렌즈는 수평홍채직경에 비해 1.5~2.5 mm 더 큰 것의 사용이 권장된다. 하지만 각막의 직경은 사람들마다 매우 다양한 것에 비해 렌즈의 직경은 대개 13.8~14.5 mm 사이에 존재한다.

3) 각막 곡률(Corneal curvature)

소프트콘택트렌즈의 적절한 처방을 위한 중심각막의 굴절력은 과거에는 BOZR (Back optic zone radius, 후면광학부반경)이나 기본커브(base curve) 등이 특히 하이드로겔 렌즈에서, 많이 사용되었으나 현재는 corneal diameter, 비구면도(asphericity), 시상높이(sagittal height) 등이 최근의 얇은 소프트콘택트렌즈에서 더 유용한 지표로 생각되고 있다.[17]

4) 각막 형태검사(Corneal topography)

각막지형도 검사는 중심각막의 굴절력이 매우 가파라서 (steep) 렌즈가 자주 중심이탈(decenter) 되는 경우를 제외하면 불필요하다.

5) 굴절이상(refractive error)

렌즈 처방을 위한 환자의 굴절력은 난시에 따라 다음 네 가지 타입으로 분류한다.

(1) Rx : −3.00 DS, K : 7.85 (43.00) / 7.85 (43.00)

이 경우는 난시가 없으며 렌즈 처방이 가장 쉬운 경우로 RGP렌즈나 소프트콘택트렌즈 모두 무관하다.

(2) Rx : −2.00/−1.75 x90,
　　K : 7.85 (43.00), 180A/7.90 (42.75), 90A

이 경우는 난시는 있으나 각막과 무관하고 수정체난시 (lenticular astigmatism)가 의심되는 경우이다. 이 경우 난시의 교정을 위해 전면토릭렌즈(front surface toric lens)가 고려되어야 하나 RGP렌즈는 위치를 잡기 어려운 문제가 있어서 소프트토릭렌즈(toric soft lens)가 더 추천된다.

(3) Rx : −2.00/−1.75 x180,
　　K : 7.80 (43.25), 180A/7.50 (45.00), 90A

이 경우 모든 난시가 각막에서 기원한 경우로 RGP렌즈 나 소프트토릭렌즈 모두 무관하다.

(4) Rx : −3.00 DS,
　　K : 7.80 (43.25), 180A/7.50 (45.00), 90A

이 경우는 1.75 D의 with the rule corneal astigmatism이 같은 양의 against the rule lenticular astigmatism 에 의해 상쇄된 경우이다. 이 경우 구면 RGP렌즈는 −1.75 x 90의 난시를 남기므로 난시를 중화시키지 않는 소프트콘택트렌즈의 처방이 더 적절하다.

7. 렌즈의 삽입과 제거방법

소프트콘택트렌즈 취급에 앞서서 일반적으로 렌즈를 만지기 전에 렌즈 분실을 방지하기 위해 상체를 테이블에 밀착하여 앉도록 한다. 렌즈가 바뀌는 것을 방지하기 위해 항상 오른쪽 눈 렌즈를 먼저 빼어 렌즈 케이스에 넣는 것을 습관화해야 한다고 교육시키고 손톱은 짧게, 손을 청결히 해야 한다. 렌즈를 눈에 넣기 전에 렌즈가 깨끗한가를 확인하고 렌즈가 뒤집어지지 않았는지 Taco test 검사로 확인 후 렌즈를 착용해야 한다(그림 6-1, 6-2).

렌즈를 한 번도 사용해 본 적이 없는 사람은 렌즈의 착용 시 시험렌즈(trial lens)를 사용해 연습을 해보는 것이 좋다. 몇몇 렌즈 제조사는 렌즈가 뒤집히는 경우를 생각해서 뒤집혔는지를 쉽게 구분할 수 있는 숫자나, 기호를 마킹하

그림 6-1

렌즈의 가장자리가 자유롭게 구부러지도록 하면서 엄지와 검지로 렌즈의 중앙을 고정시킨 후 렌즈 가장자리가 안쪽으로 약간 들어가면 렌즈는 정상 상태로 판단할 수 있다. (사진제공: 김태진)

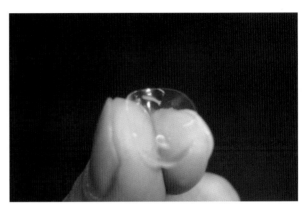

그림 6-2

렌즈의 가장자리가 손가락 끝쪽으로 바깥으로 돌아간다면 렌즈는 앞뒤가 뒤바뀐 것이다. (사진제공: 김태진)

(A)

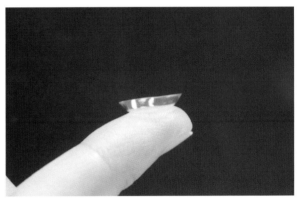

(B)

그림 6-3

(A) 렌즈가 제대로 있는 경우. (B) 렌즈가 뒤집힌 경우

기도 하지만 이런 것이 없다면 검지에 렌즈를 올려 놓아 보면 렌즈가 뒤집혔는지 검사해 볼 수 있다.

렌즈가 뒤집히지 않고 제대로 있는 경우 렌즈를 검지에 위치시키면 렌즈의 가장자리가 bowl 모양으로 렌즈가 위치한다. 하지만, 렌즈가 뒤집힌 경우는 가장자리가 바깥쪽으로 향하는 dish 모양을 하게되며 렌즈를 반대손으로 잡으면 가장자리가 바깥쪽으로 향하는 것이 더 분명해진다(그림 6-3).

렌즈는 각막에 바로 붙여서 사용할 수 있으나 때로는 공막 쪽으로 붙이는 것이 렌즈 장착이 더 편할 수 있다. 렌즈의 제거 시 눈꺼풀을 벌리고 눈을 코 쪽으로 향하게 하여 렌즈를 귀 쪽으로 밀어낸 후 엄지와 검지를 이용해 렌즈를 잡아 뺄 수 있다.

8. 렌즈의 피팅법

처음 렌즈를 착용하였을 때 환자가 느끼는 편안감이 렌즈 착용의 성공에 있어 대단히 중요하다.[18] 따라서, 수십 년 동안 하이드로겔렌즈의 착용은 점점 간단해지고 대부분의 렌즈가 지금은 한 개 혹은 두 개의 BOZR만 사용한다. 하지만 실리콘하이드로겔렌즈는 하이드로겔렌즈에 비해 좀 더 딱딱해서 렌즈를 하이드로겔렌즈처럼 감싸지 못하므로 좀 더 정확한 처방이 필요하다.

1) 시험렌즈의 초기 선택(initial trial lens selection)

위에서도 설명했듯이 현재는 대부분의 렌즈회사들이 각 렌즈마다 한 개 혹은 두 개 정도의 BOZR와 기본커브의 렌즈를 제조하므로 렌즈 처방은 매우 편하다. 따라서, 좋은 렌즈 피팅(good soft lens fitting)은 렌즈의 재질, 착용시간의 조절, 올바른 교육 등이 BOZR과 기본커브보다 더 중요하다.

실제로 각기 다른, 많은 종류의 BOZR을 가진 렌즈를 착용시킨 후 렌즈의 움직임을 보면 거의 변화가 없는 것을 볼 수 있지만 같은 BOZR렌즈라 하더라도 서로 다른 디자인이나 제조사에 따라 움직임이 심해지는 것을 볼 수 있다.[19] 이것은 소프트콘택트렌즈의 움직임에 영향을 주는 요소는 각막중심부의 K값이 아니라 각막의 크기, 시상높이(sagittal height) 등이 더 중요하다는 것을 의미한다.

일단 적절한 렌즈재료를 선정하였으면 원하는 BOZR과 직경의 렌즈를 처방하여 사용해보고 일정시간이 흐른 후에 전체적인 착용에 대해 평가를 하는 것이 좋다.

2) BVP(Back vertex power)

소프트콘택트렌즈의 BVP는 +35.00 D에서 −35.00 D 정도이다. 하지만 대부분의 렌즈는 +6.00 D~−10.00 D 사이에 있으며 이를 넘어가는 경우는 주문 제작해야 하는 경우가 많다. BVP는 환자의 안경 처방과 가장 유사한 값에서 정점거리(vertex distance)로 조정되어야 하며 난시의 경우는 구면렌즈대응치(spherical equivalent)를 사용한다. 만일 난시가 1.00 디옵터 이상이라면 소프트토릭렌즈를 고려해 보아야 한다.

3) BOZR(Back optic zone radius)

BOZR은 대개 8.3~9.2 mm 범위에서 렌즈를 고를 수 있다. 만일 한 개 이상의 BOZR가 있다면, 제조사에서 피팅 가이드를 제공하며 이를 이용해 초기 처방을 한다. BOZR은 각막중심부의 굴절력을 기준으로 만들어지나 위에 설명한대로 대부분의 경우 각막중심부의 굴절력은 소프트콘택트렌즈의 처방에 있어 그리 중요한 요소가 아니다.

대부분의 polyHEMA based 재료를 이용하는 경우 BOZR는 편평한 K값에 비해 0.7~1.0 mm 정도 더 편평한 값이 적당하다. 하지만 실리콘하이드로겔렌즈의 경우는 이러한 법칙이 잘 들어맞지 않는데 그 이유는 렌즈가 더 딱딱하기 때문이다. 따라서 실리콘하이드로겔렌즈를 이용한 BOZR의 처방은 각막중심부 굴절력의 가파른 K값을 이용하는 것이 더 낫다.

4) TD(Total diameter, 전체직경)

소프트콘택트렌즈의 TD는 모든 방향의 움직임에서 렌즈가 각막 전체를 덮어야한다. 소프트콘택트렌즈의 TD는 일반적으로 13.8~14.5 mm이다.

5) 렌즈의 두께

근시용렌즈의 렌즈 중심부두께는 0.035~0.15 mm 정도이며 원시용렌즈의 경우는 0.35 mm 이상이다. 일반적으로 같은 디옵터라면 함수율이 더 높은 재질의 렌즈가 더 두꺼우며 이는 건조될 때 렌즈가 너무 얇으면 corneal staining이 발생하기 때문이다.[10,20]

일반적으로 렌즈의 중심부두께에 따라, <0.06 mm 이하는 'ultra-thin', 0.06~0.10 mm는 'thin', >0.10~0.15 mm는 'standard'로 분류한다. 렌즈의 두께가 두꺼우면 Dk/t(oxygen transmissibility, 산소전달률)가 감소한다. 렌즈의 중심부두께가 렌즈의 피팅에 영향을 주는 반면에 주변부두께는 아주 심한 minus lens가 아니라면 렌즈의 움직임이나 착용감에 영향을 주지 않는다.[19,21]

9. 잘 처방된 렌즈의 특징과 검사

성공적인 렌즈 착용이 이루어진 경우,
• 좋은 시력이 안정적이며

표 6-6 소프트콘택트렌즈의 장착 양상

Characteristic	Optimal fit	Steep fit	Flat fit
Comfort	Good	Good initially	Poor
Vision	Good	Variable; may improve on blinking	Variable; often worse after a blink
Centration	Good	Often good	Poor
Corneal coverage	Complete in all directions of gaze	Often good	Poor, particularly on peripheral gaze
Edge alignment	Good	Conjunctival indentation	Edge stand-off or 'fluting'
Movement on blinking	0.25~0.50 mm	<0.2 mm	>0.8 mm
Movement on upgaze	<1.0 mm	<0.3 mm	>1.5 mm
Push up test	Easily moved; good recentration	Difficult to move; slow recentration	Easily moved; poor recentration
Retinoscopy reflex	Clear before and after blinking	Poor quality and distorted; marginally better after blinking	Variable; may be better just before blinking
Keratometer mires	Sharp before and after blinking	Poor quality and distorted; marginally better after blinking	Variable; may be better just before blinking

- 충분한 움직임을 통해 렌즈 아래의 debris를 잘 배출하고
- 모든 방향에서 렌즈가 전체 각막을 덮으며
- limbal vasculature를 누르지 않으며
- 환자가 원하는 착용시간 동안 충분한 편안감을 주어야 한다.

특징적인 optimal, tight and loose lens fit에 대해선 표 6-6에 정리되어 있다.

10. 렌즈 처방의 평가

1) 중심잡기(centration)와 각막 덮음의 정도 (corneal coverage)

렌즈가 중심에 위치하고 모든 방향에서 각막크기의 1~2 mm 밖까지 각막을 덮는다. 주변부를 볼 때만 약간 중심이탈(decentration)이 발생할 수 있다. 하지만, primary gaze에서도 inferior temporal 방향의 렌즈 중심이탈은 발생할 수 있다. 눈깜박임이나 눈움직임 시에 각막이 노출된다면 렌즈를 즉시 교환한다.

2) 렌즈의 움직임(lens movement)

렌즈의 적당한 움직임은 ① 렌즈 아래의 debris를 배출시키고, ② 각막의 산소공급을 위해 필수적이다. 소프트콘택트렌즈의 경우 RGP렌즈에 비해 움직임이 매우 제한 적이지만 눈을 깜박일 때마다 렌즈 아래 눈물의 1~2% 정도의 교환이 일어나며 RGP렌즈의 경우는 10% 정도의 교환이 일어나는 것으로 알려져 있다.[22,23] 따라서 소프트콘택트렌즈에서는 눈깜박임을 통한 산소공급, 즉 tear pumping에 의한 작용이 제한적이라 생각한다.[24]

과거의 렌즈들은 눈을 깜박일 때, 적당한 렌즈의 움직임을 1.0 mm 정도로 생각하였으나[25] 현재는 0.25~0.50 mm 정도로 이야기 한다.[19,26] 만일 렌즈의 직경이 14 mm이고 각막의 직경이 12.0 mm, 렌즈 움직임이 1 mm라면 눈을 깜박일 때마다 렌즈의 가장자리가 윤부에 닿게 된다. 일반적으로 실리콘하이드로겔렌즈는 하이드로겔렌즈에 비해 움직임이 더 많은 것으로 이야기 하며 눈을 깜박일 때마다 0.3~0.6 mm 정도 움직이며 렌즈의 경직도에 따라 차이가 있다.

렌즈를 밤에 끼고 자는 경우 아침에 일어나면 거의 움직임이 없으며 이는 눈물과 렌즈의 삼투압 차이에 의해 렌즈가 각막에 달라붙게 되어 발생한다. 따라서, 만일 밤에 착

용하는 하이드로겔렌즈의 경우는 약간 느슨하게 피팅하는 것이 눈물의 움직임, 충혈방지에 도움이 된다. 하지만 실리콘하이드로겔렌즈의 경우는 하이드로겔렌즈처럼 편평하게 처방하는 경우 불편감이 증가되며 결막유두, 각막미란 등이 증가되는 것으로 알려져 있어 약간 가파르게 처방하는 것이 좋다.

3) 렌즈의 조임(lens tightness)

렌즈의 조임 정도는 손가락을 이용한 push-up test를 통해 측정한다.[19] 아래 눈꺼풀을 손가락으로 약간 위로 들어올렸다 손을 떼면 렌즈가 천천히 각막표면으로부터 위쪽으로 분리되었다 돌아오는 것을 확인할 수 있으며 렌즈가 얼마나 조이게(tight) 처방되었나를 측정하는 중요한 방법이다.[21] 이 방법으로 렌즈움직임의 저항과 다시 돌아오는 현상(decentration and recentration)을 측정하며 퍼센트로 렌즈의 움직임을 표기한다. 100%는 렌즈가 움직이지 않는 매우 조이는 상태를 지칭하며 0%는 렌즈가 안검장력(lid tension)에 의해서만 유지되며 렌즈가 각막으로부터 쉽게 분리되는 상태이다. 이상적인 경우는 50%에 해당한다. 만일 조이는 피팅(tight fit)이라면, TD를 줄이거나 BOZR을 좀 더 편평한 것을 처방해 볼 수 있다.

11. 착용 스케줄과 적응방법
(wearing schedule and adaptation)

환자들에게 착용방법과 주의점은 말이나 설명문 등으로 분명하게 고지하는 것이 렌즈 착용에 따른 순응도(compliance)를 유지하는 데 대단히 중요하다. 일반적으로 환자들에게 착용시간을 점차적으로 늘려나가도록 권장한다. 예전에는 4시간 정도의 착용으로 시작해서 온종일 착용까지 1~2주간 서서히 적응하는 것이 권장되었으나 최근 렌즈 재료의 발달로 처음 착용 시 8시간 정도나 편안함이 유지될 때까지 착용이 권장된다. 만일 착용시간을 늘리고 싶다면 다시 한 번 외래로 방문하게 하여 렌즈 착용에 따른 문제가 없는지 확인하여야 한다.

올바른 착용에 의한 좋은 착용감과 시력을 유지하기 위하여서는

- 만일 불편감을 느끼는 경우 병원으로 빨리 내원하여야 하는 것이 교육되어야 하며,
- 적절한 렌즈 소독과 세척 방법에 대한 충분한 교육이 선행되어야 한다.
- 먼지가 많거나 화학 오염이 가능한 환경(Fume, chemicals, spray)은 피하여야 하고,
- 손과 얼굴에 크림을 사용 시에도 주의하여야 한다.
- 만일 점안 안약을 사용하는 경우 렌즈의 특성을 고려하여 자주 교체 가능한 렌즈를 사용하도록 한다.
- 렌즈 처방 후 첫 방문 시에는 착용하던 안경을 가져오게 하여 기존의 처방과 비교해 보며 렌즈케이스의 청결 유무 등도 같이 점검되어야 한다. 또, 렌즈를 착용할 수 있을 만큼 오랫동안 착용하고 내원하여 렌즈 착용에 따른 부작용 유무를 충분히 확인하는 것이 장기적인 착용에 중요하다.

▶ 참고문헌

1. Doughman DJ, Massare JS. Defining contact lens terminology. CLAO J 1996;22:228-9.
2. Poggio EC, Glynn RJ, Schein OD, et al. The incidence of ulcerative keratitis among users of daily-wear and extended-wear soft contact lenses. N Engl J Med 1989;321:779-83.
3. Schein OD, Glynn RJ, Poggio EC, et al. The relative risk of ulcerative keratitis among users of daily-wear and extended-wear soft contact lenses. A case-control study. Microbial Keratitis Study Group. N Engl J Med 1989;321:773-8.
4. Tripathi RC, Tripathi BJ, Ruben M. The pathology of soft contact lens spoilage. Ophthalmology 1980;87:365-80.
5. Nilsson SE, Montan PG. The annualized incidence of contact lens induced keratitis in Sweden and its relation to lens type and wear schedule: results of a 3-month prospective study. CLAO J 1994;20:225-30.
6. Jones L, Franklin V, Evans K, et al. Spoilation and clinical performance of monthly vs. three monthly Group II disposable contact lenses. Optom Vis Sci 1996;73:16-21.
7. Jones L, Mann A, Evans K, et al. An in vivo comparison of the kinetics of protein and lipid deposition on group II and group IV frequent-replacement contact lenses. Optom Vis

Sci 2000;77:503–10.

8. Peterson JF, Fatt I. Oxygen flow through a soft contact lens on a living eye. Am J Optom Arch Am Acad Optom 1973;50:91–3.

9. Brennan NA, Efron N, Holden BA, Fatt I. A review of the theoretical concepts, measurement systems and application of contact lens oxygen permeability. Ophthalmic Physiol Opt 1987;7:485–90.

10. Orsborn GN, Zantos SG. Corneal desiccation staining with thin high water content contact lenses. CLAO J 1988;14:81–5.

11. Morrison DR, Edelhauser HF. Permeability of hydrophilic contact lenses. Invest Ophthalmol 1972;11:58–63.

12. Refojo MF. Mechanism of gas transport through contact lenses. J Am Optom Assoc 1979;50:285–7.

13. Cutler SI, Nelson LB, Calhoun JH. Extended wear contact lenses in pediatric aphakia. J Pediatr Ophthalmol Strabismus 1985;22:86–91.

14. Rae ST, Huff JW. Studies on initiation of silicone elastomer lens adhesion in vitro: binding before the indentation ring. CLAO J 1991;17:181–6.

15. Gellatly KW, Brennan NA, Efron N. Visual decrement with deposit accumulation of HEMA contact lenses. Am J Optom Physiol Opt 1988;65:937–41.

16. Martin DK, Holden BA. A new method for measuring the diameter of the in vivo human cornea. Am J Optom Physiol Opt 1982;59:436–41.

17. Garner LF. Sagittal height of the anterior eye and contact lens fitting. Am J Optom Physiol Opt 1982;59:301–5.

18. Efron N, Brennan NA, Currie JM, et al. Determinants of the initial comfort of hydrogel contact lenses. Am J Optom Physiol Opt 1986;63:819–23.

19. Young G, Holden B, Cooke G. Influence of soft contact lens design on clinical performance. Optom Vis Sci 1993;70:394–403.

20. Holden BA, Sweeney DF, Seger RG. Epithelial erosions caused by thin high water content lenses. Clin Exp Optom 1986;69:103–7.

21. Young G. Evaluation of soft contact lens fitting characteristics. Optom Vis Sci 1996;73:247–54.

22. Polse KA. Tear flow under hydrogel contact lenses. Invest Ophthalmol Vis Sci 1979;18:409–13.

23. Wagner L, Polse K, Mandell R. Tear pumping and edema with soft contact lenses. Invest Ophthalmol Vis Sci 1980;19:1397–400.

24. Fink BA, Carney LG, Hill RM. Influence of palpebral aperture height on tear pump efficiency. Optom Vis Sci 1990;67:287–90.

25. Kame RT. Basic considerations in fitting hydrogel lenses. J Am Optom Assoc 1979;50:295–8.

26. Le AH, Liem SE, Su JL, Harris MG. Fitting characteristics of 1-day and 14-day Acuvue disposable contact lenses. Optom Vis Sci 1996;73:750–3.

RGP콘택트렌즈 기본피팅
Basic fitting of RGP contact lens

이동호

2015년 현재 국내에는 RGP (rigid gas permeable)콘택트렌즈의 소비가 과거보다 많이 줄어들고 있다. 다국적기업 일회용 소프트콘택트렌즈의 대량 판매 및 각종 미디어를 통한 무차별적인 광고 탓에 일반 소비자들은 다양한 종류의 콘택트렌즈가 있음에도 불구하고 광고 노출이 많은 제품을 구입함으로써 콘택트렌즈 선택의 폭이 오히려 좁아지게 된 것도 RGP렌즈 소비가 줄게 된 가장 큰 원인인 것 같다. 하지만 여러 가지 소프트콘택트렌즈의 부작용이나 특별한 임상적인 이유로 인하여 RGP렌즈를 선택해야만 하는 경우가 필연적으로 존재하므로 안과 의사의 처방법 숙지는 당연한 과제라고 본다.

1. RGP콘택트렌즈의 적응증

RGP콘택트렌즈의 피팅은 근시, 난시, 원시 등의 일반적인 굴절이상에 적용이 가능하지만 그 외에 임상적으로 적응증이 되는 특수한 경우가 있는데 이는 곧 RGP콘택트렌즈의 장점이기도 하여 각종 적응증 및 장단점들을 아래와 같이 소개하고자 한다.[1]

1) RGP콘택트렌즈의 적응증 및 장점
① 불규칙난시를 가지는 환자나 소프트콘택트렌즈를 착용할 때 경도의 난시가 남아 시력저하를 일으키는 경우

RGP렌즈는 렌즈 후면의 눈물층으로 잔여난시를 교정할 수 있다.
② 소프트콘택트렌즈의 표면 침착물이나 표면 건조로 인해 시력을 떨어뜨리는 경우에 대체 렌즈로 사용할 수 있다.
③ 원추각막, 외상으로 인한 각막이상, 각막이식을 받은 환자들 중 일부에서 RGP콘택트렌즈가 적합할 수 있다.
④ 위아래 눈꺼풀 간격이 좁은 경우나 소안구증에서 RGP콘택트렌즈의 착용이 용이할 수 있다.
⑤ 소프트콘택트렌즈보다 각막을 덮는 면적이 적고, Dk (oxygen permeability, 산소투과율)가 높고, 렌즈 후면에서 눈물의 흐름이 보다 좋다.
⑥ 각종 렌즈 침착(deposit) 현상이 덜 나타나며, 렌즈 파손에 보다 안전하며, 사용기간이 길어 경제적이다.
⑦ 스테로이드 안약이나 녹내장 안약 등을 오래 사용하여야 하는 경우 소프트콘택트렌즈에 흡수되거나 침착되기 쉬우므로 RGP콘택트렌즈로 재처방하여야 한다.
⑧ 미용사나 화학물질을 다루는 직업군에서는, 일하는 환경에 따라 작업장의 공기오염물질이 소프트콘택트렌즈에 침착되기 쉬우므로 RGP콘택트렌즈가 도움이 될 수 있다.

2) RGP콘택트렌즈의 부적응증 및 단점
① 소프트콘택트렌즈보다 이물감이 더하다.

② 황사와 같이 이물질이 많이 함유된 바람이 부는 날에는 먼지나 이물이 렌즈 후면으로 들어가기 쉽다.

③ 축구나 농구 등의 격렬한 운동이나 탁구와 같이 눈동자의 빠른 움직임이 필요한 스포츠에서는 RGP콘택트렌즈가 탈락되기 쉽다.

④ 창이 개방된 자동차나 배, 기차 등의 운행 중에는 바람으로 인해 탈락되기 쉽다.

2. RGP콘택트렌즈 피팅과 관련된 안구의 해부학적 특징

1) 눈꺼풀

대부분에서 하안검은 하측 각막윤부와 거의 나란히 위치하나 상안검은 각막윤부의 상부를 덮거나 1 mm 정도 중첩된다. 상하안검은 깜박임 후 렌즈가 동공을 덮을 수 있는 위치로 되돌려 놓는 데 중요한 역할을 담당한다. 상안검과 하안검 사이의 눈꺼풀틈새(palpebral aperture)는 렌즈를 처방하기 전에 측정하게 되는데, 작게 측정될수록 렌즈의 직경은 작아져야 한다. 하지만 눈꺼풀틈새의 간격과 렌즈직경의 관계는 단순한 수식으로 표현하기 어렵다.[1] RGP콘택트렌즈의 착용 자체가 소프트콘택트렌즈 착용자보다 상하안검의 간격을 평균 0.5 mm 정도 작게 만든다고 하며, 동양인의 눈이 백인(caucacian)보다 상하안검의 수직간격이 약 1.00 mm 정도 작다는 보고도 있다.[2,3]

2) 각막

각막지형도검사를 이용한 각막수치의 연구 결과들 가운데 영국에 거주하는 중국인들은 서양인보다 각막이 가파르며 크기가 작다는 보고가 있다.[2] 하지만 미국에 거주하는 일본인에 대한 연구결과에서는 수평홍채직경(horizontal visible iris diameter)은 동양인이 작았으나 K값(keratometric value, 각막굴절률)에서는 차이가 없었다고 하였다.[4] 국내연구에서는 국내거주 외국인과의 비교된 보고는 없었으나 Kim et al[5]에 의하면 정상인의 각막굴절률을 측정한 결과 평균 K값이 44.11 ± 1.43 D였으며 성인이 될수록 K

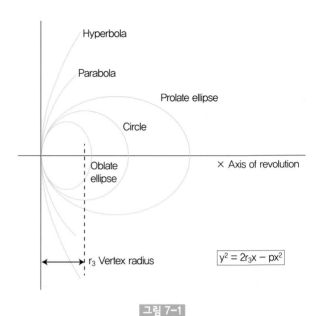

Cartesian 좌표에서 원을 기준으로 한 이차곡면들의 모양

값이 높아진다고 하였으며, Kim et al.[6]에 의하면 평균 7.75, 남자 7.82, 여자 7.69로 남자가 여자보다 K값이 더 낮았다.

각막은 중심부에서 주변부로 갈수록 편평해지는 타원형(ellipsoidal shape)의 비구면을 갖는다. 비구면의 정도는 구면을 기준으로 중심부에서 주변부로 갈 때 어느 정도 변하는가에 달려 있는데, 이를 편심률(eccentricity)이라 하며, 간단히 E값(E value)이라고도 칭한다. 구(sphere)의 E값은 0이며, 1보다 작을 때 타원(또는 타원면, ellipsoid), 1이면 포물면(paraboloid), 1보다 큰 경우엔 쌍곡면(hyperboloid)이라 한다. 각막이나 대부분의 비구면렌즈의 형태는 prolate 형태의 타원이다(그림 7-1).[1,7]

우리 눈의 E값은 대부분 0.4에서 0.6 사이이다. 그림 7-2에서 보듯이 각막중심부의 K값이 같더라도 E값에 따라 각막모양이 다르며, E값이 높을수록 주변부 각막이 더 편평함을 알 수 있다. 따라서 렌즈 처방 시에 기본적으로 하는 각막곡률검사만으로는 정확한 처방이 될 수 없으며 반드시 E값을 고려하여야 한다는 것을 알 수 있다. 또 같은 E값을 갖더라도 각막중심부는 구일 수도 있고 구에 가까울 수도 있으므로 각막의 어느 시점에서 편평해지기 시작하는지에 따라 비구면의 모양이 달라진다.[7]

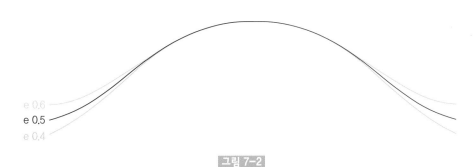

그림 7-2

E값에 따른 각막의 모양

e 0.6
e 0.5
e 0.4

3. RGP콘택트렌즈 착용에 작용하는 역동적인 힘

RGP콘택트렌즈가 각막에 정확하게 피팅되려면 RGP콘택트렌즈 주변에 존재하는 몇 가지 힘(force)들이 절적한 균형을 잡아주어야 가능하다(그림 7-3).[1,8] 렌즈와 렌즈앞눈물막(pre-lens tear film)에 작용하는 중력(gravitational

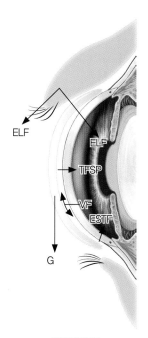

그림 7-3

RGP콘택트렌즈를 착용한 상태에서 작용하는 여러 가지 역동적인 힘.
G: 중력, TFSP: 눈물막압착압력, ELF: 안검력, VF: , ESTF: 가장자리표면장력

force)은 렌즈를 아래 방향으로 떨어지게 만든다. 그 힘이 커질수록 중력의 중심은 앞부분으로 이동되며, 렌즈의 피팅은 불안정해진다. 이때는 렌즈의 직경을 키우거나, BOZR (back optic zone radius, 후면광학부반경)을 가파르게 처방하거나 또는 렌즈의 두께를 얇게 하여 중력의 중심을 후방으로 이동시켜 안정시킬 수 있다(그림 7-4).[1]

RGP콘택트렌즈는 렌즈뒤눈물막(post-lens tear film)에 의해 발생하는 모세관압(capillary force)과 렌즈가장자리의 눈물띠(tear meniscus)에 의해 발생하는 표면장력(surface tensional force)에 의해 제자리를 잡는다. 모세관압은 렌즈 후면의 곡면형태(contour)와 각막 곡면의 형태가 유사하면서 근접해질수록 더 강해진다. 구면에 가까운 각막이 난시가 많은 각막보다 모세관압이 더 세다. 각막의 곡면에 일치하는 이상적인 렌즈라면 최대의 모세관압으로 인해 최대의 부착력을 가지게 되며 렌즈의 움직임도 거의 없어지며 렌즈 아래의 눈물 순환도 불가능해진다. 렌즈의 실제 후면은 여러 종류의 곡면이 복합되어 이루어지므로 각막의 실제 곡면과 다르므로 렌즈가 각막에 밀착되지는 않는다. 그러므로 이때 주로 작용하는 힘은 모세관압이 아닌 눈물막압착압력(tear film squeeze pressure)이다.

눈물막압착압력은 렌즈뒤눈물막 중 optic zone 바로 뒤에서 발생하는 힘으로, 하방으로 렌즈를 떨어뜨리려는 중력과 상방으로 들어 올리려는 안검력(eyelid force)과 평형을 이루어 렌즈를 중심에 위치하도록 잡아주는 역할을 하여 깜박임을 하는 동안 렌즈를 원위치(recentration)시키는

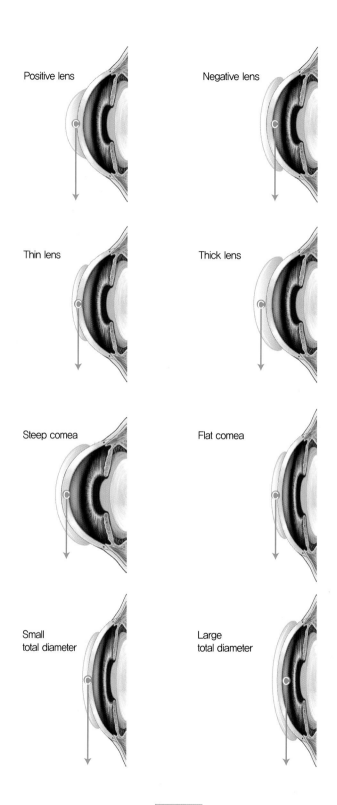

그림 7-4

렌즈의 굴절력, 두께, BOZR, TD의 변화에 따른 렌즈 무게중심의 위치가장 중요한 힘으로 작용한다. 눈물막압착압력은 눈물층두께(tear layer thickness)가 두꺼워질수록 커진다. 만일 정점 눈물층두께가 0이라면 눈물막압착압력이 없어지며 안검력이 작용하여 렌즈를 상방으로 중심이탈시키게 되며 눈물층이 다시 보강되게 되면 표면장력과 눈물막압착압력이 균형을 이루게 되면 힘의 평형상태로 돌아가게 된다고 하였다.[1,8] 표면장력은 렌즈가장자리에서 발생하는데 이를 가장자리표면장력(edge surface tension force, ESTF)이라고 하며 렌즈의 중심잡기(centration)에 중요한 힘으로 작용하며, 렌즈가장자리의 눈물층을 지속적으로 유지시키는 데 중요한 역할을 하기도 한다. 눈꺼풀이 덮힌 가장자리 부분에서는 발생하지 않으며 과도한 가장자리틈새(edge clearance)로 인해 눈물띠가 없을 때에도 표면장력이 작용하지 않는다. 이때는 가장자리틈새와 가장자리두께(edge thickness)를 감소시켜서 표면장력을 증가시킬 수 있다. 가장자리표면장력은 눈물띠의 직경이 작을수록 강해지며 눈물층을 지속적으로 유지시키려는 작용도 강해진다.[1,8]

안검력(주로 윗꺼풀)은 눈깜빡임을 하는 동안 수직방향으로의 운동에 관여한다. 안검력은 눈깜빡임 동안 렌즈를 2~3 mm 정도 움직이게 한다. 눈꺼풀의 힘은 윗눈꺼풀지지피팅(lid attachment fit)인 경우에만 렌즈에 음압(negative pressure)으로 작용하여 상방으로 끌어올리거나 중심안정을 시킨다. 이때는 하방으로 끌어내리려는 중력에 반하여 작용하게 되는 것이다. 하지만 눈꺼풀사이피팅(interpalpabral fit)인 경우에는 안검력은 작용하지 않는다. 하방으로 자꾸 처지는 렌즈는 안검력을 증가시켜 렌즈를 상방으로 올라가도록 해주어야 하는데 이때 렌즈의 TD (total diameter, 전체직경)를 크게 하여 렌즈와 눈꺼풀이 닿는 면을 늘리면 되며, 반대로 상방으로 중심이탈 되는 렌즈는 TD를 작게하여 눈꺼풀과 닿는 면을 줄이면 된다.[1,7,8]

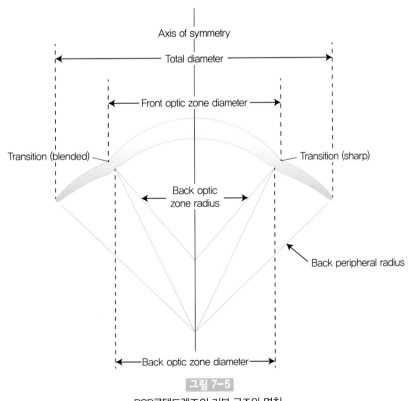

그림 7-5

RGP콘택트렌즈의 기본 구조와 명칭

4. 기초디자인과 세부명칭

1) TD(total diameter, 전체직경)

렌즈 전체직경으로 광학부직경에 양쪽 주변부 폭을 더한 길이이다. 대략 7.5 mm에서 10.0 mm 범위에서 제작되며, 각막크기, 각막의 곡률(curvature), 난시정도, 안검의 tightness에 따라 크기가 결정되는데 우리나라에서는 일반 구면렌즈의 경우 8.8 mm에서는 9.3 mm가 가장 많이 쓰이며 비구면렌즈는 9.5 mm에서 10.50 mm 정도로 크게 처방된다.[7] 원추각막용렌즈의 경우는 TD가 대체로 작은 편이며, 노안교정용 비구면렌즈나, '각막교정술(orthokeratology)'에 사용되는 렌즈는 그 크기가 크다.[7] 위쪽 렌즈가장자리가 상안검 아래에 위치하도록 TD를 크게 만들어야 렌즈가장자리와 눈꺼풀테(lid margin)의 상호작용이 덜해지므로 보다 편안한 느낌을 줄 수 있다.[8] TD가 너무 크면, 중등도의 각막난시환자에서는 눈의 움직임이 심할 때 렌즈가장자리가 각막윤부를 자주 자극하게 되므로 이를 방지하기 위하여 가파른 각막난시 방향으로 가장자리틈새를 크게 만든 난시용렌즈가 필요할 수도 있으므로 각각의 환자마다 적절한 크기를 고려하여야 한다.[8] 상안검의 눈꺼풀테가 렌즈를 약간 덮는 경우에 착용감이 가장 편하게 되는데 이때 렌즈가장자리의 디자인이나 모양이 그 편안함에 영향을 주기도 한다.[1]

2) 전면부(front surface)

전면부는 BOZR (Back optic zone radius, 후면광학부반경)을 만들고 나서 제작 되며, 전면부의 곡률은 BOZR과 렌즈의 도수에 의해 결정된다. 렌즈가장자리는 안검에 부드럽게 접촉되도록 연마한다. 근시도수가 높거나 원시용 렌즈는 가장자리를 착용하기 좋도록 만든다.[7,8]

(1) FOZD(Front optic zone diameter, 전면광학부직경)

FOZD는 TD와 BOZD (Back optic zone diameter, 후면광학부직경), 어두운 곳에서의 동공크기 등에 의해 그 크기가 좌우되는데, 대부분 FOZD는 BOZD보다 최소한 0.5mm 크게 제작되어야 하는데 렌즈의 크기가 많이 작은 경우는 FOZD가 BOZD보다 0.2 mm 크게 제작될 수도 있다.[1,8]

FOZD를 줄이는 작업은 원시렌즈에서 중심두께를 줄이거나, 근시렌즈에서 가장자리두께를 두껍게 제작하는 데 도움을 줄 수 있는 효과적인 방법이다.[1,8]

① BOZD와 FOZD의 크기는 깜박임을 하면서 렌즈의 움직임이 일어나는 동안 항상 각막을 덮어주도록 제작되어야 한다.

② 불충분한 광학부는 동공이 커질 때 빛번짐이나 flare을 일으킬 수 있다.

3) 후면부(back surface)

구면렌즈의 경우 하나의 광학부커브와 여러 개의 주변부커브로 이루어지고, 비구면렌즈의 경우 단일 커브만으로 된 경우도 있고 구면렌즈와 같이 광학부커브와 주변부커브로 구성된 경우도 있다.[1,7,8]

(1) BOZD(Back optic zone diameter)

렌즈 후면에 기본커브에 해당하는 부위의 직경으로 렌즈 전체직경의 65~85%를 차지한다. 보통 7.6~8.0 mm로 제작되며, 동공크기, 난시정도, 렌즈의 위치에 따라 그 크기가 결정된다. 이 부위 크기는 렌즈의 피팅 및 나중의 부작용 등에 중요한 영향을 미치므로 렌즈 처방 시 신중히 고려해야한다.[7]

각막은 비구면이므로 구면렌즈를 착용시키면 각막과 구면렌즈의 후면광학부 사이에 눈물층이 존재하게 된다. 렌즈가 중심이탈을 하려하면 이 눈물층의 부피가 증가되며, 이때 발생하는 음압에 의한 렌즈 움직임 후에는 다시 렌즈가 중심안정을 찾으며 원위치된다.[1,8]

이상적인 렌즈 뒷면의 중심 눈물층두께는 10에서 25 microns 사이이며 20 microns 정도 되면 가장 좋다.[9] 눈물층두께가 두꺼워지면 렌즈틈새(lens clearance)가 증가된다.[1,8]

BOZD가 커지면 정상적인 prolate각막에서는 BOZR은 편평해진다. BOZR을 결정하려면 E값(E value, 편심률) 뿐만 아니라 BOZD와 TD를 고려하여야 한다.[1,8]

보통 각막곡률측정(keratometry)을 통해 K값을 재는 것은 각막의 정점(corneal apex)에서 약 1.50~1.75 mm 반경, 즉 3.0~3.50 mm의 직경에 해당하는 부분을 측정하는 것으로 대부분 7 mm 정도인 BOZD의 곡률 중간값으로 사용된다. 15~20 microns의 눈물층두께를 유지하도록 하기 위하여 단순한 처방법으로는 최대로 편평한 K값보다는 0.5 mm 가파르게 처방하여야 한다.[1,8]

RGP렌즈를 처방할 때 되도록이면 조금이라도 큰 TD의 렌즈를 처방하도록 하면 아래와 같은 장점을 예상할 수 있다.[1]

① BOZD가 클수록 보다 향상된 시력과 빛번짐을 예방할 수 있다.

② 모세관압과 가장자리표면장력을 증강시켜 렌즈가 빠지는 것을 방지해주거나 렌즈의 중심잡기가 수월하도록 해준다.

③ 위쪽 렌즈가장자리가 상안검 아래로 자연스럽게 위치하도록 도와주어 렌즈가장자리에 대한 느낌이 둔화되어 착용감을 개선시킨다.

BOZD의 크기를 변화시키려면 적적한 눈물층두께의 유지를 위하여 BOZR도 변화를 시켜야하는데 대개 BOZD를 0.5 mm 늘리려면 BOZR도 0.5 mm씩 같이 키워야 한다. 렌즈를 처방할 때 첫 BOZR의 선택은 구면에 가까운 각막에서는 주로 가장 편평한 K값(flattest K)으로 하여야 하는데, 이는 선택된 TD와 BOZD에 따라 변화되며, 환자의 E값이 클수록 BOZR은 더 편평해져야 한다. 렌즈 처방 후에 측정해보면, 대부분 최종적인 BOZR은 가장 편평한 K값보다 0.10 mm 가파르던지 0.20 mm 정도 편평하게 처방되며 E값이 매우 높은 경우 0.25 mm 편평하게 처방이 되기도 한다.[1,8]

이상적인 BOZR을 결정하기 위하여 최근에는 각막형태검사를 통해 렌즈를 처방하는 데 도움을 주는 기기가 출시되어있어 외국문헌에는 자주 인용이 되기도 하나 국내에서는 주로 경험에 의하여 형광염색에 의존하여 판단을 하게 된다. 그러나 초보자에게는 이상적인 눈물층두께를 맞추는 것이 매우 까다로우며 숙련자라도 0.05 mm 정도의 변화

중심 형광염색의 색감변화를 정확하게 맞추기란 쉬운 작업은 아니다.

(2) BOZR(Back optic zone radius, 후면광학부반경)

콘택트렌즈 후면광학부에 해당하는 커브이며 렌즈 처방에 가장 필수적인 수치이다.

이 커브의 곡률반경을 밀리미터로 표시하는 수도 있고 그 도수를 디옵터 단위로 표시할 수도 있는데 렌즈 처방 시에는 밀리미터로 표시하는 것이 편하다.

일반적으로 BOZR이 0.1 mm씩 변할 때마다 기본커브의 도수는 대략 0.5 디옵터 변하게 되는데, 각막이 너무 가파르거나 편평하면 이 법칙이 맞지 않으므로 꼭 환산표를 보고 계산하여야 한다.[7]

BOZR이 증가하면 기본커브가 편평해졌다고 하며 렌즈 도수는 감소하고, 반대의 경우에는 가파르게 되었다고 하며 렌즈 도수는 높아진다.

렌즈의 기본커브의 측정은 곡률반경측정계(radiuscope)로 하는 것이 제일 정확한데, 대부분의 안과에서는 이것을 갖추기가 용이하지 않으므로, 이것이 없는 경우에는 자동 혹은 수동 각막곡률반경 측정기로 각막곡률 반경을 재듯이 측정할 수 있다.

기본커브가 원칙적으로 비구면인 콘택트렌즈의 경우 일반 계측기구로는 반경을 측정하기 불가능하다.

(3) 주변부커브(peripheral curve)

2차 커브 혹은 후면주변부커브(back peripheral curve)라고도 하며 광학부 바깥에서 렌즈의 끝까지 해당하는 커브이다. PCW (peripheral curve width, 주변부커브폭)는 렌즈 전체직경의 20~30% 정도이며, 이 부위의 기능은 렌즈와 각막 사이의 눈물저장소 역할을 하여 렌즈가 움직일 때 눈물 순환이 잘 되게 하고, 눈의 대사산물 등 찌꺼기가 배출 잘되게 하며, 주변부커브의 시작부위는 렌즈가 각막 위에 잘 피팅되면서 각막에 손상을 안 주어 잘 움직이게 하는 역할을 한다.[7] 보통 2개 내지 3개로 나누어지는데 요즈음은 대개 3개로 나누어지게 제작된다. 커브가 많을수록 주변부의 안쪽 면이 부드러운 곡선이 되어 착용감이나, 눈물 순환에 도움을 주게 된다. 주변부커브의 개수에 따라

기본커브와 주변부커브 2개를 합쳐 삼중커브(tricurve)렌즈, 주변부커브 3개를 합쳐 사중커브(tetracurve)렌즈라고 부르게 된다. 원추각막렌즈와 같이 광학부가 매우 작고 주변부가 큰 경우에는 주변부커브가 4개 이상 될 수도 있다. 이런 경우 다중커브(multicurve)렌즈라고 하기도 한다. 요즈음은 주변부커브를 비구면으로 제작하여 안쪽 면을 더 부드럽게 하는데 주변부커브가 낮으면서 그 기능을 다하고, 착용감이 더 좋아지고, 중심잡기가 더 잘 된다.[7]

(4) 가장자리

주변부커브들의 반경과 폭에 의해서 생긴 부분을 말한다. 주변부커브들이 편평하면 가장자리들림(edge lift)이 높다고 하고, 반대의 경우는 낮다고 한다.[7]

가장자리들림은 렌즈가 눈 안에서 중심잡기, 착용감, 눈물순환 및 눈의 건강에 중요한 역할을 한다. 일반적으로 가장자리들림이 높으면 상안검에 끼든지, 안검에 의해서 좌우로 렌즈가 움직이는 등 렌즈중심잡기가 힘들며, 또 이로 인해 렌즈 중심을 잡으려고 가파르게 처방을 하여 각막에 문제를 일으킬 수 있다. 반대의 경우는 중심잡기는 쉬우나 렌즈가 아래로 처진다든지, 너무 편평하게 처방이 되는 수가 있고, 눈물순환이 좋지 않아 각막에 문제가 생길 수 있다. 가장자리들림이 너무 낮으면 각막의 눈물층을 파괴시켜 건

성안을 유발시키고 렌즈에 단백질 등 이물질이 많이 끼게 된다. 그러므로 가장자리를 어떻게 만드느냐에 따라 렌즈의 품질이 결정되게 된다. 이상적인 가장자리들림은 광학부보다는 좀 눈물이 많이 고여 있는 정도로 눈물의 표면장력에 의해 각막과 렌즈 사이의 눈물이 오목하게 말려들어가지 않는 모양이어야 한다.[7,8]

가장자리는 렌즈 처방 시 매우 중요한데 같은 K값의 각막이라도 각막의 E값에 따라 가장자리들림이 높게 혹은 낮게 나타날 수 있다. E값이 높은 각막에는 렌즈의 가장자리가 낮게 나타나고, 반대의 경우는 높게 나타난다. 가장자리들림은 두 가지로 표시할 수 있다. Axial Edge Lift (AEL)은 그림에서와 같이 BOZR의 연장선과 가장자리의 간격을 말하고, AEC (Axial edge clearance, 축가장자리틈새)는 실제로 렌즈를 끼웠을 때 각막과 가장자리와의 눈물 층은 간격을 말한다. 안검에 영향을 받지 않으려면 AEL가 0.10~0.12 mm, AEC가 0.08~0.10 mm 정도가 되어야 한다(그림 7-6).[7]

렌즈의 근시도수가 높을 때(보통 마이너스 5 디옵터)는 렌즈의 전면부 끝 부분이 두꺼워지는데 이로 인해 생기는 결점을 보완하기 위해 렌즈의 앞쪽을 연마하여 얇게 해준다. 끝 모양이 플러스렌즈의 끝 모양과 비슷하므로 플러스

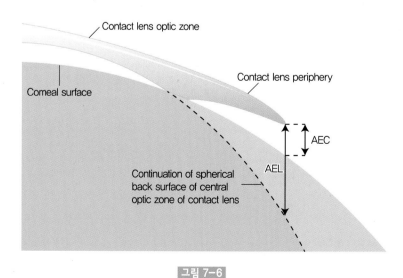

그림 7-6

AEL과 AEC의 모식도

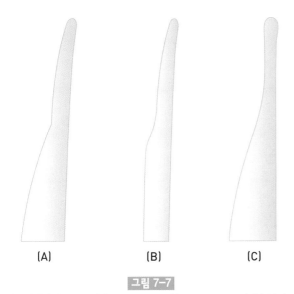

그림 7-7

렌즈가장자리의 모양. (A) 무도수렌즈모양(parallel or plano), (B) 플러스렌즈모양, (C) 마이너스렌즈모양

렌즈모양(plus lenticular) 디자인이라고 한다. 원시렌즈의 경우에는 렌즈의 전면부 끝부분이 너무 얇아 눈꺼풀의 순목 운동에 의한 렌즈움직임이 없다든지 눈꺼풀과 마찰이 전혀 없어 렌즈가 아래로 처지는 경우가 있다. 이때 렌즈의 앞쪽 끝부분을 두껍게 만들어 정상적인 역할을 하게 한다. 이렇게 두껍게 만든 모양은 마치 마이너스렌즈의 끝부분과 흡사하므로 이렇게 하는 것은 마이너스렌즈모양(minus lenticular) 디자인이라고 한다(그림 7-7).

4) 블렌드(blend)

렌즈 뒷면의 각 커브 사이를 완만하게 처리한 경계부를 말하며, 이러한 작업을 블렌딩(blending)한다고 한다. 각 커브 사이의 경계부위가 뚜렷하면 눈물이나 배출물이 잘 순환되지 않으므로 뚜렷한 경계를 연마하여 특별히 많이 접촉되는 부위를 줄여주어 렌즈가 각막위에서 잘 움직이게 하고, 눈물 순환이 잘 되게 한다. 블렌딩은 그 정도에 따라 각 커브의 경계부위를 쉽게 구별할 수 있는 약한 블렌드(그림 7-8), 경계부위가 구별하기 힘든 강한 블렌드(그림 7-9), 그리고 그 중간인 중간 블렌드로 나눌 수 있다. 블렌딩은 그 작업을 하는 사람에 따라 차이가 날 수 있으므로 렌즈 제작자에 따라 균질성이 달라질 수 있다. 그래서 요즘은 렌즈 제작기술이 발달되어 블렌딩하지 않는 렌즈가 생산되고 있는데 이런 렌즈의 장점은 렌즈 품질이 균질하다는 것이다.[7]

5) 콘택트렌즈의 중심두께

렌즈 중심부분의 두께를 지칭하며 콘택트렌즈의 도수, 직경, 재질, 각막의 상태 등에 의해 결정된다. 렌즈가 너무 얇아지면 깨지기도 쉽고 각막난시가 있는 경우 휘어지기도 쉬워 잔여난시를 유발할 수도 있다. 낮은 도수의 근시렌즈에서 휘어짐(flexure)이 나타나기 쉬우며, Dk가 높은 재질일수록 휘어짐이 심해지므로 이런 두 가지 경우에는 렌즈의 중심두께를 좀 더 두껍게 제작해야 하며 재질이 약하거

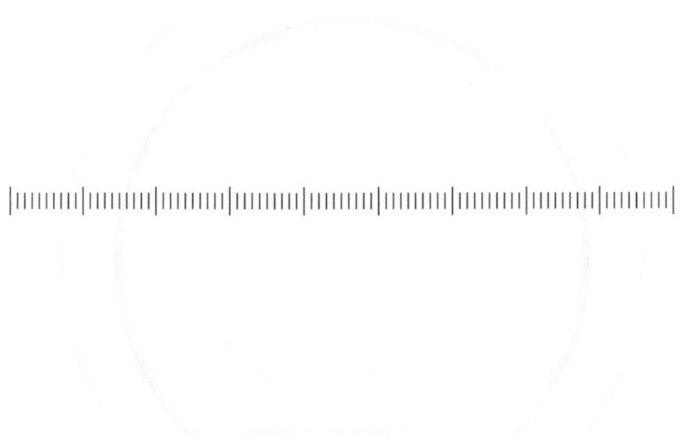

그림 7-8

약한 블렌드

그림 7-9

강한 블렌드

나, 각막난시가 많을 때에도 렌즈의 중심두께를 두껍게 해준다. 일반적으로 Dk가 높은 재질은 낮은 재질보다 렌즈 중심두께가 좀 두껍게 제작된다. Dk가 60 이상의 재질의 경우 마이너스 3 디옵터의 중심 두께는 0.15 mm 내지 0.16 mm 정도이며 도수가 높을수록 중심두께는 얇아지며 최소한 0.1 mm는 유지되어야 된다. 중심두께는 제작회사에 따라, 렌즈의 디자인에 따라 조금씩 차이가 나며, 렌즈 처방에도 영향을 미친다.[7]

6) 착색

색깔이 없는 렌즈보다 잘 보이게 하여 렌즈를 다루기 쉽도록 하기 위해 빛의 투과에 영향을 가장 적게 미치는 연한 하늘색이 많이 사용되었다. 렌즈의 색깔은 렌즈의 재료를 혼합하는 과정에서 착색이 가능하며, 요즘은 좌우 구별을 용이하게 하기 위해 녹색, 보라 등을 착색하여 사용된다.[7]

5. 구면 및 비구면 RGP콘택트렌즈

1) 구면렌즈와 비구면렌즈

하드콘택트렌즈(rigid lens)를 모양에 따라 구면과 비구면 또는 혼합형 렌즈로 구분한다. 혼합형은 여러 가지가 있다. 예를 들어 렌즈의 중심부가 구면으로 주변부가 비구면으로 이루어지는 경우는 혼합형으로 분류된다.[8]

2) 구면렌즈(spherical lens)

구면 디자인은 대개 구면의 후면광학부와 2개 이상의 구면으로 이루어진 주변부로 이루어진다. 주변부는 대개 폭(width)이 1~2 mm인 1~4개의 주변부커브로 구성된다. 삼중커브 디자인(한 개의 central curve와 두 개의 주변부커브로 이루어짐)이 가장 흔하게 사용되며, 8.5 mm보다 작은 렌즈에는 이중커브 디자인(bicurve design)이 사용된다. 사중커브 디자인과 그 이상의 다중커브 디자인은 직경이 큰 렌즈에서 사용되기도 하며 또는 주변부들 사이에 보다 완만한 이행부위(smother trasition)가 필요한 렌즈에 적용된다.[1,8]

전면(front surface)은 대부분 이중커브로 이루어지는데, BOZD보다 조금 더 큰 전면광학부(front optic zone)와 전면주변부(front peripheral zone)로 구성된다. 단일커브(monocurve)의 전면부 디자인(single-cut)은 직경이 매우 작거나 도수가 낮은 렌즈의 제작에 가끔 사용되기도 하지만 대부분 볼록한 표면의 제작을 위해 사용되는 편이다. 높은 도수의 렌즈를 제작하기 위하여는 다중커브 전면부 디자인이 사용되기도 하는데 이는 주변부두께를 줄이기 위하여 사용된다.[10,11]

3) 비구면렌즈(aspheric Lens)

비구면렌즈 디자인의 최대 장점은 편안함에 있다. 이는 비구면 디자인에서 가장자리틈새가 작으므로 렌즈가장자

표 7-1 구면 RGP렌즈와 비구면 RGP렌즈의 비교표

	구면(spherical) RGP렌즈	비구면(aspherical) RGP렌즈
1. 공정 과정	비교적 쉽다.	컴퓨터화 된 공정으로 제작이 비교적 쉽게 될 수 있지만, 직접 수공으로 깍는 작업으로는 만들기는 어렵다.
2. 다양한 변화	각 부위의 변화를 주기 쉽다.	어렵다.
3. 렌즈자체로 인한 난시발생	거의 없다.	중심이탈이 발생하면 적은 양의 난시가 생길수 있다.
4. 노안 교정	불가능하다.	비교적 적은 양이지만 가능하다.
5. 가장자리틈새	80~120 micron	60~90 micron
6. 블렌드 후면경계부(back surface junction)	약한 블렌드의 경우 문제가 될 수 있다.	문제가 되는 경우는 드물다.
7. 두께	되도록 최소화 되어야 한다.	보다 얇은 주변부의 제작이 가능하다.
8. 편안함(comfort)	경도에서 중등도의 편안함을 준다.	두께와 가장자리틈새를 보다 얇게 제작할 수 있어 구면보다 편안 할 때가 많다.

리로 인해 유발되는 검결막에서의 감각을 줄여주어 구면디자인보다 편안함이 더하다. 구면렌즈에서는 후면경계부(back surface junction)에 블렌딩이 빈약(poor)하면 안구운동 시 렌즈가 중심을 벗어나게 될 때 주변부가 각막과 닿게 되어 자극감을 유발하게 되지만, 비구면렌즈는 비구면인 후면이 주변부로 갈수록 편평해지므로 가장자리에 대한 느낌이 줄어 들어 편안함을 준다.[1,8]

비구면렌즈의 중요한 단점으로는 2가지가 대표적인데 첫째, 렌즈의 제작은 일반적인 공정으로(conventional lathes) 만들기 어려우며, 둘째, 일반적인 각막곡률계를 이용하여 렌즈를 검사하기가 쉽지 않다. 그 외에도 여러 가지 장점과 단점(표 7–1)이 있으므로 정확한 이해가 필요하다. 광학적으로 맺히는 상의 질(image quality)을 개선하기가 어려운 경우도 생길 수 있다. 예를 들어, 비구면렌즈가 시축에 정확히 위치하지 않으면 난시를 유발할 수도 있기 때문이다. 하지만 높은 도수의 렌즈에서는 비구면디자인이 구면수차(spherical aberration)를 줄여주므로 유리한 면이 있고, 초기 노안을 가진 근시환자에서 비구면렌즈 처방할 때 주변부에 근시도수를 줄여주면 근거리시력의 향상을 도모할 수도 있으며 노안교정의 필요성을 늦추어 줄 수도 있다.[1,7,8]

6. RGP콘택트렌즈 기본피팅을 위한 일반지침

1) 시험렌즈(trial lens)의 착용

RGP렌즈를 처방하기 위해 제일 처음 하는 것은 렌즈의 시험착용이다.

시험렌즈의 선택은 첫째, 피팅렌즈세트(trial lens set, diagnostic (fitting) lens set)를 이용하는 방법이 있는데 이는 가장 흔하게 사용되며, 원내에서 직접가공이 어려운 우리나라 실정에서는 적절한 방법일 것이다. 피팅렌즈세트는 여러 종류의 세트를 구비하는 것이 제일 좋으나 한 가지만 선택한다면 기본적으로 전체직경 9.3 mm, 도수 −3 D의 렌즈가 가장 많이 사용되고 있다. 이 세트의 기본커브는 8.4 mm에서 7.3 mm, 간격은 0.05 mm정도는 되어야 다양

한 처방을 할 수 있으며, 가능하면 8.8 mm 크기의 시험착용렌즈도 9.3 mm와 같은 기본커브로 준비해 주면 좋다. 또 각막이 큰 사람을 위하여 전체직경이 9.6 mm 내지 9.8 mm의 렌즈도 비치해 두면 유용하다. BOZD는 9.3 mm의 경우 7.8 mm, 8.8 mm의 경우 7.3 mm, 9.8 mm내지 9.6 mm의 경우 8.2 mm가 적당하다.[7] 둘째, 경험적 피팅(empirical fitting)이 있는데, 이는 여러 가지 해부학적인 변수와 각막수치, 굴절수치들을 종합하여 경험적으로 적절하게 처방한 렌즈를 주문한 후 환자로 하여금 착용시켜보아 잘 맞지 않을 경우 반품을 시키게 되거나 새로운 렌즈의 재착용을 위하여 환자가 외래를 방문해야 하는 등의 경우에 따라 정확도가 떨어지거나, 번거로움이 있을 수 있으므로 추천하지 않는다. 셋째, 각막지형도피팅(videokeratoscopic fitting) 방법이다. 이는 아래와 같은 경우 장점이 있다. 각막정점이 각막의 중심점에서 벗어나 보일 때, 각막의 모양이 비정형적인 경우(E값이 평균치에서 벗어날 경우) 등에서 미리 예측해 볼 수 있어 유리하다. 하지만 특수한 처방의 경우 유리하더라도 안검의 영향을 예측하기 어려워 실제로 착용해보는 시험렌즈를 이용한 처방에 비해 실패 가능성이 높으므로 적당한 혼용이 요구된다고 한다.[8]

2) 환자에게 렌즈를 착용시키는 전반적인 방법

렌즈를 처음 착용하는 환자인 경우 경험이 많은 의료진이 시험렌즈의 착용을 도와야 하는데, 환자보다는 의료진이 직접 착용을 시켜주어야 한다. 다음 두 가지의 사전 설명이 착용에 대한 환자의 불안감을 줄여주는데 큰 역할을 할 수 있다. 첫째, 렌즈가 일으키는 이물감이 심할 경우 아래를 내려다보면 그 불편감이 덜해질 것이라는 것과 둘째, 착용할 때 느끼는 이물감은 렌즈가 각막에 닿아 생기는 감각보다는 안검과 렌즈와의 접촉으로 이루어지는 감각으로 인해 주로 발생한다는 설명들이 필요하다.[8]

(1) 렌즈를 착용시키는 순서

① 환자로 하여금 원거리 목표물을 응시하게 한다(그림 7–10A).
② 세척한 렌즈를 두 번째 손가락 끝에 올려놓은 후 같은

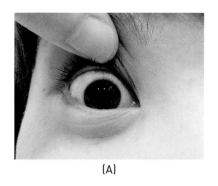
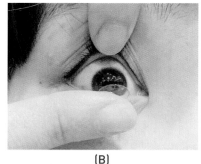
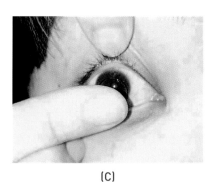

(A)   (B)   (C)

그림 7-10
렌즈 착용 순서

손 세 번째 손가락으로 하안검을 지지한다(그림 7-10B).

③ 반대편 손의 엄지나 인지로 상안검을 지지한다(그림 7-10A).

④ 렌즈를 각막중심에 살며시 얹어 놓는다(그림 7-10C).

⑤ 하안검을 지지하는 손가락을 떼는 동안 상안검을 지지하는 손가락은 그대로 지지하며 하방으로 응시하도록 한다.

⑥ 이 시점에서 렌즈가 매우 편안하게 느껴진다. 환자에게 상안검을 지지하는 손가락을 놓겠다고 이야기하고, 아울러 렌즈로 인한 이물감을 느끼게 된다고도 설명한다.

렌즈가 공막 방향으로 돌아가면 불편해진다. 이때는 렌즈가 위치해있는 곳의 반대방향으로 쳐다보게 하며(하측 공막에 위치한 경우에는 상방을 보게 한다.) 두 손가락을 이용하여 렌즈를 각막 방향으로 이동시킨다. 이런 동작으로 이동이 어려울 경우 환자의 안검을 이용하거나 흡입컵(suction holder)을 이용하여 제거시킨다.[8]

(2) 렌즈를 빼는 순서

① 양손의 인지를 각각 렌즈의 중심부에 해당하는 상안검과 하안검에 위치시킨다(그림 7-11A).

② 렌즈가장자리에 상하측 안검연이 맞닿도록 안검을 민다(그림 7-11B).

③ 손가락에 약간의 힘을 주어 눈의 중심방향을 향해 안검연을 누르면서 렌즈중심 방향으로 상하안검을 민다(그림 7-11B).

④ 각막으로부터 떨어지는 렌즈를 손가락으로 잡아서 제거한다(그림 7-11C).[8]

착용시켰을 때 처음에는 눈물이 나고 이물감이 있다가

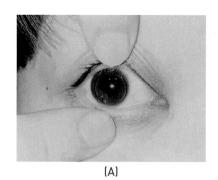
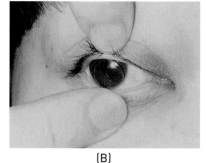
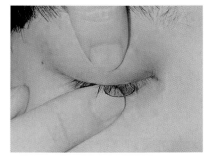

(A)   (B)   (C)

그림 7-11
렌즈 빼는 순서

그림 7-12
윗눈꺼풀지지피팅(upper attachment fit)

그림 7-13
눈꺼풀사이피팅(interpalpabral fit)

그림 7-14
하방중심이탈

10분에서 30분 정도 지나면 대부분 심한 증상은 사라진다. 이때 형광(fluorescein)을 점안하여 각막과 렌즈의 상관관계를 보고 도수를 정하여 최종 처방한다. 그런데 하드콘택트렌즈에 대해 과민하여 착용하자마자 눈물을 너무 많이 흘린다든지 할 때는 점안마취약의 사용을 고려해볼 만하다. 마취약의 효과가 풀릴 때 서서히 착용감을 느끼므로 처음의 심한 증상은 좀 완화될 수가 있고, 또 바로 형광을 점안하여 검사할 수 있고, 도수도 잴 수 있어 처방하는 시간을 절약할 수 있는 장점이 있다.

렌즈에 최종적으로 적응이 잘 될 것인가를 시험렌즈를 한 번 끼워보고 판단하는 것은 매우 힘들다. 적응이 잘 될 사람은 처음 착용시켰을 때 아프다는 표현보다는 이물감이 있다는 정도로 호소하며, 눈물은 조금 나다가 곧 멈춘다. 아프다는 표현을 쓴다든지, 눈물을 심하게 흘리고, 눈을 잘 뜨지 못하며, 시간이 지나도 이러한 증상들이 호전되지 않으면 어떤 이유에서든지 적응이 잘 되지 않을 대상이므로 소프트콘택트렌즈 착용을 한번 고려해 보아야 한다.[7]

3) 이상적인 피팅을 위해 검사해야 할 사항

일단 적응이 잘 될 것이라고 판단되면 착용 시킨 시험렌즈로 여러 가지 검사를 하여 렌즈의 크기, 기본커브, 도수, 주변부 및 가장자리 디자인에 대하여 최종 처방을 내려 렌즈를 주문하게 된다.

(1) 렌즈의 위치

렌즈를 끼웠을 때 렌즈의 이상적인 위치란 가장 착용감이 좋으며, 적당한 움직임, 시력교정이 잘 되고, 오래 끼고 있어도 각막의 뒤틀림이 최소가 되는 위치를 말한다. 모든 렌즈가 이런 위치에 올 수 있는 것은 아니나 처방할 눈에 가장 이상적인 위치에 렌즈가 있도록 처방하는 것을 목표로 해야 한다.[7]

렌즈를 끼웠을 때 렌즈의 끝이 상안검 아래에 위치하게 하는 경우가 제일 이물감이 적다고 한다(그림 7-12). 그러나 너무 많이 올라가면 렌즈 움직임이 좋지 않고 렌즈가 각막 윗부분을 눌러 각막이 비정상적으로 변형이 일어날 수 있다. 렌즈가 안검열 중앙에 위치하게 되면 광학부와 동공이 일치하게 되어 시력이 잘 나오며, 야간 눈부심이나 비정상적인 각막뒤틀림이 없지만 렌즈의 끝이 상하 안검을 계속적으로 자극을 주어 착용감이 불편할 수 있다(그림 7-13). 또 렌즈가 아래로 쳐지는 것은 제일 좋지 않은 경우인데, 이때는 렌즈의 무게감 및 이물감을 많이 느끼고, 정상적인 깜빡임이 되지 않아 건조해지며, 렌즈에 이물질이 많이 끼는 등 좋지 않은 현상들이 생기므로 이런 처방은 피하는 것이 좋다(그림 7-14).[7]

렌즈의 크기, 기본커브, 주변부 및 가장자리디자인 등 렌즈파라미터(parameter)의 조절로 렌즈의 위치를 완벽하게 잡을 수는 없으나, 처방 받는 사람이 가장 편하도록 위치를 조절해 주는 것이 좋다.[7]

(2) 렌즈 크기 결정

광학부직경은 렌즈 전체직경의 65~80%를 차지하며, 다음과 같은 요소를 고려하여 TD를 결정한다. 렌즈의 크기가 크면 렌즈의 무게 중심이 뒤쪽으로 가서 렌즈가 위로 올라가고 렌즈 크기가 작으면 무게 중심이 앞쪽으로 가서 렌

즈의 위치가 아래로 처지게 된다.[7]

① 각막의 크기

각막의 크기에 비례하여 TD 및 BOZD를 결정한다. 각막의 크기에 비해 렌즈의 직경이 너무 작으면 너무 많이 움직이게 되며, 중심잡기가 잘 안 되고, 반대로 너무 크면 처음 착용감은 좋으나 렌즈가 잘 움직이지 않게 되거나, 안검의 영향을 많이 받게 되고 그로 인해 렌즈의 중심잡기가 잘 안 되는 수도 있다.[7]

② K값

일반적으로 각막이 편평한 경우(41 디옵터 이하)에는 전체직경을 크게, 가파른 경우(45 디옵터 이상)에는 작게 한다. 각막의 크기도 같이 고려해야 하는데 각막의 크기가 크고 K값이 편평한 경우에는 TD를 크게 하고, 각막도 작고 K값이 가파른 경우에는 TD를 작게 하면 되지만, 각막은 크고 K값은 가파른 경우나 그 반대로 각막은 작고 K값이 편평한 경우에는 여러 가지 상황을 고려하여 TD를 결정하여야 한다.[7]

③ 각막난시

각막난시가 심하면 렌즈 크기를 작게 하면서 좀 가파르게 처방한다.

그림 7-15는 9.3 mm로 그림 7-16보다 BOZD 및 TD가 0.5 mm 큰 렌즈이다. 난시가 심하면 주변부로 갈수록 그 간격이 커지므로 크기를 작게 하면 더 좋은 소견을 나타낼 수 있다.[7]

④ 각막의 비구면도

각막의 비구면도가 크면 주변으로 갈수록 더 편평해지므로 렌즈의 크기를 작게 하는 것이 좋다. 아래 그림들은 비구면도 0.75인(그림 7-17) 눈에 처방한 것들인데 그림 7-18은 그림 7-19보다 0.5 mm 작은 렌즈이다. 중심부뿐 아니라 주변부에서도 각막과 렌즈와 관계가 좀 더 부드럽게 형성되어 있다(그림 7-18, 7-19).[7]

⑤ 안검열 크기(눈꺼풀 틈새)

안검사이의 수직거리를 말하며 평균 9~10 mm이다. 이 거리가 크면 TD가 큰 렌즈를, 거리가 작으면 TD가 작은 렌즈를 선택한다. 이 경우에도 각막의 크기와 K값의 관계를 고려하여 렌즈의 BOZD 및 TD를 결정해야 한다.[7]

⑥ 동공의 크기

야간에 동공이 커지므로 야간에 발생하는 눈부심을 최소화하기 위해서 동공 크기를 재어 그 크기보다 BOZD가 큰 렌즈를 사용한다. 동공이 큰 경우라도 렌즈가 중심에 위치 할 때는 큰 문제가 되지 않으나 중심에서 약간 벗어난 처방일 때는 렌즈의 주변부가 동공을 가리는 수가 있으니 이때는 광학부가 중심을 덮도록 충분히 크게 처방해야 한다.[7]

⑦ 안검력

느슨한 안검의 경우에는 TD를 크게 하는 것이 원칙이

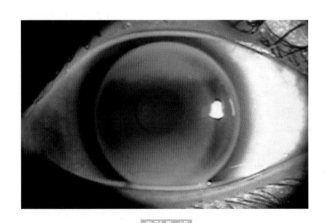

그림 7-15
그림 7-16보다 직경이 0.5 mm 큰 렌즈 (사진제공: 박영기)

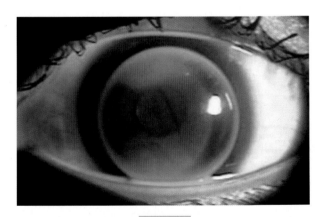

그림 7-16
그림 7-15보다 직경이 0.5 mm 작은 렌즈 (사진제공: 박영기)

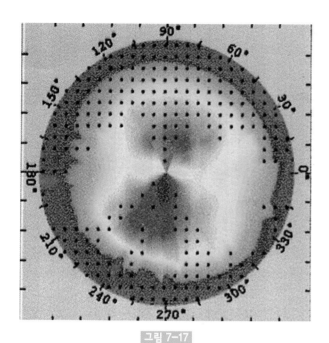

그림 7-17

비구면도 0.75인 눈의 각막지형도 (사진제공: 박영기)

며, 팽팽한 안검의 경우 TD가 작은 렌즈를 처방하는 것이 원칙이나 여러 가지 요소를 고려해서 시험착용을 해본 후 결정해야 한다.[7]

⑧ 렌즈의 도수

고도근시인 경우 안구의 장축이 길고, 렌즈의 끝이 두꺼워 렌즈가 위로 가는 경우가 많은데, 이때 렌즈의 크기를 줄이면 무게 중심이 앞으로 이동하여 렌즈가 좀 내려올 수

가 있다.[7,10,11]

4) 렌즈의 BCR(base curve radius, 기본커브반경)결정

(1) 구면렌즈

BCR의 결정은 렌즈 처방에 있어서 가장 중요한 것이며 렌즈의 중심잡기, 움직임, 시력, 렌즈 착용 시 부작용, 각막의 찌그러짐 등에 영향을 미치므로 신중하게 결정해야 한다. 렌즈를 안검 약간 아래쪽에 위치시키고 싶을 때는 TD 9.3 mm, BOZD가 7.8 mm의 렌즈를 처방할 때 각막난시가 없는 경우 K값보다 0.50 D~0.75 D 편평하게 처방하고, 각막난시가 1.50 D일 때를 on K로 하여 이보다 난시가 적을 때는 편평한 K보다 더 편평하게, 1.50 D 이상의 각막난시가 있을 때는 편평한 K보다 더 가파르게 처방한다(표 7-2).[7] 렌즈를 약간 아래로 내려서 눈꺼풀사이피팅(inter-palpebral fit)을 할 때는 이보다 조금 가파르게 처방한다 (표 7-3).

그러나 이 모두 다 형광을 점안하여 각막과 렌즈의 관계가 너무 가파르거나 편평하지 않는 범위 내에서 처방해야 한다. 렌즈의 위치를 임의로 올리거나 내리기 위하여 너무 편평하거나 너무 가파르게 처방해서는 안 된다.[7]

사람의 각막은 주변부로 갈수록 편평해지는 비구면이고, 렌즈의 광학부는 구면이므로 렌즈의 광학부가 클수록 주변부 각막에는 상대적으로 가파르게 된다. 그러므로 광학부

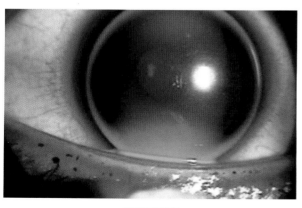

그림 7-18

비구면도 0.75인 눈에 처방한 렌즈. 그림 7-19보다 직경이 0.5 mm 작은 렌즈 (사진제공: 박영기)

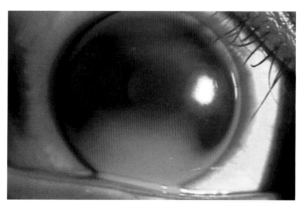

그림 7-19

비구면도 0.75인 눈에 처방한 렌즈. 그림 7-18보다 직경이 0.5 mm 큰 렌즈 (사진제공: 박영기)

표 7-2 윗눈꺼풀지지피팅시의 RGP렌즈의 BCR(기본커브반경) 결정

각막난시(keratometry)	BCR 결정
0.0~0.50 D	0.50~0.75 D flatter than K
0.75~1.25 D	0.25~0.50 D flatter than K
1.50 D	On K
1.75~2.00 D	0.25 D steeper than K
2.25~2.75 D	0.50 D steeper than K
3.00~3.50 D	0.75 D steeper than K

표 7-3 눈꺼풀사이피팅시의 RGP렌즈의 BCR(기본커브반경) 결정

각막난시(keratometry)	BCR 결정
0.0~-1.00 D	"On K"
-1.12~-2.00 D	1/4 delta "K" + flat "K"
-2.12~-2.87	1/3 delta "K" + flat "K"
> -3.00 D	Back surface/bitoric lens

를 크게 할 때는 BCR 편평하게 하고, 광학부를 줄일 때는 BCR을 가파르게 해준다. 일반적으로 광학부직경이 0.5 mm 증가하면 BCR을 0.25 D 편평하게 처방하고, 반대로 광학부직경이 0.5 mm 감소하면 BCR을 0.25 D 가파르게 처방한다.[7]

원시의 경우에는 BCR을 보통 근시렌즈보다 약간 가파르게 처방하는 것이 좋은데, 원시렌즈는 중심두께가 두꺼워 무겁기 때문에 하방으로 위치하기 쉬우므로 약간 가파르게 처방하여 하방으로 이탈하는 것을 조정하기 위해서이다.[7]

BCR에 따라 렌즈의 움직임도 달라지는데 너무 편평하면 아래 위 좌우로 불안전하게 움직여 중심잡기가 어려워져 시야가 흐리거나, 렌즈의 이탈이 잘 생길 수 있으며, 렌즈의 BCR이 각막보다 너무 가파르면 렌즈가 움직이지 않아 이물질 배출이 잘 안 되고, 각막부종, 각막미란이 생길 수 있으며 또, 수직으로 너무 빨리 움직여서 각막 탈수나 아래쪽 중심이탈 등이 올 수 있다.[7]

처방할 렌즈의 BCR의 결정은 각막의 K값과 난시, 렌즈의 크기에 따라 수치를 정하고 시험착용하여 렌즈의 움직임, 중심잡기 등을 보고 형광을 점안하여 각막과 렌즈의 상관관계를 확인한 후 최종 결정한다.[7]

렌즈를 끼고 있으면 각막의 중앙이 편평해지므로 렌즈를 끼우고 일정 시간이 지난 후에 형광염색 소견은 중앙은 처음보다 가파르고, 주변부는 변화가 없다. 또 각막의 K값도 좀 편평해진다. 이때 렌즈를 처방할 때는 제일 처음 처방한대로 해야 한다. 변화된 K값에 따라 처방하면 너무 편평해져서 중심잡기가 잘 안되며, 각막이 뒤틀릴 수 있다.[7]

(2) 비구면렌즈

그림 7-20에서 A(구면렌즈)와 B(비구면렌즈)의 중심부 K값과 렌즈직경(9.5 mm)은 같다(그림 7-20). 그러나 비구면렌즈 때의 시상깊이(sagittal depth)가 구면렌즈 때보다 적으므로 비구면렌즈를 처방할 때가 각막에 더 편평하게 된다. 따라서 구면렌즈 때보다 더 가파르게 처방해야 하는

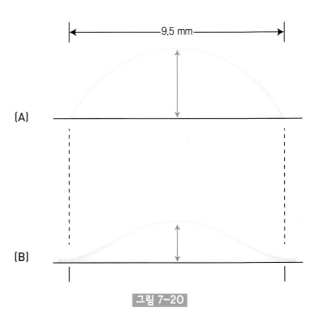

그림 7-20
구면렌즈(A)와 비구면렌즈(B)에서의 시상깊이(sagittal depth)의 차이

표 7-4 각막난시에 따른 비구면렌즈의 BCR 결정

각막난시	BCR 결정
0.00 D	0.25 D flatter than K
0.25~0.75 D	On K
1.00~1.75 D	0.25~0.75 D steeper than K
> 2.00 D	0.75~1.25 D steeper than K

데 일반적으로 구면렌즈 때의 처방보다 0.5 디옵터 정도 가파르게 처방하면 된다(표 7-4).[7]

처방한 대로 시험렌즈를 착용시키고 반드시 형광염색을 하여 각막표면과 렌즈 사이에 골고루 염색이 되는지 확인해야 한다. 시험렌즈를 사용하여 검사하는 것은 비구면렌즈 처방의 성공여부를 결정하는 매우 중요한 절차이며, 형광 염색검사로 렌즈의 BCR이 정확히 처방되었는지 알 수 있을 뿐 아니라 덧댐굴절검사(over-refraction)를 하여 정확한 렌즈도수를 예측할 수 있다.[7]

시험렌즈 없이 렌즈도수를 결정할 경우에는 구면렌즈 때보다 0.50 디옵터 가파르게 했기 때문에 눈물층의 도수가 +0.50 디옵터가 되므로 -0.50 디옵터를 더해 처방해야 한다. 예를 들면, 구면렌즈로 BC 43.25 D (7.8 mm) 도수 -3.00 D인 렌즈를 비구면렌즈로 바꾼다면 BC43.75 D (7.70 mm) 도수 -3.50 D가 된다.[7]

TD는 일반적으로 구면렌즈 때와 비슷하게 9.0~9.5 mm를 기준으로 하지만, 난시가 심하거나 불규칙각막인 경우에 렌즈의 움직임이 많거나 불안정하면 9.5 mm 이상의 크기를 선택한다. 또한 토릭렌즈나 원추각막의 경우엔 10.0~10.5 mm의 렌즈를 많이 사용한다.[7]

5) 렌즈의 도수 결정

(1) 피팅 방법에 따른 결정

렌즈의 도수를 결정하는 방법에는 피팅렌즈세트를 비치해 놓고 환자에게 착용시킨 후 그 위에 덧댐굴절검사를 하여 처방할 렌즈의 도수를 정하는 방법과 시험렌즈를 사용하지 않고 도수를 계산하여 최종 처방렌즈의 도수를 정하는 경험적 피팅이 있는데 후자의 방법은 실제로 착용시켜 보지 않고 계산에 의해서만 하므로 적응불능, 중심이탈 등이 생길 수 있으며, 또 각막곡률계로는 각막 전체에 대한 정보보다는 중심 3 mm에 대한 정보만 얻을 수 있어서 이 수치만으로 처방하는 것은 정확하지 않으므로 요즘은 잘 사용하지 않는다.[7]

(2) 눈물층굴절력(tear lens)

RGP렌즈의 도수 결정에서 눈물층굴절력은 매우 중요

하다. 렌즈의 BCR이 각막의 K값보다 편평할 때는 눈물층이 마이너스 굴절력을 가지며, 반대로 각막의 K값보다 가파를 때는 눈물층이 플러스 굴절률을 가지므로 렌즈의 도수 결정 시 가감을 해야 한다. 예를 들어 그림 7-21의 경우 K값인 43.5 D보다 0.5 D 더 편평하게 처방할 경우 눈물층 굴절력이 -0.5 D 효과를 가지므로 +0.5 D를 더해주어 최종렌즈 처방은 -1.5 D가 되며, 반대로 0.25 D 가파르게 처방할 경우 눈물층굴절력은 +0.25 D가 되어 최종 렌즈 처방은 -2.25 D로 주어야 한다. 마찬가지로 처방한 렌즈를 더 편평하게 혹은 더 가파르게 바꿀 때 눈물층굴절력을 고려하여 가감하여야 한다. 즉 BCR이 7.80 mm (43.25 D)이고, -4.5 D의 렌즈를 7.85 mm (43.0 D)로 바꿀 때는 편평하게 처방되어 눈물층굴절력이 마이너스로 증가되므로 렌즈도수를 그 차이인 0.25 D를 뺀 -4.25 D로 바꾸어 주어야 한다.[7]

(3) 정점거리(vertex distance)

시험렌즈를 끼우고 덧댐굴절검사를 하여 추가할 도수가 4 D이상일 때는 정점거리를 계산해야 한다. 정점거리에 의한 환산 방법은 소프트콘택트렌즈 때와 같다. 예를 들어 -3 D의 시험착용렌즈에 덧댐굴절검사하여 -6 D가 되었다면 최종 렌즈도수는 -9 D가 아니라 -6 D를 정점거리 환산한 약 -5.5 D를 합하여 -8.5 D가 된다. 고도근시에서의 최종 렌즈도수는 렌즈의 디자인 및 재질에 따라 조금씩 차이가 나므로 처방된 렌즈를 끼워 덧댐굴절검사를 하여 덧댐굴절검사 시 나온 수치와 최종렌즈도수를 비교하여 노모그램을 만들어 놓는 것이 좋다.[7]

6) 주변부커브반경 및 폭

주변부커브는 렌즈의 주변부 20~30%를 차지하며, 각막 모양과 같이 주변부로 갈수록 더 편평해진다. 주변부커브의 주요기능은 첫째, 렌즈가장자리가 각막표면을 상하지 않게 하며 둘째, 눈물의 순환이 잘 이루어지게 하고 셋째, 렌즈 가장자리에 눈물띠를 형성하여 렌즈가 중심에 잘 위치하게 도와준다. 주변부커브는 시력과 무관한 부위이므로 렌즈가 중심부를 이탈하여 시축에 걸치면 흐림이 생긴다. 렌즈 내

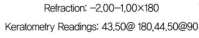

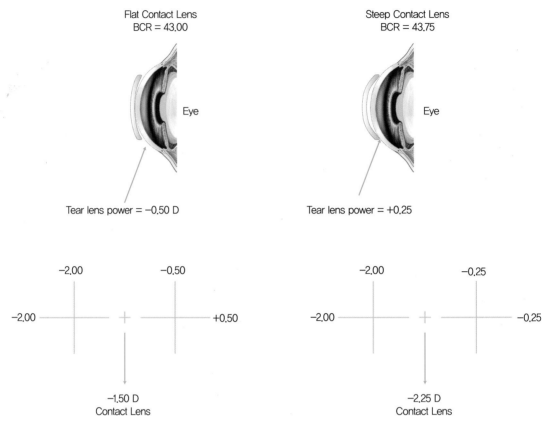

그림 7-21

눈물층굴절력이 렌즈도수 결정에 미치는 영향

측의 주변부커브들 사이의 경계에는 융기가 있는데 이 융기는 눈물의 순환을 방해하고 렌즈 밑에서 생긴 대사성 노폐물을 제거하는 데 지장을 준다. 따라서 이 융기부위를 가급적 작게 또 부드럽게 해야 노폐물 제거가 쉽고 렌즈의 움직을 원활히 하여 환자에게 렌즈의 착용감을 좋게 한다. 이런 작업을 앞서 언급한 블렌딩이라고 한다. 렌즈를 착용했을 때 렌즈가장자리는 각막 위에 약간 떠 있게 되는데 이 사이를 가장자리들림이라고 한다. 주변부커브들이 편평하거나 PCW (peripheral curve width, 주변부커브폭)가 넓으면 가장자리들림은 커진다. 이 가장자리들림이 크면 눈물순환이 잘 되고, 노폐물배출이 용이하지만 렌즈의 중심이탈이

잘 되고 이물감이 많고 각막탈수가 잘 된다. 반대로 가장자리들림이 너무 작으면 안검의 영향을 덜 받아 중심잡기가 좋을 수 있으나, 렌즈의 움직임이 적고, 렌즈를 뺄 때 어려울 뿐 아니라 노폐물이 잘 끼며 각막염의 확률도 높다. RGP렌즈는 산소공급이 눈물 펌프에만 의존하지 않고, 그 자체의 산소투과에 의해서 산소가 공급되므로 옛날의 PMMA재질의 렌즈처럼 가장자리들림은 너무 높지 않아도 된다. 그러나 렌즈 착용 후 생기는 부작용은 꼭 산소 부족에 의해서만 생기는 것이 아니므로 가장자리들림이 너무 낮으면 좋지 않다.[7]

표 7-5 Custom Design RGP 중심두께(mm)

렌즈도수	Dk 값에 따른 중심두께	
	(20~49)	(50+)
-1.00	0.18	0.19
-2.00	0.16	0.18
-3.00	0.14	0.16
-4.00	0.14	0.16
-5.00	0.13	0.14
-6.00 이상	0.13	0.14

7) 중심두께

렌즈의 중심두께의 결정은 여러 변수에 따라 달라지지만 주로 렌즈의 도수와 TD에 따라 달라진다. 원시용 렌즈에서는 중심두께가 두꺼워서 무게 중심이 앞쪽에 위치하며, 근시용 렌즈에서는 렌즈의 중심 두께가 얇고 무게 중심이 뒤에 위치한다.

일반적으로 중심두께가 너무 얇으면 렌즈가 잘 휘며 뒤틀림이 잘 생기고, 난시교정효과가 떨어지고, 상방이탈이 많은 반면, 너무 두꺼우면 하방이탈이 많고 렌즈의 움직임이 많아 시력이 불안정하게 된다. 마이너스렌즈의 경우 렌즈중심두께가 두꺼워지면 렌즈의 무게중심이 뒤로 가게 되고 무게도 무거워지므로 렌즈가 약간 위로 올라가는 것을 방지하기 위해 중심두께를 두껍게 해준다.[7]

중심두께를 증가시킬 때 렌즈의 Dk/t가 떨어지는 것을 걱정할 필요가 없다. 왜냐하면 두께의 증가에 따른 각막과 렌즈의 산소 분압(당량산소백분율)의 변화는 미미하기 때문이다. 예를 들어 중심두께가 0.04 mm 증가하면 렌즈의 용적은 24% 증가하지만 당량산소백분율은 1% 이하로 증가한다.[7]

따라서 교정시력, 렌즈의 견고성 및 중심잡기만 고려해서 중심두께를 결정하면 된다. 일반적으로 난시가 많을 경우 렌즈 두께를 난시 1 D마다 0.02 mm 증가시키는 것을 권하며, 산소투과가 높은 재질을 사용 시 견고성을 고려해서 중심두께를 좀 두껍게 하는 것이 좋다. 그러나 요즘은 Dk도 높으면서 재질도 단단하여 도수별로 렌즈 재질 회사와 제작회사에서 적정한 두께를 정해서 제작되고 있다

(표 7-5).[7]

8) 렌즈가장자리두께(edge thickness)와 디자인

렌즈의 가장자리 디자인이 좋으면 착용감이 편하고 렌즈의 중심잡기가 잘되므로 렌즈 처방 시 중요한 결정사항이다. 렌즈 재질의 발달과 렌즈 제작 기술의 발달로 일반적으로 가장자리 디자인을 점차적으로 얇게 하는 것이 최근의 추세이나 너무 얇으면 안 된다. 요즈음에는 렌즈의 가장자리를 비구면 처리하여 가장자리가 낮으면서도 눈물 순환이 잘 되도록 디자인되고 있다. 비구면인 각막은 주변으로 갈수록 편평해지므로 비구면도 높을 때는 가장자리가 제대로 형성되지 않으므로 이런 경우에는 오히려 가장자리가 높게 디자인 되어야 한다. 반대로 각막의 비구면도가 낮을 때는 가장자리가 높게 형성될 수 있으므로 이때는 가장자리가 낮게 디자인 되어야 한다. 그러므로 가장자리 디자인이 높고 낮은 것을 렌즈의 좋고 나쁜 기준이 될 수 없고, 개개인의 각막 상태에 따라 결정되어야 한다.[7]

-5 D 이상의 고도근시용 렌즈는 주변부가 두껍게 되는데 너무 두꺼우면 착용감이나, 중심잡기에 지장이 있으므로 렌즈가장자리 두께를 얇게 해주기 위해 플러스렌즈모양의 디자인을 한다. 또 이렇게 함으로써 렌즈의 중심두께도 얇아지고, 렌즈의 전체무게도 가벼워진다. 반대로 -1.5 D 이하의 근시나 원시인 경우 가장자리가 너무 얇아서 순목 시 렌즈의 움직임이 저하되고, 하방이탈이 되는 수가 있으므로 이때는 가장자리를 두껍게 하는 마이너스렌즈모양의 디자인을 한다.[7]

렌즈가장자리 끝 모양은 착용감을 좋게 하기 위하여 부드럽고 둥근 형태를 하는 것이 좋다(그림 7-22). 특히 전면 가장자리 끝이 후면 가장자리 끝보다 렌즈 착용감에 영향을 더 많이 미친다.[7]

가장자리 끝이 너무 두꺼우면 상안검과 접촉이 많아져 불편함을 느끼고 안검의 영향을 많이 받아 중심잡기가 좋지 않으며(그림 7-23) 너무 얇으면 렌즈 표면에 상처가 잘 나거나, 렌즈 끝이 쉽게 부서질 수 있다(그림 7-24).[7]

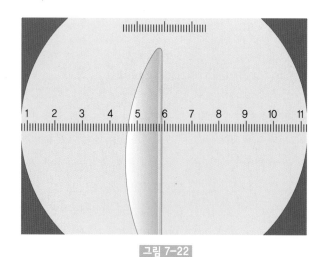

그림 7-22

가장 적합한 가장자리 형태

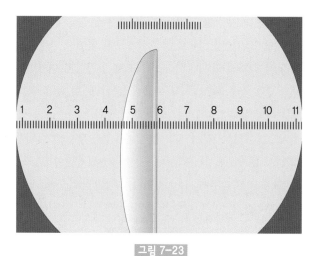

그림 7-23

가장자리가 두꺼운 형태

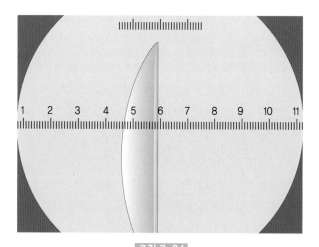

그림 7-24

가장자리가 얇은 형태

7. RGP콘택트렌즈의 피팅 상태를 판정하는 방법

1) 세극등현미경의 백색광을 이용한 방법

(1) 착용이 가능한 렌즈 피팅의 종류

① 최적의(optimum) 렌즈 피팅

가장 좋은 RGP렌즈의 피팅 상태는 눈을 뜨고 있는 동안 동공이 렌즈 광학부에 의해 충분히 덮힌 상태이며, 이때 렌즈는 각막윤부의 경계내에 위치해야 한다. 윗눈꺼풀지지 피팅의 경우는 상안검아래에 렌즈의 상부 가장자리가 위치하게 되며, 눈꺼풀사이피팅은 렌즈가 안검사이에 위치하게 된다. 또한 렌즈는 윗눈꺼풀지지와 렌즈의 중심잡기를 위하여 마이너스렌즈모양 형태의 두꺼운 가장자리를 지닌 형태로 디자인 된다. well-fitting rigid lens는 표 7-6에 요약되어 있다.[8,10]

② 만족스런(satisfactory) 렌즈 피팅

만족스런 렌즈 피팅은 최적의 렌즈 피팅보다는 못한 렌즈 피팅으로 깜박임 사이에 하방으로 약간 처지기는 하지만 시력에 영향을 미칠 정도로 움직임이 빠르지는 않으며 하안검이나 하측 윤부를 자극하지 않는 상태를 말한다. 직난시(With-the-rule)가 있는 경우에 렌즈가 수평경선 즉 정점부틈새(apical clearance)를 보이는 광학부의 말단부 3시와 9시방향을 중심축으로 회전축운동(pivot movement)을 하는 경우도 이에 포함된다.[8,10]

(2) 관찰해야 하는 개별적인 파라미터들

일반적으로 렌즈 피팅 시 편평하냐 가파르냐 만을 따지다가는 실패하기 쉽다. 그러므로 처음 RGP렌즈를 피팅한 후에는 TD, 중심잡기, 움직임(movement), 중심부 피팅(central fit), 가장자리틈새 등을 반드시 관찰해야 환자가 편안해 하고, 보다 안전하게 피팅이 이루어질 수 있으므로 세극등현미경검사는 필수적이다. 간혹 확대경을 이용하여 렌즈 피팅 상태를 관찰하는 사례가 있는데 이는 가장자리 틈새 같은 중요한 요소의 관찰에 소홀할 수 있으므로 되도록 세극등현미경을 이용하는 것이 좋다.[8,10]

표 7-6 이상적 피팅을 위한 필수조건들과 이상적인 피팅을 통해 얻는 결과 및 목표

이상적인 피팅의 최종목표	이상적인 피팅을 통해 얻을 수 있는 결과들	이상적인 피팅을 위한 적절하게 구현되어야 하는 RGP렌즈의 파라미터
편안함	환자의 만족	가장자리두께, 가장자리모양(edge form), 가장자리틈새, 후면경계부
렌즈의 중심잡기가 좋아야 한다. (good centration)	렌즈가 각막을 덮고 있으며 주변부 시야가 안정된다. (corneal coverage, stable peripheral vision)	가장자리틈새, BOZR, TD
렌즈의 움직임이 좋아야 한다. (movement on blink or version)	렌즈뒷면의 충분한 윤활작용, 렌즈유착의 방지, 산소공급(low-Dk material)	TD
항상 동공이 렌즈로 덮여야 한다. (constant pupil coverage)	시력이 안정된다. (stable vision)	BOZD
적절하게 각막곡면에 정렬되는 피팅	과도한 기계적 압력방지	BOZR
적절한 가장자리틈새	기계적인 마찰로 인한 각막미란의 방지, 편안함, 3시9시각막미란을 방지	주변부반경, PCW

① 렌즈의 TD

렌즈가 너무 작으면 중심이탈의 원인이 되기도 하며, 렌즈가 너무 상방으로 치우치거나 하방으로 내려가 하안검에 닿아 있으면 렌즈자체가 각막을 충분히 덮어주지 못하므로 시력유지는 물론 렌즈와 상안검 사이에 자극이 심해져 불편함이 생기게 된다. 그리고 깜박임 사이에 너무 쉽게 하안검연에 떨어지게 되므로 자극을 심하게 만들어주기도 한다.

렌즈가 눈꺼풀틈새보다 크면 상안검뿐만 아니라 하안검과도 자극을 일으킬 수 있다. 예를 들어 하안검의 영향으로 렌즈를 너무 상부로 밀어올려 너무 높은 렌즈위치(high-riding)가 발생할 수도 있으며 상안검에 의해 렌즈가 하안검연에 처져있는 상태로 지속적인 불편감을 유발할 수도 있다.[8,10]

② 중심잡기(centration)

깜박임사이의 렌즈의 위치가 중요하다. 하지만 중심이탈 중에서는 렌즈광학부는 동공을 충분히 덮어주고 있어서 시력유지에는 불편함이 없어 그대로 유지하려는 경우가 있을 수 있지만 불안정한 피팅이 요인일 수 있으므로 중심잡기를 적절하게 유도하는 피팅이 장기간의 렌즈 착용을 위해서는 필요할 수 있다. 예를 들어 편평한 피팅인 경우 안검의 위치나 장력에 따라 어느 방향으로라도 중심이탈이 될 수 있기 때문이다.[8,10]

③ 움직임

움직임의 양(extent), 빠르기(speed), 방향(direction)을 판정하는 것이 중요하다. 이를 검사하기 위해서는 정면주시를 하는 동안 관찰하여야 한다. 움직임이 제한적이며 속도가 느린 경우 가파른 피팅이 원인일 가능성이 높다. 움직임이 빠른 경우는 편평한 피팅일 가능성이 높은데 그 외에도 상안검의 강한 간섭이나 과도한 가장자리틈새 때문일 가능성도 배제할 수 없다.[8,10]

부가적으로 상안검을 위로 들어올려 중력 자체만으로 렌즈가 어떻게 움직이는지 관찰하는 것이 유용할 수 있다. 상안검이 렌즈에 영향을 미치지 못하도록 위에서 손가락으로 고정하고 렌즈를 위로 밀어올려 자연스럽게 놓았을 때 천천히 내려와야 정상이다. 만일 렌즈의 움직임이 거의 없다면 상안검의 영향을 많이 받을 가능성이 있다. 렌즈가 내려올때 아치형으로 내려온다면 편평한 피팅이기 쉽다.[8,10]

④ 주변부 피팅

과도한 가장자리틈새는 백색광을 이용한 세극등검사에서 관찰할 수 있다. 가파르게 피팅된 경선에서는 주변부 눈물띠가 보이지 않을 수 있다. 너무심한 가파른 피팅의 경우 거품현상(bubble)이 렌즈 뒷면에서 관찰될 수 있으며 시간이 지나면 기포눌림자국염색(dimple staining)이 생기기도 한다.[8,10]

2) 형광염색을 이용해 관찰해야 하는 세극등현미경 검사소견

(1) 전반적인 판정

형광을 이용한 세극등현미경검사에서는 가파르게 처방된 경우나 편평하게 처방된 것을 관찰하는 것뿐 아니라 주변부의 두께 및 너비, 적절한 광학부 크기, 눈물 순환 등을 관찰한다.

형광은 눈물층이 15 micron의 두께 이하일 경우 관찰이 어렵다. 그리고 최대 60 micron에 도달할 때까지는 서서히 형광이 강해지며 일정한 밝은 노란색을 띤다.[8,10]

① 중심부 피팅

적절하게 피팅된 렌즈의 형광염색 패턴은 각막의 비구면 정도, 각막난시, 렌즈 디자인, 렌즈의 피팅 형태(예를 들어 가파른 피팅이거나 편평한 피팅)에 따라 여러 가지로 나타날 수 있다. 구면형태의 각막은 단순한 형광염색을 보여주는데 최적의 피팅일 때 중심부는 얇은 형광염색을 보이는 최소 중심부틈새(minimal central clearance)를 보인다. 난시가 있는 각막에서는 가파른 경선을 따라 중심 형광염색이 가장자리로 갈수록 두께가 증가한다. 그러므로 각막난시가 있는 각막에 구면렌즈를 착용시키면 아령패턴(dumb-bell pattern)의 형광염색을 관찰할 수 있다.[8,10]

② 중간주변부(midperipheral) 피팅

각막난시가 있는 경우 구면렌즈를 피팅하게 되면 광학부의 가장자리에 각막이 닿게 된다. 렌즈의 브렌딩이 잘 안 된 경우에는 가는 선으로 급격한 염색의 변화가 관찰된다. 이런 경우 불편감을 일으키거나 심하면 상피세포의 파괴를 일으킬 수 있다.

편평한 피팅인 경우 편평한 경선을 따라 형광의 중간주변부 band가 관찰되기도 한다.

첫 번째 주변부를 따라 접촉되는 띠가 보일 경우 주변부 커브가 가파르게 처방된 것이므로 편평하게 다시 처방해야 한다.[8,10]

③ 가장자리 피팅

형광염색을 통해 렌즈가장자리의 가장자리틈새를 관찰

하는 데도 유용하다. 이상적인 가장자리틈새의 두께는 80 micron 이상인데 가장자리 형광띠가 밝은 황색의 색감을 잃을 경우 의심해 볼 수 있는데, 이는 렌즈를 윤부 쪽으로 중심이탈을 시켜볼 때 형광의 띠가 없어지는것을 확인함으로써 확진할 수도 있다.

과도한 가장자리틈새인 경우 물방울이 렌즈의 가장자리에 보이기도 하는데 형광염색의 띠의 두께를 통해서도 관찰이 가능하다.[8,10]

(2) 형광염색을 이용한 처방의 실제

형광을 점안하여 렌즈와 각막과의 상관관계를 살펴보아 처방할 렌즈가 눈에 잘 맞는지를 확인하는 것은 렌즈 처방 시 제일 중요한 과정이라고 할 수 있겠다.

렌즈와 각막의 간격이 크면 형광이 많아 색깔이 진하게 보이고, 간격이 작으면 색깔이 연하게 보이는 것을 토대로 렌즈와 각막과의 상관관계를 보고 처방을 최종 결정하게 된다.[7]

① 형광염색 관찰 방법

형광염색을 사용하는 가장 좋은 방법은 건조된 형광염색이 첨가된 종이에 마취안약을 첨가시켜 환자를 아래로 주시하게 한 후 통증이 없게 안구 결막의 상부에 형광이 녹은 용액을 한 방울 묻힌다. 이 방법은 반사눈물 흘림을 최소화시키고 유리된 형광의 양을 조절할 수 있다. 액체형광용액은 녹농균의 감염위험성 때문에 사용하지 않는다. 형광용액이 옷에 묻으면 잘 지워지지 않기 때문에 주의해야 한다.[7]

시험렌즈의 BCR과 TD가 결정되면 그 시험렌즈를 착용시키고 10~30분 정도 기다린다. 자극에 의한 눈물이 감소되면 형광을 묻혀 세극등현미경으로 관찰하는데 저배율로, 불빛은 밝게, 불빛 모양은 둥글게, 불빛 색깔은 코발트블루로 하여 Wratten 12번 황색필터로 관찰한다. 황색필터는 필요 없는 파장의 빛을 제거해주어 필요한 소견이 잘 보이게 한다. 요즘은 렌즈 재질에 자외선 차단제가 함유되어 이에 해당하는 빛이 흡수되므로 적당한 조명과 반사된 빛을 관찰하는 필터가 매우 중요하다.[7]

형광염색소견을 관찰 시 렌즈가 움직이는 상태에서 관

찰하면 렌즈의 위치에 따라 렌즈와 각막과의 상관관계가 달라지므로 주의해야 한다. 각막의 주변부가 중심부보다 편평하므로 렌즈가 주변부로 가면 가파르게 보일 수 있다. 그래서 렌즈를 중심부에 두고 관찰하는 것이 좋다.[7]

② 잘못된 상태에서의 위장 형광염색 소견을 나타내는 경우

아래와 같은 경우에 같은 기본커브에서도 가파르게 혹은 편평하게 보일 수 있으니 주의해야 한다.

가. 가파르게 보이는 경우
- 형광이 너무 많을 때
- 각막지형도상 각막중심부가 작을 때
- 주변부커브가 너무 가파르게 되면 중심부가 잘 맞더라도 가파르게 보일 수 있다
- 렌즈 위치가 위로 혹은 아래로 치우치면 각막주변부는 편평하므로 가파르게 보인다.

- 렌즈의 주변부가 너무 두꺼워 형광 색깔이 통과를 못하여 주변부가 잘 보이지 않아 상대적으로 중앙이 가파르게 보인다.

나. 편평하게 보이는 경우
- 형광이 너무 없거나 건성안일 때

③ 형광염색 양상

기본적으로 3가지 부위에서 3가지 차이 나는 부위로 나눌 수 있다(표 7-7).

난시가 심한 경우는 이렇게 전형적으로 나타나지는 않지만 소견이 달라지는 경계부위는 동일하다.

가. 각막난시가 1 D 미만
- 이상적인 형태(그림 7-25, 7-26)

중심부는 각막형태와 렌즈형태가 거의 같은 모양으로 그사이에 틈이 약간 있어 희미한 초록색으로 보이고 주변부는 각막과 렌즈 사이의 틈이 많아 가장 밝은 초록색으로

표 7-7 형광염색 염색양상 코드

코드		형광염색 색깔	눈물층두께	렌즈와 각막의 관계
A		밝은 초록색	두꺼움	뚜렷한 틈새
B		검정	없음	접촉
C		희미한 초록색	얇음	작은 틈새

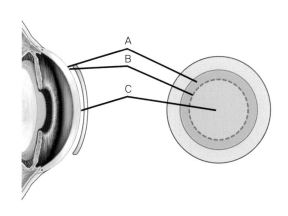

그림 7-25
이상적인 구면형태

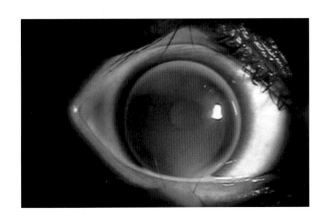

그림 7-26
이상적인 형태의 렌즈 처방 (사진제공: 박영기)

보이며 그사이 중간주변부는 렌즈와 각막이 닿아 검게 보이게 된다.

- 가파른 형태(그림 7-27, 7-28)

가파르게 처방된 경우는 중심부가 밝은 초록색으로 보이고 그 옆의 검은 부분이 넓게 나타난다. 가파른 처방에는 가파름이 심해질수록 중심부에는 밝은 초록색 부위가 점점 넓어진다. 이 경우 중심부뿐 아니라 주변부도 가파르게 보이면 전체적으로 이 렌즈의 디자인과 각막의 모양은 비슷하다고 볼 수 있고 그렇지 않으면 디자인의 변경도 생각해야 한다.

- 편평한 형태(그림 7-29, 7-30)

편평하게 처방된 경우는 중심부가 검게 나타나고 주변부로 갈수록 밝은 초록색을 나타낸다.

나. 각막난시가 1D 이상

- 이상적인 형태(그림 7-31, 7-34①)

  A: 주변부 – 밝은 초록색

  B: 중심부 – 편평한 경선을 따라 검은 띠 혹은 아령패턴 형태

  C: 나머지 부위 – 희미한 초록색

- 가파른 형태(그림 7-32, 그림 7-34②)

  A: 나머지 부위 – 밝은 초록색

  B: 중간주변부 – 편평한 경선을 따라 초승달 모양의 검은 부위

- 편평한 평태(그림 7-33, 7-34③)

  A: 나머지 부위 – 밝은 초록색

  B: 중심부 – 밝은 초록색

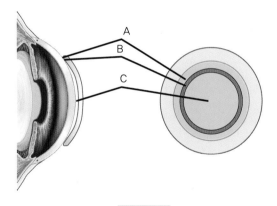

그림 7-27

가파른 구면형태

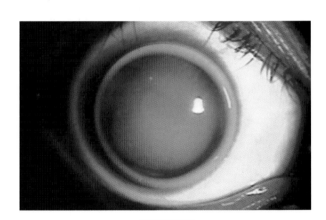

그림 7-28

가파른 형태의 렌즈 처방 (사진제공: 박영기)

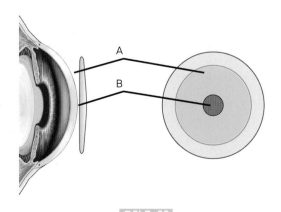

그림 7-29

편평한 구면형태

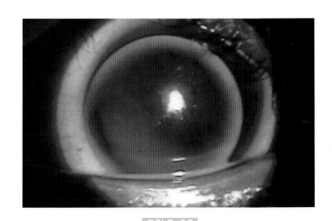

그림 7-30

편평한 형태의 렌즈 처방 (사진제공: 박영기)

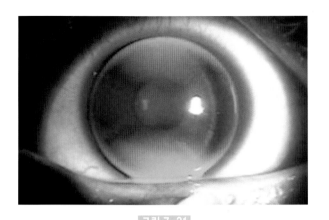

그림 7-31
난시 1 D 이상일 때 이상적인 렌즈 처방 (사진제공: 박영기)

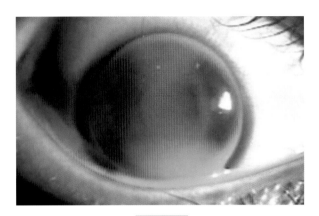

그림 7-32
난시 1 D 이상일 때 가파른 렌즈 처방 (사진제공: 박영기)

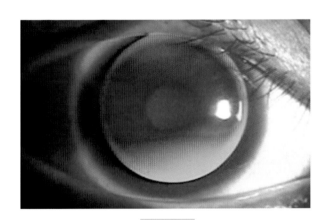

그림 7-33
난시 1 D 이상일 때 편평한 렌즈 처방 (사진제공: 박영기)

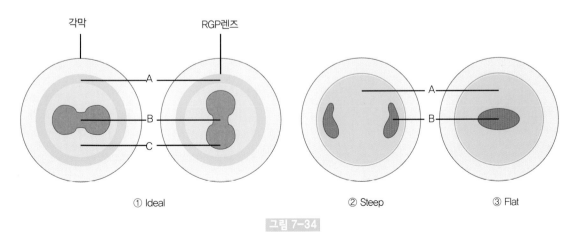

그림 7-34
난시성 형광염색 염색양상

각막난시가 1 D 이상인 경우에는 가파른 경선을 따라서는 각막과 렌즈가 닿지 않아 눈물층이 두꺼워져서 형광이 진하게 보이며, 편평한 경선을 따라서는 각막과 렌즈 간격이 좁아져서 형광이 연하게 보이는 아령패턴의 형태를 나타내게 된다(그림 7-34).[7]

각막난시가 있을 때 가파르게 처방된 경우는 중심부에 밝은 초록색의 타원이 생기며 가파름이 심해질수록 밝은 초록색의 타원의 크기는 작아지고 중간부위의 검은 띠 두께는 점점 두꺼워진다. 편평하게 처방된 경우는 하이측으로 밝은 초록색 부위가 생기며 상비측으로 검은색의 원형 부위가 생긴다. 편평함이 증가할수록 하이측으로 밝은 초록색 부위가 증가하고 상비의 검은색의 타원 부위는 상비측에서 점점 중심으로 이동하며 렌즈의 움직임이 많아지고 렌즈가 중심에서 이탈하기 시작한다. 사난시의 형광이 염색 양상은 편평한 경선을 따라 중심부는 두껍고 밝은 초록색으로 보인다.[7] 도난시가 심할 때는 렌즈가 수평으로 이탈하는 경우가 많다.[7]

그림 7-35에서 이상의 렌즈 처방의 전 과정을 정리해보았다.[7]

④ 비구면렌즈의 형광염색 양상(Fluorescein pattern)

형광염색검사를 하면 중심부는 각막과 정렬(alignment)이 맞거나 약간의 틈새가 있을 수 있고(정점부틈새, apical clearance), 중간주변부는 각막과 밀착이 있으며(중간주변부접촉, midperipheral bearing), 렌즈 종류에 따라 다르나 렌즈가장자리는 구면렌즈에 비해 각막과 거리가 가까운 낮은 가장자리모양(low edge)을 하며 대체적으로 구면렌즈 때보다 균일한 양상을 보인다.

눈 깜빡일 때의 렌즈 움직임은 각막과 균일하게 닿으므로 구면렌즈보다 작아서 상하로 약 1~2 mm 정도이다(그림 7-36).

8. 눈깜빡임

1) 눈깜빡임의 역할

눈깜빡임은 각막표면의 눈물막이 잘 퍼지게 하고 건조한 자극을 방지하는 중요한 역할을 한다.

눈깜빡임은 불수의적인 반응이고 1분에 15~18회 정도 하며 횟수와 형태는 다양하다. 정상적인 눈깜빡임은 안윤근의 전검판섬유에 의해서 일어나는 자율적인 반사운동이다.

눈깜빡임이 불완전하면 안검에 의해 경성콘택트렌즈 표면이 잘 닦이지 않고, 건조해져서 잘 보이지 않으며 렌즈 아래 눈물 피막이 고여 눈물순환이 안되므로 각막부종을 일으킨다. 또 렌즈에 의해 덮인 각막부위는 건조해지지 않으나 렌즈를 둘러싸는 노출된 각막부위는 눈물에 습윤되지 않아 건조해져서 소양감, 충혈, 작열감, 할퀴는 느낌을 느낀다.

잘못된 눈깜빡임 습관으로 인해 잘 맞는 하드콘택트렌즈도 여러 불편한 증세를 일으켜 렌즈 착용에 실패하므로 올바른 눈깜빡임은 하드콘택트렌즈 착용의 적응력을 높여주며 렌즈 착용 시 부작용도 많이 예방하므로 경성콘택트렌즈 착용 시 매우 중요한 역할을 한다.[7]

2) 불완전한 눈깜빡임

평소에는 눈깜빡임을 잘하지만 렌즈를 착용시키면 이물감, 빠질 듯한 기분 등으로 인하여 눈깜빡임을 안하는 경우도 있지만, 원래부터 눈깜빡임을 잘하지 못하는 경우도 있다. 그래서 렌즈를 착용시키기 전에 반드시 정상적인 깜박임이 되고 있는지를 확인해야 한다.

렌즈를 낀 상태에서 눈깜빡임이 불완전하게 이루어지는 경우에는 다음과 같은 소견을 보인다.

렌즈가 아래로 처지거나, 혹은 위로 올라가거나 하며, 렌즈표면에 건조해지며 크리스탈 침착물이 낀다. 각막의 변화는 3시9시각막건조 및 미란, 각막부종, 각막패임, 각막의 건조점, 각막하측의 미란 등이 관찰된다.

문진 및 안과 기본 검사

굴절검사 및 각막곡률반경 측정

K값 및 각막크기 등에 따라
시험용렌즈를 선택하여 착용시킨다.

20~30분 후 눈물이 줄면
적응가능성과 프루레신 소견에 따라
렌즈의 기본만곡, 광학부 및
전체크기, 주변부 디자인 등을 결정한다.

적응이 안 될 것 같으면
다시 검사 혹은 다른 방법 생각

덧댐굴절검사를 하여 도수 결정

주문하거나 재고에서 선택

착용하여 검사 후 관리 방법 및 주의사항 설명

약 1주일 후에 내원 착용상태를 검사

적응상태 및 깜빡임 등이
만족스럽지 못하면 다시 내원

매 3개월마다 경과 관찰

그림 7-35
RGP렌즈 처방 요약

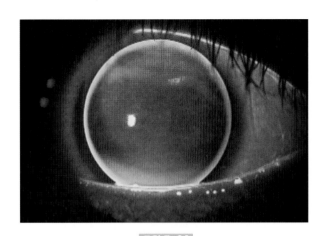

그림 7-36

비구면렌즈의 이상적인 형광염색양상 (사진제공: 정인)

그림 7-37은 렌즈를 끼고 눈을 제대로 뜨지 못하여 렌즈가 상방으로 위치해 있는데 눈을 제대로 뜨면 렌즈가 중심부에 위치한다(그림 7-38).[7]

3) 눈깜빡임 운동 방법

눈깜빡임 운동은 수의적으로 눈을 감게 하는 운동이며 경성콘택트렌즈 착용 후 불편함을 느끼는 환자들에게 안검이 렌즈가장자리에 익숙해지도록 도움을 준다.

눈깜빡임의 문제는 눈이 끝까지 감기지 않는 경우, 너무 크게 뜨는 경우, 너무 작게 뜨는 경우 등으로 나눌 수 있고, 끝까지 감지 않는 경우는 그 정도에 따라 반 감기, 삼분의

일 감기, 사분의 일 감기 등으로 나눌 수 있다. 이러한 경우 모두 눈깜빡임으로 운동으로 극복할 수 있으나 본인의 노력과 의사의 세심한 관찰이 중요하다.[7]

(1) 5단계 운동법(이완법)

① 이완

눈의 근육을 이완시키기 위해 전신적으로 이완하고 마음을 편하게 해야 한다. 하안검이 만나는 측두측 바로 옆에 집게손가락을 대면 힘이 들어간 눈의 움직임을 느낄 수 있으며, 힘이 들어간 눈의 움직임은 안근육의 긴장을 일으키고 안면을 찌푸리게 한다. 눈 운동을 하는 동안 머리는 정면을 향하고, 양안은 부드럽고 자연스럽게 떴다 감았다 해야 한다.

② 감기

깊은 잠을 자는 것처럼 눈은 천천히 온화하게 감아야 한다. 하안검과 상안검이 만나는 외측 모서리에 양손 끝을 대면 원하지 않는 근육 장력을 느낄 수 있다. 만약 장력을 느낀다면 천천히 눈을 감는다.

③ 휴지

약 3초 동안 완전히 눈을 감고 쉰다. 상안검이 완전히 감겨 상안검과 하안검이 완전하게 감기는 느낌을 배우기 시작할 수 있다.

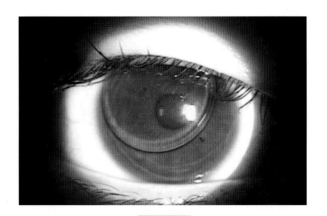

그림 7-37

불완전한 눈깜박임으로 인한 상방중심이탈 (사진제공: 박영기)

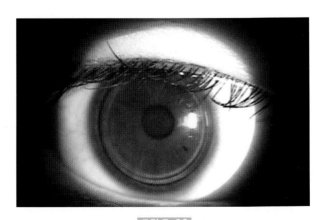

그림 7-38

불완전한 눈깜박임의 교정으로 중심잡기가 좋아진 렌즈착용상태 (사진제공: 박영기)

④ 뜨기

눈을 크게 뜬다.

⑤ 휴지

잠시 동안 눈을 크게 뜬 상태로 쉰다.

이러한 5단계 눈깜빡임 운동은 10~15분이 적당하다. 눈깜빡임 운동을 계획에 따라 행하면 3~8주 후에 눈깜빡임 습관이 많이 좋아진다.

(2) 회전 눈깜빡임 운동

5단계 운동법보다 좀 간단한 방법으로 렌즈를 낀 상태에서 하는 것이 좋다. 눈깜빡임이 완전한 사람도 처음 렌즈 착용 후 이 운동을 실시하면 적응되는 데 많은 도움을 준다.

① 머리를 똑바로 하고 상대방의 손가락을 따라 15회 정도 시계 반대 방향으로 눈의 회전 운동을 한다.

② 일초 동안 눈을 감는다.

③ 삼초 동안 눈을 크게 뜬다.

이 과정을 20회 정도 반복하며 2주일 동안 하루 3번 한다.

근육이완을 중요시하는 눈깜빡임 운동과 눈의 회전 운동을 하는 눈깜빡임 운동 2가지 중 어느 것을 선택하여도 좋으나 눈의 근육을 이완시킨 상태에서 회전 운동을 병행하면 더욱 렌즈에 잘 적응될 것이다.

▶ 참고문헌

1. Phillips AJ, Speedwell L. Contact Lenses, 5th ed. London: Butterworth –Heinemann, 2007; chap. 9

2. Fonn D, Pritchard N, Garnnett B, Davids L. Palpebral aperture sizes of rigid and soft contact lens wearers compared to nonwearers. Optom Vis Sci 1996;73:211–14

3. Lam CSY, Loran DFC. Designings contact lenses for oriental eyes. J Br Contact Lens Assoc 1991;14:109–14

4. Matsuda LM, Woldorff CL, Kame RT et al. Clinical comparison of the corneal diameter and curvature in Asian eyes with those of the Caucasian eye. Optom Vis Sci 1992;69:51–4

5. Kim SD, Lee DS, Kim JD. 한국인 성인의 각막굴절력및 안축장에 대한 임상적고찰. J Korean Ophthalmol Soc 1990;31:1365–9

6. Kim CS, Kim SY, Park YH, Lee YC. 정시안에서 연령에 따른 안수치들의 변화. J Korean Ophthalmol Soc 2008;49:425–31

7. 한국콘택트렌즈 연구회. 콘택트렌즈임상학, 1판, 서울: 내외학술, 2007;43–71

8. Efron N. Contact Lens Practice, 2nd ed. Brisbane: Butterworth–Heinemann, 2010;chap. 16

9. Atkinson, T.C.O. A Re-appraisals of the Concept of Fitting Rigid Hard Lenses by the Tear Layer Thickness and Edge Clearance Technique. J. Br. Contact Lens Ass. 1984;7:106–110.

10. Phillips AJ, Speedwell L. Contact Lenses, 5th ed. London: Butterworth –Heinemann, 2007;chap. 21

11. Efron N. Contact Lens Practice, 2nd ed. Brisbane: Butterworth–Heinemann, 2010;chap. 29

토릭콘택트렌즈 기본피팅
Fitting guide for RGP and soft contact lenses in astigmatism

정 인

1. 콘택트렌즈의 난시교정에 대한 기초

1) 난시란 무엇인가?

난시란 빛이 망막의 한 지점이 아닌 두 지점 이상에 초점이 맺히는 것인데 주된 원인은 각막의 주 축의 굴절반경이 서로 다르기 때문에 생기는 각막난시(corneal astigmatism)이다.[1] 각막난시는 굴절검사상 나오는 굴절난시(refractive astigmatism, ocular astigmatism or spectacle astigmatism)와 차이가 날 수 있는데 이를 잔여난시(residual astigmatism)라 한다.[1-6]

잔여난시의 가장 흔한 원인은 수정체 자체의 난시(lenticular astigmatism)이며 수정체가 기운 경우(tilted lens) 또는 부분 수정체이탈(partially dislocated lens) 등으로도 생긴다. 잔여난시는 대부분 도난시(against-the-rule astigmatism)이며 환자의 약 30~40%에서 0.50 D 정도의 약한 잔여난시를 갖는다고 한다.[1]

잔여난시는 각막난시를 콘택트렌즈로 정확히 교정을 해도 남는 난시이므로 렌즈선택을 할 때 매우 중요한 변수가 되는데, 결론적으로 잔여난시가 심할 경우엔 구면이나 비구면 RGP렌즈의 처방을 피하여야 하며, 토릭소프트렌즈나 토릭RGP렌즈로만 교정이 가능하므로 렌즈 착용 전 검사를 통해 잔여난시의 유무와 양을 반드시 확인하는 것이 중요하다.

2) 각막난시의 종류

(1) 정난시(with-the-rule astigmatism)
각막의 수직경선이 가파르고 수평경선이 편평한 경우이며 렌즈가 수평경선에 놓이게 되므로 렌즈의 처방이 적절치 않으면 위아래로 움직임이 많게 된다.

(2) 도난시(against-the-rule astigmatism)
각막의 수평경선이 가파르고 수직경선이 편평한 경우이며 렌즈가 수직경선에 놓이게 되므로 렌즈의 처방이 적절치 않으면 수평방향으로 움직임이 많게 된다.

(3) 규칙난시(regular astigmatism)
주된 두 개의 경선이 서로 직각으로 만나는 경우를 말한다.

(4) 불규칙난시(irregular astigmatism)
주된 두 개의 경선이 서로 직각으로 만나지 않는 경우를 말한다. 주로 각막표면이 불규칙하여 생기며, 각막곡률기의 가늠자(keratometric mire)가 일그러져 보인다.

(5) 잔여난시(residual astigmatism)
각막난시와 굴절난시와의 차이이며 RGP렌즈 등으로 각막난시를 교정한 후에도 남아있는 난시이다.

3) 난시와 교정렌즈의 선택
난시를 교정하기 전에 난시를 반드시 교정해야 하는가부터 고려한다. 예를 들어 근시가 2.50 D이며 난시가 1.25 D

있다면 환자는 매우 불편하므로 반드시 교정해야 한다. 반면 6.00 D의 근시에 1.25 D의 난시가 있다면 환자의 불편은 거의 없기 때문에 반드시 교정할 필요는 없을 것이다. 따라서 일반적으로 난시의 양이 전체 굴절이상의 3분의 1이 넘을 경우에 난시교정이 필요하다.[1-3]

난시교정렌즈의 재질로는 난시가 심하지 않으면 얇고 Dk/t (Oxygen transmissibility, 산소전달률)가 높은 재질이 좋으나, 난시가 심하면 렌즈의 안정성을 위해 Dk/t가 떨어지더라도 두께가 두꺼운 재질을 선택하는 것이 좋다. 특히 RGP렌즈의 경우엔 렌즈의 휘어짐(flexure)현상이 생기기 쉬우므로 견고한 RGP 재질이나 PMMA (polymethyl methacrylate)재질로 선택함이 바람직하다.[1-3,6]

교정렌즈의 종류를 선택할 때엔 다음과 같이 잔여난시의 유무에 따라 달라지므로 신중하게 결정하여야 한다.

(1) 잔여난시가 거의 없는 경우

소프트렌즈로 교정을 할 경우 난시가 약하게 있다면 구면 소프트렌즈로도 교정이 가능한데 이 경우엔 두께가 얇은 렌즈보다는 두꺼운 렌즈가 더 유리하다. 난시가 심하지 않더라도 직업 등을 고려해 토릭소프트렌즈가 꼭 필요한 경우도 있다.

난시가 심한 경우 2.50 D까지는 토릭소프트렌즈의 교정이 만족스럽지만 그 이상의 난시에는 RGP렌즈를 고려하는 것이 좋다.

RGP렌즈로 교정할 경우 난시의 정도에 따라 구면 또는 비구면, 토릭렌즈 중 선택이 가능하다. 일반적으로 난시가 2.00 D 이하면 구면 RGP렌즈로도 충분히 잘 교정되나 2.00 D 이상의 난시엔 비구면 RGP렌즈가 더 좋으며, 3.00 D 이상의 난시엔 비구면렌즈도 가능하지만 후면토릭(back toric) 또는 양면토릭(bitoric) RGP렌즈가 교정시력, 착용감 및 렌즈의 안정성에 훨씬 더 유리하다.

비구면렌즈는 구면렌즈에 비해 각막과의 밀착이 좋아 움직임이 덜하여 착용감도 좋으며 안정적인 시력을 제공한다. 또한 각막에 고른 압력이 전달되므로 각막의 뒤틀림(warpage)이 덜 생긴다.

표 8-1 잔여난시가 없는 경우 교정렌즈의 선택

난시의 정도	교정렌즈의 선택
3.00 D 이하	구면 RGP렌즈 비구면 RGP렌즈 토릭소프트렌즈
3.00 D 이상	비구면 RGP렌즈 후면토릭RGP렌즈 양면토릭RGP렌즈

구면 RGP렌즈로 심한 난시를 교정하게 될 경우 렌즈의 움직임이 많아서 불편할 수가 있는데 이때는 직경이 작은 렌즈를 선택하여 렌즈의 가장자리가 각막표면에서 들리는 높이를 줄이는 것이 바람직하다. 또 렌즈의 휘어짐현상으로 변형이 올 수도 있으므로 중심두께가 얇은 렌즈나 Dk가 높은 렌즈는 피하는 것이 좋다.[1,6]

간단히 요약하면 표 8-1과 같다.

(2) 잔여난시가 있는 경우

잔여난시가 있으면 구면 또는 비구면 RGP렌즈는 피해야 한다. 이들 렌즈는 각막난시만을 교정할 수 있기 때문에 잔여난시로 인한 불완전교정이 될 수 밖에 없다.

좀 더 구체적으로 살펴보면(표 8-2) 각막난시는 심한데 굴절난시가 거의 없다면 수정체난시가 많은 경우이므로 구면 또는 비구면 RGP로 교정 시 수정체난시가 남아 이로 인한 시력저하가 예상되므로 구면 소프트렌즈나 후면 또는 양면토릭RGP렌즈를 선택한다.

반면 각막난시는 거의 없으나 굴절난시가 심한 경우엔 토릭소프트렌즈 또는 전면토릭RGP렌즈가 필요하다.

표 8-2 잔여난시가 있는 경우 교정렌즈의 선택

굴절난시	각막난시	교정렌즈의 선택
No / +	+++	구면 소프트렌즈 후면토릭RGP렌즈 양면토릭RGP렌즈
+++	No / +	토릭소프트렌즈 전면토릭RGP렌즈 양면토릭RGP렌즈

2. 토릭소프트콘택트렌즈의 기본피팅

대부분의 굴절이상자는 어느 정도의 난시를 갖고 있으며 난시의 종류와 정도에 따라 교정이 꼭 필요한 경우가 많을 것이다. Holden(1975)은 인구의 25% 정도가 1.00 D 이상의 난시가 있어 교정이 필요하다고 했다.[1,11]

난시교정용 토릭소프트렌즈는 잔여난시의 유무와 관계없이 교정할 수 있다는 최대 장점이 있으며, RGP렌즈 착용에 어려움을 겪는 분들에게 시도될 수 있다. 그러나 난시가 심한 경우엔 교정하기 힘든 경우가 많으며 이 경우엔 RGP렌즈로 교정할 수 밖에 없다. 또한 불규칙난시와 안검마비로 인해 안검이 잘 안 감기는 경우는 피하는 것이 좋다.

최근 디자인의 발달로 난시축의 교정이 비교적 안정되었지만 경우에 따라 시력교정이 어려울 수도 있다.

1) 토릭소프트렌즈를 처방할 때 고려할 사항

(1) 난시의 정도

일반적으로 1.00 D 이하의 각막난시는 구면 소프트렌즈로도 교정이 되거나 반드시 교정이 필요 없을 수도 있지만 1.00 D 이상의 난시가 있다면 토릭렌즈를 일단 고려하는 것이 좋다.

난시를 반드시 교정해야 하는가는 앞에서 언급했듯이 난시의 양이 전체 굴절이상의 3분의 1이 넘을 경우에 교정이 필요하다.

소프트렌즈로 교정할 때 난시의 양은 2.00 D 이하일 때가 교정이 잘 되는 편이며, 실제 대부분의 제조회사에서 2.25 D의 난시까지 제작하고 있다.

(2) 난시축

대부분의 경우가 정난시이며 토릭소프트렌즈로는 180±10축의 정난시와 90±10축의 도난시는 비교적 교정이 잘 되는 편이다. 그러나 비스듬한 사축의 난시(oblique astigmatism)는 교정이 잘 되지 않아 교정시력이 불량한 편이다.[2,3]

(3) 우세안(ocular dominance)

비우세안의 난시는 2.00 D일지라도 별 불편이 없지만 우세안의 난시는 0.50 D라도 불편을 느끼므로 우세안의 난시는 적극적으로 교정하는 것이 좋다. 또한 좌우안의 굴절력 차이가 많이 나는 경우 나쁜 눈에 심한 난시가 있을지라도 교정을 안 해도 크게 불편을 느끼지 않는 편이다.[2,3]

(4) 환자의 필요성

일반적으로 눈 사용이 많은 분들은 난시의 교정이 필요하며 반대로 눈 사용이 많지 않은 분들은 2.00 D의 난시가 있어도 근시량만 충분히 교정하면 크게 불편을 느끼지 않을 수도 있다. 예를 들어 악보를 주로 보는 음악가들은 0.50 D의 난시라도 피로나 시력적으로 불편을 느끼므로 교정이 필요하다.[2,3]

2) 토릭소프트렌즈의 디자인

토릭소프트렌즈가 편안한 착용감과 좋은 교정시력이 나오기 위해서는 중심부 시축(optics)의 모양과 난시축을 안정화시키는 디자인이 매우 중요하다.

(1) 중심부 시축의 형태

토릭소프트렌즈의 중심부 시축은 두 가지 형태가 있다.
① 전면부는 구면이고 후면부가 토릭인 형태
② 전면부는 토릭이고 후면부가 구면인 형태

이 두 가지 형태의 선택은 제조회사 및 렌즈 재질의 물리학적인 특성에 따라 달라지며 최근 토릭렌즈의 대부분은 대량생산을 위하여 주조성형법(cast moulding)을 사용한다.[2,3]

(2) 난시축 안정화(stabilization of axis) 방법

토릭소프트렌즈로 안정된 시력을 유지하려면 렌즈의 난시축 안정이 필수적 요소이다. 렌즈의 모양이 토릭이므로 렌즈가 약간이라도 회전을 하면 시력이 잘 안 나오게 되므로 이런 현상을 최소한으로 하기 위해 여러 가지 방법이 고안되어 왔다.

① **후면토릭(toroidal back surface)**

난시가 있다면 주로 각막난시인 경우가 많으므로 후면토릭이 전면토릭보다 각막에 더 일체감이 있기 때문에 선호하는 방법이긴 하지만, RGP렌즈와는 달리 이것만으로는 난시축이 안정될 수는 없다. 따라서 중심부는 후면토릭으로 하고 주변부에 다른 안정화 방법을 같이 사용하면 더욱 효과적이다.[2,3]

② **프리즘밸러스트(prism-ballast)**

난시축을 안정시키는 방법 중 오랫동안 사용해 왔던 방법이며 렌즈의 하부에 약 1.00~1.50 D의 프리즘을 넣는다. 안검력(eyelid force)이 강하거나 각막이 편평하거나 사축의 난시가 있으면 프리즘을 더 무겁게 넣어야 한다.[1-4]

이 방법은 몇 가지 단점이 있다.

• 프리즘의 두께가 더 두꺼운 만큼 Dk/t가 감소한다.
• 두꺼운 프리즘이 안검에 닿을 때 이물감을 느낄 수 있다.
• 무게가 있는 만큼 렌즈가 하방으로 내려올 수 있다.
• 단안에만 프리즘이 있을 경우 원치 않는 수직프리즘효과(vertical prismatic effects)가 생길 수 있다. 이런 현상을 줄이기 위해 반대안에도 비슷한 프리즘을 넣으면 좋아지나 반대안이 정상안이거나 난시가 전혀 없다면 이런 현상을 피하기 어렵다. 다행히도 양안에 모두 프리즘을 넣으면 이런 현상은 생기지 않는다(Gasson, 1977).[10]

③ **Peri-ballast**

프리즘을 렌즈의 중심부 외곽에 즉 렌즈의 하방 가장자리에 위치시켜 프리즘밸러스트의 단점을 보완하는 방법이다.

④ **Truncation**

이 방법은 난시축 안정법으로는 제일 효과적이며 특히 프리즘밸러스트와 같이 병용하면 더욱 효과적이다. 하방 0.5 mm에서 1.5 mm 부분을 잘라내고(truncation) 이를 하안검이 지지를 하는 방법이다(그림 8-1). 때로는 상부에 도truncation을 만들기도 한다(double truncation)(그림 8-2).[4] 직경이 13.5 mm의 비교적 작은 렌즈는 1 mm의 truncation을 만들고 14.0~14.5 mm의 큰 렌즈는 1.5 mm를 만든다.[1-3]

다음과 같은 단점이 있는데

• 두꺼운 가장자리부분에서 이물감으로 불편할 수 있고
• 사람마다 다른 안검각을 재기도 어렵지만 정확하지 않을 수 있으며
• 때로는 truncation이 안검과 만나면서 축을 제대로 잡지 못하는 경우도 있으며
• 사축의 난시가 있을 때는 축이 불안정하다.

상기와 같은 단점으로 현재는 잘 사용하지 않는 방법이다.

그림 8-1

truncation 모양

그림 8-2

double truncation 모양

⑤ 역학적인 안정화 구조(Dynamic stabilization)

이는 1975년 Fanti에 의해 고안되어 현재 가장 널리 사용하고 있는 안정화 방법이다.[2,3,12]

렌즈의 중심부에 후면난시가 있고 가장자리는 얇게 만들어 각막에 밀착되게 하였고 주변부는 윗부분과 아래부분을 얇게 하여 상안검과 하안검이 이 부분에 닿을 때 축이 안정되게 자리잡는 디자인이다. 즉 주변부에 있는 stabilization zone은 위아래는 얇고 중심부는 두꺼운 'thickness profile'을 채택하여 안검의 움직임에도 렌즈가 잘 돌아가지 않고 돌아가더라도 빨리 회복이 되는 구조이다(그림 8-3).[2,3] 프리즘이나 truncation이 무게중심을 아래에 두는 방법이라면 이 구조는 상안검이 두께가 상대적으로 얇은 렌즈상단을 누를 때 안정이 되는 방법이다(Hanks, 1983).[2,3,13]

또한 프리즘밸러스트나 truncation과 달리 렌즈두께의 증가를 최소화하여 Dk/t에 별 변화를 주지 않는 최대 장점을 갖는다.

단점은 이 디자인은 렌즈 주변부의 두께 차이가 있는 구조인데 근시도수가 낮은 경우 두께 차이가 별로 나지 않아

▨ 렌즈가장자리는 일정한 두께로 착용감을 좋게 함
▧ 렌즈 주변부의 상하부는 얇게 하여 상하안검으로 누를 때 축의 안정을 유지
▩ 후면부는 토릭디자인, 전면부는 구면
▦ 프리즘없는 중심부 축

그림 8-3

역학적인 안정화 구조(Dynamic stabilization)의 구조

축의 안정이 다소 불안정하여 이 경우엔 오히려 프리즘밸러스트 구조가 더 안정될 수 있다(Snyder, 1998).[2,3,14]

이 렌즈는 축의 방향과 상관없이 착용해도 몇 번의 깜빡임으로 빠르게 축이 안정되므로 축의 방향을 보면서 조심스럽게 넣을 필요가 없는 것도 또 한 가지 장점이나 일반적으로 렌즈마다 식별 축이 새겨 있으므로 이를 참고로 하여 착용하면 더욱 빠른 축의 안정을 얻을 수 있겠다.

3) 토릭소프트렌즈의 처방

토릭소프트렌즈의 처방은 렌즈도수와 난시축의 결정만 하면 되므로 토릭RGP렌즈에 비한다면 매우 간단하다.

(1) 도수 및 난시축의 결정

소프트렌즈는 각막과 매우 밀착되어 눈물층 도수를 생각하지 않아도 되므로 정확한 안경처방을 기준으로 vertex distance에 의한 근시 값 보정만 하면 된다.

두 가지 방법이 있는데,

① 안경 처방만으로 경험적으로(empirically) 근시와 난시 도수를 결정하는 방법이며 비교적 수월하다.

② 시험착용렌즈(trial lens set)를 착용하여 덧댐굴절검사를 하는 방법이 있는데 난시용 시험렌즈를 착용하는 것보다 근시용 시험렌즈를 착용한 후 덧댐굴절검사를 하여 모자라는 근시와 난시를 더하여 최종 도수를 정하는 것이 더 정확하다.

(2) 처방 후 렌즈의 움직임

구면 소프트렌즈와는 달리 토릭소프트렌즈는 각막 위에서의 안정된 움직임이 매우 중요하다.[2,3]

① 어느 방향을 주시하든지 렌즈가 각막을 충분히 덮고 중심부는 동공을 충분히 덮어야 한다.

② 깜빡일 때 렌즈의 움직임은 수직방향으로 약 0.25~0.5 mm 정도가 좋다. 상방 주시나 측면 주시 때도 0.5 mm 정도만 움직이는 것이 좋다.

③ 렌즈가 너무 가파르게 처방되면 렌즈의 움직임이 적어져서 안정된 것처럼 보이나 렌즈의 축이 돌아가면 제 위치에 돌아오기 힘들다.

④ 렌즈가 너무 편평하게 처방되면 렌즈의 움직임이 많아

불안정하며 축의 방향이 일정하지 않게 되어 원치 않는 난시가 생겨 시력이 불안정하게 된다.

⑤ 정확히 잘 처방된 렌즈는 움직임도 안정되고 렌즈가 돌아가도 빠르게 원래 축으로 돌아온다.

4) 토릭소프트렌즈의 축에 대한 중요성

(1) 난시축 회전의 영향

토릭소프트렌즈는 구면렌즈와 달리 축이 안정되지 않으면 의도하지 않은 난시가 많이 생길 수 있으므로 축의 결정이 잘 되었더라도 렌즈의 불필요한 회전이 없어야 한다. 예를 들어 단난시 −2.00 DC×180을 교정렌즈로 교정한 후 난시축이 10° 돌아가면 굴절검사상 +0.35/−0.69×40이 되며, 20° 돌아가면 +0.68/−1.37×35가 된다. 여기서 'rule of thumb'이 있는데 렌즈 축이 돌아간 후 덧댐굴절검사 결과는 구면렌즈대응치(spherical equivalent)로 하면 0 (zero)이 된다는 것이다. 만일 근시나 난시도수가 정확치 않다면 구면렌즈대응치(spherical equivalent)가 0이 되지 않을 것이다(표 8−3).[2,3,9]

(2) 난시축 회전에 영향을 주는 요소

토릭소프트렌즈는 자연스럽게 렌즈의 아래부분을 기준하여 비측으로 약 5~10° 정도 돌아가는 경향이 있다.[1-8] 하지만 돌아가는 방향과 정도의 차이는 다음과 같은 원인으로 영향을 받는다.

① 안검의 구조

안검력, 안검의 위치, 안검각 그리고 양측 비대칭 등이 렌즈의 위치와 안정성에 많은 영향을 미친다. 특히 안검력이 강하면 약한 때보다 렌즈의 움직임이나 위치에 영향을 많이 미친다.

② 렌즈의 피팅 상태

앞에서도 언급했듯이 가파른 처방 때가 안검의 영향을 덜 받는다.

표 8-3 단난시 −1.00, −2.00, −3.00D가 있을 때 축의 회전에 따른 굴절률의 변화[9]

Mislocation (−)	−1.00 cylinder	−2.00 cylinder	−3.00 cylinder
5°	0.09/−0.17×42.5	0.17/−0.35×42.5	0.26/−0.52×42.5
10°	0.17/−0.35×40.0	0.35/−0.69×40.0	0.52/−1.04×40.0
15°	0.26/−0.52×37.5	0.52/−1.04×37.5	0.78/−1.55×37.5
20°	0.34/−0.68×35.0	0.68/−1.37×35.0	1.03/−2.05×35.0
25°	0.42/−0.85×32.5	0.85/−1.69×32.5	1.27/−2.54×32.5
30°	0.50/−1.00×30.0	1.00/−2.00×30.0	1.50/−3.00×30.0
35°	0.57/−1.15×27.5	1.15/−2.29×27.5	1.72/−3.44×27.5
40°	0.64/−1.29×25.0	1.29/−2.57×25.0	1.93/−3.86×25.0
45°	0.71/−1.41×22.5	1.41/−2.83×22.5	2.12/−4.24×22.5
50°	0.77/−1.53×20.0	1.53/−3.06×20.0	2.30/−4.60×20.0
55°	0.82/−1.64×17.5	1.64/−3.28×17.5	2.46/−4.91×17.5
60°	0.87/−1.73×15.0	1.73/−3.46×15.0	2.60/−5.20×15.0
65°	0.91/−1.81×12.5	1.81/−3.63×12.5	2.72/−5.44×12.5
70°	0.94/−1.88×10.0	1.88/−3.76×10.0	2.82/−5.64×10.0
75°	0.97/−1.93×7.5	1.93/−3.86×7.5	2.90/−5.80×7.5
80°	0.98/−1.97×5.0	1.97/−3.94×5.0	2.95/−5.91×5.0
85°	1.00/−1.99×2.5	1.99/−3.98×2.5	2.99/−5.98×2.5
90°	1.00/−2.00×0.0	2.00/−4.00×0.0	3.00/−6.00×0.0

(Bruce, 2002)

③ 렌즈의 두께 분포

렌즈의 축을 안정화시키는 방법 중 최근 가장 많이 사용되는 역학적인 안정화 구조에서 난시를 교정하는 렌즈의 중심부두께가 다른데 이 두꺼운 부분과 윗눈꺼풀이 닿을 때 렌즈의 회전이 일어나게 된다. 이런 회전은 사축의 난시일 때 가장 심하게 일어나며, 그 다음엔 정난시, 그리고 도난시 때가 제일 적게 일어난다. 사축의 경우 그림 8-4와 같이 윗눈꺼풀이 렌즈의 깜빡임을 시작할 때 난시축(45°)의 직각부분(135°)에 위치한 두꺼운 부분과 닿으면서 렌즈의 회전이 생긴다. 반면 도난시 때는 윗 눈꺼풀이 렌즈의 제일 두꺼운 수평축(180°)에 닿아야 회전이 생기므로 제일 덜 생긴다.[2,3]

(3) 난시축의 보정

환자의 굴절검사를 기준으로 렌즈를 착용하면 앞에서 언급한 여러 가지 원인으로 인해 렌즈가 회전할 수 있다. 만일 그림 8-4처럼 우안이 비측으로 회전을 하면 그 회전량 만큼 난시축에서 빼줘야 할 것이며 좌안은 반대가 된다. 또한 우안이 이측으로 회전을 하면 그 회전량 만큼 난시축에 더해줘야 할 것이며 좌안은 역시 반대가 된다.

이 경우를 요약하면 다음과 같다.

① 좌안(left eye)이 비측(nasal rotation)으로 회전하면
　　- 더한다(add)

② 좌안(left eye)이 이측(temporal rotation)으로 회전하면
　　- 뺀다(subtract)

③ 우안(right eye)이 비측(nasal rotation)으로 회전하면
　　- 뺀다(subtract)

④ 우안(right eye)이 이측(temporal rotation)으로 회전하면
　　- 더한다(add)

위 경우 중 흔히 생기는 비측회전을 약자로 표현하면, Left Add, Right Subtract 즉 'LARS'로 쉽게 기억하면 되겠다.[1-3,6]

같은 방법이지만 시계방향(clockwise rotation)으로 회전하면 더하고, 시계반대방향(counter-clockwise rotation)으로 회전하면 빼준다고 기억해도 될 것이다.[2,3]

(4) 난시축의 식별

토릭소프트렌즈의 대부분은 난시축의 안정을 확인하기 위해 식별마크가 있는데, 회사에 따라 수직방향 아래 6시 위치에 있기도 하고 수평방향인 3시와 9시 위치에 있는 것도 있다. 이 식별마크는 렌즈의 회전유무와 양을 측정하기 위한 것이지 난시축을 뜻하는 것은 아니다.

식별마크가 3시와 9시 방향에 있을 때가 6시 방향에 있을 때와 달리 하안검을 당기지 않아도 식별이 가능하므로 더 좋으며, 실제로 난시축을 안정시키는 dynamic stabili-

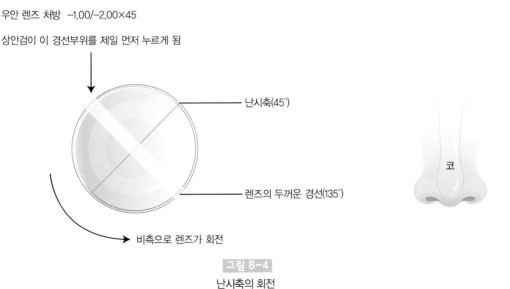

우안 렌즈 처방 -1.00/-2.00×45

상안검이 이 경선부위를 제일 먼저 누르게 됨

난시축(45°)

렌즈의 두꺼운 경선(135°)

코

비측으로 렌즈가 회전

그림 8-4
난시축의 회전

zation 구조일 때 하안검을 당기는 자체가 축의 이동으로 식별을 방해한다. 또한 수평방향으로 14 mm 떨어진 곳의 두 마크가 수평을 확인하기가 더 쉬운 장점도 있다.

6시 방향에 식별마크가 있는 경우 한 개의 선만으로는 회전을 구별하기 어렵기 때문에 보통 일정한 각만큼 떨어진 세 개의 선이 있다. 일반적으로 30° 간격으로 선이 있어서 회전각을 육안으로 측정할 수 있다. 수직방향의 식별선의 경우 또 한 가지 단점은 렌즈가 비측 또는 이측으로 중심이 탈을 할 경우 6시 식별마크가 같은 방향으로 이동하므로 축의 회전이 아닌데도 회전한 것처럼 보일 수가 있다. 즉 렌즈가 비측으로 약간 중심이탈한 경우 비측으로 회전한 것으로 오해할 수가 있는 것이다.[2,3]

5) 토릭소프트렌즈의 종류 및 범위

최근의 구면 소프트렌즈 공급의 추세와 비슷하게 토릭소프트렌즈도 일회용, 2주 착용 또는 1달 착용렌즈 등이 주로 공급되고 있다. 표 8-4는 국내에서 판매되고 있는 토릭소프트렌즈에 대한 비교를 한 표인데, 난시는 모든 도수를 공급하지는 않고 대부분 회사가 -0.75 D, -1.25 D와 -1.75 D를 주로 공급하며, 근시범위는 대부분이 -9.00 D까지 공급되며, 난시축은 주로 정난시(180°)와 도난시(90°) ±10°로 제조가 되고 있다. 몇몇 업체에서는 사축을 포함한 모든 난시축도 출시되며 더 심한 난시까지도 주문이 가능하지만, 2.00 D 이상의 난시는 조금만 난시축이 회전하면 시력이 불량하므로 토릭RGP렌즈로 시도하는 것이 바람직하다.

제조회사마다 BC와 렌즈 크기는 제한되어 공급하고 있는 실정이며, 모든 근시, 원시 및 난시도수와 원하는 난시축을 주문 제작하는 국내업체도 있어 선택의 폭이 넓어졌다 하겠다.

6) 토릭소프트렌즈의 한계

다음과 같은 경우엔 토릭소프트렌즈의 처방을 피하는 것이 좋다.[2,3]

(1) 근시도수가 거의 없거나 약한 경우

이 경우엔 난시축의 유지가 잘 안 되는 경우가 많으며,

굳이 토릭소프트렌즈를 선택할 경우엔 축의 안정을 위해서 프리즘밸러스트 렌즈가 좀 더 안정적이다.

(2) 난시도수가 심한 경우

난시도수가 심할수록 렌즈의 회전도 심할 가능성이 높으며, 난시가 적을 때는 난시축의 회전에 대한 시력감소가 덜하지만 난시가 많을 때는 적은 양의 난시축 회전에도 시력이 많이 떨어지므로 불편할 수 있다.

(3) 사축의 난시인 경우

앞에서 언급했듯이 사축일 경우엔 안검이 렌즈와 닿을 때 렌즈가 회전할 가능성이 많아 피하는 것이 좋다.

(4) 불규칙난시의 경우

불규칙난시를 해결할 수 있는 소프트렌즈는 없으므로 이 경우엔 RGP렌즈를 고려해야 한다.

(5) 렌즈의 재질문제

최근 디자인의 개발로 인해 렌즈의 두께가 감소하여 심각한 문제는 어느 정도 해결되었다고는 하지만 난시도수와 안정화 구조에 필요한 필수 두께로 인해 구면 소프트렌즈에 비해서는 아직 두꺼운 것은 어쩔 수 없다. 따라서 산소투과율이 감소하고 두께차이로 인한 이물감으로 다음과 같은 여러 가지 부작용이 있는 것은 앞으로 해결되어야 할 과제다.[2,3]

① 각막부종 : 특히 원시의 경우 심하다.
② 각막 신생혈관 : 주로 하방과 상방에서 잘 생기며 근시에서 더 흔하다.
③ 상윤부각결막염(superior limbic keratoconjunctivitis) : 직경이 큰 렌즈일 때 심하다.
④ 결막신생(conjunctival indentation) : 가파르게 처방된 렌즈일 때 잘 생긴다.

상기와 같은 부작용이나 각막 저산소증(corneal hypoxia)이 의심되면 실리콘하이드로겔렌즈(silicone hydrogel lens)나 함수율이 높은 렌즈로 바꾸는 것이 좋다.

표 8-4 국내에서 판매되는 토릭소프트렌즈의 종류

제품명	1-day Acu-vue Moist Toric	Softlens Daily Toric	Softlens Toric	Purevision 2 HD Toric	Biomedics 1 day Extra Toric	Biofinity Toric 1month	Dailies Aqua Toric	Clear all-day T	Eyelike Tori-con
제조회사	Johnson & Johnson	B&L	B&L	B&L	CooperVi-sion	Coopervi-sion	CIBA Vision	Clearlab	고려아이텍
착용주기	매일착용	매일착용	1개월 착용	1개월 착용	매일착용	1개월	매일착용	2주 착용	6개월
재질	에타필콘 A	Hilagilcon B	Alphafilcon A	Balafilcon A (Silicon hydrogel)	Ocufilcon D	Confilcon D (Silicon hydrogel)	Nelfilcon A	하이옥시필콘 A	HEMA + GMMA + NVP 공중합체
함수율	59	59	66	36	55	48	69	57	40
Dk/t	31.1					17	116	26	25	10
근시도수 범위	pl ~ −9.00 D	pl ~ −9.00 D	pl ~ −9.00 D	pl ~ −9.00 D	pl ~ −7.00 D	pl ~ −10.00 D	pl ~ −8.00 D	pl ~ −9.00 D	+4.00 ~−25.00 D
난시도수	−0.75, −1.25, −1.75, −2.25	−0.75, −1.25, −1.75	−0.75, −1.25, −1.75, −2.25, −2.75	−0.75, −1.25, −1.75, −2.25	−0.75, −1.25,	−0.75, −1.25, −1.75, −2.25	−0.75, −1.50		−0.25 ~ −4.00D (0.25 step)
난시축	10, 20, 60, 70, 80, 90, 100, 110, 120, 160, 170, 180	180, 90	180, 170, 10, 90	10, 20, 90, 160, 170, 180	180, 90	모든축 주문가능	20, 70, 90, 110, 160, 180	10, 20, 80, 90, 100, 160, 170, 180	10 ~ 180 (10 step)
BC(mm)	8.5	8.6	8.5	8.9	8.7	8.7	8.6	8.7	8.4, 8.6, 8.8
직경(mm)	14.5	14.2	14.5	14.5	14.5	14.5	14.2	14.2	14.0
중심두께	0.09	0.125	0.195				0.1	0.099	
디자인	ASD기술 (난시축안정화디자인)	Aspheric Optic Design	Cast Mold-ed, Back Toric Desgin				Back Toric, Double Zone Thin Design		
난시축 식별마크	6시, 12시	6시방향 선마크	30도간격 3개선	6시, 9시 방향에 두 개의 선	6시방향	6시방향		6시방향	3시, 9시
포장단위		10개입/30개입	6개입	6개입	30개입	6개입		6개입	1개/병
기타	원시 (+0.25 ~ +4.00) 가능, 자외선 차단 Class2								

3. 토릭RGP콘택트렌즈의 기본피팅

1) 토릭RGP렌즈의 선택

토릭RGP렌즈는 앞에서도 언급했듯이 구면이나 비구면 RGP로 교정이 어려운 심한 난시가 있을 때 고려하게 된다. 특히 난시가 3.00 D 이상일 경우엔 토릭소프트렌즈나 일반 RGP로는 교정이 어려우며, 일반 RGP렌즈로도 교정이 힘든 잔여난시도 교정이 가능하다.[1-8]

토릭RGP렌즈의 장점은 각막의 모양 및 난시의 정도에 따라 렌즈의 전후면의 모양을 디자인함으로써 무엇보다 안정된 움직임이 최대 장점이며 그로 인한 최대 교정시력도 얻을 수 있다는 점이다.

토릭RGP렌즈가 필요한 경우를 정리해 보면 구면 또는 비구면렌즈로 교정한 후 다음과 같은 현상이 생길 때이다.[1,6]

① 중심잡기가 잘 안되거나 움직임이 너무 많은 경우
② 렌즈의 휘어짐현상이 생기는 경우
③ 형광염색결과 편평한 각막축에 렌즈의 접촉이 너무 많은 경우
④ 3시9시각막건조현상이 자주 생기는 경우
⑤ 오래 착용하여 각막변형이 생긴 경우
⑥ 렌즈를 벗은 후 안경을 착용할 때 시력감소가 생기는 안경흐림(spectacle blur)현상이 생기는 경우
⑦ 잔여난시가 심한 경우

2) 토릭RGP렌즈의 형태

토릭RGP렌즈는 3가지의 형태가 있다. 각막난시가 심한 경우엔 후면토릭RGP렌즈, 각막난시는 거의 없고 잔여난시가 많을 때는 전면토릭RGP렌즈, 각막난시도 제법 있고 잔여난시도 있을 때는 양면토릭RGP렌즈를 선택한다.

(1) 후면토릭RGP렌즈

이는 각막난시와 굴절난시가 거의 같을 때, 즉 잔여난시가 거의 없을 때 사용하며, 일반적으로 3.00 D 이상의 정난시 또는 1.50 D 이상의 도난시가 있는 경우에 해당된다.[1-8]

후면토릭렌즈의 처방은 여러 연구자들에 의해 다양한 방법이 소개되어 있으나 여기에서는 난시의 종류(정난시 또는 도난시)와 잔여난시의 정도에 따른 6가지의 접근 방법을 소개한다(표 8-5).[7]

표 8-5 6가지 접근 방법

1. 정난시	A. 각막난시 = 굴절난시	
	B. 각막난시 < 굴절난시	
	C. 각막난시 > 굴절난시	
2. 도난시	A. 각막난시 = 굴절난시	
	B. 각막난시 < 굴절난시	
	C. 각막난시 > 굴절난시	

① Type 1A(정난시이면서 각막난시 = 굴절난시인 경우)

6가지 형태 중 가장 흔한 경우이며, 렌즈의 후면은 'on K' 즉 처방렌즈의 편평경선은 각막의 편평경선과 같게 하고 처방렌즈의 가파른 경선은 각막의 가파른 경선보다는 덜 교정하는데 일반적으로 '2/3 rule'을 사용한다.

'2/3 rule'의 원리는 빛이 렌즈의 두꺼운 부분을 통과할 때 렌즈 재질의 굴절률(refractive index)만큼 더 굴절되므로 각막난시의 차보다 덜 교정하는 것이다. 즉 각막난시교정을 위해 난시를 모두 렌즈에 더하는 경우 렌즈의 굴절인자가 눈물의 굴절인자보다 크므로 난시가 과교정되기 쉽기 때문이다.[5]

렌즈의 크기는 9.0 mm에서 9.5 mm사이로 약간 크게 하는 것이 좋다.

실제 처방의 예를 들어보면,

환자의 검사치	K 수치 : 42.00/45.00 굴절검사 : -1.00 -3.00 A180
2/3 rule	45.00 - 42.00 = 3.00 × 2/3 = 2.00 편평한 K(flat K) : 42.00 가파른 K(steep K) : 42.00 + 2.00 = 44.00
처방렌즈 치수	BC : 42.00/44.00 도수 : -1.00/-4.00 직경 : 9.0~9.5 mm

② Type 2A(정난시이면서 각막난시 < 굴절난시인 경우)

각막난시 전체를 교정하며 K보다 0.50 D 편평하게 처방한다.

실제 처방의 예를 들어보면,

환자의 검사치	K 수치 : 42.00/45.00 굴절검사 : -1.00 -4.00 A180
K보다 0.50D 편평하게	편평한 K(flat K) : 42.00 - 0.50 = 41.50 가파른 K(steep K) : 45.00 - 0.50 = 44.50 렌즈도수 : -1.00 -(-0.50) = -0.50
처방렌즈 치수	BC : 41.50/44.50 도수 : -0.50/-5.00 직경 : 9.0 ~ 9.5 mm

③ Type 3A(정난시이면서 각막난시 > 굴절난시인 경우)

잔여난시가 심하지 않으면 Type 1A와 같이 처방하며, 잔여난시가 심하면 덧댐굴절검사를 하여 렌즈 전면에 도수를 추가한 양면토릭렌즈를 한다.

④ Type 2A(도난시이면서 각막난시 = 굴절난시인 경우)

도난시의 교정은 좀 더 까다로운데 도난시 때의 각막난시는 K값에서 보여진 수치보다 실제 난시가 더 많으며 각막주변부에서의 편평경선도 수치보다 실제 더 편평하기 때문에 각막난시 전체를 다 교정하면서 두 경선 모두 약간 편평하게 처방한다. 렌즈 직경은 안정된 움직임을 위하여 크게 하는 것이 좋다.

실제 처방의 예를 들어보면,

환자의 검사치	K 수치 : 45.00/42.00 굴절검사 : −1.00 −3.00 A90
처방렌즈 치수	BC : 44.50/41.00 도수 : plano/−5.25 직경 : 9.5 ~ 9.8 mm (lenticular design)

⑤ Type 2B(도난시이면서 각막난시 < 굴절난시인 경우)

도난시 중엔 제일 흔한 경우이며, 이때 역시 편평한 수직경선에서 K값보다 실제 1.00~1.50 D 더 편평함을 감안하여 처방한다.

실제 처방의 예를 들어보면,

환자의 검사치	K 수치 : 44.50/42.00 굴절검사 : +1.00 −4.00 A90
처방렌즈 치수	BC : 44.00/40.50 도수 : +2.50/−2.75 직경 : 9.5 ~ 9.8 mm

⑥ Type 3B(도난시이면서 각막난시 > 굴절난시인 경우)

매우 드문 경우이며, 이 경우엔 토릭소프트렌즈가 제일 좋고 RGP렌즈를 해야 하는 경우라면 Type 2A에 준하여 후면토릭렌즈를, 또는 경우에 따라 전면토릭이나 양면토릭렌즈를 선택한다.

(2) 전면토릭RGP렌즈

전면토릭렌즈는 각막난시는 거의 없으나 굴절검사상 난시가 많을 때 사용하는 렌즈이며 구면 또는 비구면 RGP렌즈로는 잔여난시의 교정이 안되기 때문이다.[1-8] 렌즈 전면에 난시를 만들고 렌즈 하방에 난시축의 고정을 위한 프리즘밸러스트를 붙이며, 다음과 같은 네 단계를 거쳐 처방한다.[5]

① 1단계

- 렌즈의 BCR (base curve radius, 기본커브반경)과 직경을 정하기 위해 구면 시험렌즈(diagnostic trial lens)를 착용시킨다.
- 렌즈의 난시축을 고정하기 위한 프리즘이 있어야 하므로 TD (total diameter, 전체직경)는 9.2~9.6 mm로 약간 크게 한다.

② 2단계

- 시험렌즈를 착용한 상태에서 덧댐굴절검사를 한다.
- 일반적으로 렌즈는 눈 깜빡일 때마다 눈꺼풀의 힘 때문에 비측으로 약 15~20° 돌아가는 경향이 있으므로 난시축을 10° 이측으로 돌려 처방한다. 즉 우안은 10°를 빼고 좌안은 10°를 더한다. 이 방법을 'LARS' (Left Add, Right Subtract)라 하는데 자세한 내용은 2장(토릭소프트렌즈의 기본피팅)에서 언급되었다.

예를 들면,

- 굴절검사 : (OD) −2.00 −1.00 A90
  　　　　　(OS) −2.00 −1.00 A90
- 렌즈 처방 : (OD) −2.00 −1.00 A80
  　　　　　(OS) −2.00 −1.00 A100

③ 3단계

- 표준 프리즘의 양은 1.50△(프리즘 디옵터)로 하며
- 경도근시의 경우엔 약한 프리즘(1.00~1.25△)으로, 고도근시의 경우는 강한 프리즘(1.75~2.00△)을 붙인다.
- 프리즘이 1△ 증가할 때마다 중심두께를 0.1 mm 두껍게 한다.

④ 4단계

네 가지 정보(① 시험렌즈의 BCR과 직경, ② 덧댐굴절검사 후 얻은 도수, ③ 난시축, ④ 프리즘양)로 렌즈를 주문한다.

이렇게 하여 주문한 렌즈가 중심을 못 잡고 회전을 한다면 프리즘양을 좀 더 늘리거나 렌즈 하부를 truncation으로 만드는 방법을 생각해야 한다.[5]

(3) 양면토릭RGP렌즈

양면토릭RGP렌즈는 각막난시도 있으면서 잔여난시가 많이 남아 후면토릭RGP렌즈로 충분한 교정시력을 얻을 수 없을 때 사용되며, 후면토릭RGP렌즈를 처방하여 착용한 다음 덧댐굴절검사를 한다. 검사 후 세 가지 정보(① 후면토릭RGP렌즈의 모든 수치, ② 덧댐굴절검사 후 얻은 도수, ③ 굴절검사상의 난시)로 렌즈를 주문한다.

그러나 각막난시의 축과 굴절검사상의 난시축이 15° 이상 차이가 나는 경우는 교정효과가 떨어지므로 양면토릭렌즈는 피하는 것이 좋다.[2,3]

위와 같은 방법으로 전면, 후면 또는 양면토릭RGP렌즈를 환자에게 피팅한 후 난시교정이 적절한 지를 알아보는 가장 중요한 방법 중 하나는 덧댐굴절검사를 해보는 것이다. 덧댐굴절검사를 하면 다음 3가지 중 한 가지에 해당될 것이다.

① 덧댐굴절검사 때의 난시축이 안경의 난시축과 같으면 난시가 부족교정된 것이다.

② 덧댐굴절검사 때의 난시축이 안경의 난시축과 90° 차이가 나는 경우는 난시가 과교정된 것이다.

③ 덧댐굴절검사 때의 난시축이 안경의 난시축과 다르다면 렌즈가 돌아간다는 것이며 다시 교정을 해야 하는 경우이다.

3) 난시와 플루레신 형광염색양상

(1) 구면 또는 비구면렌즈 착용 후 형광염색양상

난시가 없는 각막에 구면 RGP렌즈를 착용한 후 형광염색을 하면 중심부는 약한 정점부접촉(apical touch or bearing)을 보이고, 중간주변부는 틈새를 보이며(midperipheral clearance), 렌즈의 가장자리들림(edge lift)으로 인해 가장자리틈새(edge clearance)를 보인다(그림 8-5).

비구면 RGP렌즈를 착용한 경우엔 이보다 더 각막면에 일치하는 양상을 보여 중심부는 정점부틈새(apical clearance)가 있을 수 있고, 중간주변부(midperipheral)는 구면 때보다 각막에 더 접촉하며(midperipheral bearing), 렌즈 가장자리는 구면렌즈보다 낮으므로 더 좁게 보인다. 대체적으로 비구면렌즈 때가 구면렌즈 때보다 더 균일한 형광염색양상을 보인다.

난시가 있을 때는 정난시일 경우 편평한 수평축은 각막에 닿게 되어 검게 보이며, 가파른 수직 축은 사이가 벌어지므로 밝은 형광색을 띠게 되므로 중심부의 닿는 면이 H자 또는 아령모양(dumbbell shape)으로 보이게 된다(그림 8-6).[5]

난시가 더 심하면 렌즈가 각막의 수평축에 닿는 면이 적어지므로 아령모양이 더욱 뚜렷해지며(그림 8-7) 이 경우엔 렌즈의 움직임이 많아져서 시력이 불안정하며 이물감도 많아지게 되므로 토릭 RGP를 권하는 것이 좋겠다.[5]

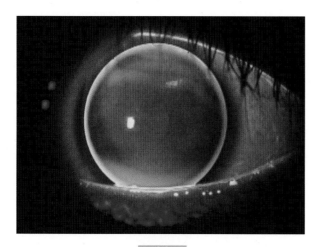

그림 8-5

난시가 거의 없는 경우 형광염색양상

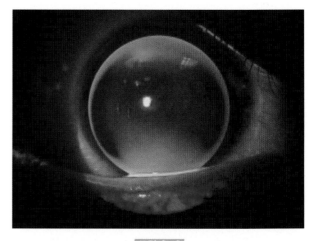

그림 8-6

정난시가 1.00~2.00 D 정도 있는 경우 형광염색양상

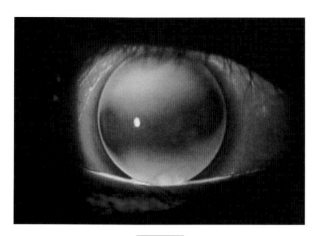

그림 8-7

정난시가 3.00~4.00 D 정도 있는 경우 형광염색양상

(2) 토릭RGP렌즈 착용 후 형광염색양상

토릭RGP렌즈 특히 각막난시를 충분히 교정하는 후면토릭렌즈를 착용한 후 형광염색검사는 마치 각막난시가 없는 눈에 구면 또는 비구면렌즈를 착용한 것 같은 각막에 잘 밀착되는 양상을 보인다. 즉 중심부와 주변부 모두 고른 형광염색분포를 보이며 때로 약간 가파르게 처방할 때가 있는데 이 경우엔 정점부틈새가 보인다.

네 사진은 난시 3.50 D를 갖는 같은 환자에 비구면렌즈를 착용한 경우(그림 8-8)와 후면토릭렌즈를 착용한 경우(그림 8-9)를 비교한 사진이다. 비구면렌즈를 착용했을 때는 렌즈의 상하부에 렌즈의 들림으로 인한 과염색(hyper-

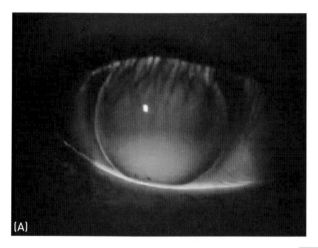

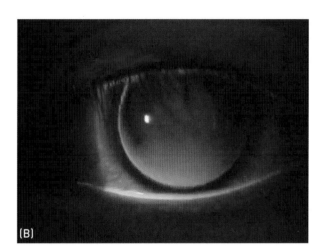

그림 8-8

비구면렌즈로 교정한 경우 형광염색양상. (A) 우안. (B) 좌안

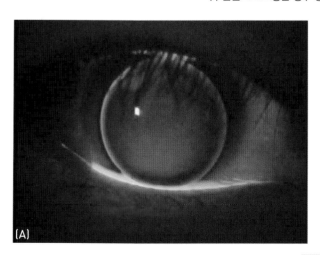

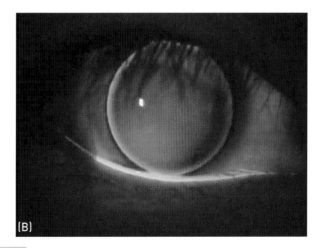

그림 8-9

후면토릭렌즈로 교정한 경우 형광염색양상. (A) 우안. (B) 좌안

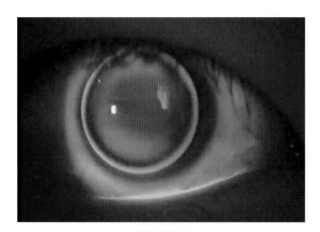

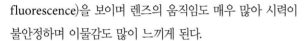

그림 8-10

5.25 D의 난시를 후면토릭렌즈로 교정한 경우 형광염색양상

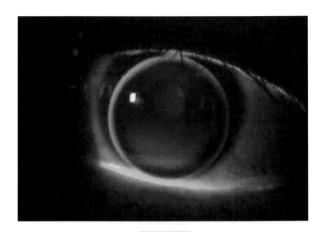

그림 8-11

7.50 D의 난시를 후면토릭렌즈로 교정한 경우 형광염색양상

fluorescence)을 보이며 렌즈의 움직임도 매우 많아 시력이 불안정하며 이물감도 많이 느끼게 된다.

반면 토릭렌즈를 착용했을 때는 전체적으로 균일한 염색양상을 보이며 움직임도 적고 안정적인 시력을 보인다. 특히 착용감이 매우 뛰어나며 각막면과 일치하여 렌즈휘어짐이나 각막뒤틀림이 거의 생기지 않는다.

그림 8-10은 5.25 D의 난시를 후면토릭렌즈로 교정을 한 경우이고, 그림 8-11은 7.50 D의 난시를 역시 후면토릭렌즈로 교정을 한 경우의 사진이다. 난시의 양만큼 렌즈의 후면에 도수를 넣어서 제작하는 렌즈이므로 난시의 양과 관계없이 언제나 균일한 염색분포를 보인다.

▶ 참고문헌

1. Harold A. Stein, Bernard J. Slatt, Raymond M. Stein, Melvin I. Freeman. Fitting Guide for Rigid and Soft Contact Lenses. A Practical Approach. 4th ed. Mosby, Inc. 2002

2. Anthony J Phillips & Lynne Speedwell. Contact Lenses, 5th ed. Butterworth-Heinemann. 2007

3. Nathan Efron. Contact Lens Practice, 2nd ed. Butterworth-Heinemann. 2010

4. Edward S. Bennett, Barry A. Weissman. Clinical Contact Lens Practice. Lippincott Williams & Wilkins. 2005

5. Milton M. Hom. Manual of Contact Lens Prescribing and Fitting with CD-ROM. 2nd ed. Butterworth-Heinemann. 2000

6. Clinical Manual of Contact Lenses. Lippincott Co. 1994

7. Peter R. Kastl. Correction of astigmatism with rigid gas-permeable lenses. Ophthalmol Clin N Am 2003;16:359-363

8. 한국콘택트렌즈 연구회. 콘택트렌즈 임상학. 1판. 서울:내외학술, 2007

9. Bruce, A. Soft toric lens misalignment demonstrator. In Contact Lens Practice, Appendix 1, p483, ed. N. Efron. Oxford:Butterworth-Heinemann. 2002

10. Gasson, A.P. Back surface toric soft lenses. Optician, 174(4491), 6-7,9,11. 1977

11. Holden, B.A. The principles and practice of correcting astigmatism with soft contact lenses. Aust. J. Optom., 58, 279-299. 1975

12. Fanti, P. The fitting of a soft toroidal contact lens. Optician, 169(4376), 8-16. 1975

13. Hanks, A. J. and Weisbarth, R.E. Troubleshooting soft toric contact lenses. Int. Contact Lens Clin., 10,305-317. 1983

치료콘택트렌즈
Therapeutic contact lenses

김현승

1. 서론

콘택트렌즈는 다양한 각막질환의 치료에 유용하게 사용되고 있다. 특히, 시력교정보다는 각막창상 치유 촉진의 목적으로 사용될 경우 이를 치료콘택트렌즈라고 일컫게 되는데, 여기에는 소프트콘택트렌즈가 많은 부분을 차지하고 있다. 근대에는 각막창상의 보호를 위해 공막렌즈가 처음 사용되었는데, 이 렌즈는 현재에도 치료의 목적으로 사용되고 있으며 특히 다른 렌즈로도 치료에 실패한 경우 광범위하게 사용되고 있다.[1] 공막 가스투과 렌즈(scleral gas-permeable lens)는 좀 더 최근 만들어졌고, 이로 인해 기존의 공막렌즈의 단점인 저산소증을 부분적으로 해결하여 치료 목적으로 사용될 수 있게 하였다.[2] 1990년대 말에는 실리콘하이드로겔렌즈(silicone hydrogel lens)가 소개되었는데, 이 렌즈는 높은 Dk/t (Oxygen transmissibility, 산소전달률)를 가짐으로써, 기존의 하이드로겔렌즈에 비해 장점을 보여 다양한 각막질환에 성공적으로 사용되고 있다.[3]

2. 치료콘택트렌즈의 작용기전

콘택트렌즈는 치료의 목적으로 사용하는 데 있어 다양한 작용기전을 가지고 있다.

1) 물리적 장벽의 역할

- 노출 각막염을 일으킬 수 있는 눈꺼풀의 기능 이상이나 구조적 이상이 있는 경우
- 속눈썹증(trichiasis), 눈꺼풀속말림(entropion)이 있는 경우 눈썹으로부터 각막 보호
- 재상피화가 일어나고 있는 경우 새로운 조직의 보호

2) 부목의 역할

- 각막천공이나 데스메막류(descemetocele)가 생겼을 경우 약해진 부분의 구조적인 지지

3) 상피결손과 연관된 통증의 조절

- 수포 각막병증과 같은 질환에서 증상 완화를 위해

4) 각막상피재생의 촉진

- 반복각막진무름(recurrent corneal erosion)이나 만성 각막상피결손(chronic epithelial defect) 등의 질환에서 치유를 돕기 위해 사용될 수 있다. 눈꺼풀로부터 새로 형성된 약한 상피세포를 보호하여 재상피화가 일어날 수 있게 도와준다.

5) 각막표면에 약물 전달

- 하이드로겔렌즈는 여러 종류의 다른 안약을 점안 시보다 오랜 시간 동안 약물이 안구표면과 접촉할 수 있게

한다.

6) 각막표면의 수분 유지

- 심한 건조증이 있는 환자에서 치료콘택트렌즈는 인공 누액과 함께 각막표면의 수분을 유지하기 위해 사용될 수 있다. 공막렌즈는 건조증이 있는 환자에서 렌즈 밑의 수분을 유지하는 저장소(water reservoir)로서의 역할을 할 수 있다.

3. 치료콘택트렌즈의 선택

적절한 치료콘택트렌즈를 선택할 때는 다양한 각막표면 질환에 대한 이해와 함께 반대로 치료콘택트렌즈가 각막에 미치는 영향에 대해 모두 알아야 한다. 렌즈는 다음의 세 가지 기전을 통해 각막 생리에 영향을 준다.

① 다양한 정도의 저산소증을 일으킨다.
② 각막표면의 눈물막 분배정도(tear film distribution)를 바꾸게 한다.
③ 각막상피에 저강도의 기계적 외상을 입힌다.

가장 이상적인 렌즈는 이러한 작용을 최소화하면서 각막표면 질환의 치유를 돕는 것이다. 편안함이 가장 중요한 시력이 없는 눈이 아닌 한, 렌즈를 통한 각막으로의 산소전달이 최대한으로 되어야 한다. 특히, 각막 상처 치유를 목적으로 콘택트렌즈를 사용하는 경우, 높은 Dk (Oxygen permeability, 산소투과율)가 매우 중요하다. 또한 치료콘택트렌즈는 렌즈 움직임이 일반 소프트렌즈보다 작아야 이물감이 적고, 치유 중인 각막상피에 대한 자극도 적으며, 과도할 경우 통증을 일으키게 된다. 보통 렌즈 장착 시 렌즈 직경(diameter) 및 기본커브(base curve)가 중요하지만, 치료콘택트렌즈의 경우에는 적당한 시상깊이(sagittal depth)가 더욱 중요하다. 대부분 치료콘택트렌즈를 지속적으로 착용하게 되기 때문에 생리적인 환경의 고려가 특히 중요한데, 치료콘택트렌즈가 너무 가파르게 처방되면 렌즈가 공막을 누르고 결막혈관이 창백해지며 장시간 착용 시 렌즈유착증

후군(tight lens syndrome)을 유발할 수 있다. 또 고려해야 할 사항은 치료하고자 하는 질환과 치료콘택트렌즈가 작용하는 기전이다. 예를 들면, 치료 목적이 각막상피의 치유와 보호라면, 저산소증의 합병증은 피하면서 적절한 장착이 되어야 할 것이다.[4] 요약하면 치료 목적으로 렌즈를 사용할 경우 각 질환마다 각각의 특성을 고려하여 적절한 렌즈를 선택해야 할 것이다.

4. 치료콘택트렌즈의 종류와 장착

하이드로겔렌즈의 Dk/t는 함수율(water content)과 평균 렌즈의 두께에 영향을 받는다. 실리콘하이드로겔렌즈의 첫 세대는 대부분의 기존의 하이드로겔렌즈에 비해 낮은 함수율을 가져 딱딱한 경향을 보였다. 그러나 실리콘을 융합시키면서 낮은 Dk/t의 일회용 렌즈보다 5~10배의 높은 Dk/t를 지니게 되었다.[5] 일일착용렌즈로 사용될 수 있는 새로운 실리콘하이드로겔렌즈는 기존 렌즈에 비해 더 높은 함수율을 지니며, 덜 딱딱하다. 또한 기존 하이드로겔렌즈에 비해 3배 정도의 높은 유연성, 수분함량과 Dk/t를 보인다.[6] 실리콘하이드로겔렌즈의 중심두께는 0.07~0.09 mm 정도이다.

렌즈 디자인과 제조 기술은 렌즈가 각막표면에서 중심을 잡고 움직이는 데 영향을 준다. 동일한 전체직경과 디자인을 가진다고 해도 가파른 후면광학부반경을 가진 렌즈는 편평한 후면광학부반경을 가진 렌즈에 비해 조임 장착이 된다. 치료콘택트렌즈의 과도한 움직임은 각막상피의 치유를 늦출 뿐만 아니라 통증을 일으키고, 눈에서 중심을 잡지 못하고 눈 밖으로 빠져나오게 된다. 반대로 각막에 조임 장착이 된 렌즈는 각막 부종과 불편감을 일으키고, 렌즈 뒤로 세포 잔해물이 나가지 못하고 남아있게 되어 독성 물질이 생기고, 이로 인해 염증 반응이 일어난다.[7] 모든 소프트 콘택트렌즈 장착과 마찬가지로 렌즈의 전체직경은 각막 윤부를 완전히 덮을 정도로 커야 하며, 눈 움직임 동안 렌즈의 과도한 움직임이 일어나서는 안 된다. 여과포의 누출이나 주변부 각막병변이 있을 경우 특히 큰 직경의 렌즈가 필

표 9-1 치료콘택트렌즈의 장착방법

	첫 단계	→	마지막 단계
각막의 장착 범위 부족	전체직경의 증가	가파른 후면광학부반경	
렌즈의 과도한 움직임	두께의 감소	가파른 직경	직경의 증가
과도한 조임 장착	두께의 감소	편평한 직경	직경의 감소
불규칙한 안구표면	낮은 모듈루스	얇은 렌즈	
건성안	저함수율 렌즈	Non-ionic	두께의 증가
결막구석의 부족	직경의 감소		

요하다(표 9-1).

1) 일회용 하이드로겔콘택트렌즈

일회용 콘택트렌즈는 반복각막진무름, 실모양각막염(filamentary keratitis), 수포각막병증(bullous keratopathy), 신경마비 각막병증(neuroparalytic keratopathy)[8] 등과 같은 질환에서 치료 목적으로 광범위하게 쓰이고 있다(표 9-2). 치료용으로 쓰일 때 기존의 하이드로겔렌즈에 비해 많은 장점을 지니고 있는데, 특히 가격이 낮아 정기적인 교체가 가능하기 때문에 렌즈가 오염되는 것을 막을 수 있다. 그러나 이 렌즈 역시 기존의 렌즈와 마찬가지로 저산소증, 감염각막염 등의 위험성을 가지고 있다.

2) 실리콘하이드로겔렌즈

기존의 하이드로겔렌즈는 치료 목적으로 가장 흔히 사용되어 왔으나,[9] 취침 시 착용할 때 각막부종을 피하기 위해 필요한 최소 레벨의 Dk/t를 만족시키지 못했다.[10] 대부분의 치료콘택트렌즈가 취침 시에도 착용되기 때문에 이는 중요한 한계점으로 작용한다. 하지만 실리콘하이드로겔렌즈의 높은 Dk/t는 치료 목적으로 사용하는 데 있어 장점으

표 9-2 하이드로겔렌즈의 분류

제품명	Dk/t_{ave}	t_{ave}	Dk	함수율
Proclear	28.7	0.063	18.1	60%
Bespoke lens "D75/ED4"	27.6	0.12	33.1	75%
Acuvue	26.8	0.076	20.4	63%
CSI-T	21.4	0.035	7.5	38%
Permalens	18.0	0.15	27.0	71%
Precision UV	17.5	0.148	25.8	74%
Sequence, O4	14.0	0.054	7.5	38%
B&L B4	6.3	0.12	7.5	38%

로 작용한다(표 9-3).

(1) 장점

- 높은 Dk/t를 가진다.
- 낮은 함수율을 가지고 있어 눈에서 탈수를 덜 일으킨다.[11]
- 녹농균(Pseudomonas aeruginosa)이 적게 붙는 경향이 있어 각막상피가 얇아질 가능성이 줄어들고, 각막 감염을 줄이는 역할을 하는 눈물의 lactate dehydrogenase에 미치는 영향이 적다.[12]

표 9-3 실리콘하이드로겔렌즈의 분류

제품명	Dk/tc	tc	함수율	모듈루스	기본커브	직경	중합체
NIGHT & DAY®	175	0.08	24%	1.4	8.4 & 8.6	13.8	Lotrafilcon A
ACUVUE® OASYS™	147		38%	0.7	8.4	14.0	Senofilcon A
O2 OPTIX™	138		33%	1.2	8.6	14.2	Lotrafilcon B
PureVision™	110	0.09	36%	1.1	8.6	14.0	Balafilcon A
ACUVUE® ADVANCE™	86		47%	0.4	8.3 & 8.7	14.0	Galyfilcon A

몇몇의 연구에서 실리콘하이드로겔렌즈를 치료 목적으로 사용한 결과를 발표하였는데, 안구표면 질환에서 lotrafilcon A를 사용하면 안전하고 효과적이라는 결과가 발표되었고, 특히 렌즈를 착용하고 교체하는 것이 각막상피 손상, 통증 및 감염 위험성을 높일 수 있는 환자에서, 이 렌즈는 자주 교체할 필요가 없어 장점으로 작용한다고 하였다.[13] 실리콘하이드로겔렌즈 위로 높은 Dk를 가지는 RGP렌즈를 장착하여 치료 목적으로 사용할 수 있다고 발표된 결과도 있었다.[14] 소프트콘택트렌즈를 장착할 때는 필요로 하는 면적을 전부 커버해야 하고, 눈깜빡임 시 덜 움직여야 하며, 윤부 혈관을 누르지 않게 해야 한다.

3) 실리콘 고무 렌즈

실리콘 고무는 산소 투과성이 매우 높아 과거에 속눈썹증이나 눈꺼풀이 잘 감기지 않는 질환에서 치료콘택트렌즈로 많이 쓰였다. 부드럽고 두께가 얇은(0.10∼0.15 mm) 반면, 표면에 단백질과 점액이 쉽게 침착하고 지방을 흡수하는 경향이 있어 사용 빈도가 감소하였다.

4) 하드콘택트렌즈

하드콘택트렌즈는 시력교정 및 치료, 두 가지를 목적으로 사용된다. 각막 직경보다 작긴 하지만, 이상한 방향으로 자라난 속눈썹이나 다른 외부 요인들로부터 각막을 보호하기에는 충분하다. 가끔 직경이 큰 렌즈가 사용되기도 한다.

원추각막, 공모양각막 및 투명 가장자리 각막변성 등과 같은 질환에서는 각막 난시가 심해지기 때문에 양면토릭렌즈가 쓰이기도 한다.

5) 공막렌즈

공막렌즈는 100년 이상 치료 목적으로 사용되어 왔고, 특히 다른 렌즈를 사용할 수 없는 반흔 조직이 동반된 건조안에서 많이 사용되었다. 이 렌즈의 장점은 어느 눈 모양이건 장착될 수 있고, 각막과 안구결막을 완전히 보호할 수 있다는 점이다. 공막렌즈는 직경에 따라 분류되며, 윤부에 눈물고임(pooling)이 있어야 하고, 각막 중심 부위는 가벼운 접촉(touch)이 있어야 한다. 각막부종을 피하기 위해 내피세포 수가 $1,000/mm^2$ 이상 되어야 사용 가능하며, 주변의 지지부는 공막 위에 위치하며, 비정상이거나 질환이 있는 각막 위에서 렌즈가 눈물층을 만들어 일정한 거리를 갖고 위치하게 한다.

6) 콜라겐 렌즈

콜라겐은 이질적인 생물학적 환경에서 분해되며, 영구적인 잔여물을 남기지 않고 결국 없어지게 된다. 이러한 특성으로 인해 흡수성 봉합사, 화상의 드레싱, 안면부 연조직 증대술 등의 여러 의학적 목적으로 사용되고 있다. 안과적 영역에서는 공막 돌륭술 재료, 눈물관 플러그, 외안부 패치 등에 사용된다. 콘택트렌즈 모양의 collagen shields는 각막

표 9-4 치료콘택트렌즈의 선택

	첫 단계	→	→	마지막 단계
통증 경감	하이드로겔	실리콘하이드로겔	공막	윤부 RGP
상피 치유	실리콘하이드로겔	하이드로겔	공막	윤부 RGP
천공	실리콘하이드로겔	하이드로겔	공막	윤부 RGP
예민한 눈	하이드로겔	실리콘하이드로겔	공막	윤부 RGP
쉬운 장착	하이드로겔	실리콘하이드로겔	윤부 RGP	공막
심한 정도	**경함**	**→**	**→**	**심함**
노출	하이드로겔	실리콘하이드로겔	윤부 RGP	공막
건성안	하이드로겔	실리콘하이드로겔	윤부 RGP	공막
각막 보호	하이드로겔	실리콘하이드로겔	윤부 RGP	공막
불규칙 난시	하이드로겔	실리콘하이드로겔	윤부 RGP	공막

을 보호하고 각막상피 상처의 치유를 촉진한다.[15] 콜라겐은 수용성 약물을 흡수하여 녹을 때 약물을 방출하므로 약물 투여에 이용될 수 있는데, 점안 안약이나 결막 주사보다 농도가 높은 약물을 안구표면에 전달할 수 있다.

5. 치료콘택트렌즈 환자의 경과 관찰

건강한 눈보다 질병이 있는 눈에서는 콘택트렌즈 착용 시 렌즈 관련 합병증의 위험도가 증가할 수 있기 때문에 렌즈 처방 후 정기적인 추적 관찰이 중요하다. 추적 관찰 시 치료 경과를 살필 수 있고, 렌즈 교체도 가능하다. 대부분의 큰 각막병변은 콘택트렌즈를 통해서 관찰 가능하며, 렌즈를 제거하거나 장착 시 조심해야 한다. 추적 관찰의 빈도는 원인 질환과 환자에 좌우되게 된다.

6. 치료콘택트렌즈의 적응증

1) 수포각막병증

이 질환은 각막내피세포의 기능저하로 인해 만성적인 각막부종이 생기는 것으로서, 통증, 눈물흘림, 안검경련, 수명 등의 증상을 일으킬 수 있다. 각막은 부분적 또는 전체적으로 침범 당하게 되고, 심한 부종으로 인해 뿌옇게 변하게 되어 시력감소를 일으킨다. 각막상피에 물집이 잡히게 되는데, 물집이 터지게 되면 신경말단이 노출되어 심한 통증을 유발하고, 급성으로 상피 부종이 일어날 경우에도 신경 말단이 늘어나 통증을 유발할 수 있다. 최근에 발병되어 주로 각막상피에 병변이 있는 경우, 친수성 치료콘택트렌즈 착용 시 대부분 즉각적으로 통증이 완화되고 시력호전에도 도움을 준다.[16] 무수정체 환자에서는 질환 치료와 동시에 굴절이상을 교정하기 위해 도수가 들어간 렌즈를 장착할 수 있다.[17] 하지만 육안적으로 각막기질 부종과 데스메막의 주름을 관찰할 수 있는 경우 시력호전은 적을 것이라 예상할 수 있다.[18] 렌즈 제거 시 통증이 재발할 수 있으므로 대부분 지속적으로 착용하게 되나, 렌즈의 착용기간은 질환

의 심한 정도에 따라 다양하다. 각막 주변부 신생혈관은 추후 각막이식의 성공률을 결정하는 한 요소이긴 하지만 렌즈 장착 시 가장 중요한 것은 환자의 편안함 정도이다. 두껍고 함수율이 높은 렌즈를 기본커브가 편평하게 처방하면 물집을 물리적으로 편평하게 만들고, 함수율이 높은 렌즈는 각막상피의 탈수효과를 나타낸다. 렌즈 선택 시 Dk/t도 고려해야 하며, 이 경우 실리콘하이드로겔렌즈가 최적의 선택이 될 수 있다. 수포각막병증에서 치료콘택트렌즈의 사용에 관한 연구에서 몇몇 환자들은 실리콘하이드로겔렌즈의 딱딱한 때문에 덜 편안하다고 느꼈는데,[19] 2세대 렌즈들은 착용 시 불편감이 덜하다.

2) 푹스내피세포이상증

양안 각막 내피세포의 기능부전이 생기며 천천히 진행하는 질환으로 결국 각막부종과 수포각막병증을 일으키게 된다. 각막이식 전에는 통증을 줄이기 위해 친수성 콘택트렌즈가 사용될 수 있다. 렌즈 장착은 앞의 수포각막병증과 비슷하다.

3) 반복각막진무름

바닥막복합체(basement membrane complex)의 손상으로 인해 기질이 상피에 단단하게 붙지 못하여 발생하고, 바이러스성 및 세균성 각막염과 각막이상증 등 많은 다양한 질환에서 동반될 수 있다. 가장 흔한 원인은 손가락에 의한 눈 찔림과 같은 각막의 경한 외상이며, 이는 만성적으로 각막미란의 재발을 일으킬 수 있다(그림 9-1). 그 결과 몇 개월간의 기저막의 불완전한 재형성 기간 동안에는 만성적으로 고통스러운 각막상피미란의 재발이 반복될 수 있다. 소프트콘택트렌즈는 물리적으로 눈꺼풀의 운동으로부터 재형성된 약한 각막상피를 보호하여 재상피화와 상처 치유를 돕는다. 완전한 상피화가 일어나게 된 경우 하이드로겔렌즈는 각막상피의 안정화에 기여하고, 완전히 재형성되는데 몇 개월이 소요되는 반결합체의 형성에 최적의 환경을 제공한다.[20] 따라서 완전한 재상피화를 위해서는 오랜 기간 동안 치료콘택트렌즈를 착용하는 것이 좋으며, 대부분의 상피 벗겨짐이 밤이나 아침 기상 시 막 눈을 뜰 때 발생

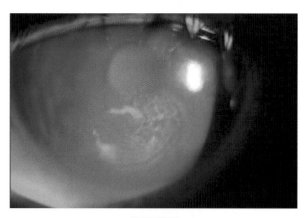

그림 9-1

반복각막진무름의 세극등현미경소견. 불빛을 넓게 비스듬히 비추면 울통불통한 회색병변을 뚜렷히 볼 수 있으며 형광염색으로 범위를 파악할 수 있다.

하는 것을 감안하면 지속적인 렌즈의 착용이 권유된다. 이 질환에서 일회용 렌즈는 기존 렌즈에 비해 편하고 가격 대비 효율적이다. Dk/t가 높고 두께가 얇은 실리콘하이드로 겔렌즈를 사용하면 치료 성공율이 높고 각막부종도 적다. 잘 낫지 않는 반복각막진무름이나 수술 후 생긴 각막상피병증을 Lotrafilcon A의 실리콘하이드로겔렌즈로 치료에 성공한 15예도 발표된 적도 있다.[21] 다시 한 번 강조하자면 제2세대 실리콘하이드로겔렌즈는 눈에 더 편안감을 준다. 이 질환에는 렌즈 외에도 윤활제, 고장성 약물, 점안 항생제나 조절마비제가 필요할 수 있다. 종종 기계적인 창상 절

제 및 압박 안대의 치료가 도움이 될 수 있지만, 수일의 치유과정이 필요할 수 있으며, 지속적인 통증 및 드레싱으로 인한 불편감이 있을 수 있다.

4) 각막이상증

지도점지문모양각막이상증(Map-dot-fingerprint dystrophy), 라이스-뷔클러이상증(Reis-Bücklers' dystrophy), 격자각막이상증(lattice dystrophy)과 같은 각막이상증에서 간헐적인 각막상피미란의 재발은 흔하다. 렌즈 장착은 반복각막진무름에서 언급한 내용과 동일하다.

5) 타이거슨표층점상각막염

결막의 충혈 및 염증이 거의 없이 거친 양상의 점상상피 각막염이 나타나는 것이 특징이고, 혼탁이 각막중심부와 시축에 주로 생긴다(그림 9-2). 질병 경과는 대부분 만성적이며 한 번에 몇 주 또는 몇 개월 동안 지속되는 악화와 호전이 특징적이다. 양안성이나, 양안이 서로 다른 임상양상을 보이는 비대칭적인 병변이 발견되기도 한다. 활성기에 환자는 수명, 이물감, 눈물흘림과 병변의 위치에 따라 시력감소를 호소할 수 있다. 세극등현미경검사 시 별이나 눈송이 모양의 점상의 상피 내 침착물이 수많은 미세한 과립상의 회백색 점상 혼탁을 이룬다. 상피표면을 뚫고 중심부가 솟아올라있어, 불규칙적인 각막표면을 형성하므로 형광 염색

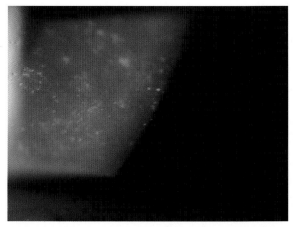

그림 9-2

타이거슨표층점상각막염 병변을 확대 관찰한 소견. 거친 상피각막병변이 둥근 형태로 퍼져 있다.

시 불완전하게 염색되며, 이 불규칙한 표면 때문에 시력저하가 나타날 수 있다. 회복기에 환자는 무증상이며, 각막 병변도 편평해지고, 희미한 회색의 혼탁이 보이거나 완전히 보이지 않을 수 있다. 소프트콘택트렌즈는 증상을 완화시키며, 상피병변의 회복을 유도하고, 불규칙적인 각막표면을 호전시키므로 시력호전을 가져올 수 있다. 특히 낮은 함수율의 매우 얇은 하이드로겔렌즈는 증상을 완화시키고, 유용하게 쓰일 수 있다.[22]

6) 실모양각막염

각막표면에 실모양의 점액 가닥이 유착하여 생기는 질환이다. 환자는 이물감과 통증을 느끼고, 주로 건성각결막염, 상윤부각결막염 및 류마티스 질환과 같은 전신질환과 관련이 있다.[23] 정확한 원인은 알려지지 않았으나 상피 바닥막이나 보우만층의 손상이 있을 경우 국소 바닥막의 박리가 일어나고 그 결과 약간 상승된 부분이 점액 가닥과 변성된 각막상피세포의 수용체 역할을 하게 되며, 다시 헐거워진 상피 세포가 실모양체를 만들게 된다(그림 9-3). 소프트콘택트렌즈는 물리적으로 눈꺼풀의 운동으로부터 상피표면을 보호하고, 외상을 입은 바닥막이 더 이상의 손상이 되지 않게 보호하는 역할을 한다. Dk/t가 높고 함수율이 낮은 얇은 실리콘하이드로겔렌즈는 치료로 가장 적합하며, 기저상피세포의 바닥막으로의 재유착을 도와서 실모양체가 형성될 수 있는 융기된 부분이 생기는 것을 막는다.

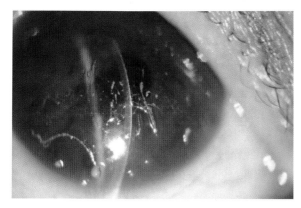

소그렌증후군 환자에서 발생한 심한 실모양각막염. 세극등현미경으로 각막에 붙어 있는 실모양체를 관찰할 수 있다.

7) 만성각막상피결손

만성상피결손의 원인은 단순포진과 대상포진에 의한 영양각막궤양(trophic ulcer), 열화상 및 화학화상, 수술 후 상처치유 불량, 점안 마취약 과용 등의 안약 독성 및 신경마비각막염 등이 있다. 소프트콘택트렌즈가 궤양의 진행을 억제하고 상피를 보호하여 재형성을 돕기 위해 사용된다. 그러나 헤르페스 바이러스 감염에서 치료콘택트렌즈를 착용하게 되면 급격히 악화되며, 그때는 감염 때문인지 상피결손 때문인지 감별하는 것이 힘들 수 있으므로 유의해야 한다.

8) 무통성각막궤양

치유되지 않고 오래 지속되는 궤양을 의미하며 친수성 콘택트렌즈는 물리적으로 눈꺼풀의 운동으로부터 각막표면을 보호하여 통증을 줄이고, 빠른 재상피화를 가능하게 한다. 몇 개월 동안의 정기적인 추적 관찰을 통한 콘택트렌즈 치료는 궤양의 치유를 돕고 몇몇 케이스에서는 시력회복을 가져올 수도 있다. 완전히 치유된 후에는 반흔 조직으로 인해 불규칙적인 표면을 가진 각막에 RGP렌즈를 장착함으로써 시력호전을 보일 수 있다.

9) 신경영양각막염

어떤 원인에 의해 각막상피가 더 이상 재생되지 않는 질환으로 5번이나 7번 뇌신경의 손상이 일어나면 신경영양각막염이나 신경마비각막염이 생길 수 있다(그림 9-4). 5번 뇌신경의 감각 분지에 손상을 입으면 각막의 지각이 저하되고, 신경 자극이 사라지면 각막상피세포의 유사분열에 영향을 주어 각막상피가 벗겨지고 부종이 생기게 된다. 이는 눈깜빡임 반사와 눈물 분비가 정상이라고 해도 나타날 수 있다. 7번 뇌신경 마비에서는 실리콘 고무 렌즈나 실리콘하이드로겔렌즈가 탈수로부터 각막을 보호할 수 있으며, 취침 시 눈이 잘 감기지 않으면 지속적인 렌즈 착용이 필요할 수 있다. 그 외 공막 RGP렌즈나 반공막렌즈가 사용될 수도 있다.

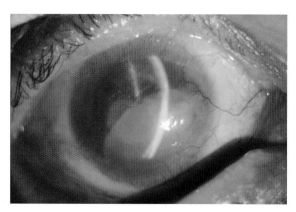 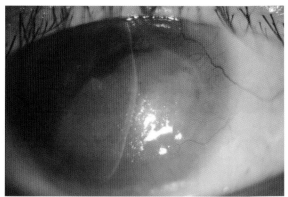

그림 9-4

심한 신경영양각막염. Mackie 2단계의 수평타원 상피결손부위와 혼탁 소견을 확인할 수 있다.

10) 각막천공

각막천공은 갑작스런 사고, 수술로 인한 각막 손상 및 각막궤양 후 지속적 각막상피결손의 결과로 나타날 수 있다. 각막 얇아짐의 흔한 원인은 류마티스 관절염 관련 각막 융해로, 각막 기질이 파괴되게 된다. 각막천공이 임박하면 종종 데스메막류가 관찰되며, 치료콘택트렌즈 착용 시 각막 구조를 보강해줌으로써 각막천공을 예방할 수 있으며, 안압으로 인해 데스메막류가 커지는 것을 막을 수 있다. 각막이 얇아지거나 천공되면 치료의 주목적은 각막 구조를 온전히 유지하여 전방이 재형성되게 하는 것이다. 열상 부위가 어긋나 있지 않고 홍채물림을 동반하지 않은 2 mm 이하의 천공은 천공 후 72시간 이내에 치료콘택트렌즈를 착용해야 하는데, 치료콘택트렌즈는 작은 천공을 스스로 막히게 하고, 상처 주변부가 서로 유착될 수 있도록 도와준다. 더 큰 천공은 렌즈로 성공적인 치료를 할 수 없고 대부분 수술적 치료를 필요로 한다. 실리콘하이드로겔렌즈는 안전한 치료 방법으로 쓰일 수 있다. 각막천공이 일어난 눈은 전방이 매우 얇아져 있거나 거의 없으므로, 처음 장착하는 렌즈는 약간 조이도록 처방해야 하는데, 이는 천공이 막혀서 전방 깊이가 깊어짐에 따라 렌즈가 덜 조여지기 때문이다. 몇 시간이 지나게 되면 좀 더 가파른 렌즈로 바꿔 주어야 하며, 감염에 취약하므로 위생 관련 교육을 해야 한다. 렌즈는 수술 전 보호막 역할로 쓰일 수 있고, 조직접착제를 사용할 수도 있다. 조직접착제를 사용한 경우라면 그 위로 치

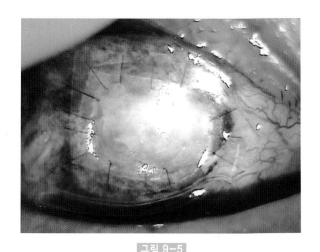

그림 9-5

각막천공의 봉합술 후 실리콘하이드로겔 치료콘택트렌즈를 장착한 모습

료콘택트렌즈를 써서 눈꺼풀의 운동으로부터 봉한 상처 부위가 벌어지는 것을 막을 수 있으며, 건조된 조직유착제의 거친 표면으로부터 눈꺼풀의 불편감을 줄일 수 있다.

11) 수술 후 보조요법

수술 후 빠른 각막 상처의 치유를 위해 친수성 치료콘택트렌즈가 사용될 수 있으며, 노출된 봉합사로부터 눈꺼풀을 보호하고 통증을 줄이기 위한 목적도 있다(그림 9-5). 빠른 시력 회복이 필요하다면 치료콘택트렌즈에 도수를 넣을 수 있지만, 난시가 있다면 RGP렌즈를 사용하지 않고서는 시력호전이 되지 않는다. 하지만 수술 후 초기에

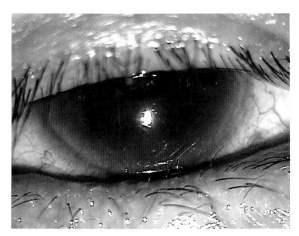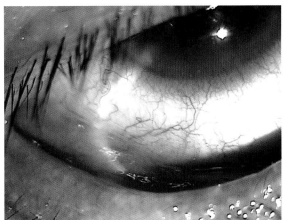

그림 9-6

안반흔유천포창의 세극등현미경모습

렌즈를 사용하는 것은 이식된 약한 각막에 생리적 스트레스를 가하게 되어 거부반응의 위험도를 증가시킬 수 있다는 것을 유념해야 한다. 각막이식 후 수술 부위가 벌어질 경우 중등도 함수율의 딱딱하고 가파른 치료콘택트렌즈를 사용하여 성공적으로 치유될 수 있다. 하지만 렌즈를 오래 착용하게 되면 각막부종과 신생혈관 형성의 위험이 따르므로 조심해야 한다. 섬유주절제술 후 여과포의 누출에서는 18~24 mm 정도 큰 직경의 치료콘택트렌즈가 필요하다. 또한 윤부줄기세포이식 시에도 두꺼운 봉합사로부터 눈꺼풀을 보호하기 위해 큰 직경의 렌즈가 필요하다. 그 외 상층각막성형술, 표면적 각막절제, 굴절교정 레이저각막절제술 후 통증 경감과 각막상피 치유의 촉진을 위해 사용된다. Dk/t가 높은 실리콘하이드로겔렌즈를 사용하면 Dk/t 낮은 렌즈보다 통증이 감소하고, 각막표면 산소 이용도가 증가하며, 상피화 기간이 단축되고, 기질 혼탁의 빈도가 감소한다. 따라서 굴절 교정술 후에는 연속착용 치료콘택트렌즈로 실리콘하이드로겔렌즈를 사용하게 된다.

12) 반흔각결막염

반흔각결막염에서 치료콘택트렌즈는 통증을 경감시키고, 노출, 안검내반 및 속눈썹증으로부터 각막을 보호한다. 안반흔유천포창(ocular cicatricial pemphigoid), 열 또는 화학 화상을 입었을 때, 트라코마, 스티븐스존슨 증후군(Stevens-Johnson syndorme)에서 결막붙음증(symblepharon) 및 안검유착을 방지함으로써, 결막 구석이 유지될 수 있게 한다(그림 9-6). 낮은 함수율의 실리콘하이드로겔렌즈나 실리콘 고무 렌즈는 자주 인공누액을 점안할 필요가 없다는 점에서 장점이 있다. 공막렌즈는 렌즈와 각막 사이에 눈물저장소 역할을 할 수 있으며, 반흔 조직이 있거나 불규칙적인 각막에서 굴절 교정의 역할도 할 수 있다. 이 렌즈는 안구표면 대부분을 덮기 때문에 결막 구석을 유지하면서 각막과 결막을 보호할 수 있다. 또한 공막 링도 비슷한 목적으로 사용될 수 있다. 안반흔유천포창의 진행된 예에서는 결막이 유착되어 공막렌즈를 사용할 수 없을 수 있는데, 이 경우에서는 실리콘 고무 렌즈나 RGP렌즈가 불규칙한 안구표면을 가진 환자에서 시각적 재활을 위해 성공적으로 사용될 수 있다.

13) 건성안

건성안에서 치료콘택트렌즈를 사용하는 것은 논란이 있다. 다른 치료 방법으로 실패한 건성안의 경우에서만 치료콘택트렌즈가 고려되고 있고, 대부분의 안구건조증의 치료로는 인공눈물, 연고 및 눈물점폐쇄(punctal occlusion), 습실안경(moist chamber spectacles) 등이 이용되고 있다. 안구표면을 균일하게 적시고 각막상피 상처의 치유를 위해 Dk/t가 높고 함수율이 낮은 실리콘하이드로겔렌즈, 공막렌즈 및 RGP렌즈가 쓰일 수 있으나, 건성안에서는 렌즈 관련 안구감염의 위험성이 높으므로 정기적인 진료가 중요하다. 렌즈만 사용했을 때 건성안의 증상은 사라지지 않으므로 반드시 인공눈물을 자주 점안해야 한다.

14) 화학 화상

화학 화상 중 특히 알칼리 화상에서 치료콘택트렌즈의 사용에 대해 언급되어져 왔다. 윤부줄기세포에 대한 연구에서 만성적인 각막상피 결손에서 치료콘택트렌즈를 사용한다고 해도 각막이 결막상피세포에 의해 침범당하는 것을 예방할 수 없음을 보고하였다. 정기적인 경과 관찰이 필요하기는 하지만, 콘택트렌즈가 상처 치유에 도움이 되는 경우도 있다.

15) 각막변성

잘쯔만결절변성(Salzmann's nodular degeneration), 주사성 각막염(rosacea keratopathy) 및 아토피각결막염(atopic keratoconjunctivitis)과 같은 질환에서 종종 불편감을 일으켜 치료콘택트렌즈가 필요할 때가 있는데, 이 경우 잠재적인 시력 향상의 효과도 있다. 결막질환이나 눈물막 이상이 동반되어 있을 경우 공막렌즈가 유용하다(표 9-5).

7. 치료콘택트렌즈를 통한 약물 투여

점안제나 연고로 약을 점안했을 때 처음에는 높은 농도로 존재하지만 빠른 속도로 농도가 감소하여 효과에 한계가 있다. 이 문제를 해결하기 위해 고농도로 안약을 점안하

표 9-5　치료콘택트렌즈의 적응증 및 작용

렌즈의 종류	적응증 및 작용
1. 하이드로겔렌즈	통증의 감소
(1) 얇은 중함수율의 렌즈	불규칙한 표면, 경도나 중등도의 건조안
(2) 가파른 하이드로겔렌즈	가파른 곡률의 각막
(3) 큰 직경의 하이드로겔렌즈	윤부나 공막의 병변이 동반된 경우, 소눈
2. 실리콘하이드로겔렌즈	만성각막상피결손, 열상부위의 유착, 단기간동안 기계적 보호
3. RGP렌즈	각막 보호, 각막 수분의 유지, 각막상피의 치유
4. 공막렌즈	안구표면의 물리적 보호, 각막 수분의 유지

게 되면 오히려 부작용이 일어날 수 있다. 친수성 콘택트렌즈는 긴 시간동안 천천히 저용량의 약을 안구표면에 공급해줄 수 있어 효과는 증대시키면서 독성의 위험도를 낮출 수 있다. 여러 방법을 통해 약을 하이드로겔렌즈에 추가시킬 수 있는데, 가장 흔히 쓰이는 방법은 약의 수용성 구조에 렌즈를 적시는 것이다. 이 외에도 눈에 노출되면 하이드로겔렌즈에서 확산되어 나와 활성화된 구조로 바뀌는 수용성 약물전구체를 이용하거나, 렌즈 중합체에 약물을 유착시켜 안구표면이나 눈물에 노출되면 약물과 렌즈 중합체간의 결합이 끊어져서 약이 유출하게 하는 방법 등이 쓰이고 있다. 한 연구에서는 약물 전달의 방법으로 친수성 콘택트렌즈를 이용하였고, 각막 및 전방 내에 높은 농도의 약을 유지시키는데는 친수성 렌즈가 좋다고 결론지었다.[24] 이후 필로카르핀(pilocarpine), 젠타마이신(gentamycin), 5-iodo-2-desoxyuridine (IDU) 등 여러 약제를 하이드로겔렌즈를 통해 전달하려는 시도가 있었다. 약의 분자량은 친수성 렌즈에 의해 얼마나 흡수되는지에 영향을 주는

표 9-6　콘택트렌즈와 점안제

	하이드로겔	실리콘하이드로겔	실리콘 고무	하드렌즈
플루오레신	X	X	√	√
연고	X	X (VA ↓)	√ (VA ↓)	√ (VA ↓)
방부제가 첨가된 안약	단기간	단기간	√	√
방부제가 첨가되지 않은 안약	√	√	√	√

데, 큰 분자량을 가진 물질은 적은 분자량을 가지는 물질에 비해 덜 통과된다. 두껍고 함수율이 높은 하이드로겔렌즈는 얇고 저함수율의 하이드로겔렌즈보다 더 많은 양의 수용성 약물을 흡수하고, 더 빨리 안구표면으로 방출하므로 약물 투여 렌즈로 적합하다.

8. 치료콘택트렌즈의 용도

하이드로겔렌즈는 안압계(tonometry) 등 각막과 직접 접촉하게 되는 검사들로부터 검사하는 동안 각막을 보호할 수 있다. 어떤 환자들은 정기적으로 안압을 모니터링해야 하는 경우가 있는데, 안압을 재기 위해 렌즈를 제거할 수도 있긴 하지만, 반복각막진무름과 같은 질환을 치료 중인 환자에서 렌즈를 제거하는 것은 오히려 병의 경과에 좋지 않은 영향을 줄 수 있다. 이와 같은 경우에는 비접촉성 안압계를 이용하거나 접촉 안압계를 사용해야 한다면 하얀 빛이나 고분자량의 플루오레신을 이용하여 치료콘택트렌즈 위로 안압을 잴 수 있다. 렌즈를 제거하고 잰 안압과 매우 얇은 렌즈 위로 잰 안압은 매우 비슷하다고 한 결과도 있고, 도수가 들어간 렌즈를 착용한 경우 좋은 연관성을 보이지 않았다고 한 결과도 있다.[25,26] 그 외에도 당뇨 망막병증 환자에서 망막의 광응고술 시행 시나 공막함입술 시 각막상피를 보호하기 위해서나 원추각막이나 다른 각막 이상이 있는 질환에서 피기백(piggyback) 장착 시 환자의 편안감을 위해, 원추각막 환자가 접촉성 스포츠를 할 때 RGP렌즈 위로 하이드로겔렌즈를 장착시켜 렌즈 분실을 예방하기 위해서도 사용될 수 있다.

9. 치료콘택트렌즈의 합병증

앞에서 언급했듯이 질병이 있는 눈에서 콘택트렌즈 착용 시, 합병증이 생길 가능성이 높다. 충혈이나 불편감을 호소할 수 있고, 경도의 전방 염증 및 신생혈관이 형성될 수 있다. 기질 궤양의 치료에는 표면 신생혈관이 치유에 도

움이 될 수 있으며, 사실 대부분의 이런 눈은 시력 예후가 좋지 않으므로 신생혈관이 형성되는 것은 그리 나쁜 영향을 주지 않을 수 있다. 만약 질환에 의한 특이병변이 있다면, 렌즈에 의한 각막부종이 간과되기 쉽다. 실리콘하이드로겔렌즈는 기존의 하이드로겔렌즈가 가지던 저산소증의 문제를 극복하였으나, 여전히 염증, 감염 그리고 찰과상의 문제는 가지고 있다. 이물질의 렌즈 침착이 일어날 수 있고, 특정 약물을 동시 사용 시 렌즈의 변색을 일으킬 수 있다. 유두 결막염과 같은 합병증을 예방하기 위해 정기적인 렌즈 교체가 필요할 수 있으며, 대부분의 무균성 각막 침윤은 렌즈 제거시 특이 후유증 없이 사라지지만, 세균각막염의 초기 징후일 수도 있기 때문에 조심해야 한다. 후향적 연구에 따르면 대부분의 콘택트렌즈관련 각막궤양은 수포각막병증을 가진 환자에서 일어났으며, 그 다음으로 신경영양각막염 및 노출각막염이 두 번째 흔한 원인이었다. 이러한 합병증들은 정기적인 추후 관리의 중요성을 말하고 있고, 환자가 정기적인 추적 관찰이 가능할 때만 치료콘택트렌즈를 처방하여야 한다는 점이 강조되고 있다. 장착 전 치료콘택트렌즈의 위험성을 얻을 수 있는 이점과 비교해 봐야 하고 환자에게 설명해 주어야 한다.

▶ 참고문헌

1. Ridley F. Therapeutic uses of scleral contact lenses. Int Ophthalmol Clin 1962;2:687–716.

2. Schein OD, Rosenthal P, Ducharme C. A gas permeable scleral contact lens for visual rehabilitation. Am J Ophthalmol 1989;109:318–22.

3. Lim L, Tan DT, Chan WK. Therapeutic use of Bausch & Lomb PureVision contact lenses. Contact Lens Assoc Ophthalmol J 2001;27:179–85.

4. Foulks GN, Harvey T, Raj CV. Therapeutic contact lenses : the role of high–Dk lenses. Ophthalmol Clin North Am 2003;16:455–61.

5. Compan V, Andrio A, Alemany L et al. Oxygen permeability on hydrogel contact lenses with organosilicon moieties. Biomaterials 2002;23:2767–72.

6. Steffen R and Schnider C. A next–generation silicone hydrogel lens for daily wear. Part 1: Material properties. Optician 2004;224:23–5.

7. Zantos SG and Holden BA. Ocular changes associated with continous wear of contact lenses. Aust J Optom 1978;61:418–26.

8. Weinstock FJ. Management of corneal erosions with the Acuvue disposable lens. Contact Lens Forum 1990;15:47–55.

9. Rubinstein M. Application of contact lens devices in the management of corneal disease. Eye 2003;17:872–6.

10. Holden B and Mertz G. Critical oxygen levels to avoid corneal oedema for daily and extended wear. Invest Ophthalmol Vis Sci 1984;25:1161–7.

11. Ehrlich D. Therapeutic contact lenses. Optician 2001;224:28–32.

12. Ren DH, Yamamoto K, Ladage PM et al. Adaptive effects of 30–night wear of hyper–O2 transmissible contact lenses on bacterial binding and corneal epithelium. Ophthalmology 2002;109:127–40.

13. Kanpolat A. and Ucakhan OO. Therapeutic use of Focus Night & Day contact lenses. Cornea 2003;22:726–34.

14. O'Donnell C and Maldonado–Codina C. A hyper–Dk Piggyback contact lens system for keratoconus. Eye Contact Lens 2004;30:44–8.

15. DePaolis MD, Musco PM, Aquavella JV, Shovlin JP. The collagen bandage lens. Contact Lens Spectrum 1987;2:39–40.

16. Gassett AR and Kaufmann HE. Therapeutic uses of hydrophilic contact lenses. Am J Ophthalmol 1970;69:252–9.

17. Speedswll L. A review of therapeutic lenses. Optician 1991;202:25–30.

18. Liebowitz HM and Rosenthal P. Hydrophilic contact lenses in corneal disease. II. Bullous keratopathy. Arch Ophthalmol 1971;85:283–5.

19. Montero J, Sparholt J, Mely R, Long B. Retrospective case series of therapeutic applications of Lotrafilcon A silicone hydrogel soft contact lenses. Eye Contact Lens 2003;29:72–5.

20. Gipson IK, Spurr–Michaud S, Tisdale A, Keough M. Reassembly of the anchoring structures of the corneal epithelium during wound repair in the rabbit. Invest Ophthalmol Vis Sci 1989;30:425–34.

21. Ambroziak AA, Szaflik JP, Szaflik J. Therapeutic use of a silicone hydrogel contact lens in selected clinical case. Eye Contact Lens 2004;30:63–7.

22. Caroline PJ and Andre MP. When the eye need a bandage. Contact Lens Spectrum 2001;16:56.

23. Kowalik BM and Rakes JA. Filamentary keratitis – the clinical challenges. J Am Optom Assoc 1991;62:200–4.

24. Waltman AR and Kaufman HE. Use of hydrophilic contact lenses to increase ocular penetration of topical drugs. Invest Ophthalmol Vis Sci 1970;9:250–5.

25. Meyer RF, Stanifer RM, Bobb KC. Mackay0Marg tonometry over therapeutic soft contact lenses. Am J Ophthalmol 1978;86:19–23.

26. Insler MS and Robbins RG. Intraocular pressure by non-contact tonometry with and without soft contact lenses. Atch Ophthalmol 1087;105:1358–9.

IV

특수 콘택트렌즈

Chapter 10 미용컬러콘택트렌즈

Chapter 11 노안교정 콘택트렌즈

Chapter 12 각막교정(Ortho−K)렌즈

Chapter 13 원추각막교정 콘택트렌즈

Chapter 14 수술 후 각막의 콘택트렌즈 피팅

Chapter 15 공막콘택트렌즈

미용컬러콘택트렌즈

Cosmetic colored contact lenses

김 태 임

컬러콘택트렌즈(colored contact lens)는 중심의 광학부 부위와 주변부 착색부위를 갖는 렌즈로 각막을 크게 보이게 하거나 홍채 색의 변화를 위한 미용 목적으로 사용되는 미용렌즈(cosmetic lenses)와 시력이 없는 눈의 모양을 변화시켜주는 보조구로서의 렌즈(prosthetic lens) 두 가지로 구분된다.[1]

최근 들어 소프트콘택트렌즈가 콘택트렌즈 시장의 성장을 주도하고 있으며 여기에 특히 미용 목적의 컬러콘택트렌즈 부분의 증가가 큰 부분을 차지하고 있다. 국내 전체 콘택트렌즈 착용자 중 약 30%가 컬러콘택트렌즈를 착용한다는 보고도 발표되었다.[2] 컬러콘택트렌즈는 겉모습을 좋게 함으로써 외모를 달라 보이게 하는 장점이 있으며 특히 눈부심증, 복시, 무홍채증 등의 환자에서 치료 목적으로 도움을 줄 수 있겠다. 하지만 컬러콘택트렌즈 역시 식품의약품안전처의 허가를 받아서 제조, 수입하는 의료기기임에도 불구하고 단지 미용 용품으로 인식하여 잘못된 사용으로 인한 부작용이 증가하고 있다.

이번 장에서는 주로 미용 목적으로 사용되는 소프트 재질의 컬러콘택트렌즈에 대해 알아보도록 하겠다.

1. 미용컬러콘택트렌즈
(Cosmetic colored contact lens)

1) 미용목적의 렌즈의 역사

소프트렌즈에 색깔을 입힌 미용렌즈는 1980년대부터 상용화되어 처음에는 옅은 푸른 빛을 띠는 렌즈로 제작되어 눈에 잘 보이도록 제작되었다가 차차 색이 짙어짐에 따라 미용적인 목적으로 사용되기에 이르렀다.[1] 미용컬러콘택트렌즈는 정상적인 눈과 손상된 눈에서 홍채의 색깔을 변화시키고 강조하는 효과적인 수단으로 미용적인 목적이 가장 크며, 색소 염료 적용은 특정 파장의 빛만 통과시켜 홍채의 색을 강조하는 반투명(translucent) 방식과 상당한 양의 빛을 차단하여 색을 전체적으로 다르게 보이게 하는 불투명(opaque) 방식으로 구분된다.[3]

컬러콘택트렌즈는 여러 가지 다양한 방법으로 제조된다.[1,3]

(1) 반투명 방식(Translucent tints)
① Dye dispersion : 주로 하드콘택트렌즈에서 색을 입힐 때 사용되는 방법으로 렌즈 주 성분인 단량체(monomer)에 색소를 첨가하는 방법
② Vat dye tinting : 완전히 제조된 소프트렌즈를 친수성 염료에 넣어 렌즈표면을 균질하게 염색하는 기법

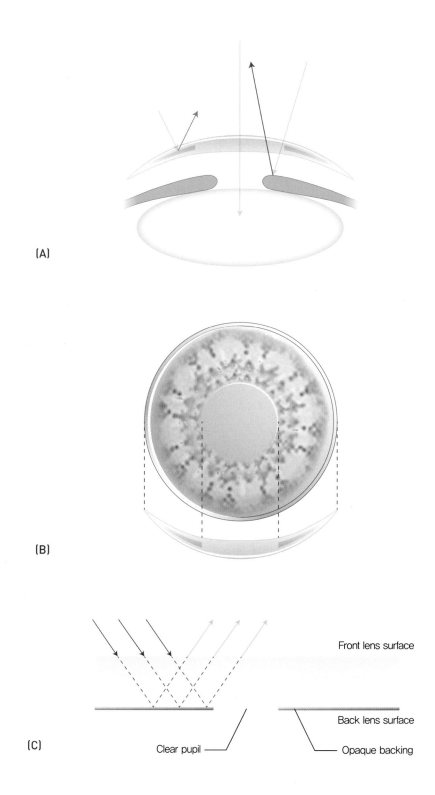

(A)

(B)

(C)

Front lens surface

Clear pupil — Back lens surface

— Opaque backing

그림 10-1
후면부착색 컬러콘택트렌즈의 제조방법

③ Chemical bond tinting : 렌즈를 염색시약에 효소와
함께 넣어 염료와 렌즈 중합체(polymer) 사이에 화학
적 결합을 만들어 염색하는 기법

④ Printing : 홍채 무늬를 렌즈표면에 찍어내는 기법

(2) 불투명 컬러(opaque tint)[1, 3](그림 10-1)

① Dot matrix printing : 불투명한 점 모양을 소프트콘
택트렌즈의 앞면에 프린트하고 화학 처리를 통해 고정
하는 방법으로 최종 미용 효과는 dot matrix pattern
과 비치는 홍채 색깔이 합쳐진 결과임

② Laminate constructions : 콘택트렌즈 안에 불투명
홍채 패턴을 판 모양으로 넣는 방식으로 칠해진 패턴이
둘러싸여 렌즈 안에서 보호될 수 있는 장점이 있으나
렌즈 두께가 증가하여 Dk/t (Oxygen transmissibility,
산소전달률)나 물리적 성질이 변할 수 있는 단점이 있
음. 이 방식의 변형으로 '샌드위치공법(sandwich meth-
od)'은 렌즈의 전면과 후면 사이에 염료를 넣고 접합시
킨 형태임

③ Opaque backing : 렌즈의 기질을 반투명 염료를 사
용하여 색을 입히고 홍채 패턴을 렌즈의 뒷면에 불투명

염료를 사용하여 적용하는 방법임

2) 컬러콘택트렌즈의 적용
(Common uses of colored contact lenses)

미용 목적의 컬러콘택트렌즈는 현재 여러 렌즈회사에서
생산되고 있으며, 다양한 색상의 렌즈가 제조되고 처방되
고 있다(표 10-1).

(1) Cosmetic tinted lenses

제조 기술이 발전함에 따라 훨씬 자연스러운 색상을 보
여주고 있으며 사람 홍채의 색소나 조직구조와 비슷하게
만들 수 있다. 최근에는 iris-enhancing ring 개념으로 평
균 홍채 직경이 11.2 mm인 아시아인들을 대상으로 각막을
크게 보이도록 하는 컬러콘택트렌즈가 소개되었고 대표적
으로 1-DAY Acuvue Define lens의 경우 바깥 직경이
12.5 mm이다.

(2) Prosthetic tinted lenses

비정상적인 눈의 모양을 정상처럼 보이게 하는 렌즈를
말하며, 이들 컬러콘택트렌즈는 외상이나 안구질환, 선천성

표 10-1 컬러콘택트렌즈

	CIBA Vision Focus 2 Weekly Softcolors	CIBA Vision FreshLook Dimension	CIBA Vision Focus Monthly Softcolors
기본 곡률	8.4 mm, 8.8 mm	median	8.6 mm, 8.9 mm
디옵터	0.0~-6.00 D	+6.00~-8.00 D	+6.00~-8.00 D
직경	14.0 mm	14.5 mm	14.0 mm
재질	Vifilcon	Phemfilcon A	Vifilcon
수분 함량	55%	55%	55%
두께(-3.0D)	0.06 mm	0.06 mm	0.10 mm
색채 직경	11.0 mm	12.5 mm	11.0 mm
	Johnson & Johnson Acuvue 2 Optima Colors	CooperVision Expressions Accents	Bausch & Lomb Colors Enhancers
기본 곡률	8.3 mm, 8.7 mm	8.7 mm	8.4 mm, 8.7 mm
디옵터	-0.50~-6.00 D	+4.00 D~-6.00 D	0.0~-6.0 D
직경	14.0 mm	14.4 mm	14.0 mm
재질	Etafilcon A	Methafilcon A	Polymacon
수분함량	58%	55%	38%
두께(-3.0D)	0.08 mm	0.08 mm	0.06 mm
색채 직경	11.4 mm	11.0 mm	12.5 mm

표 10-1 컬러콘택트렌즈 (계속)

	Johnson & Johnson Acuvue 2 Colors Opaque	CIBA Vision Freshlook ColorBlends	CIBA Vision Freshlook Color	CIBA Vision Dura Soft 3 Colors and Dura SoftColor Blend
기본 곡률	8.3 mm	8.6 mm	8.6 mm	8.3 mm, 8.6 mm, 9.0 mm
디옵터	14.0 mm	14.5 mm	14.5 mm	14.5 mm
홍채문양 직경	12.4 mm	12.5 mm	12.5 mm	12.5 mm
동공크기	5.4 mm	5.0 mm	5.0 mm	5.0 mm
중심 두께(-3.0 D)	0.08 mm	0.08 mm	0.08 mm	0.06 mm
재질	Etagilcon A	Phemfilcon A	Phemfilcon A	Phemfilcon A
수분 함량	58%	55%	55%	55%
	CIBA Vision Elegance	CIBA Vision Wild Eye	EyCon EyColours	EyCon prosthetic Lens, any parameters
기본 곡률	8.4 mm, 8.7 mm	8.6 mm	Any base curve	8.6 mm
디옵터	13.8 mm	14.5 mm	14.3 mm	14.3 mm
홍채문양직경	12.0 mm	12.5 mm	11.5 mm	12.0 mm
동공크기	5.0 mm	5.0 mm	5.0 mm	투명 3 mm, 5 mm 검은동공 4.0 mm
중심 두께(-3.0 D)	0.08 mm	0.06 mm	0.11 mm, 0.06 mm	0.11 mm, 0.06 mm
재질	Polymacon	Phemfilcon A	Polymacon	Polymacon
수분 함량	38%	55%	38%	38%
디옵터	−1.00∼−6.00 D	0.00∼−6.00 D	+25.0∼−25.0 D	+25.0∼−25.0 D
	CooperVision Expressions	CooperVision Crazy Lens	CooperVision Prosthetic Lens	Innova Vision Calaview
기본 곡률	8.7 mm	8.6 mm	8.3 mm, 8.7 mm, 9.0 mm	8.6 mm
디옵터	14.4 mm	14.2 mm	14.5 mm	14.0 mm
홍채문양직경	12.6 mm	13.0 mm	12.00 mm	12.5 mm
동공크기	5.2 mm	5.2 mm	3, 4, 5, 6 mm 검은동공 4 mm	N/A
중심 두께 (−3.0D)	0.08 mm	0.07 mm	0.07 mm	N/A
재질	Methafilcon A	Methafilcon A	Polymacon	HEMA, MAA
수분 함량	55%	55%	38%	60%
디옵터	+4.00∼−6.00 D	0.00∼−4.00 D	+25.0 D∼−25.0 D	N/A

N/A : not apolicable

이상을 가진 경우에 적용될 수 있다.

(3) Therapeutic tinted lenses

기저질환이나 결함 등을 치료하기 위한 렌즈를 말하며 눈부심이 심한 환자나 무홍채증 환자 또는 복시를 호소하는 환자들에게 치료 목적으로도 사용 가능하다(그림 10-2). 또한 특수 컬러콘택트렌즈의 경우에는 색인지에 결함(defective color perception)이 있는 환자들을 위하여 개발되었으며 최근 태양광선에의 과도한 노출에 따른 위험성이 강조되면서 자외선을 차단하는 목적의 다양한 컬러콘택트렌즈들이 개발되어 자외선 노출 위험이 높은 사람들에

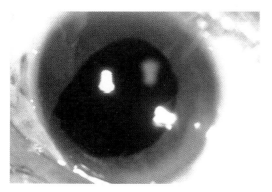
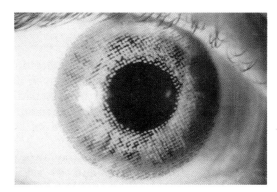

그림 10-2

외상성 홍채결손(좌측)으로 인한 눈부심을 호소하는 환자에게 치료 목적의 컬러콘택트렌즈를 착용시킨 후(우측)의 모습

게 처방되기도 한다.[4]

컬러콘택트렌즈는 다음과 같은 목적으로 사용될 수 있다.[5,6,7]

① 불투명한 과숙(hypermature) 백내장에서 가림용
② 교정이 불가능한 높은 사시각이 있는 경우의 사시 가림용
③ 홍채나 동공의 정상적인 크기, 외형, 색상으로 회복
④ 소안구증
⑤ 복시일 경우 차폐효과를 주는 동공 가림용
⑥ 색소결핍증
⑦ 치료하기 어려운 복시 제거용

3) 컬러콘택트렌즈의 적용 시 주의사항
(Clinical considerations)

(1) 시 기능에 미치는 영향(Visual effects)

컬러콘택트렌즈 착용 시 주변부에 입혀진 색으로 인해 주변부 시야가 흐려져 보인다고 하는 경우가 종종 있다. 또한 시야 역시 제한될 수 있고 조명에 따라 시력이 달라질 수 있다(fluctuations in vision).[8,9]

이는 환자의 동공 크기 및 콘택트렌즈의 움직임과 중심이탈(lens movement and decentration) 등에 영향을 받을 수 있다. 최근의 논문에서는 컬러콘택트렌즈 착용 시 안구 고위수차가 증가하였다는 보고도 있다.[10,11]

(2) 렌즈 피팅(Lens fitting)

컬러콘택트렌즈의 경우 약간 가파르게 처방하는 것이

움직임을 적게 하여 더 좋은 효과를 보일 수 있다. 동공 경계 가까이 덮는 것이 더 좋은 미용적 만족감을 줄 수 있지만 동공 부위가 덮이지 않는 것이 시력에 미치는 영향을 적게 하고 렌즈의 광학부 중심과 착용자의 동공 중심이 잘 일치하는 것이 중요하며 렌즈 처방 시에 잘 맞는지의 여부를 확인해야 한다. 이러한 중심잡기(centration)가 잘 맞아야 미용적으로 좋은 효과를 기대할 수 있을 뿐 아니라 앞서 언급했던 시야나 시력 저하를 최소화할 수 있다.

사용자의 각막에 맞지 않게 잘못 처방된 렌즈를 착용하는 경우 불규칙 난시가 발생할 수 있다.[12] 특히 동공부위를 제외하고 홍채 부위를 착색시킨 띠모양의 불투명 컬러콘택트렌즈를 착용 시 각막주변부에 각막형태검사상의 변화가 발생할 수 있으며 이로 인하여 착용 중, 착용 후 수시간 이내에 시력의 저하가 나타날 수 있다고 하였는데[13] Bucci FA 등은 이를 'annular tinted contact lens syndrome'이라고 명명하였다.[14]

따라서 렌즈 착용자에게 이러한 컬러콘택트렌즈가 시 기능에 미치는 영향에 대해 설명과 주의를 주는 것이 필요하겠다.

(3) 산소전달률(Dk/t)

Laminate construction 방식으로 제조된 경우는 렌즈 두께가 두꺼워지면서 Dk/t가 감소할 수 있으나 다른 제조 방식의 경우 특별히 컬러 착색이 렌즈 산소투과 및 전달에 영향을 주지는 않는다는 보고가 있다.[3,15]

(4) 렌즈 교체 주기(Replacement frequency)[3]

대부분의 경우 미용렌즈는 필요한 경우 간헐적으로 사용되는 경우가 많아서 일회용 렌즈가 더 편리할 수 있다.

(5) 단백질 침착(Lens deposits)

일회용 렌즈가 아닌 장기 사용하는 컬러콘택트렌즈의 경우 단백질 침착은 역시 중요한 문제가 될 수 있으며, 일부 색소 유착 과정에서 렌즈표면의 전하가 바뀌게 되면 단백질 침착을 야기할 수 있다.[16] 이는 결과적으로 시력 저하나 불편감, 건조감 증가 등을 유발할 수 있다.

(6) 안구 불편감 및 건조증

렌즈에 색을 입히는 과정에서 렌즈표면의 화학적 특성이 변하고 이는 표면 습윤성을 변화시키고 결과적으로 건조감을 야기할 수 있다.[17] 또한 컬러 부분의 표면의 거칠기는 착용 시 불편감을 야기할 수 있고[18] 세균유착을 높일 수 있다.[19]

4) 미용컬러콘택트렌즈의 관리

미용컬러콘택트렌즈 사용자는 대게 젊은 여학생인 경우가 많다. 기존의 연구에서 컬러콘택트렌즈 착용 후 심각한 각막염이 발생한 13명의 환자에 대한 보고[20]를 살펴보면 이들의 평균 연령은 19세이고 모든 환자는 미용 목적으로 렌즈를 착용하였으며 7명은 허가되지 않은 곳에서 렌즈를 구매하였고 5명은 친구들에게서 렌즈를 구했고 1명은 심지어 남이 사용하고 버린 렌즈를 착용했다고 하였다. 이들은 단지 미용용품으로 렌즈를 인식하고 다양한 색깔과 디자인의 렌즈를 경험하기 위해 친구들과 돌려가면서 착용하는 경우도 있었다고 한다.

그러나 최근 미용컬러콘택트렌즈에 대한 메타분석 연구에 의하면 전문가에 의해 적절하게 처방 및 관리된 렌즈 사용은 안전했다는 보고도 있었다.[2] 따라서 사용자 눈에 맞는 적절한 렌즈 처방 및 렌즈 취급에 대한 정확한 교육, 정기적인 안과적 검사가 컬러콘택트렌즈의 전반에 걸쳐 필요하다고 하겠다.

일반적으로 콘택트렌즈의 관리에 사용되는 용품은 컬러콘택트렌즈의 경우에도 사용이 가능하나 다목적관리용액(multipurpose solution, MPS)이나 과산화수소제 사용 가능 여부를 각 제품 설명서 등을 통해 확인할 필요가 있다.

5) 미용콘택트렌즈와 관련된 위험성 및 합병증
(Risk and problems associated with cosmetic lenses)[1]

간헐적으로 사용하게 되는 미용컬러콘택트렌즈의 경우 착용자가 렌즈 위생에 관해 주의를 덜 기울이는 경향이 있으며 최근 컬러콘택트렌즈에 대한 여학생 및 20대 여성의 관심이 증가하면서 컬러콘택트렌즈를 의료기기가 아닌 '미용소품'으로만 인식하는 경우가 많다. 정확한 정보나 지식 없이 인터넷에서 구입한 중고 컬러콘택트렌즈를 착용하거나, 안경점에서 권유하는 테스트용 컬러콘택트렌즈를 적절한 소독의 과정 없이 여러 사람이 번갈아 착용해보는 경우도 있는데 이런 경우 특히 합병증 발생이 우려된다.[21,22] 2001년 9월 미국에서 컬러콘택트렌즈 착용 후 세균성 각막염으로 시력을 상실하고 각막이식술을 받은 증례가 소개되면서 미국 FDA는 전문가에 의한 처방 없이 착용하는 컬러콘택트렌즈로 인한 영구적인 눈 손상 및 시력 상실 등의 위험에 대해 경고한 바 있다. 실제로 컬러콘택트렌즈 착용 후 녹농균을 비롯한 세균과 아칸트아메바, Fusarium 등의 진균에 의한 각막염의 사례가 보고된 바 있다.[23-25]

최근 보고에 의하면 렌즈표면의 색소 입자는 렌즈표면의 거칠기를 증가시키고 이는 세균 유착을 증가시켜 감염 위험을 높일 수 있다고 하였다.[19]

더욱이 콘택트렌즈 장착 과정이 부적절하여 잘 맞지 않게 장착된 상태에서 환자에게 제공되거나 잘 움직이지 않도록 장착된 경우 렌즈 아래의 이물질이나 잔여물이 더욱 위험 요소가 될 수 있다. 특히 연속착용 콘택트렌즈의 경우 이러한 증상이 잘 나타날 수 있다.[26]

2006년 2월 일본 국민생활센터에는 컬러콘택트렌즈를 착용했다 부작용을 겪었다는 소비자들이 증가함에 따라 시판중인 제품을 대상으로 안정성과 품질검사를 시행한 결과 4개 제품으로 색소가 녹아 나오는 것으로 확인되었으며 3개 상품에서는 티타늄과 알루미늄이 녹아 나왔으며 야간 시력 측정 시 4개가 시력을 크게 저하시키는 것으로 나타난 바 있다. 또 6종류의 렌즈의 경우 착용 후 각막표면에 미세한 상처를 내는 것으로 확인하였다.

국내에서는 2003년 한국소비자보호원에서 컬러콘택트렌즈를 착용했다가 각막에 상처를 입는 사례가 크게 늘어 소비자 안정경보를 발령한 바 있으며 2006년 식품의약품안전처에서는 '2006년 의료기기 감시 기본계획'에 따라 일반인이 많이 사용하는 컬러콘택트렌즈 제조 및 수입업소 40곳의 18개 제품을 수거해 품질검사를 시행한 결과 두 개 제품에 대해 부적합 판정을 내린 바 있다.

콘택트렌즈는 식품의약품 안정청장의 허가를 받아 제조, 수입하는 의료용구로 렌즈의 재질 및 착색제 등의 기준이 정해져 있다. 컬러콘택트렌즈는 단순한 미용용품이 아닌 의료기기이며 따라서 적합한 허가 기준을 통과한 제품을 본인의 눈에 맞게 처방 받아 사용하여야 하며 착용 후 적절한 관리 및 치료가 이루어져야 함을 주지시켜야 한다.[2]

2014년 5월 일본 국민생활센터의 보고에 따르면 PIO-NET(일본소비생활정보 네트워크시스템)에 의하면, 컬러콘택트렌즈에 관한 상담이 2004년 4월 1일부터 2014년 3월 31일까지 10년간(2004년 4월 1일부터 2014년 3월 31일) 737건이 집계되었는데, 최근 5년(2009년~2013년) 동안은 541건으로 최근에 상담건수가 증가하고 있다고 한다. 이는 일본의 경우 통신판매가 81.4%(600건)로 가장 많아 점포판매(15.7%, 116건)의 약 5배를 차지하는 등 구매와 관리가 적절치 않게 이뤄지는 것에 가장 큰 문제가 있을 것으로 예측하였다. 일본 자국 내 시중에 유통되는 렌즈를 수거하여 검사한 결과 직경, 기본커브(base curve), 정점 굴절력(렌즈의 도수), 렌즈 중심부의 두께, 착색 상태가 기재사항과 다른 경우가 발견되었고 특히 렌즈의 착색이 각막측 혹은 눈꺼풀측에 직접 노출형태로 되어 있거나 그로 인해 거칠기가 매우 증가해있는 경우도 관찰되었다. 또한 렌즈의 반복적인 세척에 따른 색소의 탈색, 교정시력의 저하, 8시간 착용 후 각막부종, 각결막 상피장애, 윤부 충혈이 다수의 렌즈에서 관찰되었다. 이는 소재뿐만이 아니라, 착색 범위, 착색 방법, 착색제 종류 등에도 영향을 받을 수 있는 것으로 예상되었다.

컬러콘택트렌즈는 주로 미용 목적으로 사용되는 경우가 흔하지만 국내의 경우 굴절이상의 교정과 더불어 사용되는 경우가 많기 때문에 일반 콘택트렌즈와 같이 장시간 착용을 하는 경우가 흔하다. 일반 콘택트렌즈에 비해 색소를 삽입하는 제조과정이 추가로 요구되기 때문에 이와 관련한 강화된 관리가 필요하며 이에 대해 안과 의사들의 정확한 지식과 관심이 필요하다 하겠다.

▶ 참고문헌

1. Lazarus M. Cosmetic and prosthetic contact lenses. In : Phillips AJ, Speedwell L. Contact lenses, 5th ed. Oxford: Elsevier Butterworth-Heinemann, 2007;Chap. 25.

2. Rah MJ, Schafer J, Zhang L, Chan O, Roy L, Barr JT. A meta-analysis of studies on cosmetically tinted soft contact lenses. Clin Ophthalmol 2013;7:2037-42.

3. Efron N, Efron S. Tinted lenses. In : Contact Lens Practice, 2nd ed. Oxford: Elsevier Butterworth-Heinemann, 2010;Chap. 24.

4. Meyler J, Schnider C. The role of UV-blocking soft contact lenses in ocular protection. Optician 2002;223:28-32.

5. Cole CJ, Vogt U. Medical uses of cosmetic colored contact lenses. Eye Contact Lens 2006;32:203-6.

6. Rajak SN, Currie AD, Dubois VJ, Morris M, Vickers S. Tinted contact lenses as an alternative management for photophobia in stationary cone dystrophies in children. J AAPOS 2006;10:336-9.

7. Phillips AJ. The use of a displaced, tinted zone, prosthetic hydrogel lens in the cosmetic improvement of a strabismic, scarred cornea. Clin Exp Optom 1989;72:1-2.

8. Josephson JE, Caffery BE. Visual field loss with colored hydrogel lenses. Am J Optom Physiol Opt 1987;64:38-40.

9. Albarran DC, Montes-Mico R, Pons AM et al. Influence of the luminance level on visual performance with a disposable soft cosmetic tinted contact lens. Ophthal Physiol Opt 2001;21:411-9.

10. Hiraoka T, Ishii Y, Okamoto F, Oshika T. Influence of cosmetically tinted soft contact lenses on higher-order wavefront aberrations and visual performance. Graefes Arch Clin Exp Ophthalmol 2009;247:225-33.

11. Takabayashi N, Hiraoka T, Kiuchi T, Oshika T. Influence of decorative lenses on higher-order wavefront aberrations. Jpn J Ophthalmol 2013;57:335-40.

12. Hunt L. Annular tinted contact lenses caused irregular astigmatism. Insight 2000;25:16-7.

13. Voets SC, Collins MJ, Lingelbach B. Recovery of corneal topography and vision following opaque-tinted contact lens wear. Eye Contact Lens 2004;30:111-7.

14. Bucci FA, Evans RE, Moody KJ et al. The annular tinted

contact lens syndrome:corneal topographic analysis of ring-shaped irregular astigmatism caused by annular tinted contact lenses. CLAO J 1997;23:161-7.

15. Benjamin W, Rasmussen M. EOPs of tinted lenses. Contact Lens Spectrum 1986;1:12-6.

16. Lowther G. A review of transparent hydrogel tinted lenses. Contax 1986;6-9.

17. Daniels K, Mariscotti C. Clinical evaluation of dot matrix hydrogel tinted lenses Contact Lens Spectrum 1989;4:69-71.

18. Steffen RB, Barr JT. Clear versus opaque soft contact lenses: Initial comfort comparison. Int Contact Lens Clin 1993;20:184-6.

19. Chan KY, Cho P, Boost M. Microbial adherence to cosmetic contact lenses. Cont Lens Anterior Eye 2014;37:267-72.

20. Singh S, Satani D, Patel A, Vhankade R. Colored cosmetic contact lenses: an unsafe trend in the younger generation. Cornea 2012;31:777-9.

21. Steiemann TL, Pinninti U, Szczotka LB, Eiferman RA, Price FW. Ocular complications associated with the use of cosmetic contact lenses form unlicenced vendors. Eye Contact Lens 2003;29:196-200.

22. Steimann TL, Fletcher M, Bonny AE et al. Over-the-counter decorative contact lenses: Cosmetic or Medical Devices? A case series. Eye Contact Lens 2005;31:194-200.

23. Colin J, Aitali F, Malet F, Touboul D, Feki J. Bilateral infectious keratitis in a patients wearing cosmetic soft contact lenses. J Fr Ophthalmol 2006;29:665-7.

24. Connell BJ, Tullo A, Morgan PB, Armstrong M. Pseudomonas aeruginosa microbial keratitis secondary to cosmetic coloured contact lens wear. Br J Ophthalmol 2004;88:1603-4.

25. Gagnon MR, Walter KA. A case of A canthoamoeba as a result of a cosmetic contact lens. Eye Contact Lens 2006;32:37-8.

26. Almesmary AA. Laboratory study of the cytotoxicity of colored soft contact lenses. Cesk Slov Oftamology 1999;55:28-38.

노안교정 콘택트렌즈

Contact lens correction for presbyopia

정 소 향

1. 서론

노안은 40세 이후가 되면 누구나 나타나는 생리적인 현상으로 눈의 자동 조절능력의 소실로 인한 근거리 시력 저하를 특징으로 한다. 연령에 따라 조절력은 20대에는 10 디옵터, 30대에는 7 디옵터, 40대에는 5 디옵터, 그리고 50대 이상은 2.5 디옵터로 감소하며, 일반적으로 조절력이 5 디옵터 이하로 저하되면 근거리 작업에 불편함을 느끼게 된다.[1,2] 노안은 신체의 노화현상이 시작될 때 나타나는 현상으로 수정체의 경화 및 모양체근과 모양체소대의 약화가 원인으로 생각된다(표 11-1).

최근 중장년층 및 고령에서 왕성하게 일을 하는 비율이 증가하고, 대외적으로 스포츠 활동이 늘어나며, 미적인 측면이 대두되면서 노안을 해결하기 위하여 여러 가지 방법이

표 11-1 연령에 따른 눈의 변화

수정체	경화도가 증가 크기증가 모양의 변화 굴절률의 변화
수정체낭	경화도의 증가 두께가 증가
모양체소대	경화도의 변화 기하학적 구조의 변화 모양체소대의 수가 감소
모양체근	움직임의 감소

강구되었다. 수술적 노안교정 방법으로는 레이저 열각막성형술(laser thermal keratoplasty), 노안교정 고주파 각막성형술(near vision conductive keratoplasty), PRK (photorefractive keratectomy), 라식(laser in situ keratomileusis), 각막 인레이 등의 수술방법이 있다. 이러한 수술방법은 침습적이고 비가역적이므로, 수술이 불가능하거나, 부담스러운 환자에서는 안경이나 콘택트렌즈를 통해서도 노안교정이 가능하다. 안경을 통한 교정방법으로 과거에는 근거리 안경을 사용하였으나, 최근에는 근거리와 원거리를 함께 교정할 수 있는 이중초점안경, 다초점안경도 개발되어 보편화 되었다.[3,4]

안경과 더불어 젊은 시절 콘택트렌즈를 사용하였던 환자는 콘택트렌즈를 이용한 노안 교정이 시도되고 있다. 초기에는 원거리 교정용 콘택트렌즈를 착용하고, 근거리 안경을 덧쓰는 방법이 시도되었고, 안경을 썼다 벗었다 하는 불편함을 제거하기 위해 한쪽 눈에는 근거리 교정용 콘택트렌즈를 사용하고, 반대쪽 눈에는 원거리 교정용 콘택트렌즈를 사용하는 따로보기(monovision)의 방법도 사용되고 있다. 그 이후 이중초점 콘택트렌즈가 발달되어 원거리와 근거리 교정에 사용되고 있으며, 다초점 콘택트렌즈가 개발되어 중간거리 시력까지도 교정 가능하게 되었다. 특히 콘택트렌즈로 노안을 교정하는 방법은 안경 착용에서 나타나는 불편감이 없으며 미용적인 측면에서도 긍정적으로 평가되어 수요 또한 증가하고 있다.

2. 노안 교정방법의 선택

노안을 교정하기 위해 콘택트렌즈를 사용하는 경우 기존의 근시나 원시 렌즈 처방법과는 달리, 고려해야 할 사항이 많은데, 그중 대표적인 것으로 적절한 환자의 선택, 교정방법, 렌즈의 재질, 렌즈의 디자인 등이 있다.

1) 적절한 환자 선택 시 고려사항

노안 렌즈를 착용하기 적합한 사람은 50세 전후의 나이, 1.5 디옵터 또는 그 이하의 근거리 첨가도수를 필요로 하는 굴절상태로서, 안경 착용으로 불편감이 있고, 업무범위가 다양한 사람이라고 할 수 있다(표 11-2).

2) 교정방법에 따른 선택

교정방법 선택 전에 우세안과 비우세안이 결정되어야 하며, 우세안의 선택에 따라 교정방법이 결정된다(표 11-3). 가장 쉽고 간단한 방법은 일반적인 단초점 원거리용 렌즈를 착용하고 그 위에 근거리용 안경을 착용하는 방법이 있으며, 한눈에 원거리용 렌즈를 착용하고 다른 눈에 근거리용 렌즈를 착용하여 인위적으로 부등시를 만드는 따로보기

표 11-2   노안교정 콘택트렌즈를 위한 대상자

쉬운 대상자	어려운 대상자
원거리 시력교정이 필요한 사람	정시
기대치가 높지 않은 사람	기대치가 높은 사람
안경으로 일상생활에 불편함이 큰 사람	안경에 만족하는 사람
현재 콘택트렌즈에 불만족	현재 콘택트렌즈에 만족
안구표면이 건강한 사람(눈물의 양과 질)	안구표면이 불안정한 사람

표 11-3   노안교정을 위한 선택

Study	Source of data	Analysis measure
Monovision	D	N
Bifocal	D/N	D/N
Multifocal	D/I&N	D/I&N
Modified monovision	D	D/N

D, distance; I, intermediate; N, near.

가 있다. 또한 양안에 이중초점(bifocal) 렌즈나 다초점(multifocal) 렌즈를 착용하거나, 우세안에 원거리용 렌즈를 사용하고 비우세안에 이중초점렌즈를 사용하는 변형된 따로보기(modified monovision) 방법도 이용된다.[5]

따로보기는 환자가 양안을 뜨고 있는 상태에서 원거리와 근거리 시력 교정이 가능하며, 소프트콘택트렌즈와 RGP렌즈(rigid-gas permeable contact lens, 산소투과경성콘택트렌즈) 모두에서 처방 가능하다. 따로보기는 교정방법이 간단하여 별다른 처방기법이 필요하지 않으며, 처음 착용하는 환자들에 있어서도 적응도를 쉽게 알 수 있기 때문에 처방결정을 빨리 내릴 수 있고, 시력의 질이 좋고, 다른 방법에 비해 비용도 저렴한 장점이 있다. 그러나 단점으로 입체시와 대비감도가 떨어지며, 특히 운전시 눈부심으로 인한 불편감이 커서 주의를 필요로 한다.[6] 또한 중간거리에서는 만족할 만한 시력을 얻지 못할 수 있으며, 단안의 환자에서는 적용할 수 없고, 두 눈의 시력차이가 어느 정도 있는 경우에 효과가 좋다(표 11-4).

3) 콘택트렌즈의 재질

노안교정용 콘택트렌즈도 일반 콘택트렌즈와 비슷하게 소프트 재질(Hydrogel)과 RGP 재질(Fluorosilicone)로 나뉠 수 있다. 소프트 재질은 비구면과 동심원상의 원근 동시보기 형태의 디자인이 대표적이며, 최근에는 일회용 노안교정용 소프트렌즈도 보편화 되어가는 추세이다. 노안교정용 소프트렌즈는 렌즈의 중심잡기와 착용 시 편안함이 중요하다. 만약 렌즈가 눈을 깜빡일 때마다 심하게 움직이고, 주

표 11-4   따로보기 대상자

쉬운 대상자	어려운 대상자
심한 굴절이상이 있는 초기 노안환자	고도의 집중력이나, 시각적으로 중요한 일을 하는 환자
사무실 근로자, 자동차 기계공, 약사 등과 같이 아래로 읽는 작업보다 정면으로 읽는 작업을 하는 환자	건성안이 있는 환자
현재 콘택트렌즈를 착용하는 환자	시력의 질에 대한 요구도가 큰 환자
현실적인 기대와 의지를 가지고 의욕적인 환자	

시방향에 따른 움직임이 심하면 원하는 원거리 및 근거리 시력을 얻는데 실패할 수 있다.

RGP 재질은 함수율이 낮아 렌즈가 눈물을 빼앗아 가지 않으며, 실리콘의 함량을 최소화하여 안구건조증이 적고, 높은 Dk/t (Oxygen transmissibility, 산소전달률)로 인해 만성적인 충혈증상을 줄일 수 있다. 또한 RGP 재질은 소프트 재질보다 다양한 디자인의 렌즈를 제작할 수 있기 때문에 보다 좋은 결과를 얻을 수 있다.

4) 콘택트렌즈의 디자인

노안교정을 위한 다초점 소프트렌즈와 RGP렌즈는 크게 원근 동시보기(simultaneous vision type)와 원근 교대보기(alternating vision type)로 나뉘어지며, 일반 콘택트렌즈와는 달리 디자인이 다양하고, 제조사별로도 서로 다른 디자인을 적용하고 있어, 같은 도수를 처방한다고 하더라도 디자인에 따라 시력 및 시기능에 대한 만족도가 달라질 수

있다(그림 11-1, 표 11-5).

(1) 원근 동시보기(simultaneous vision type) 디자인

원근 동시보기는 원거리와 근거리의 사물에 대한 빛이 동시에 망막에 도달하여, 환자가 선택적으로 선명한 상은 유지하고, 흐린 상은 억제하여 선명한 상만 보는 방법이다. 주시방향에 관계없이 동공 내에 원거리와 근거리 교정 도수가 같이 위치하여, 모든 주시방향에서 근거리와 원거리를 볼 수 있다. 그러나 선명한 상과 흐린 상이 동시에 망막에 초점을 맺어, 대비감도가 떨어지며, 동공의 크기에 따라 시력이 영향을 받는다.[7] 원근동시보기는 크게 비구면(Aspheric) 디자인, 동심원(Concentric) 디자인, 그리고 회절(Diffractive) 디자인으로 분류된다. 비구면 디자인은 두 가지로 나뉘어 지는데, 원거리-중심 비구면렌즈(centre-distance)는 렌즈의 후면에 편심률이 위치하여 중심에서 주변부로 갈수록, 플러스 파워가 증가하고, 근거리-중심 비구면렌즈(centre-near)는 중심부에 최대 플러스 파워가

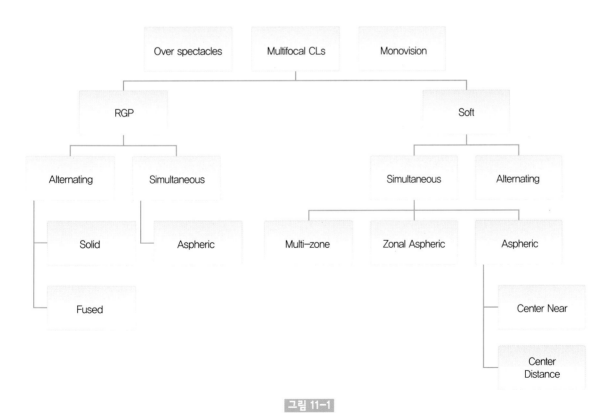

콘택트렌즈 디자인에 따른 분류 (Christie The correction of presbyopia with contact lens, 2007)

표 11-5 콘택트렌즈 디자인에 따른 대상자

	따로보기	원근 동시보기	원근 교대보기
쉬운 대상자 (처음 시작시)	1. 굴절이상이 심한 사람 2. 아래로 읽는 작업보다 정면으로 읽는 작업을 하는 환자 3. 현재 콘택트렌즈를 착용하는 사람 4. 동기가 있고 현실적인 기대치를 가진 사람	1. 노안이 시작되는 콘택트렌즈 착용자 2. 중간거리 시력이 요구되는 사람 3. 난시가 없는 사람 4. 현실적인 기대치를 가진 사람	1. 초기나 진행된 노안환자 2. 하안검이 윤부아래로 1 mm 이상 떨어지지 않는 경우 3. 근시나 적은 원시를 가진 환자 4. 정상적인 안검열의 크기 5. 정상적인 안검력
어려운 대상자 (경험이 많은 경우)	1. 정시나 교정되지 않는 원시, 적은 근시 2. 정밀한 작업이 요구되는 경우 3. 건성안 증상 4. 시력요구도가 크고 기대치가 높은 사람	1. 원거리 시력저하를 받아들이지 못하는 경우 2. 중등도 이상의 원시 교정 3. 원시나 원시에 근접한 굴절이상 4. 난시교정이 필요한 경우 5. 동공크기가 작은 사람 (< 3 mm)	1. 고도원시 2. 작은 안검열의 크기 3. 느슨한 하안검

존재하고 주변부로 갈수록 파워가 감소한다. 동심원(concentric) 디자인은 정상 실내조명에서 동공 내 2/3~3/4 위치에 작은 동심원 부위가 있어, 이 부분이 원거리 교정을 담당하며, 근거리 교정은 동심원 부위를 둘러싸는 영역이 담당한다. 회절 디자인은 콘택트렌즈의 구조를 변화시켜 빛이 들어오는 양을 조절해 초점을 맺는 방식으로 렌즈 후면이 근거리 교정을 담당한다.

(2) 원근 교대보기(alternating vision type) 디자인

원근 교대보기는 주시 방향에 따라 원거리 혹은 근거리를 선택적으로 보는 방식으로, 이중초점 렌즈의 경우 일반적으로 렌즈의 중심을 기준으로 아래 부분에 근거리 교정도수가 있고, 윗부분에 원거리 교정도수가 추가되어, 근거리를 주시할 때는 시선이 아래쪽을 향하여 동공이 렌즈 하부를 지나도록 한다.[8] 원근 교대보기는 원근의 상이 안경으로 보는 것처럼 깨끗하며, 입체시와 대비감도가 좋은 장점이 있다. 그러나 선명한 상을 얻기 위하여 동공이 렌즈 상부나 하부에 정확히 일치해야 하며, 눈의 움직임에 따라 렌즈가 같이 움직이지 않아야 하기 때문에 일반적으로 편평하게 디자인되어 있다. 따라서 안검의 위치와 긴장도에 따라 장착이 보다 까다롭고, 보는 위치에 따라 시력이 다르게 보일 수 있으며, 중간거리의 시력이 떨어지는 단점이 있어, 대상자를 선택할 때는 눈꺼풀 장력이 정상이고, 근거리첨가도수(add power)가 +2.5 디옵터 이하인 사람이면서, 아주 정교한 시력을 요구하지 않는 사람에게 적합하다.

3. 대표적인 콘택트렌즈

1) 이중초점렌즈와 다초점렌즈

(1) 이중초점렌즈

이중초점렌즈는 교대보기 방법으로 처음으로 시도된 렌즈로써, 정면을 주시하면 렌즈의 원용부를 보게 되고, 하방 주시시 하안검에 의해 렌즈가 상방으로 이동하여 아래쪽의 근용부를 통해 노안을 교정할 수 있다. 앞서 언급한 바와 같이 시력의 질이 좋으나, 하안검의 장력에 의해 영향을 받을 수 있으며, RGP 재질이 많이 사용되고 있으나, 최근에는 소프트렌즈 재질로도 시판되어 있다. 이중초점 렌즈는 착용시 불편함을 최소화하기 위해 일정한 이행부(translation zone)를 형성하는 것이 중요하다. 원용부와 근용부를 구별하는 영역은 segment 모양(그림 11-2)에 따라서 다양하며, 렌즈의 안전성과 위치, 이행부는 렌즈의 프리즘과 절단면에 의해 결정된다.

(2) 비구면 RGP(rigid-gas permeable) 다초점렌즈

비구면 RGP 다초점렌즈는 대개의 경우 렌즈 후면이 0.65 이상의 높은 E값(eccentricity value, 편심률)으로 제작되며 이러한 독특한 렌즈의 구조는 중심부에서 주변부로 갈수록 편평해지며, 굴절도도 낮아지게 되어 근거리를 볼 때 렌즈 주변부를 통해서 보게 되면 플러스렌즈(돋보기)를 착용한 효과가 생겨 이러한 점을 노안교정에 이용하게 된다.[9] 초기 디자인에서 최대한의 근거리 시력호전을 위해서

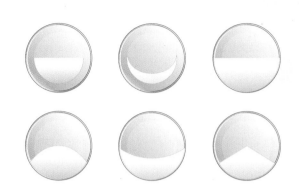

그림 11-2

이중초점 렌즈의 segment 형태

는 편심율을 크게 하였지만, 최근에는 낮은 편심율의 렌즈도 사용되고 있다.

후면비구면렌즈 디자인은 양성 구면수차를 유도하여 근거리 시력을 교정하는데, 편심율이 높을수록 근거리 시력교정이 잘되며, 초기 노안환자에서 추천된다. 후면 비구면렌즈 디자인의 소프트렌즈는 착용 시 큰 문제가 없으나, RGP렌즈의 경우 렌즈 후면과 각막 전면의 형상이 달라, 각막지형도 검사를 바탕으로 처방해야 한다.

전면비구면렌즈 디자인은 음성 구면수차를 유도하여 렌즈중심부에 플러스 파워를 감소시켜, 중심부에서 근거리 시력을 교정한다(표 11-6).

비구면렌즈 디자인의 장점은 비구면 곡률반경으로 인하여 착용감이 좋아 이전에 소프트렌즈를 착용하였거나 RGP렌즈를 처음 사용하는 경우에도 비교적 적응이 쉬우며, 작업 범위가 넓어 중간거리의 컴퓨터를 사용하는 사람

표 11-6 비구면 RGP 다초점렌즈 대상자

쉬운 대상자	어려운 대상자
아래눈꺼풀이 각막윤부 위로 올라오는 사람(렌즈가 윤부아래 위치 시 중심잡기를 방해)	원거리 시력이 중요한 사람
동공이 작거나 평균크기(동공이 큰 사람은 수차를 유발)	동공크기가 큰 사람
눈꺼풀이 느슨한 사람	동기가 결여된사람
각막곡률이 가파른 사람	

에게 좋다. 또한 중등도 이상의 각막난시가 있어도 난시교정이 가능하며, 눈을 깜박일 때도 비교적 안정적인 시력을 유지할 수 있고, 처방이 쉽다. 단점으로는 원근거리의 시력을 보기 위한 적응기간이 필요하며, 동공크기에 따라 시력의 질이 달라져, 어두운 곳에서 동공이 커질 경우 원근이 동시에 보이므로 대비감도(contrast sensitivity)가 떨어지며, 렌즈가 항상 중심에 위치해야 정확한 이미지를 볼 수 있다.

2) 동심원(concentric) 디자인의 다초점 렌즈

(1) 이중초점 동심원 콘택트렌즈 디자인

(biconcentric design)

원거리와 근거리 2가지 도수가 렌즈 광학부내에 동심원 형태로 위치하여, 렌즈의 중심부에 원거리 도수가 위치하고, 그 주변을 근거리도수가 둘러싸는 원거리-중심 디자인과 그 반대로 근거리 도수가 중심에 위치한 근거리-중심 디자인이 있다. 이중초점 동심원 디자인은 동공의 크기에 영향을 받게 되는데, 근거리 주시시 동공이 줄어들고, 고령일수록 동공크기가 작아 밝은 불빛에 노출되어 동공 크기가 감소하는 경우, 원거리-중심 디자인의 경우 근거리 시력의 질이 떨어지고, 근거리-중심 디자인의 경우는 원거리 시력의 질이 떨어질 수 있다.[10]

(2) 다중 동심원 다초점 콘택트렌즈 디자인

(multizone concentric design)

이중 동심원 초점렌즈가 빛에 따른 동공의 크기 변화에 민감하기 때문에 이를 보완하기 위해, 광학부에 원거리와 근거리도수를 번갈아 가며 위치하도록 여러 개의 동심원을 위치시켜, 동공에 대한 의존성을 줄이고자 고안된 렌즈이다. 근거리와 원거리 동심원 크기 비율은 노안 인구의 평균 동공크기를 감안하여 결정하였으며, 조명이 어두운 경우에도 원용부와 근용부에 들어오는 빛의 양을 비슷하게 하여, 동공크기에 따른 영향을 최소화하였다. 그러나 동공에 여러 개의 동심원이 걸치게 되어 빛 번짐, 달무리, 복시가 발생할 수 있다.

3) 구역별 비구면 콘택트렌즈 디자인
(Zonal aspheric design)

구역별 비구면 디자인은 다중 동심원형과 비구면 방식을 혼합하여 모든 주시 방향에서 균형적인 시력을 유지할 수 있도록 디자인되었다. 렌즈는 전면부에 구역별로 비구면 표면을 가져 정상 눈의 초점심도를 구현할 수 있도록 설계되어 있으며, 0.75에서 2.50 디옵터까지의 굴절력을 추가할 수 있다. 시력이 동공크기에 의해 좌우되는 정도를 줄였으며, 복시의 문제를 개선하도록 하였다. 또한 후면 비구면 방식을 적용하여 렌즈가 각막에 최적으로 장착될 수 있도록 설계되었다.

4) 회절 콘택트렌즈 디자인(Diffractive design)

회절 콘택트렌즈는 원거리 교정을 위해 굴절방식을 이용하고, 근거리 교정을 위해서는 빛의 굴절과 회절이 결합된 방식을 사용한다. 렌즈 후면 회절형 구역 판(diffractive zone plate)이 동심원으로 위치하여 빛을 분산시켜 작용하는 원리이다. 렌즈의 동심원은 세극등현미경으로 관찰가능하며, 형광 염색을 하면 더 잘 보인다. 원근 동시보기 방식의 일종으로 원거리와 근거리에 빛이 분산되어 초점이 맺히므로 평균적으로 20% 정도의 빛 손실이 발생하여 시력의 질이 떨어질 수 있으며, 다른 비구면렌즈와 같이 렌즈의 중심잡기(centering)에 민감하다. 그러나 동공크기에 영향을 받지 않는 장점이 있다.[11]

4. 콘택트렌즈 착용 전 검사

노안 콘택트렌즈가 적합한 환자인지 평가하기 위해서는 연령과 관련된 안구의 생리적인 변화를 파악하고, 적절한 문진과 함께 해부학적인 평가, 즉 눈꺼풀 및 눈물막 검사, 굴절 및 각막곡률검사 등과 같은 사전검사가 필요하며, 직업, 작업환경, 콘택트렌즈 기왕력을 알아보아야 한다. 노안 치료에 적합한 대상자로 간주되는 경우 여러 가지 노안교정 방법 중에 환자의 동기와 기대치에 근거하여 가장 적합한 방법을 선택할 수 있도록 하여야 한다.[5]

1) 문진
① 콘택트렌즈 사용목적 및 동기, 기대치 파악
② 콘택트렌즈의 착용 경험: 과거 콘택트렌즈 착용에 실패한 경험여부
③ 안과적 기왕력: 레이저굴절교정수술 혹은 미용 안검 수술여부
④ 약 복용 유무: antihistamines, anticholinergics, oral contraceptives 등 안구건조증을 유발하는 약물

2) 외안부 검사
① 안검열크기: 평균 9~10 mm
② 안검열위치: 하안검열이 하윤부 1 mm 이하 아래 위치할 때는 RGP 다초점 콘택트렌즈 착용이 부적합하다.
③ 안검력(eyelid force): 상안검을 반전시켜 잘 반전되면 느슨한 안검, 잘 안되면 팽팽한 안검으로 정의한다.
④ 동공크기: 정상적인 실내 조명에서 동공크기 5 mm 이상은 비구면 디자인 다초점렌즈가 부적합하며, 동공크기가 작은 경우 중심에 근용부가 위치하는 디자인의 경우 영향을 받는다.
⑤ 눈깜박임: 눈 깜박임 횟수 관찰 정상: 1분에 10~15회

3) 눈물에 대한 검사
① 눈물막파괴시간 검사(tear break up time): 10초 이상이면 이상적이고, 6~9초 사이인 경우 렌즈 착용시간을 줄이는 것은 권장하고, 5초 이하이면 콘택트 렌즈가 부적합하다.
② 쉬르머 검사(Schirmer test): 5 mm 이하인 경우 콘택트렌즈 착용이 부적합하다.

4) 굴절검사
원거리 시력, 근거리 시력, 근시, 원시 및 난시 정도를 측정한다.

5) 각막형태검사
원추각막 및 각막표면의 불규칙성을 진단할 수 있다.

5. 처방절차

콘택트렌즈 처방시 교정하려고 하는 렌즈의 디자인에 따라 이상적인 장착을 알아야 하며, 환자의 굴절요구에 최대한 근접하게 시험렌즈를 장착해야 한다. 렌즈 처방에 가장 중요한 것은 환자의 현실적인 기대치이다. 따라서 상담을 통해 현재 여러 가지 노안 교정법에 대해 설명하고, 환자에게 가장 이상적인 교정방법을 권유해야 한다. 콘택트렌즈로 노안을 교정하는 방법은 렌즈의 종류마다 다양하므로, 각 제조사별로 적용하는 디자인 방식에 차이가 있어, 개별 제조업체의 처방가이드를 숙지하는 것이 매우 중요하다.

1) 우세안 검사와 시험 콘택트렌즈 결정(환자의 특성 고려)

2) 시험 콘택트렌즈 피팅

이중초점렌즈의 경우 원용부 파워를 결정할 때는 굴절검사에서 얻어진 원거리 도수에서 정점간 거리를 고려한 후 시험콘택트렌즈를 정하도록 한다. 비구면렌즈는 편심율에 따라 처방이 달라질 수 있으나, 일반적으로 노안교정용 비구면렌즈는 편심율이 높아, 0.9 정도의 편심율을 가지며, 이때는 가파른 기본 커브에서 시작하여 기본 커브를 결정 후 시험렌즈를 피팅하며, 착용 후 렌즈가 중심에 위치하고 움직임이 크지 않아야 한다. 이후 덧댐 굴절검사를 해서 도수를 결정하게 되는데, 원거리 도수를 변경이 필요한 경우는 우세안의 도수를 변경하고, 근거리도수 변경이 필요할 때는 비우세안의 도수를 변경시킨다.

3) 렌즈조정(Lens adjustments)

덧댐 굴절검사를 통해 원거리시력 평가를 시행하는데, 포롭터는 들어가는 빛을 감소시켜 동공크기에 영향을 줄 수 있으므로, 시험용 안경테를 사용하여 검사를 한다. 단안 검사를 할 때는 검사하지 않는 다른 눈은 차폐가 아닌, 운무를 시킨 상태로 검사를 진행하여, 원거리 도수가 정해진 후에는, 근거리 시력을 양안시 상태로 검사한다. 예상치와 비슷한 결과를 얻거나 책이나 신문 등을 읽는데 큰 불편사항이 없다면 더 이상의 세부 조정은 불필요하다. 만약에 예

표 11-7	노안 정도에 따른 콘택트 렌즈 처방 접근법
초기 노안환자(+1.0 디옵터까지)	
동시보기 방법: 양안 완전 교정 따로보기 방법: 원거리 교정과 근거리 완전교정	
중기 노안환자(+1.25에서 2.0 디옵터까지)	
동시보기 방법: 양안 완전 교정 교대보기 방법: 양안 완전 교정(과교정하지 말 것) 따로보기 방법: 원거리 교정과 근거리 완전교정	
말기 노안환자(+2.25에서 3.00 디옵터까지)	
동시보기 방법: 변형된 따로보기 방법 및 강화된 따로보기 방법 교대보기 방법: 양안 완전교정 따로보기 방법: 원거리 교정과 근거리 부분교정, 추가 근거리 안경 고려	

상치에 비해 시력이 나오지 않는 경우는, 0.25 디옵터씩 도수를 증감시켜 교정하는데, 한 단계 도수인 0.25 디옵터의 원거리 도수 변화에도, 원거리 혹은 근거리 시력에 미치는 영향이 크다는 것을 알아야 한다. 한가지 주의할 점은 도수 조정을 통해 근거리 시력을 향상시키고자 할 때, 원거리 시력에 미치는 영향을 최소화하는 조정을 해야 하는데, 이는 일반적으로 원거리 시력이 만족스러울 때, 근거리 시력의 일정 부분 감소에 대한 불만족을 상쇄할 수 있기 때문이다. 노안 정도에 따라 교정해야 하는 굴절도수는 아래와 같다 (표 11-7).[12]

4) 추적관찰

렌즈 처방 후 일주일 뒤 반드시 덧댐 굴절검사를 시행하여 굴절력의 변화 유무를 알아 보아야 한다. 또한 각막곡률 검사를 시행하여 K값(K value)의 변화를 살펴보고 심하게 가팔라지거나 편평해졌을 경우 렌즈의 곡률반경을 다시 조절한다. 눈깜빡임 시 렌즈의 움직임과 중심에 렌즈가 위치하는지 확인하고, 환자에게 일상 생활에서 불편한 사항이 없는지 물어보고, 필요하다면 처방도수를 조정하도록 한다.

6. 결론

수명이 길어지면서 노안인구는 점점 많아지고 삶의 질이 향상되면서 근거리용 안경을 쓰는 것에 대해 환자들의 거

부감이 증가되고 있다. 현재까지 효과와 장기적인 안정성이 입증된 노안수술이 확립되지 않은 만큼 노안교정 콘택트렌즈에 대한 관심은 지속될 것이다. 환자의 노안정도, 굴절력, 기대치, 직업 등을 고려하여 적절한 디자인의 콘택트렌즈를 처방한다면 만족할만한 효과를 가져올 수 있으며, 가역적이라는 점에서 노안교정 콘택트렌즈는 노안의 좋은 치료방법 중의 하나라고 생각된다.

▶ **참고문헌**

1. Sun FC, Stark L, Nguyen A, et al. Changes in accommodation with age: static and dynamic. Am J Optom Physiol Opt 1988;65:492-8.

2. Wolffsohn JS, McBrien NA, Edgar GK, Stout T. The influence of cognition and age on accommodation, detection rate and response times when using a car head-up display (HUD). Ophthalmic Physiol Opt 1998;18:243-53.

3. Papadopoulos PA, Papadopoulos AP. Current management of presbyopia. Middle East Afr J Ophthalmol 2014;21:10-7.

4. Torricelli AA, Junior JB, Santhiago MR, Bechara SJ. Surgical management of presbyopia. Clin Ophthalmol 2012;6:1459-66.

5. Bennett ES, Janice MJ. Presbyopic correction. In: Bennett ES, Weissman BA, editors. Clinical contact lens practice. Philadel-phia: Lippincott Williams & Wilkins; 2005;531-47.

6. Johannsdottir KR, Stelmach LB. Monovision: a review of the scientific literature. Optom Vis Sci 2001;78:646-51.

7. Benjamin WJ, Borish IM. Physiology of aging and its influence on the contact lens prescription. J Am Optom Assoc 1991;62:743-53.

8. Borish IM. Pupil dependency of bifocal contact lenses. Am J Optom Physiol Opt 1988;65:417-23.

9. Bennett ES, Henry VA. Bifocal contact lens. In: Bennett ES, Henry VA, editors. Clinical manual of contact lenses. 3rd ed. Philadelphia: Lippincott Williams & Wilkins; 2009;371-409

10. Charman WN. Theoretical aspects of concentric varifocal lenses. Ophthalmic Physiol Opt 1982;2:75-86.

11. Back A, Grant T, Hine N, Holden BA. Twelve-month success rates with a hydrogel diffractive bifocal contact lens. Optom Vis Sci 1992;69:941-7.

12. Christie C and Beertren R. The correction of presbyopia with contact lenses. Optometry in Practice 2007;819-30.

각막교정(Ortho-K)렌즈

Orthokeratologic contact lenses

최 진 석

각막교정술(orthokeratology)이란 특수하게 디자인된 경성 산소투과(gas-permeable, GP) 콘택트렌즈를 이용하여 중심각막을 편평하게 (또는 원시의 경우 중심 각막을 가파르게) 하여 근시와 난시를 일시적으로 교정하는 방법이다. 그 효과는 근시의 각막굴절수술과 유사하게 중심각막을 편평하게 하여 안구의 굴절력을 감소시켜 결과적으로 굴절이상(refractive error)을 더 적은 근시로 바꾸는 것이다. 이러한 방법은 초점굴절교정(orthofocus), 각막 변형술(corneal reshaping), 정밀 각막 조형술(precision corneal molding), 제어 각막교정술(controlled keratoreformation), 각막굴절치료(corneal refractive therapy), 시력성형치료(vision shaping treatment) 등으로도 불리워졌다. 최근에 디자인과 장비, 그리고 수면시 착용법의 발전으로 인해, 전 세계적으로 특히 젊은 층에서 대중화되면서 전체 콘택트렌즈 처방의 28% 정도까지 점유하게 되었다.[1]

1. 각막교정술의 방법

1) 초창기의 각막교정술 방법

초창기의 각막교정술 개념은 polymethylmethacrylate (PMMA) 콘택트렌즈 시대에서 유래하였다. PMMA는 산소 투과가 되지 않으므로 임상의사는 중심각막보다 편평하게 처방하여 각막과 렌즈 사이에 눈물이 교환되도록 하여

각막에 산소를 공급받게 하였다. 임상의사들은 이것이 각막 중심 조직을 편평하게 하는 것을 유발하여 대개 안경흐림(spectacle blur)을 나타냄을 알았다. 즉 환자들은 렌즈를 제거 직후 한동안 자신의 안경을 착용 시 더 흐리게 보이는 현상을 경험하였다. 일부의 저도근시 환자들에서 렌즈 제거 후 일정 시간 동안 안경 등 아무런 교정 없이도 상당히 잘 보이는 시력 향상이 보고되었다.

이와 같은 효과는 1950년대에 최초로 보고되었다.[2-4] 1962년에 George Jesson[5]에 의해 '초점굴절교정(orthofocus)'이라고 부른 방법에 대한 논문이 발간되었다. 이는 계획적으로 근시 교정을 위해 각막을 조형한 최초의 보고였다. Jesson은 이후 이 방법을 '각막교정술(orthokeratology)'이라고 명명하였다. Jesson의 방법은 환자의 굴절이상(refractive error)만큼 각막보다 편평하게 처방된 표준의 PMMA 렌즈를 이용하는 시력교정 방법이었다. 이것이 만일 성공적이라면 근시성 굴절이상을 제거할 만큼 중심각막을 편평하게 하는 효과를 나타내었다. 이 콘택트렌즈 자체는 굴절력이 없는(plano) 상태이나 편평하게 처방된 렌즈에 의해 형성된 렌즈 후면의 눈물렌즈가 모든 시력교정을 담당한다. 불행히도 편평하게 처방된 렌즈는 불안정하고 착용감이 불편하며 자주 중심이탈 되어, 예측 불가능한 각막지형도상의 변화나 때때로 불규칙난시를 유발하였다.

비록 다양한 방법들이 초창기의 각막교정술에서 사용되었으나, Grant와 May의 기법이 많은 임상의사들에게 활용

되었다.[6] 이 방법은 단계적으로 편평하게 큰 직경의 렌즈를 교체 처방하는데, 편평각막곡률보다 0.12~0.50 D 정도 더 편평하게 처방 후 각막이 편평해지면 다음 단계의 편평한 렌즈를 처방하는 형태로 하여 단계적으로 근시의 감소가 목표치에 도달할 때까지 교체처방을 하였는데, 이러한 과정은 수개월이 걸리는 경우도 있었다.

각막교정술에 관한 많은 성공 사례에 관한 보고가 이어졌으나, 연구 디자인이 잘 통제된 논문은 1970년대 중반과 1980년대 초반까지는 보고되지 않았다.[7-12] 이러한 연구들은 연구 디자인이나 결과가 다양하였으나 모두 유사한 결과를 도출하였다. 첫째, 일반적으로 Ortho-K렌즈(각막교정렌즈, orthokeratology lens)는 PMMA 재질의 표준형 콘택트렌즈 피팅과 유사한 안전성을 보였다. 둘째, 평균적으로 1 D 정도의 근시 교정효과를 보였고 일부 더 많은 양의 교정도 있었다. 셋째, 편평하게 처방된 렌즈는 직난시(with-the-rule astigmatism)와 불규칙난시(irregular astigmatism)를 유발하였다. 넷째, 각막교정술의 성공을 예측할 수 있는 환자의 특징은 없었다. 다섯째, 나안시력의 호전이 각막이 편평해진 정도나 근시의 교정량과 정확히 일치하지는 않았다. 여섯째, 시력상승은 영구적이지 않았고 효과 유지를 위해서는 날마다 착용하는 것이 필요했다. 이러한 연구 결과가 발표되고 나서 많은 안과의사들이 각막교정술을 받아들이지 않았다.[13-15] 하지만 이러한 방법에 대한 관심은 사라지지 않았고, 이후 수년 동안 몇몇의 연구자들에 의해 명맥이 유지되면서 방법이 개선되었다.

2) 현대의 각막교정술

(1) 최근의 발전

렌즈 디자인과 제조 기술의 발전에 힘입어 각막교정술이 다시 주목과 각광을 받게 되었다. 전통적인 하드렌즈를 이용한 초창기의 각막교정술에 비하여, 현대의 렌즈는 완전히 다른 디자인인 역기하(reverse geometry) 모양을 가지고 있다. 전통적인 하드콘택트렌즈는 가파른 중심 BCR (base curve radius, 기본커브반경)과 중심에서 주변으로 갈수록 편평해지는 디자인이었다. 이러한 렌즈가 각막에 편평하게

처방된 경우에는 렌즈와 각막의 정렬(lens-to-cornea alignment)을 맡아줄 주변 커브가 없어서 렌즈의 중심이 탈을 막을 방법이 없었다. 반면에 역기하렌즈는 편평한 BCR과 아울러서 가파른 역커브(reverse curve)가 편평한 주변부커브(peripheral curve radius)를 담당하는 정렬커브(alignment curve)와의 연결을 시켰다. 이러한 디자인은 렌즈가 주변부 각막에 정렬할 수 있게 도와주어 중심안정을 향상시키며 렌즈의 안정성을 높이고, 심지어 매우 편평한 중심 BCR에서도 가능하게 하였다. 평균적으로 역기하렌즈의 디자인은 보다 빠른 결과와 더 많은 근시 교정량을 보였다.

비록 역기하렌즈가 처음 보고된 것은 1972년이었으나,[16] 당시의 렌즈 제조기술로는 생산이 어려웠다. 역기하렌즈 디자인의 향상과 컴퓨터를 이용한 렌즈 선반 기술이 1990년대에 발전함에 따라 좀더 섬세한 렌즈 디자인이 가능해졌다.[17,18] 이후 여러 연속된 편평한 BCR을 가진 렌즈 디자인의 개발로 가속된 각막교정술(accelerated orthokeratology)이 가능해졌다. 이에 따라 목표한 교정 결과가 과거 수개월에서 이후 수주로 단축되었다. 현재 다양한 렌즈 개발 및 제조회사에서 다양한 특징을 가진 역기하렌즈를 생산하고 있다.

각막지형도검사는 과거에 비해 최근의 피팅을 차별화하고 개선시켰다. 각막지형도검사는 각막곡률계에 비해 더 넓은 범위의 각막에 관한 정보를 제공함으로써 각막교정술 치료에 필수적인 장비로 자리잡았다. 각막지형도는 더 정확한 치료 성공의 예측과 개선된 렌즈 디자인의 선택, 그리고 피팅후 경과 관찰 시 더 정확한 모니터링을 가능하게 한다. 비록 일부의 역기하렌즈는 각막지형도 없이 피팅이 가능할 수 있으나, 경과 관찰의 모니터링이 매우 어렵고 결과가 만족스럽지 못할 때 문제 해결이 어렵다.

Ortho-K렌즈의 부활을 이끈 또하나의 원인은 렌즈 재질의 발전인데, Dk (oxygen permeability, 산소투과율)의 향상으로 수면 시 착용의 안전성이 높아진데 있다. 눈을 감은 상태의 수면 시 착용으로 인한 편안한 착용감과 편리성은 Ortho-K렌즈의 사용을 증가시켰다. 그리하여 렌즈를

취침전 착용하여 기상후 제거하게 되었다. 적절한 결과에 도달하게 되면 환자는 깨어있는 시간 동안 내내 안정적이고 좋은 시력을 유지할 수 있게 된다. 수면시 착용하는 모든 렌즈는 부작용의 확률을 증가시키므로 렌즈 착용에 따른 부작용을 꼼꼼하게 지속적으로 모니터링해야 한다.

최근의 연구들에서 이전의 전통적인 렌즈 디자인에 비해 역기하렌즈가 빠르고 높은 정도의 근시 교정효과를 특히 수면시 착용중에 나타내었다.[19-23] 일반적으로 이러한 연구들에서는 약 −2.50 D에서 −4.00 D의 교정효과를 치료 시작 10일정도 후에 획득하였다.[24] 또한 심지어는 착용 10분 후에도 의미있는 중심 각막의 편평화 효과를 나타내었다.[25] 현재 Ortho-K렌즈의 FDA 허용 기준은 표 12-1에 따르며 적용 대상은 표 12-2와 같다.

(2) 기전

Ortho-K렌즈의 기전과 결과에 대해서는 많은 이론들로 설명하고 있다. 하지만 분명한 것은 Ortho-K렌즈가 유발하는 변화들은 앞쪽 각막지형도상에서 central corneal thinning과 midpheripheral thickening이다.[26-27] 많은 역기하렌즈의 연구들에서 각막 구조의 변화는 상피의 변화가 각막의 central flattening과 midpheripheral steepening을 야기하는 주된 요소라고 하였다.[26] 또 다른 연구에서는 각막 기질의 두꺼워짐이 주된 역할을 한다고 하였으나 이는 각막지형도상에서 초기에 일차적인 요인이 아니라 생각되었다.[28,29] 각막 변형을 유발하는 힘에 대한 이론은 눈물막의 유체력(fluid forces of tear film)과 눈을 감았을 때의 안검의 압력, 렌즈 가장자리에서의 눈물 표면장력 등이 관여한다고 생각된다.[30] 이러한 힘들은 각막표면을 압박하거나 인장하는 힘을 동시에 다른 부위에서 발휘한다. 이러한 힘들이 유발하는 스트레스가 각막상피를 이동시킨다. 각막 midperiphery의 상피는 높이가 감소하고 옆으로 넓어지며, 각막상피의 이동은 각막 굴절력의 변화와 일치하게 재분포되는 것이지 새로 만들어지거나 없어지는 것이 아니다. 그리고 세포의 부피와 표면 넓이는 치료 중 유지된다.[31]

표 12-1 Ortho-K렌즈의 FDA 허용 기준

FDA approval for CRT*
Up to −6.00 D of myopia
Up to −1.75 D of astigmatism
No age limitations

FDA approval for VST**
−1.00 to −5.00 D of myopia
Up to −1.50 D of astigmatism
No age limitations

*corneal refractive therapy
**vision shaping treatment

표 12-2 Ortho-K렌즈의 대상

GOOD	BORDERLINE	POOR
≤3.50 D myopia	3.75~4.50 D myopia	>4.50 D myopia
<1.50 D WTR cyl	1.50~2.00 D WTR cyl	>2 D WTR cyl
New CL wearer	Current GP wearer	Irregular/ATR cyl
Young, progressive myope	Low "e" value (unless <2 D myope)	High myope with low "e" value
Occupational need for better unaided VA		Loose lids and/or deep-set eyes
Small pupil size	Medium pupil size with moderate myopia	Large (>5 mm room illumination; ≥7 mm dim illumination) Unmotivated for CL wear Unrealistic expectations Poor history of compliance Poor response to overnight trial
Motivated Realistic expectations History of compliance Good eye health (no history of dry eyes, anterior segment Dx) Recreational/athletic benefits		Cost or visit schedule is problematic

From Rinehart JM, Bennett ES. Orthokeratology. In: Bennett ES, Hom MM, eds. Manual of Gas Permeable Contact Lenses. 2nd ed. St. Louis, MO: Elsevier Science;2004:424-483.

2. 렌즈 디자인

여러 회사에서 다양한 디자인의 렌즈를 출시하여 사용 중이며 표 12-3과 같다.

1) Vision Shaping Treatment(VST)

바슈롬 회사에서 수면착용 근시교정으로 FDA 허가를 받은 렌즈들로서 다음과 같다.

(1) Contex OK E-System

Contex OK E-system은 역기하렌즈 디자인으로 E값(eccentricity value, 편심률)이 중요한 피팅의 요소이다. 렌즈의 구성 요소는 후면 광학 영역(back optical zone), 가파른 역커브, 한 개 또는 이상의 정렬커브, 그리고 주변부커브가 있어 egde clearance와 눈물 교환을 담당한다. 각각의 렌즈는 각막 모양과 굴절교정량에 대한 정보를 담은 할당된 디자인 코드가 부여되어 있다. 예를 들어, 44.00/-4.00 (0.5 e)의 디자인 코드의 렌즈는 편평 각막곡률이 44.00 D이고 목표로 하는 근시 교정량이 -4.00 D인 E값 0.5의 각

표 12-3 현재 이용가능한 Ortho-K렌즈 디자인

Corneal Refractive Therapy Designs (Paragon Vision Sciences)

CRT (Paragon Vision Sciences)

Z-CRT (Menicon)

FARGO Lens (GP Specialists)

Vision Shaping Treatment (Bausch + Lomb)

BE Retainer (Precision Technology Services)

Contex OK E-System (Contex)

DreamLens (DreamLens)

Emerald (Euclid Systems)

CKR (Eye Care Associates)

MiracLens (MiracLens)

NightMove (Advanced Corneal Engineering)

Orthofocus (Progressive Vision Technologies)

Super Bridge and E-Lens (E & E Optics)

VIPOK II (E & E Optics)

WAVE (Custom Craft Lens Service, Metro Optics, and X-Cel Contacts)

LK, Premier Lens (Lucid Korea)

막에 해당하는 렌즈이다. BCR, TD (total diameter, 전체 직경)와 렌즈굴절력은 렌즈 패키지에 특정화되어 있다. Contex OK E-System 렌즈의 전형적인 TD는 10.6 mm이고 광학부 직경은 6.0 mm이다. Contex OK E-System 렌즈 디자인에서 초기에 렌즈를 선택하는 방법은 아래 셋 중 하나를 따른다:

① 중심 각막곡률값과 현성 굴절력
② 중심 각막곡률값, 현성 굴절력, 그리고 각막지형도
③ 피팅렌즈세트를 이용하는 법

진단적인 피팅 세트(diagnostic fitting set)를 이용하지 않을 때는 제조사에서는 렌즈 디자인디 선택할 때 평균적인 각막 E값인 0.5를 산정하게 된다. 각막지형도가 가능하다면 이에 따른 E값이 초기 렌즈디자인 선택에 활용된다. 피팅 세트를 활용한 피팅은 회사에서 제시한 방법을 따른다.

OK E-System 디자인의 문제해결 시 E값을 변화시켜 렌즈의 느슨함(loosen)과 조임(tighten)을 조절한다. 예를 들자면, 44.00/-4.00 (0.5 e)의 디자인 코드를 가진 렌즈가 너무 조일때(tight), 44.00/-4.00 (0.55 e)의 디자인 코드를 가진 렌즈로 변경한다면 피팅 상태는 느슨해지고(loosen) 목표 근시 교정량은 변동이 없게 된다. E값을 변화시켜 렌즈의 조임과 느슨함을 맞춘다면 적어도 0.05 e(약 10 μm에 해당)를 변화시킬 것을 추천한다. 만일 더 많은 근시량의 교정을 원한다면 디자인코드의 목표 근시감소량을 조절하면 된다. 예를 들자면, 환자가 0.50 D 저교정 상태이며 각막지형도상 이상적인 형태라면 44.00/-4.50 (0.5 e)의 디자인 코드 렌즈로 변경하면 된다. 문제해결을 위한 컴퓨터 프로그램이나 troubleshooting form이 실제 임상피팅에서 활용될 수 있다.

(2) BE Lens

BE Retainer system (Precision Technology Services)는 렌즈 디자인에 각막지형도를 활용한다. 플루레신 분석은 이용되지 않는다. BE 시스템은 렌즈 디자인 소프트웨어와 24-lens trial set로 구성된다. 환자의 각막지형도 데이터와 굴절이상을 소프트웨어에 입력하면 렌즈의 디자인을 얻을 수 있다. 필요한 각막지형도 데이터는 각막정점곡률, sagittal height, 각막직경이다. 각막지형도는 sag를 산출하는 Medmont가 추천되나 다른 각막지형도도 이용될 수 있다. 소프트웨어는 환자 눈의 최대 교정가능량을 산출하므로 환자가 역기하렌즈에 적합한지 결정할 수 있다.

소프트웨어는 필요한 각막의 변화를 유도할 수 있는 이상적인 눈물층을 제공하기 위한 렌즈파라미터를 계산한다. 눈물층의 모양은 squeeze-film force를 나타낸다. BE 시스템은 다른 역기하렌즈와 달리 기본커브의 계산에 Jessen 방법을 사용하지 않는다. 그 대신에 렌즈 주변만곡을 계산하여 좋은 중심잡기를 얻도록 유도하고, 정렬커브는 그 부분의 적절한 눈물층의 두께를 제공하게 하며, BCR은 적합한 정점 눈물층두께를 얻도록 선정한다. 렌즈 주변부의 모양은 만곡보다는 편평하고 cone angle에 따라 모양이 결정된다.

각막지형도를 이용한 렌즈 디자인의 문제점은 각막 데이터가 정확하지 않을 수 있다는 점이다. 시험렌즈세트는 이러한 단점을 보완하게 만든다. 소프트웨어가 각막지형도를 근거로 이상적인 렌즈의 sagittal height와 가까운 렌즈를 시험렌즈에서 골라준다. 만일 각막지형도에서 계산된 각막 정점거리가 정확하다면, 수면 시 착용하는 이 렌즈는 전형적인 황소눈(bull's eye) 패턴을 나타낼 것이고, 이것이 반드시 정확한 교정량을 담보하는 것은 아닐 수 있다. 따라서 비교적 이상적인 피팅 패턴이 얻어진다면 실제 주문은 개별화하여 변형할 수 있다. 그렇지 않으면 각막지형도가 각막의 sagittal height를 잘못 계산할 수 있다. 이렇게 산출된 패턴에 따라 소프트웨어는 렌즈파라미터를 변경하여 새로운 시험렌즈를 골라준다. 이러한 과정은 중심안정이 잘된 황소눈 패턴을 얻을 때까지 반복하며, 이 시점에서 커스텀 렌즈가 주문될 수 있고 예측가능한 결과를 얻을 수 있다.

(3) DreamLens

역기하렌즈로 후면광학부와 가파른 역커브, 그리고 한개나 그 이상의 정렬커브와 주변부커브로 구성되어 있다. 피팅은 DreamLens 소프트웨어 프로그램에 따라 시행하며 각막지형도와 굴절값, 각막 직경을 초기 렌즈 선택때 사용한다. 각막 직경에 따라 렌즈 전체직경(OAD)을 10.0, 10.5,

또는 10.9 mm로 달리 할 수 있다.

문제해결 시 렌즈 상하방 이탈은 정렬커브를 0.5 D씩 변경한다.

(4) Euclid Systems Corporatin: Emerald Design

에메랄드 렌즈는 4부분으로 이루어진 역기하렌즈이다. 후면광학부, 역커브, 정렬커브, 주변부커브로 이루어졌다. 초기 렌즈 선택은 편평각막곡률과 목표근시도수, 그리고 각막직경으로 결정된다. Euclid 시스템을 활용하며 일반적인 렌즈 직경은 10.2, 10.6, 그리고 11.0 mm로 구성되며 10.6 mm가 초기 렌즈로 보편적으로 사용된다. 목표 근시교정량은 +0.75 D로 한다. 정렬커브와 BC(기본커브, base curve)가 결정되면 역커브는 Euclid에 의해 계산된다.

2) Corneal Refractive Therapy(CRT)

CRT 시스템(Paragon Vision Sciences, Mesa, AZ)은 수면 시 착용으로 FDA에서 최초로 허가된 렌즈이다. 피팅 과정은 slide-ruler-type의 가이드로 처음 렌즈를 선택하고 플루레신 염색으로 렌즈파라미터를 조정한다.

임상의사는 환자의 편평각막곡률과 구면 굴절오차를 가이드에 맞추면 초기 렌즈 디자인이 결정되어 나온다. 이 초기렌즈를 환자의 각막에 피팅하여 평가하게 된다. 좋은 렌즈 핏은 좋은 중심잡기와 4~5 mm의 중심 정렬(약 5~10 μm의 플루레신)과 약 0.5 mm의 가장자리틈새(edge clearance)이다. 렌즈파라미터는 적절한 패턴을 얻을때까지 변경한다.

CRT 렌즈는 3개의 영역으로 구성되어있는데 treatment zone (BCR), return zone (역커브), 그리고 landing zone (정렬커브)이다. 렌즈 용어는 타 렌즈에 비해 독특하나 문제해결은 어렵지 않다.[32] BCR은 Jesson method를 이용하여 0.5 D 이상의 regression factor를 사용하여 선택한다. Return zone은 독특한 sigmoidal (S-shaped) 커브로 이루어졌으며 단순한 구면 만곡이 아니고 sagittal depth에 따라 특정화된다. 전형적인 return zone depth (RZD)는 500, 525, 550 μm의 25-μm 차이로 되어있다. 만일 렌즈의 sagittal depth가 너무 작다면 렌즈는 상방이탈 할 것이고, 이의 교정을 위해서는 RZD를 다음 단계의 깊은(예를 들어 500에서 525로 변경) 렌즈를 선택하면 된다. 역으로 렌즈 피팅 후 중심 플루레신 영역이 4 mm 미만이고 중심 안정이 매우 잘되어있다면 sagittal depth는 너무 깊은 것이고, 이의 해결을 위해서는 RZD를 한 단계 줄여야 한다.

Landing zone은 곡선이 아니라 각도이다. 전형적인 landing zone angle (LZA) 값은 32, 33, 34도인데 1도의 간격이다. LZA를 증가시키면 가장자리틈새가 감소하고, 반대로 LZA를 감소시키면 가장자리틈새는 증가한다(1도는 대략 12 µm). 예를 들어, 렌즈 피팅 상태가 가장자리틈새 0.5 mm보다 넓다면 LZA는 1도 증가시켜야(예, 33도에서 34도로)하고, 이로서 시상높이(sagittal height)가 12 µm 증가하게 된다. 표준 렌즈 TD는 10.5 mm이다.

임상의사는 110-lens fitting set를 활용하거나 slide-ruler guide를 이용한다. 시험렌즈세트가 있다면 만족스런 피팅 상태를 얻기 위해 렌즈파라미터를 즉시 변경할 수 있다. 렌즈 교체를 시험렌즈세트에서 골라서 기다림 없이 교체해줄 수도 있다. CRT를 처음 사용하는 임상의사라면 초기에는 경험적인 처방으로 교환보증을 하는 상태로 몇 명 시행해볼 수 있다. SureFit 프로그램은 slide-rule guide를 이용한 렌즈에 더해서 두 개의 렌즈를 더 추천 받을 수 있다.

CRT렌즈의 새로운 진화는 Dual-Axis 디자인이 보여주는데 이는 RZD와 LZA가 두 개의 경선에 따라 다르게 디자인된 렌즈로서 윤부대윤부 난시에 잘 맞게 설계되어 있다. 이 디자인은 중심안정이 좋고 치료 효과면에 있어서 보다 더 일정한 시상높이를 갖게하여 보다 더 일정한 모양의 중심 치료 영역을 얻게 한다(그림 12-5).

3) LK 렌즈(루시드 코리아)

무수술 시력교정술을 위한 특수 구조로 설계된 LK렌즈는 한국 최초로 KFDA의 승인을 받았고 한국인의 각막 형태를 연구하여 이를 렌즈 설계에 반영하였으며 2006년에 기존의 4 커브 렌즈보다 교정력과 안전성을 한단계 높인 5 커브 렌즈인 CH2 디자인을 출시하여 교정력과 안정성을 강화하였다. 이러한 CH2 렌즈의 특징은, 첫째 2개의 정렬 커브를 가진 5 커브 설계로 안정적이고 정확한 교정이 가능하다고 알려져 있고, 둘째, 적은 수의 시험렌즈를 이용한 상대적으로 간단한 피팅 과정인데 −1.00∼−7.00 D의 패턴이 거의 동일하게 설계되어 적은수의 시험렌즈로도 대부분의 피팅이 가능한 점이며, 셋째 렌즈의 직경을 10.2 mm와 10.6 mm 두 종류로 나누었고 환자의 안구에 맞춤 처방이 상대적으로 수월한 점이다.

LK 렌즈의 피팅 과정을 살펴보면 우선 환자의 선택 기준은 −0.75∼−5.00 D의 구면값에 도난시가 −1.00 D 미만인 경우로 편평한 K가 39.00 D (8.65 mm)∼46.00 D(7.34 mm)(E값 0.5 기준)이어야 한다. 렌즈 사이즈의 선택은 각막 직경이 11.6 mm 이하인 경우 10.2 mm를, 각막 직경이 11.7 mm 이상인 경우 10.6 mm를 선택하고, 목표 교정량이 −3.00 D 미만인 경우 −2.00 D의 시험렌즈세트를 사용하며 목표 교정량이 −3.00 D 이상인 경우 −4.00 D의 시험렌즈세트를 사용한다. 또한 각막의 E값이 높으면 렌즈 커브를 약간 편평하게 처방하며 목표굴절력을 줄이고 반대로 E값이 낮은 각막에서는 렌즈 커브를 약간 가파르게 처방하며 목표굴절력을 높이는 변형을 하여 원하는 피팅을 얻을 수 있다.

최근에 출시된 프리미어 렌즈(Premier Lens)는 과거에 비해 진일보한 렌즈로서 장점을 든다면, 첫째 난시 교정을 위한 정렬커브의 토릭 디자인이 가능하여 약 −3.00 D까지의 각막 난시 교정으로 교정 범위가 확대되었고, 둘째 광학부 직경이 6.2 mm로 좀더 넓게 설계되어 야간 눈부심 현상을 완화 및 예방하는 점이고, 셋째 정렬커브를 2개로 나누어 렌즈를 뺄 때 각막에 전해지는 부담을 줄이고 장기적으로 착용하여도 꾸준한 시력교정 효과를 유지하는데 도움을 주는 디자인으로 생각된다.

3. 환자 선택과 사전검사

시술을 받으러 내원하면 상담을 충분히 해야 한다. 시술에 대한 상세한 설명을 하고, 각막형태검사를 포함한 눈의 전반적인 것에 관하여 사전 검사를 시행한다. 밤에 수면 중

렌즈를 끼고 자고 아침에 렌즈를 빼고 나면, 낮 동안에 안경이나 렌즈 없이 생활할 수 있다는 것이 이 시술의 가장 큰 장점이다. 따라서 수술을 두려워하거나, 수술의 영구적인 부작용에 부담을 느끼는 사람, 수술을 할 수 없는 성장기에 있는 대상들 중에 운동선수, 예능을 하는 사람, 수술하기에는 수술양이 너무 작은 눈, 근시 진행이 너무 빨리 되어 진행을 억제시키고 싶은 사람이 좋은 대상이다.

시술의 결과는 가역적이란 것을 꼭 설명해야 한다. 렌즈를 계속 끼면 영구적으로 잘 보이게 된다고 생각하고 시술 받으러 오는 사람이 많다. 렌즈의 가격과 수명, 교체시기 등도 꼭 설명해야 한다. 또한 굴절검사상 근시 정도는 마이너스 5 디옵터 이내, 난시는 마이너스 1.5 디옵터 이내가 일반적이며 K값은 너무 편평하거나(8.65 mm, 39.0 디옵터) 너무 가파르다 하더라도(7.50 mm, 48 디옵터) 비구면도(e)가 어느 정도 높으면 가능하다. 또한 각막 윤부까지 난시의 범위와 정도가 높은 경우는 정렬커브에 난시차를 둔 토릭 역기하렌즈를 피팅하여 성공률을 높일 수 있다.

외안부 검사에서 각막 상태는 질환이 없어야 한다. 원추각막은 역기하렌즈의 반응이 비정상적이고 예측이 불가능하므로 절대 해서는 안되고 각막이영양증도 금기질환이다. 각막교정술이 이영양증에 미치는 영향에 대해서는 잘 알려진 바는 없으나 시술 후에 만약 나빠진다면 문제가 될 수 있으므로 시술을 하지 말아야 한다. 각막이영양증의 초기에는 놓치기 쉬우므로 상세히 검사하여야 한다. 안검염이 있는 경우 사전에 충분히 설명하고 치료하면서 피팅하는 것이 좋다. 알레르기가 있으면 렌즈 착용 자체가 힘들므로 조절되지 않는 알레르기가 있으면 되도록 피하는 것이 좋다. 시술 전에 알레르기가 없더라도 시술 도중에 렌즈 보존액이나 렌즈 자체에 의한 알레르기가 생길 수 있으므로 정기검사시에 눈에 분비물이 생기거나 갑자기 중심이탈이 증가하는 경우 반드시 알레르기 여부를 살펴보아야 한다.

눈물의 상태는 건성안의 정도에 따라 할 수도 있고 못할 수도 있다. 3도 이상 형광염색이 되거나 사상성 각막염이 있는 등 심한 건성안인 경우에는 하지 않아야 한다. 중등도의 건성안이나 하드렌즈 착용 시 3시9시각막건조가 있는 눈은 충분한 사전 검사 후에 시행한다. 이 시술은 렌즈를 끼고 눈을 감고 있으므로, 눈깜빡임의 부족, 눈물의 증발에 의한 건성안일 때는 상관 없이 시술할 수 있다. 낮에 일하는 동안에 렌즈를 끼지 않으므로, 외부 환경에 의한 증발이 심한 눈에는 이 시술의 장점을 살릴 수 있다.

일반적으로 비구면도가 높으면 효과가 좋으나 0.65e 이상 너무 비구면도가 높아도 렌즈 디자인과 각막 모양이 너무 차이가 나므로 시술의 효과가 제한될 수 있다. 각막 중심부가 중심에서 이탈된 경우는 시술이 진행될 수록 더 심해질 수 있으므로 미리 환자에게 충분한 설명을 해야 한다. 비구면도가 낮은 경우 교정해야할 도수가 높아도 역시 효과가 떨어질 수 있다. 동공의 크기는 보통 조명에서 6.0 mm 이하가 좋다.

4. Ortho-K렌즈 장착의 실제

시험착용렌즈의 선택은 각막곡률값과 각막의 비구면도에 따라 결정된다. 각막곡률값은 각막형태검사상 혹은 각막계로 측정되는데 두 가지 값은 조금 차이가 날 수 있다. 그러므로 렌즈 제작회사에서 정해준 기준대로 두 가지 값 중에서 하나를 정해서 시험착용렌즈를 선택한다.

1) 렌즈 처방 방법

첫째, 정렬커브의 만곡반경을 먼저 정하고 각막의 BC와 도수에 따라 렌즈의 BC와 역커브를 정하는 방법이 있다. 정렬커브를 0.1 mm 단위로 차이를 두어 시험장착을 해본다.

둘째, 시험착용렌즈는 각막의 비구면도에 따라 3가지 종류가 있어 각막의 비구면도에 따라 거기에 맞는 시험착용렌즈를 선택하여 착용시켜서 검사한다.

셋째, BC, 도수, 비구면도에 따라 시험착용렌즈를 정하는데, 한 가지 BC에 역기하커브, 정렬커브가 다른 렌즈가 9개씩 있다. 형광염색 소견에 따라 역기하커브 및 정렬커브를 조절하여 시험착용 후 최종 처방한다.

넷째, 각막형태검사와 거기에 맞는 눈물층의 두께를 계산하여 처방하는 방법이 있는데, 먼저 각막형태검사상 각막중심부 BC와 비구면도, 각막크기, 도수를 처방 프로그램에 입력하면 시험착용렌즈를 지정해준다. 그것을 시험착용하여 그 다음날 나타나는 각막형태검사를 보고 그대로 하든지, 상태가 맞지 않으면 바꾸든지 한다.

2) 형광염색 소견

렌즈를 착용시켜 어느 정도 적응되어 눈물이 멈추고 나면 형광 염색약을 점안하여 각막과 렌즈의 상관관계를 본다. 렌즈의 중간 부위는 렌즈가 각막과 접촉되어 눈물층이 얇아져서 어둡게 보인다. 주변부는 역기하커브로 눈물의 저장소 역할을 하는 곳으로 눈물이 제일 많아 형광염색이 매우 밝게 보인다. 주변은 정렬커브로 각막과 밀착되어 어둡게 보이고, 가장자리는 움직임과 눈물순환을 위해 들려있고 형광 염색이 밝게 보인다(그림 12-1). 형광염색은 눈물층의 두께가 10~20 μm 정도 되어야 보인다. Ortho-K렌즈 처방에서 세극등으로 관찰하는 눈물층의 두께의 변별력은 10 μm 이내이므로 형광염색 소견만 가지고 장착을 결정하는 것은 옳지 않다. 중심 눈물층두께가 7 μm에서 23 μm까지는 육안으로 잘 구별할 수 없다.

각 커브가 편평하거나 가파르면 형광염색 소견이 다르게 나타난다. 아래 그림들(그림 12-1~12-5)은 그 소견들을 나타낸 것이다. 이러한 소견들을 참조하여 각 커브들을 조

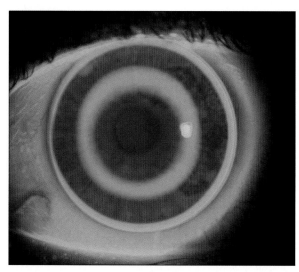

그림 12-1
이상적인 '황소눈(bull's eye)' 형태의 형광염색 패턴을 보이는 역기하 렌즈

절하여 최종 시험착용렌즈를 정하고, 이것을 밤에 끼고 잔 후 각막 소견, 시력, 굴절력, 각막형태검사를 보고 그대로 하든지, 소견이 안 맞으면 바꾸든지 하여 최종 처방할 렌즈를 정한다.

시험착용렌즈 크기는 수평각막직경에서 약 1.1 mm를 뺀 값을 기준으로 하는데 요즘은 약간 크게 하는 경향으로 가고 있다. 크기가 너무 크면 중심은 상대적으로 잘 잡히나, 반대로 안검의 영향을 많이 받을 수가 있다.

가장자리는 적당히 유지되어야 눈물순환 등 각막의 합병증을 방지할 수 있다. 너무 높으면 안검의 영향을 많이 받고, 반대로 너무 낮으면 중심잡기는 잘 되나 각막에 문제가 생길 수 있다.

3) 처방 전 각막형태검사 시 고려해야 할 사항

각막형태검사는 오차가 많이 발생하므로 이것을 줄이기 위해 다음과 같은 주의를 요한다.

① 눈과 기계의 정렬을 잘 맞춘다. 우측 눈 검사시 좌측으로, 좌측 눈 검사시 우측으로 고개를 돌려 안검의 영향을 덜 받도록 한다.

② 초점을 정확히 맞춘다.

③ 눈물층이 잘 유지된 상태에서 검사한다.

④ 여러 번 찍어서 비슷한 소견들을 취합한다.

⑤ 양안을 비교한다. 양안의 비구면도 및 중앙부커브는 거의 비슷하다.

⑥ 판독할 척도(scale)를 정한다. 대부분 제작회사의 초기 척도는 너무 범위가 넓으므로 원하는 척도를 정하여 측정하면 더 정밀하게 판독할 수 있다.

⑦ 여러 가지 지도를 사용할 수 있어야 한다.

4) 시험착용 후 나타날 수 있는 각막형태검사의 종류

(1) 황소눈

완벽한 중심잡기와 피팅을 의미한다. 완전한 황소눈과 불완전한 황소눈이 있다. 불완전한 것은 중심부가 원래보다는 편평하거나 주변부보다 가파른 형태인데, 렌즈 착용 후 하루 정도 지난 후 주로 보이는 소견이며 보통 2~3일 후에

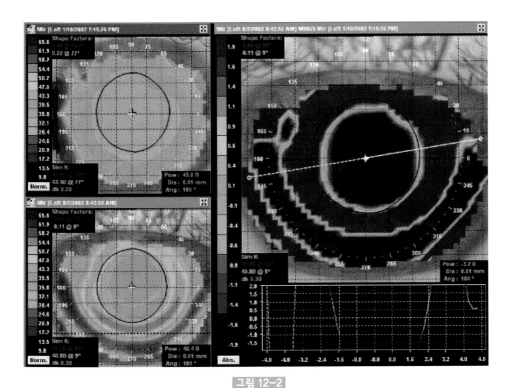

그림 12-2

중심안정이 잘 된(well-centered) 역기하렌즈 착용 후 각막지형도

는 완전한 황소눈 소견을 나타내게 된다(그림 12-2). 각막의 비구면도가 높은 경우에는 황소눈이 작게 보이는 수가 있다. 또 초기에는 작게 보이다가 시간이 지날수록 정상 크기로 되는 경우도 있다.[33]

(2) Smiley face

눈과 렌즈 사이의 눈물층이 존재하지 않으면 눈물의 힘에 의해서 렌즈를 고정시키는 힘이 결여되어 렌즈가 중심을 이탈하는 현상이 발생한다(그림 12-3). 이때 대부분의 경우 상측 또는 상이측으로 이탈하는데 시간이 지날수록 더 심해진다. 그 이유는 sagittal depth값이 낮아서인데 이를 해결하기 위해 sagittal depth값을 어느 정도 변화시킬지를 정하는 것은 어렵다. 안검력이 큰 경우는 그 힘을 상쇄시키기 위해 약간 가파르게 끼우는 것이 상방이탈을 방지할 수 있다.

(3) 거짓 중심융기가 동반된 smiley face

(smiley face with a fake central island)

다음과 같은 이유로 이러한 현상이 생길 수 있다(그림

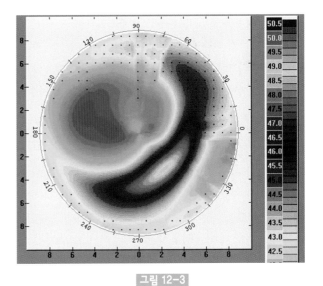

그림 12-3

상부이탈(superior decenter, smiley face)된 얕은 시상 깊이(sagittal depth)의 역기하렌즈 착용 시 각막지형도

12-4).

첫째, 렌즈가 너무 편평하게 처방되어 렌즈가 각막을 직접 접촉해서 각막상피에 손상을 준 경우 그 부위의 각막형

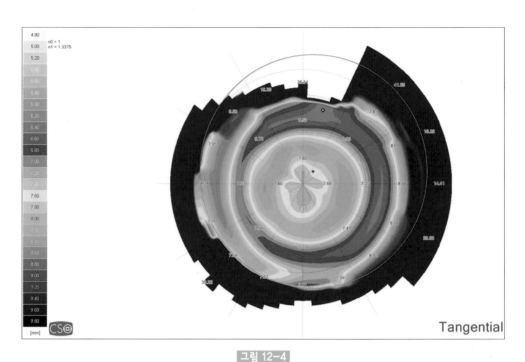

그림 12-4

거짓 중심융기가 동반된 smiley face 각막지형도(smiley face with a fake central island)

태검사가 가파르게 보인다. 이 경우 중심융기로 오인하여 더 편평하게 처방할 수 있으니 주의해야 한다.

둘째, 렌즈가 각막에 유착되어 잘 빠지지 않는 경우에도 각막상피손상으로 중심부가 가파르게 보일 수 있다.

셋째, 각막형태검사기계의 연산방법에서 오는 특성으로 인해 이런 현상이 보일 수 있다.

(4) 중심융기

중심부가 시술 전의 각막만곡보다 더 가파른 경우를 말하는데, 전체적으로 너무 가파른 처방을 했을 경우나 너무 큰 렌즈를 끼웠을 때, 즉 각막의 비구면도가 작게 측정되어 렌즈의 sagittal depth값이 각막의 sagittal depth보다 클 때 생긴다.

이 부위의 직경이 2 mm 정도이고, 만곡이 가파르게 되어 각막의 굴절력이 감소되지 않아 시력이 잘 나오지 않고 그 주변은 편평하다. 불완전한 황소눈의 경우는 중심부위 굴절률이 원래보다 낮든지 변화가 없고 계속 착용 시 이 현상이 없어지지만, 진성의 중심융기의 경우 계속 착용해도 이 현상이 없어지지 않는다(그림 12-5).

(5) Frowny face

렌즈가 약간 가파르게 처방되었으나 중심융기가 생기는 정도는 아닐 때 이런 현상이 생긴다. 또 정렬커브가 가파를 때, 렌즈가 너무 작을 때 생길 수 있다. 계속 두면 하방으로 이탈되고 중심융기도 생기고 시력도 저하된다(그림 12-6).

(6) 이측 중심이탈

너무 작은 렌즈를 쓴 경우, 정렬커브가 맞지 않을 대, 안검력이 너무 강한 경우, 정렬커브에서 비측과 이측의 만곡 차이가 많이 날 때 생길 수 있다.

렌즈 크기 조절이나 정렬커브를 조절하여 이 문제를 해결할 수 있는데, 제일 효과적인 것은 렌즈의 크기 조절이다. 렌즈가 너무 크게 되면 주변부가 많이 가파르게 되어 중심융기가 생길 수 있다. 이렇게 하여도 해결이 잘 안될 때는 시술을 포기하든지, 여러가지 렌즈를 사용하여 시험 착용을 충분히 한 후에 하도록 한다(그림 12-7). 최근에는 다양한 중심이탈을 각막난시에 따라 토릭 역기하렌즈로 많은 경우 중심이탈을 교정할 수 있게 되었다(그림 12-8).

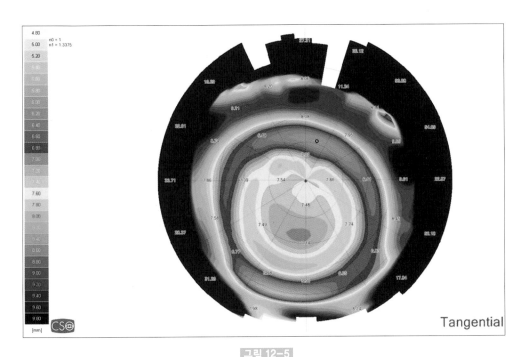

그림 12-5

중심융기 모습의 깊은 시상 깊이(sagittal depth)의 역기하렌즈 착용 시 각막지형도

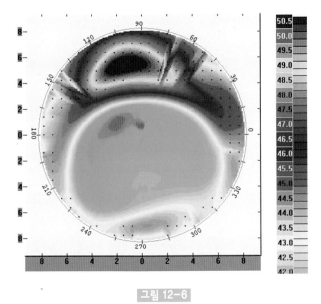

그림 12-6

하부이탈(inferior decenter, frowny face)된 깊은 시상 깊이(sagittal depth)의 역기하렌즈 착용시 각막지형도

5. 문제해결

렌즈를 착용시키고 잠을 자게 한 후 그 다음날 아침에 일어나 렌즈를 눈에서 제거하고 내원하도록 한다. 내원시 렌즈가 원활하게 제거되는지 병력을 청취하고, 각막 상태, 시력, 굴절력, 각막형태검사 등을 측정한다.[34]

1) 눈과 렌즈의 유착

아침에 자고 나서 렌즈를 제거하려고 할 때 렌즈가 눈과 유착되는 경우가 있는데 건성안이 있거나, 각막난시가 작거나, 안구의 경직도가 낮을 때 렌즈와 각막 사이의 눈물층이 얇아지면 눈물의 점도가 높아지므로 이런 현상이 생길 수 있다. 이는 렌즈가 가파르게 처방되어 생기는 것도 아니고, 렌즈의 디자인과도 무관하다. 렌즈를 착용시킬 때 인공눈물을 충분히 점안하고, 새벽에도 한번 더 점안해주는 것이 유착을 방지하는 데 도움이 된다. 아침에 유착이 되어 있으면 렌즈를 제거하기 전에 인공눈물을 충분히 점안한 후 각막을 약간 눌러서 렌즈와 각막 사이의 공간을 만든 후 렌즈가 움직일 때 조심스럽게 제거한다.

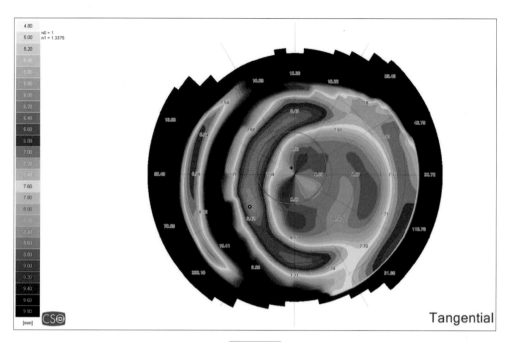

그림 12-7

이측 중심이탈

그림 12-8

이중 축(dua axis) 플루레신 패턴의 근난시 교정 역기하렌즈

2) 각막 이상

(1) 중심부 각막 형광 염색

① 렌즈가 편평하게 처방되었을 경우

각막과 렌즈 사이의 눈물층이 얇아 완충 역할이 줄어들어 렌즈가 각막상피를 상하게 한다. 이런 경우 렌즈의 sagittal depth값을 올려주어 눈물층을 두껍게 해준다.

② 렌즈 보존액에 대한 반응

렌즈 보존액은 렌즈에 얇은 피막을 형성하는데 크리너로 씻어도 그 피막이 잘 벗겨지지 않는다. 렌즈를 끼고 자면 일반 하드렌즈와 달리 눈물순환이 잘 되지 않아 그 보존액의 성분이 눈에 직접 영향을 미치게 되거나, 보존액에 대한 알레르기 반응으로 분비물이 생기고 그 분비물이 각막을 손상하게 되는 것으로 생각되고 있다. 이때는 보존액을 깨끗이 씻어서 착용하도록 한다. 이렇게 하여 다시 끼워보고 계속해서 각막미란이 생기면 보존액을 바꾸어 주거나 심한 경우에는 식염수에 보관하도록 하여 이러한 현상이 없어지도록 한다.

③ 렌즈나 보존액에 대한 만성적인 알레르기

이때는 눈에 알레르기 소견을 관찰할 수 있으며, 렌즈를 며칠 착용하지 말고 알레르기를 치료한 후에 다시 착용하도록 한다. 이때도 알레르기 분비물에 의해 렌즈에 피막이 형성될 수도 있으므로 렌즈 관리를 잘 해야 한다.

④ 렌즈 침착물에 의한 각막 형광 염색

렌즈를 1년 정도 잘 착용하다가 각막중심부에 전체적으로 염색되는 경우 의심할 수 있다. 시력은 오후가 되면 잘 안보이거나 침침하다는 것을 호소한다. 이 경우 렌즈에 두꺼운 침착물이 피막을 형성한다. 피막의 성분은 주로 탈락된 상피세포와 점액으로 구성되며 15 μm 이상 되면 증상이 나타난다. 이 정도 두께가 되면 눈물층의 각막을 변형시키는 힘이 달라지므로 렌즈를 착용해도 교정효과를 많이 볼 수 없다. 각막과 렌즈 사이의 간격이 5~10 μm을 유지해야 하는데 이 피막의 두께가 15 μm이면 렌즈가 각막을 직접 접촉하여 각막을 손상시킨다. 이 피막을 제거한 후에는 이러한 증상이 없어진다.

(2) 철분 침착

렌즈와 각막 간격이 제일 큰 곳, 즉 눈물층이 제일 두꺼운 곳의 각막에 원형의 철분 침착이 생길 수 있다. 이것은 병적이 아니므로 치료는 필요 없다. 교정 도수가 높은 시술에서 더 많이 생긴다고 알려져 있다.

(3) 세균성 각막염

가장 염려해야 할 것이 세균성 각막염이다. 발견 즉시 치료를 잘 해야 한다. 렌즈 관리를 잘 하고 밤에 끼고 자는데 적절한 Dk를 갖춘 소재를 사용해야 이 빈도를 줄일 수 있다.

3) 알레르기성 결막염

거대유두결막염은 잘 생기지 않지만 생기면 치료하고 다시 렌즈를 착용한다. 계속 지속되면 렌즈 착용을 중단한다.

4) 중심이탈

(1) 초기의 중심이탈

낮에 검사할 때는 중심이 잘 잡혔으나 끼고 자고 나면 중심이탈이 되는 경우가 흔하다. 이때는 여러가지 원인을 생각해볼 수 있다.

① 렌즈를 끼자마자 그대로 누워야 한다. 착용상태에서 앉아있으면 렌즈가 밑으로 흐르는 수가 있다. 특히 컴퓨터 모니터를 보면 깜빡임도 안되어 이런 현상이 더 심해진다.

② 어린이의 경우 반듯하게 잠을 자지 못해서 자는 도중 옆으로 잔다든지 하여 중심이탈이 되는 수가 있다. 이 경우는 부모한테 자는 습관을 물어본다든지, 어떻게 잠을 잤느냐를 물어보고 해결할 수 있는지 여부를 결정한다. 자는 습관 때문에 중심이탈이 될 때는 고글이나 술 후 사용하는 안대 등 보호대를 착용하고 잘 수 있으면 권해본다.

③ 낮에 검사할 때는 앉아서 검사하는데 누운 위치에서는 렌즈의 위치가 변할 수 있다. 끼고 자고 나면 반복적으로 중심이탈이 되는 경우에는 중단을 고려할 수 있다.

(2) 나중의 중심이탈

처음에는 괜찮다가 수개월쯤 후에 중심이탈을 하는 수가 있다. 여기에는 여러 가지 이유가 있을 수 있는데, 첫째 처음에 약간의 중심이탈이 있었는데 발견 안 되고 있다가 점점 진행되어 나중에 발견되는 경우가 있고, 둘째 렌즈가 변형이 되어 서서히 중심이탈 되는 경우, 셋째 처음 처방시 정렬커브가 가파르게 처방되면 처음에는 중심잡기가 잘 되나 시간이 흐를수록 각막조직의 반발로 중심이탈이 되는 수가 있다.

처음 수개월 동안 중심이탈 없이 잘 지내다가 약간씩 이탈이 되는 경우를 볼 수 있는데 특별한 이유를 발견하기 어려운 경우가 많다. 이럴 때도 렌즈를 한참 동안 쉬어 처음 상태에서 렌즈를 다시 끼워 검사해보면 되지만, 이렇게 하기에는 경미하다고 생각이 들거나, 시간이 너무 많이 걸리기 때문에, 처음 처방이 정확했다면 일과적으로 생긴 것으로 생각하여 약 3~7일 정도 쉬었다가 다시 끼워서 좋아지면 그대로 하고, 그렇지 않은 경우에는 처음부터 다시 해보는 것이 좋다.

5) 시력 불량

중심잡기가 잘 되어 있고, 각막형태검사상 황소눈 형태가 되어 있으면 대부분 시력은 잘 나온다. 시력 불량의 경우 각막형태검사상 문제가 없으면 처음 교정할 시력을 잘

못 측정한 경우를 생각해 보아야 한다.

① 충분히 잠을 못 잔 경우에도 시력저하를 호소할 수 있다.

② 각막형태검사상 문제가 있는 경우 며칠 렌즈를 끼지 않은 후 다시 면밀히 검사해 보아 그 원인을 찾아야 한다.

③ 가장 단순한 원인은 좌, 우를 잘못 끼운 경우이다. 요즘은 좌, 우 색깔을 다르게 하여 이런 일이 잘 생기지 않는다.

④ 렌즈가 변형되어서도 시력저하가 올 수 있다.

⑤ 중심이탈에 의한 시력저하가 올 수 있는데 이는 올바른 중심잡기로 해결해야 한다.

⑥ 시력이 잘 나오다가 어느 순간부터 잘 안나오는 경우는 렌즈에 붙은 피막 때문에 눈물층의 두께가 다르게 되어 렌즈의 기능을 하지 못하게 된다. 피막의 두께가 10 μm 이상이 되면 이런 현상이 생길 수 있고 이런 경우 피막을 제거해 주거나 없어지지 않으면 렌즈를 다시 해야 한다.

⑦ 렌즈가 가파르게 처방되어 있을 시 특히 정렬커브가 너무 가파르게 되어 오래 지나면 주변부가 눌러서 중심부가 상대적으로 튀어나올 수가 있다. 이런 경우에도 다시 처방을 해야 한다.

⑧ 렌즈가 오래되면 렌즈의 BC가 가파르게 되고 이로 인해 다른 커브들도 가파르게 되어 각막과 렌즈사이 간격이 커져서 렌즈의 교정효과가 줄어든다. 이때는 렌즈를 교체해 주어야 한다.

⑨ 보존액이 눈에 맞지 않아서 각막에 미세한 과립이 생겨서 시력이 떨어지는 수가 있다. 이때는 이러한 것이 없어진 후에 다시 렌즈를 끼우면 된다.

⑩ 성장기의 환자는 근시가 진행되어 시력이 잘 안 나오는 수가 많다. 렌즈를 빼고 충분히 쉬어 각막이 시술 이전으로 돌아간 뒤 굴절검사하여 시술 전과 후를 비교해 보면 되지만, 시간이 많이 걸리므로 렌즈를 낀 상태에서 덧댐굴절검사를 하여 처음 상태와 비교해보면 된다. 그러므로 렌즈를 처음 할 때 반드시 덧댐굴절검사치를 기록해 두어야 한다.

표 12-4　경과관찰 방문 시 시행이 권유되는 검사
• 나안시력
• 굴절검사
• 세극등현미경 검사
• 각막지형도 검사
• 렌즈 피팅 상태 검사
• 덧댐 굴절검사(선택)

6. 추적관찰 및 사후관리

모든 검사가 끝나면 주문한 렌즈를 환자에게 주고 1주일간 끼고 내원하게 한다. 내원 시 시력, 굴절력, 세극등현미경 검사, 각막형태검사 등을 한다(표 12-4).

한 가지라도 이상이 있을 시 그 원인을 알아내어 완벽하게 시술해야 한다. 시력이 아무리 잘 나오더라도 중심이탈 등 각막형태검사에 이상이 있다든지, 각막에 이상이 있으면 안 된다. 작은 이상도 시간이 가면 더 큰 이상으로 발전될 수 있으므로 초기에 해결해야 한다. 첫 주에 이상이 없으면 약 2주 후에 보도록 한다. 약 한 달간 경과 관찰 후에도 이상이 없으면 매 3개월마다 추적관찰을 한다. 한 달 이후에 한 번씩 렌즈를 착용하지 않고 그 다음날 오후까지 시력이 괜찮으면 일주일에 한 번 정도 착용하지 않도록 한다. 계속해서 시력이 만족스럽게 나오면 2일에 한 번, 3일에 한 번씩 착용하고 자는 방법을 시도해 볼 수도 있으나 가능하면 매일 착용하도록 한다.

추적관찰 시에도 앞서 열거한 사항을 검사하는데, 특히 렌즈를 꼭 가져오게 하여 이상이 있을 때는 즉시 해결을 해야 한다. 주로 단백질 등 피막이 형성된 경우가 많은데 여러 가지 가능성(연마제, 용해제, 효소제) 크리너를 사용하여 항상 깨끗하고 기능에 문제가 없도록 하여 렌즈를 사용하도록 해야 한다.

렌즈를 착용하면서 제일 주의해야 하는 것은 역시 감염이다. 렌즈를 끼고 자므로 낮에 끼는 것보다 각막에 더 부담을 주게 된다. 눈물 순환이 잘 되지 않으므로 노폐물이 눈과 렌즈 사이를 잘 빠져나가지 못하여 일반 하드렌즈를 착용했을 때 보다 합병증이 더 많이 생길 수 있다는 것을 환자에게 설명해 주어야 한다. 아침에 렌즈를 빼고 깨끗이 씻어 보존액에 담그고, 착용 전에 보존액 성분을 크리너나 멸균생리식염수로 쓰는 것이 좋다. 렌즈를 착용할 때는 인공눈물을 렌즈 위에 떨어뜨리고 렌즈를 착용한다. 착용하자마자 그대로 반듯이 눕는다. 고개를 돌리거나 하면 중력에 의해서 렌즈가 흘러 중심이탈이 되는 경우가 있다. 아침에 렌즈를 제거하기 전에 인공눈물을 충분히 점안하여 눈과 렌즈가 유착되지 않게 하여 제거한다. 제거하기 전에 렌즈가 각막의 중심에 있는지를 확인하는 습관을 들이면 좋다. 만약 중심에 있지 않으면 즉시 내원하든지, 사정이 여의치 않으면 며칠 쉰 후에 착용해 보고 계속 중심에 오지 않으면 내원해야 한다.

7. 각막교정술의 현재와 미래

1) 원시 교정

새로운 Ortho-K렌즈 디자인은 원시를 교정할 수 있도록 되어있는데 아직 FDA의 승인을 받지는 않았지만 off-label 적응증으로 사용중이다. 각막지형도에서 원시가 교정되려면 중심 각막의 경사화와 중심주변(midpheripheral) 각막의 편평화가 이루어져야 한다. 각막 눌림이 paracentral 영역에 작용하는 일차적인 기전으로 원시 각막교정술의 임상효과가 나타난다.[35] 조직학적으로 중심 각막상피는 두꺼워지고 중심주변 상피는 얇아지게 된다. 이러한 원시 각막교정술의 연구는 근시보다 많은 연구가 이루어지지는 못했다.

중심 각막의 경사화를 이루기 위해 이상적인 렌즈 후부표면은 3가지의 주요한 부분으로 구성되어 있다(그림 12-9).
① 정점부틈새(apical clearance)의 중심부
② Geometric center부터 2~3 mm의 접촉부

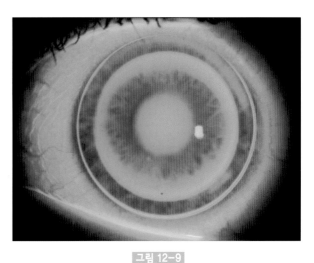

그림 12-9

중심의 정점부틈새(apical clearance) 형태의 원시용 역기하렌즈

③ 중심주변부의 이완부

중심부의 clearance는 조직 변형과 각막 경사화를 담당한다. 원시 교정을 위한 후부 광학부 영역은 5~8 mm 직경의 구면 또는 비구면으로 구성된다.[36] 각각의 치료영역의 직경은 원시의 교정량에 따라 다르다.

2) 전망과 미래

동양인의 각막은 그 크기가 서양에 비해 조금 작거나, 같은 비구면도라도 각막형태검사에서 차이가 나므로 서양사람의 눈과 다르게 접근할 필요가 있다. 최근 토릭 각막굴절교정렌즈의 영역이 확대되어 난시가 심한 눈에서도 만족스러운 피팅을 얻고 있다.

원시나 노안에 대한 Ortho-K렌즈도 개발되어 있고, 또한 치료영역의 넓이를 줄이고 BC에 비구면도를 가입하며 역기하커브와 정렬커브 디자인을 조정하여 고도근시에도 영역이 확대되고 있다.

이렇듯 새로운 영역의 Ortho-K렌즈의 개발에 따라 앞으로도 점차 활용도와 피팅 영역이 확대될 것으로 기대된다.

임상적인 요점 정리

- 각막교정술은 특수하게 디자인된 RGP렌즈로 중심 각막을 편평하게 만들어 근시와 난시를 일시적으로 교정하는 역할을 한다.
- 현대의 각막교정술은 RGP렌즈의 이차 커브가 BCR에 비해 가파른 디자인으로 과거의 렌즈에 비해 단시간에 많은 굴절이상 교정의 효과를 보인다.
- 각막지형도검사는 각막곡률계에 비해 넓은 범위의 각막 정보를 제공하여 각막의 변화와 상태를 평가하는 보다 유용한 방법이다.
- FDA의 교정 허용 기준은 렌즈의 디자인에 따라 근시 −5.00 또는 −6.00 D까지, 난시 −1.50 또는 −1.75 D까지이다.
- 이상적인 피팅은 '황소눈' 패턴을 보이는데 4∼5 mm 직경의 염색이 없는 central touch가 보이고, 그 옆으로 1 mm 정도의 고리모양 염색이 보이며, 주변부에 좁은 고리 모양의 가장자리틈새가 나타난다.
- 수면뒤 역기하렌즈 착용 시 렌즈의 움직임이 착용전 플루레신 염색 양상보다 더 중요하고 각막지형도 검사와 함께 평가되어야 한다.[35]

▶ 참고문헌

1. Efron N, Morgan PB, Woods C. Survey of contact lens prescribing to infants, children, and teenagers. Optom Vis Sci. 2011;88(4):461–468.

2. Morrison RJ. Contact lens and the progression of myopia. J Am Optom Assoc. 1957;28:711–713.

3. Bier N. Myopia controlled by contact lenses. Optcian. 1958;135:427.

4. Carlson JJ. Basic factors in checking the progression of myopia. Opt J Rev Optom. 1958;95(19):37–42.

5. Jesson GN. Orthofocus techniques. Contacto. 1962;6(7):200–204.

6. Grant SC, May CH. Orthokeratology control of refractive errors through contact lenses. J Am Optom Assoc. 1971;42:345–359.

7. Kerns R. Research in orthokeratology. Part I: introduction and background. J Am Optom Assoc. 1976;47:1047–1051.

8. Kerns R. Research in orthokeratology. Part III: results and conclusions. J Am Optom Assoc. 1976;47(8):1505–1515.

9. Binder PS, May CH, Grant SC. An evaluation of orthokeratology. Ophthalmology. 1980;87(8):729–744.

10. Polse KA, Brand RJ, Schwalbe JS, et al. The Berkeley orthokeratology study. Part II: efficacy and duration. Am J Optom Physiol Opt. 1983;60(3):187–198.

11. Polse KA, Brand RJ, Keener RJ, et al. The Berkely orthokeratology study. Part III: safety. Am J Optom Physiol Opt. 1983;60(4):321–328.

12. Coon LJ. Orthokeratology, part II: evaluating the Tabb method. J Am Optom Assoc. 1984;55(6):409–418.

13. Polse KA. Orthokeratology as a clinical procedure (editorial). Am J Optom Physiol Opt. 1977;54(6):345–346.

14. Eger MJ. Orthokeratology factor or fiction (editorial). J Am Optom Assoc. 1975;46(7):682–683.

15. Safir A. Orthokeratology, II. A risky and unpredictable "treatment" for a benign condition. Surv Ophthalmol. 1980;24(5):291–302.

16. Fontana AA. Orthokeratology using the one piece bifocal. Contacto. 1972;16(6):45–47.

17. Wlodyga RG, Bryla C. Corneal molding: the easy way. Contact Lens Spectrum. 1989;4(8):58–65.

18. Harris HD, Stoyan N. A new approach to orthokeratology. Contact Lens Spectrum. 1992;7(4):37–39.

19. Mountford J. An analysis of the changes in corneal shape and refractive error induced by accelerated orthokeratology. Int Cont Lens Clin. 1997;24:128–143.

20. Lui Wo, Edwards MH. Orthokeratology in low myopia. Part I: efficacy and predictability. Cont Lens Anterior Eye. 2000;23(3):77–89.

21. Nicholas JJ, Marsich MM, Nguyen M, et al. Overnight orthokeratology. Optom Vis Sci. 2000;77:252–259.

22. Ran MJ, Jackson JM, Jones LA, et al. Overnight orthokeratology: preliminary results from the Lenses and Overnight Orthokeratology (LOOK) study. Optom Vis Sci. 2002;79:598–605.

23. Tahhan N, Du Toit R, Papas E, et al. Comparison of reverse-geometry lens designs for overnight orthokeratology. Optom Vis Sci. 2003;80:796–804.

24. Swarbrick HA, Alharbi A. Overnight orthokeratology induces central corneal thinning. Invest Ophthalmol Vis Sci. 2001;42(suppl):S597.

25. Sridharan R, Swarbrick HA. Corneal response to short-term orthokeratology lens wear. Optom Vis Sci. 2003;80(3):200–206.

26. Swarbrick HA, Wong G, O'Leary DJ. Corneal response to orthokeratology. Optom Vis Sci. 1998;75:791-799.

27. Swarbrick HA. Orthokeratology review and update. Clin Exp Optom. 2006;89:124-143.

28. Alharbi A, La Hood D, Swarbrick HA. Overnight orthokeratology lens wear can inhibit the central stromal edema response. Invest Ophthalmol Vis Sci. 2005;46:2334-2340.

29. Alharbi A, Swarbrick HA. The effects of overnight orthokeratology lens wear on corneal thickness. Invest Ophthalmol Vis Sci. 2003;44:2518-2523.

30. Caroline, et al. Morphologic changes in cat epithelium following overnight lens wear with the paragon CRT lens for corneal reshaping. Paper presented at: American Academy of Optometry Meeting; December 2003;Dallas, TX.

31. Choo JD, Caroline PJ, Harlin DD. How does the cornea change under corneal reshaping contact lenses? Eye Contact lens. 2004;30:211-213.

32. McCampbell K, Bennett ES. Corneal reshaping with the CRT lens made easy. Contact Lens Spectrum. 2004;19:30-37.

33. Mountford J. Orthokeratology. Butterworth. 2004;109-174.

34. Bennett ES, Henry VA. Clinical manual of contact lenses. Philadelphia: JP Lippincott Co. 2000;559-581.

35. Gifford P, Au V, Hon B, et al. Mechanism for corneal reshaping in hyperopic orthokeratology. Optom Vis Sci. 2009;86(4):e306-e311.

36. Caroline PJ. Steepening corneal curvature through overnight ortho-k. Contact Lens Spectrum. 2006;21(11):56.

원추각막교정 콘택트렌즈

Contact lens correction for keratoconus

박영기, 김미금

1. 원추각막

원추각막은 비염증성으로 각막중심부 또는 중심부근이 원뿔모양으로 변형이 오는 일반적으로 양안성이고 진행성인 변성질환이다. 비교적 흔하지는 않은 질환으로 유병율이 미국에서는 약 전체 인구의 0.015%로 알려져 있고,[1] 영국에서는 0.057%를 보고하였는데[2] 아시안 인종이 0.23%로 백인보다 약 4배가량 발생율이 높은 것으로 보고되어[2] 한국에서는 역학이 아직 밝혀져 있지 않으나, 백인보다는 낮을 것으로 추정된다. 원추각막은 주로 사춘기 또는 청소년기에 시작되어서 계속 진행하다가 40~50세에 멈추는 것으로 알려져 있으며, 각막의 얇아짐과 돌출로 인한 부정 난시의 증가뿐 아니라 안표면의 계속적인 손상으로 반흔이 진행하면서 시력이 많이 저하된다.

원뿔의 꼭지점은 주로 시축의 약간 아래쪽, 이측으로 위치하는 것이 대부분이지만, 그 외 중심부에도 나타날 수 있고, 드물게 시축의 아래쪽, 비측, 아주 드물게 시축의 위쪽, 비측이나 위쪽, 이측으로도 보고가 있다.[3] 이러한 원뿔모양의 확장은 주로 각막의 얇아진 부분과 일치하며 일반적으로 그 직경은 3~6 mm 이내이다. 원뿔은 튀어 나오면서 나머지 주변부의 각막은 더 편평해져서 각막의 용적은 변화가 없다.

원추각막의 원인은 아직 명확히 밝혀져 있지 않으나, 다운 증후군, 아토피, 망막 색소 상피증 등과의 연관이 알려져 있고, 그 외에도 선천성 고관절 이형성증, Oculodento-digital syndrome, Rieger's syndrome, Apert's syndrome, Craniofacial dysostosis, 터너 증후군, 말판 증후군 등에서도 보고되고 있다. 최근 visual system homeobox 1 homolog, CHX-like (zebrafish, VSX1) 유전자와 원추각막과의 연관성이 보고되고 있으나,[4,5] 이러한 유전자는 민족에 따라 변이 양상과 발생 빈도가 차이가 있어 원추각막의 고유 민감 유전자로서 가능하기에는 아직 많은 논란이 되고 있으며, 원추각막환자의 6~8%가 유전력을 가지고 있다고 한다.[6] 그 외에 리소조말 효소(lysosomal enzyme)의 증가도 원추각막의 발병에 원인 중 하나로 보고되고 있으며,[7-10] 주로 사춘기에 발병이 많은 것은 호르몬의 영향도 있을 것으로 추측되고 있다. 원추각막의 발생에 눈비빔이 영향을 미칠 가능성도 많이 논의되어 왔는데, 실질세포의 고사와 인터루킨1(IL-1)의 증가가 원추각막과 관련이 있을 가능성을 고려하면,[11-13] 상피 세포의 손상을 지속적으로 유발하거나 안표면의 염증을 유발할 수 있는 외인성 자극이 각막실질 세포의 고사를 증가시켜 원추각막을 유발할 수도 있음을 시사한다. 한국에서의 원추각막환자는 주로 청년기에 분포하고 약 77%에서 눈비빔 증상을 가지고 있으며 가족력은 없는 것으로 관찰되었다고 하였다.[6] 최근 굴절교정수술 증가에 따른 LASIK 후 합병증으로 의인성 각막확장증의 형태로 원추각막이 발생하고 있다.[14,15]

진단은 진행성으로 시력저하가 나타나면서 세극등하에

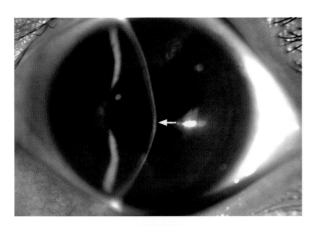

그림 13-1

각막의 돌출 및 얇아짐

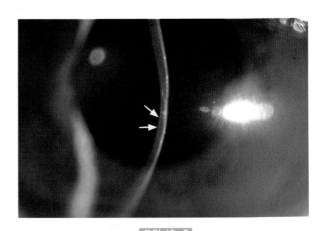

그림 13-2

후실질의 수직선(Vogt's striae)

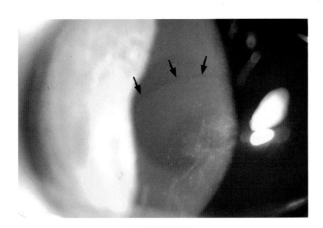

그림 13-3

Fleischer 고리

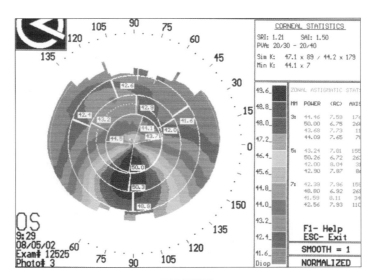

그림 13-4

각막 지형도

서 각막의 돌출 및 얇아짐(그림 13-1)이 관찰되고 외부압력에 일시적으로 소실되는 후실질의 수직선(Vogt's striae, 그림 13-2)이나 Fleischer 고리(그림 13-3)가 원추 주변에 동반되고 검영법에서 가위반사를 보이면 비교적 쉽게 진단이 가능하나, 원추각막의 초기에는 임상적인 변화가 뚜렷하지 않아서 비교적 감별하기 쉽지 않다. 컴퓨터를 이용한 각막지형도 검사는 임상증상이 뚜렷하지 않은 초기 원추각막의 진단이나 원추각막의 진행을 파악하는데 비교적 많은 도움을 주고 있다(그림 13-4).[16-18] 원추 각막을 시사하는 컴퓨터를 이용한 각막지형도의 지표 기준은 다양하게 제시되고 있는데, 이 중 47.2 디옵터 이상의 중심각막곡률(Central K), 1.4 디옵터 이상의 하각막의 급경사(I-S value), 0.92 디옵터 이상의 양안간 중심각막곡률 차이, Sim K(simulated K) 난시가 1.5D 초과, skewed radial axes (SRAX)가 21도보다 큰 경우 등의 지표를 제안한 Rabinowitz의 기준이 흔하게 이용되고 있다.[19,20] 그 외에 Maeda와 Klyce는 Sim K1, Sim K2, SAI (surface asymmetry index), DSI (Differential Sector Index), OSI (Opposite Sector Index), CSI (Center/Surround Index), IAI (Irregular Astigmatism Index), AA (Analyzed Area) 등 8개 기준을 종합하여 계산한 KPI (Keratoconus Prediction Index)를 이용하여 원추각막의 조기 진단에 사용할 수 있음을 보고하였고,[21] Rabinowitz와 Rasheed 등은 중심각막곡률(central Keratometric value), I-S value (difference between inferior and superior keratometric values), 최대모의곡률반경과 최소모의곡률반경의 차 (SimK1과 SimK2의 차), SRAX 등의 지표를 사용하여 계산한 KISA% 가 원추각막의 조기 진단에 민감도와 특이도가 매우 높다고 보고하였다.[22] 이러한 다양한 지표가 사용되고 있음은 원추각막의 조기진단은 아직까지는 검사자가 사용하는 각막지형도와 진단지표에 따라 차이가 있을 수 있음을 시사하며 따라서 정기적인 경과 관찰을 통해 진행 여부 및 임상 소견의 변화를 추적관찰 하는 것이 실제 진단하는데 매우 중요하다.

Contact Lens Association of Ophthalmologists의 guidelines에 의하면 원추각막의 단계는 Sim K를 기준으로 경도(mild)는 Sim K가 45 D 미만, 중등도(moderate)는 Sim K가 45 D 이상 52 D 이하, 중증(advanced)은 Sim K가 52 D 초과, 고도(severe)는 Sim K 가 60 D 초과로 분류하고 있으나(표 13-1)[23] 이는 원추가 생기기 전의 각막곡률을 고려하지 않은 분류이기 때문에 원래부터 각막이 가파른 경우 실제보다 더 심한 정도로 분류가 될 수 있고 반대로 각막곡률이 편평한 경우 더 경한 정도로 분류가 될 수 있다. 원추의 모양으로 분류하기도 하는데(표 13-2), 유두상(nipple-shaped, 그림 13-5), 난원형(oval-shaped, 그림 13-6), 구형(globus-shaped, 그림 13-7)로 나누며, 평균 곡률이 50 D을 넘을 때 그 모양을 명백히 알기 쉽다. 이 분류는 Sim K를 기준으로 나눈 단계와 더불어 콘택트렌즈 처방에 중요하게 활용된다.[24,25] 임상적 소견을 포함하여 자세히 나눈 원추각막의 단계는 표 13-3에 기술되어 있다.[26]

표 13-1	Contact Lens Association of Ophthalmologists (CLAO) 가이드라인에 근거한 원추각막의 분류
keratoconus stage	Sim K reading
mild	<45 D
moderate	45 D≤ ≤52 D
advanced	>52 D
severe	>60 D

2. 콘택트렌즈를 이용한 원추각막의 교정

원추 각막에서 콘택트렌즈를 착용하는 목적은 원추각막에 의해 발생하는 불규칙한 부정 난시를 줄이고 매끈하고 규칙적인 새로운 전면광학표면을 만들어 시력을 개선하기 위한 것이다. RGP 재질의 구면렌즈, 비구면렌즈, 다중곡률커브렌즈 등이 사용되며, 진행이 심하여 각막 RGP렌즈로 장착이 어려운 경우 피기백(piggyback) 렌즈나 공막렌즈도 시도해 볼 수 있다. 제한된 경우에 한해 일반 혹은 원추각막용 소프트렌즈나 하이브리드 렌즈도 장착해 볼 수 있다.

표 13-2 원뿔(Cone)형태에 근거한 원추각막의 분류

The shape of the cone	Characteristics
Nipple-shaped	Less than 5 mm in diameter that is surrounded by almost 360°of normal cornea Often located centrally or decentered slightly inferiorly The apex is in the lower nasal cornea, averaging 1.1 mm from the visual axis Average K readings > 65 D 5~6 mm in diameter
Oval-shaped	Apex lies in the midperipheral inferotemporal area Apex averages 2.3 mm from the visual axis Oval cones have more breaks in Bowman's membrane, and more ruptures in Descemet's membrane
Globus-shaped	Average K readings > 68 D Involves almost 75% of the corneal surface Located inferiorly > 6 mm in size

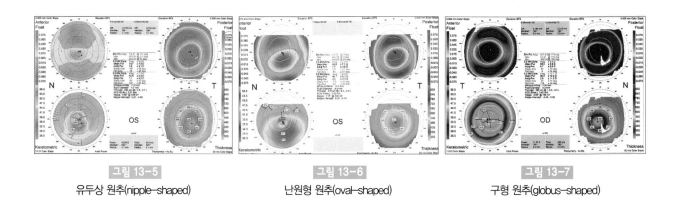

그림 13-5
유두상 원추(nipple-shaped)

그림 13-6
난원형 원추(oval-shaped)

그림 13-7
구형 원추(globus-shaped)

표 13-3 각막형태검사 및 임상발현 양상에 근거한 Bennett's의 종합분류

	clinical and topographic findings
stage 1	Fully correctable with spectacles Slightly increase in refractive astigmatism Slight or no keratometric mire distorsion Mild area of steepening with videokeratoscopy, irregular keratometer mires Mild scissors reflex with retinoscopy Difficult to diagnose
stage 2	Definite corneal distorsion and irregular astigmatism observed with keratometry and videokeratoscopy Further increase in myopia and refractive astigmatism Keratometer values exhibit 1~4 D of steepening
stage 3	Best-corrected spectacle visual acuity is greatly decreased Accurate keratometry readings are difficult to obtain because of mire distorsion Keratometric reading have steepened from 5~10 D Increase in irregular astigmatism, commonly ranging from 2~8 D Slit lamp findings including corneal thinning, increased nerve fiber visibility, Vogt's striae, Fleischer's ring
stage 4	Intensification of above signs, with corneal steepening to > 55 D Scarring present at apex Munson's sign present

1) 렌즈 선택의 가이드

(1) 렌즈와 중심부 각막의 장착 정렬
(Lens-to-cornea fitting alignment)

정점부틈새(Apical clearance), 정점부접촉(Apical bearing) 또는 2점 접촉(two-point touch), 3점 접촉(3-point touch) 또는 분할 지지(divided support)의 크게 3가지의 정렬이 원추각막에서의 가능한 기본 장착 방법이다.[27]

① 정점부접촉(Apical bearing)
전통적인 장착방법으로 곡률반경이 편평하고, 직경 및 시야부가 큰 렌즈를 이용하여 정점부를 접촉시킴으로써 렌즈에 의한 지지가 대부분 정점부에 집중되는 장착 방식으로 편평한 피팅(flat fit)이라고도 한다(그림 13-8). 눈물렌즈에 의해서 뿐 아니라 각막을 눌러 기계적으로 난시를 없애 주므로 시력개선에는 효과가 좋다. 초기 착용감은 좋을 수 있으나 각막자극에 의해 각막미란이 잘 생길 수 있어 착용 중에 통증을 호소 할 수 있다. 장기간 착용 시 원추정점에 지속적인 각막미란을 가져오거나 반흔이 진행을 유발함이 알려져 있으며,[27] 장기적으로는 시력 저하를 가져올 수 있다(표 13-4). 현재는 많이 사용되지는 않으나 아주 심하게 진행된 원추각막에서 다른 장착방법이 유용하지 않은 경우에는 사용 될 수 있다. 콘택트렌즈 착용이 원추각막의 반흔을 진행시키는 데에는 위험인자 중 하나로 알려져 있

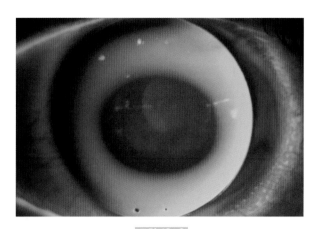

그림 13-8

정점부접촉(Apical bearing, Apical touch), 2점 접촉(two point touch)

고,[28,29] 정점부접촉 정렬의 경우 반흔의 발생 가능성이 정점부틈새 정렬보다 높다는 것이 일반적인 견해이지만, 최근 반흔의 진행은 정렬방법에 관계 없고 병의 자연경과에 의한 것인데, 심한 원추각막이 정점부접촉 정렬 장착을 많이 하게 되어 반흔의 진행과 관련이 있는 것처럼 나타나는 것이라고 반대의 견해를 주장하는 보고도 있다.[30]

② 정점부틈새(Apical clearance)
곡률반경이 가파르고, 직경과 시야부가 작은 렌즈를 이용하여 중심부 주변각막에 렌즈가 접촉함으로써, 렌즈에 의한 지지가 대부분 중심부 주변각막에 집중되고, 중심부 정점에는 공간(clearance, vault)이 형성되어 렌즈에 의한

표 13-4	원추각막의 렌즈피팅에서 정점부접촉과 정점부틈새의 장단점
Advantages	**Disadvantages**
Apical touch	
Easier to fit	Possibly causes epithelial disruption
Better visual acuity	Possibly increased scarring
More comfortable in long-term	More emergency visits resulting from corneal abrasions
Physically flattens the cornea, suggested slowing of disease progression	
Apical clearance	
Decreased scarring	Less corrected visual acuity
Less likely fewer emergency visits	Difficult to fit
	Peripheral corneal disruption
	Poor long term comfort
	Increased practitioner and patient time and expense

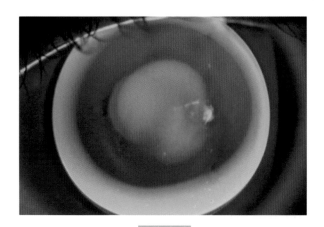

그림 13-9

원추 각막에 소결절이 발생하여 정점부틈새(Apical clearance) 장착을 시행함

지지 및 압력이 가해지지 않는 장착 방식으로 가파른 피팅(steep fitting)이라고도 한다(그림 13-9). 중등도 이상의 각막상피미란이 지속되거나 각막의 반흔이 발생 또는 진행하는 경우에 장착하며, 반흔의 발생이 적을 가능성이 있다는 장점이 있는 반면, 눈물렌즈에 의해서만 각막난시가 교정이 되므로 시력 교정이 덜 되고, 장기적 착용감은 정점부접촉에 비해 불편하며, 렌즈의 주변부가 주변부 각막에 심하게 접촉되어 주변 각막에 기계적 손상이 올 수 있고, 눈물의 순환을 봉쇄(seal-off)하여 중심부 각막의 대사 장애 및 그로 인한 일시적 중심부 각막상피미란과 렌즈의 유착(adherence)을 가져올 수 있어 경과 관찰 시 주의 깊은 모니터링이 필요하다(표 13-4).[26,30,31]

너무 심한 원추각막에서는 렌즈의 중심곡률을 제작하는데 한계가 있으므로 착용이 불가능하다.

③ 3-point touch (divided touch)

가장 보편적으로 원추각막의 렌즈 장착 정렬에 많이 쓰이는 방법으로 중심부 정점은 아주 가볍게 접촉하고(feather touch), 수평 부분의 중심 주변부각막에 각각 접촉함으로서 렌즈에 의한 지지를 골고루 분할하여 중심부와 주변부에 집중적으로 가해지는 압력을 분산하여 정점부접촉과 정점부틈새의 단점을 같이 보완한 장착법이다(그림 13-10). 중심부 접촉이 약 2~3 mm 되는 것이 이상적이며 중간주변부에 bubble이 관찰되면 BOZD (Back optic zone diameter, 후면광학부직경)이 너무 넓은 것을 의미한다.

원추각막에서 일반적으로는 3-point touch가 가장 보편적인 렌즈 장착 정렬이나[32] 환자의 각막상태에 따라 다른 정렬 방법을 선택할 수 있는데, 아주 심한 원추각막에서도 시야부를 작게 하고 주변부커브를 많이 만들고 더 편편하게 하면 3-point touch정렬이 가능하다. 정도의 차이는 나지만 이 정렬방식도 각막에 접촉이 되므로 각막에 낫지 않는 각막상피결손이 지속되거나, 소용돌이 모양(whirl-like)의 각막상피미란이 점점 진행할 경우는 정점부틈새 정렬이 도움이 되나 이 역시 불가능한 경우에는 피기백 방식이나 공막렌즈의 처방을 고려한다.

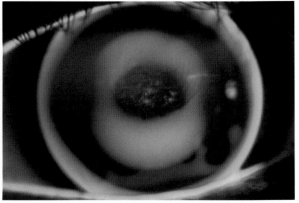

그림 13-10

3점 접촉(3-point touch)

(2) 렌즈 선택 시 고려하여야 할 렌즈파라미터
(parameters of the lens)

① 렌즈 지름과 BOZD

렌즈 지름과 BOZD는 동공의 크기, 안검열의 크기, 렌즈의 중심잡기(centration) 정도 및 각막곡률의 정도에 따라 결정된다. 8.5~8.8 mm 직경의 작은 렌즈는 중심부 원추의 경우에 잘 맞고 비교적 움직임이 좋으며 주변부 각막에 기계적인 압박을 가하지 않고, 가벼워서 약간 편평하게 처방할 수 있다. 그러나 원추가 심하게 가파른 경우에 원추에 걸려서 움직임이 없을 수 있고, 중심잡기(centration)와 안정성이 직경이 큰 렌즈보다 떨어져서, 원추가 아래쪽으로 많이 치우쳐 있거나 구형 원추의 경우에는 적합하지 않을 수 있다.

9.0~10 mm의 직경이 큰 렌즈는 안정성이 뛰어나 진행이 심하게 된 원추에서 직경이 작은 렌즈가 위치가 불안정할 때 많이 사용되며, 시상높이(sagittal height)를 유지하려면 비교적 편평한 곡률반경이 요구되어 상대적으로 각막중심부의 접촉이 증가하게 된다. 아시안인은 서양인에 비해 각막지름이 작아 렌즈 직경이 9.6 mm 이내가 비교적 수평윤부에 손상을 적게 준다. 직경이 작은 렌즈에 비해 상부각막을 눌러서 기계적 손상을 줄 수 있다. 원추각막렌즈의 시야부의 크기는 같은 직경의 일반렌즈보다 작게 하는 것이 원칙인데, 접촉 부위가 작아져서 원추에 자극을 덜 주기 때문이다.

② 기본커브반경(base curve radius, BCR)의 결정

Woodward는 초기 원추각막에서는 렌즈의 BOZD가 편평한 축의 각막곡률과 유사함을 기술하였고,[33] CLEK study에서는 각막지형도에서 가파른(steep) 각막곡률을 선택하면 이 값이 평균적으로 FDACL (first definite apical clearance lens)의 곡률반경과 비슷함을 보고 하였다.[34] Lee와 Kim은 한국인 원추각막을 대상으로 한 연구에서 최대 Sim K 또는 평균 Sim K가 처음 시도하는 렌즈의 K값(K value)의 지표로 사용될 수 있음을 보고 하였다.[35] Lee와 Park도 최대 Sim K과 평균 Sim K가 렌즈의 후광학부 곡률반경과 상관관계가 있다고 보고하였으며, 최소 Sim K와

는 무관하다고 하여,[36] 한국인에서 원추각막렌즈를 처방할 때는 평균 최대 및 평균 Sim K를 참조하는 것이 좋다. 그리고, 각막지형도에서 접선곡률(instaneous radius of curvature)보다는 축곡률(axial radius of curvature)에 의한 Sim K가 렌즈의 각막곡률을 결정하는 데 더 유용한 지표라고 알려져 있다.[37] 그러나 이러한 값들은 중심 3 mm 이내의 정보를 반영하기 때문에 실제로 주변부 정렬은 맞지 않을 수 있으므로 반드시 세극등 하에서 렌즈의 중심부 정렬뿐 아니라 주변부 정렬을 플루레신 점안 하에 확인하여야 하고 이에 따라 렌즈의 곡률반경을 결정하여야 한다. 시야부가 커지면 같은 곡률반경이라도 렌즈가 가파르게 되고, 반대의 경우는 편평해지므로, 원추각막렌즈를 처방할 때 곡률반경을 바꿀지, 시야부의 크기를 바꿀지 여부를 선택하여야 한다.

③ 시상높이(=시상깊이)

원추각막은 정상 각막보다 시상높이가 높으나 같은 곡률의 정상 각막보다는 낮으므로, 장착한 렌즈의 곡률반경과 직경을 임의로 변화시킬 때에 이점을 고려하여야 한다. 최근에는 시험렌즈(trial lens)를 축정보(axial profile)인 시상높이를 변수로 하여 구성한 렌즈도 소개되고 있다.[38] 주변부커브반경(peripheral curve radius)을 임의로 많이 편평하게 하면 상대적으로 렌즈의 시상높이가 낮아져서 정점부틈새가 줄게 되어 중심부각막의 접촉이 증가하면서 중심부각막 정렬에 영향을 미치게 된다. 따라서, 편심률(eccentricity)이 클수록 시상높이가 낮아지게 되므로(그림 13-11 A, B) 원추각막에 비구면렌즈의 장착을 시도할 경우 편심률을 높힐 때는 그에 상응하는 중심부커브를 가파르게 해주어야 한다. 원추각막렌즈는 중심곡률반경이 같은 일반렌즈보다 시야부가 작고 주변부커브가 전체적으로 편평해지므로 결과로는 시상높이는 작아지게 된다(그림 13-11 C, D, E, F).

2) 시험렌즈피팅 시 주의사항

안검력이 세면 렌즈가 안검에 밀려서 각막에 더 근접하게 되면서 정점부틈새가 감소하게 되는데, 처음 렌즈를 맞

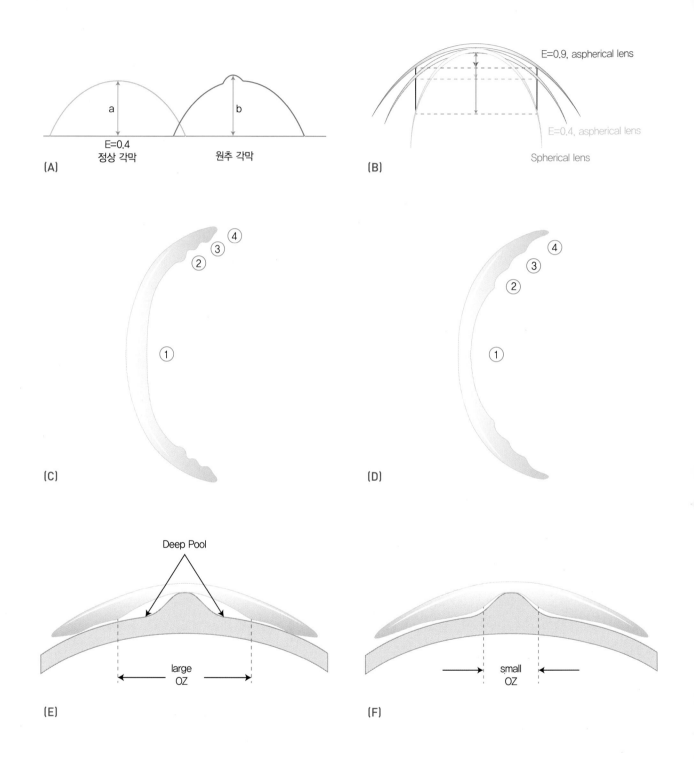

그림 13-11

시상높이(깊이). (A) 원추각막의 시상깊이(a)는 정상각막의 시상깊이(b)보다 깊다. (B) 같은 곡률반경의 콘택트렌즈에서 시상깊이 구면렌즈 시상깊이 > 편심률 0.4의 비구면렌즈 시상깊이 > 편심률 0.9의 비구면렌즈 시상깊이. (C, D, E, F) 원추각막렌즈는 같은 곡률의 일반렌즈보다 시야부가 작고 주변부가 편평하고 넓으므로 시상깊이는 낮아지게 된다.

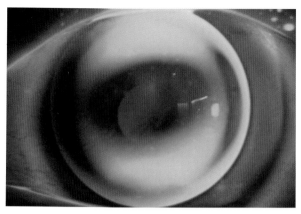

그림 13-12

렌즈의 중심부가 각막과 크게 접촉되어 있는 경우 렌즈의 시야부를 줄이고 렌즈의 중심커브를 가파르게 해주면 접촉 부위를 줄일 수 있다.

추는 환자는 이물감으로 불수의적으로 눈을 감게 되면서 안검력이 세져서 정렬을 파악하는데 비뚤림을 주게 되므로 점안 마취제를 넣고 장착의 상태를 검사하거나 렌즈를 장착한 후 최소 10~20분 정도 적응기를 둔 후에 렌즈의 정렬상태를 파악하는 것이 오차가 적게 된다.[39]

렌즈의 중심부가 심하게 접촉되면 각막미란 등이 생길 수 있으므로 접촉되는 부위의 크기를 조절해 주어야 한다. 렌즈와 각막의 접촉부위가 큰 경우 렌즈의 시야부 크기를 줄이고 중심곡률을 가파르게 해주고 주변부를 편평하게 하면 접촉부위가 줄어들게 되고 적당한 가장자리들림이 형성되어 눈물순환도 좋아지게 된다(그림 13-12).

렌즈의 주변부가 주변부 각막에 심하게 접촉되면 주변 각막에 기계적 손상이 올 수 있고, 눈물의 순환을 봉쇄하여 중심부 각막의 대사 장애 및 그로 인한 일시적 중심부 각막상피미란과 렌즈의 유착(adherence)을 가져올 수 있으므로 주변부 정렬이 조임(tightness)이 없는지 관찰 하여야 하고, 렌즈 눌림에 의한 각막 상부의 기계적 손상이 없는지 관찰하여야 한다(그림 13-13).

가장자리들림(edge lift)은 눈물 순환에 중요한 역할을 하는데, 정상안에서의 렌즈장착은 평균 가장자리들림이 0.12 mm가 이상적이나 원추각막의 렌즈장착은 평균 가상자리들림이 0.25 mm가 많이 권유되고 있다. 눈물 순환의 정도와 가장자리들림이 안검에 접촉하면서 발생하는 환자의 렌즈자각(awareness of the lens)에 대한 불편감을 고려

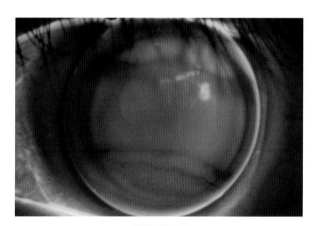

그림 13-13

렌즈의 가장자리가 낮아 눈물순환이 봉쇄될 수 있다.

하여 가장자리들림을 높이거나 낮추어 조정할 수 있다.

광학부에 큰 공기방울이 있을 경우는 일반적으로 중심부 정점부틈새가 너무 심한 경우 발생할 수 있고 렌즈곡률반경을 편평하게 하여 조정할 수 있으며, 작은 공기방울이 트랩 되어 발생하는 상피세포눌림(epithelial dimpling, 그림 13-14)은 광학부직경이 원추에 비해 큰 경우 발생하며 렌즈의 광학부직경을 줄이는 것이 상피세포눌림 감소에 도움이 된다.

3) 적용 가능한 렌즈

현재까지 원추각막의 콘택트렌즈를 이용한 치료에는 각막 RGP렌즈(rigid-gas permeable contact lens, 산소투과

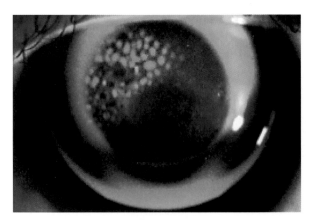

그림 13-14

의인성 각막확장증 환자에서 광학부 직경이 큰 렌즈 착용 후 발생한 상피세포눌림(epithelial dimpling)

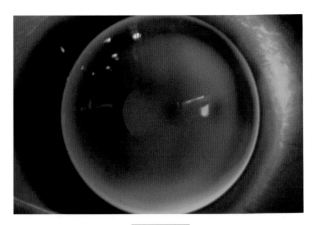

그림 13-15

초기 원추각막에서 직경이 8.8 mm인 일반 구면하드렌즈를 착용한 상태

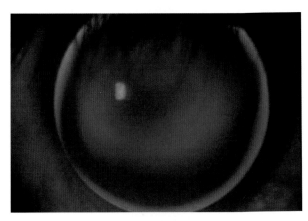

그림 13-16

비구면하드렌즈 착용 상태

경성콘택트렌즈)가 가장 보편적이나, 환자의 적응이 어려운 경우 또는 각막 RGP의 적용이 어려운 경우는 하이브리드렌즈를 하거나 공막렌즈 또는 피기백을 할 수 있다. 하이브리드렌즈는 중심부는 RGP, 주변부는 소프트렌즈 재질로 결합되어 있는 렌즈로 렌즈가 잘 빠지지 않고 착용감이 좋을 수 있으나 각막 부종[40]은 신생혈관의 발생, 환자의 불편감 증대, 거대유두 결막염 유발, 접합부위의 잦은 파손[41]으로 널리 이용되고 있지는 않다.

(1) 구면렌즈

직경이 작고 주변부 들림이 큰 일반 구면렌즈는 원추각막의 초기에 적용이 가능하다(그림 13-15).

(2) 비구면렌즈

작은 유두상 원추에 그 위치가 중심부에 있을 때 비교적 잘 맞는다고 알려져 있으며,[42,43] 경도 또는 중등도 원추각막에 적용이 가능하다(그림 13-16). 편심률은 원추각막의 단계에 따라 다양하게 제작되고 있고, KAS (GBF contact lens Inc), Aspheric-20H (Contex Inc), Envision (Boston Inc) 등이 잘 알려져 있다. 일반적으로 각막의 비구면도를 참조하여 렌즈의 비구면도를 결정하는데 원뿔이 각막의 정중앙에 위치하는 경우에는 각막의 비구면도가 정확하지만 원뿔의 위치가 정중앙에 위치 하지 않을 때는 비구면도는 낮게 측정될 수 있어 렌즈를 처방할 때 이점을 고려해야 한다. 그림 13-17에서와 같이 비구면도가 0.98인데

이 수치로 계산된 각막의 중심곡률은 6.78 mm이나 실제 각막의 가파른 곡률은 5.67 mm이다.

(3) 맞춤 제작형(custom designed) 렌즈

기본적인 디자인은 시야부가 작고 주변부가 넓고 편평하게 되어 있는데 각 렌즈마다 특성이 있고 중심커브 뿐 아니라 시야부 크기 주변부의 곡률 및 너비를 조절할 수 있어 매우 정확하게 처방할 수 있다.

① Soper Cone

시상높이를 기본으로 trial set(표 13-5)가 구성되어 있으며, 정점부틈새를 기본 장착으로 하는 렌즈로 두 개의 커브로 이루어져 있다.[44] 작은 원추에 효과적이며 중심부를

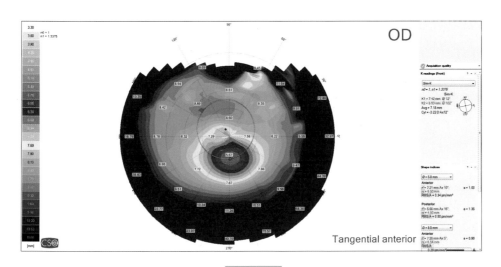

그림 13-17

원추가 중심부에서 벗어나면 계산된 비구면도가 실제와 달라 질 수 있다.

표 13-5 Soper-Cone 진단렌즈 세트의 파라미터

BCR	Power	OZD	PCR	OAD	CT	SD
7.03	−4.50	6.0	7.85	7.5	0.10	0.68
6.49	−8.50	6.0	7.50	7.5	0.10	0.73
6.03	−12.50	6.0	7.50	7.5	0.10	0.80
5.62	−16.50	6.0	7.50	7.5	0.10	0.87
6.49	−8.50	7.0	7.50	8.5	0.10	1.00
6.03	−12.50	7.0	7.50	8.5	0.10	1.12
5.62	−16.50	7.0	7.50	8.5	0.10	1.22
5.62	−8.50	8.0	7.50	9.5	0.10	1.37
6.03	−12.50	8.0	7.50	9.5	0.10	1.52
5.62	−16.50	8.0	7.50	9.5	0.10	1.67

BCR : base curve radius, OZD : optic zone diameter, PCR : peripheral curve radius, OAD : overall diameter, CT : central thickness, SD : sagittal depth

벗어나서 아래쪽에 존재하는 원추에도 비교적 효과적인 것으로 알려져 있다.[25] 주변부커브가 가파르므로 봉쇄가 잘 올 수 있어 제한점이 있다.

② McGuire lens

정점부틈새 또는 3 point touch fitting을 기본 장착으로 하며 Soper Cone보다 렌즈 움직임이 좋고, 가장자리들림이 적절한 것으로 알려져 있다. 3가지 디자인으로 나뉘어져 있어서(표 13-6) 유두상 원추 뿐만 아니라 난원형 원추, 구형 원추까지 장착이 가능하도록 구성되어 있다.[44]

③ YK-KC lens

한국 식약처에 원추각막용 하드렌즈로 승인 받은 렌즈이며, 국내에서 제작, 생산된다. 곡률반경에 따라 BOZD가 4.7~7.3 mm이며 4~5개의 커브로 구성되어 있고 3 point touch fitting을 기본 장착으로 한다. 시야부의 크기에 따라 3가지 종류로 나누어지는데 시야부가 작은 렌즈는 주로 유두상 원추나 심하게 진행된 원추각막에 적용되고, 시야부가 큰 렌즈는 초기 원추각막, 난원형 원추, 원추가 중심부를 벗어난 경우, 매우 편평한 각막에 처방이 되며, 시야부가 중간 형인 경우에는 이 두 가지를 사용해도 처방이 잘

표 13-6　McGuire 진단렌즈 세트의 파라미터

BCR	Power	OZD	2PCR/width	3PCR/width	4PCR/width	5PCR/width	OAD
			Nipple Cone				
6.75	−8.00	6.0	7.25/0.3	8.28/0.3	9.75/0.3	11.75/0.4	8.6
6.62	−9.00	6.0	7.10/0.3	8.10/0.3	9.60/0.3	11.60/0.4	8.6
6.49	−10.00	6.0	7.00/0.3	8.00/0.3	9.50/0.3	11.50/0.4	8.6
6.37	−11.00	6.0	6.85/0.3	7.85/0.3	9.35/0.3	11.35/0.4	8.6
6.24	−12.00	6.0	6.75/0.3	7.75/0.3	9.25/0.3	11.25/0.4	8.6
6.14	−13.00	6.0	6.65/0.3	7.65/0.3	9.15/0.3	11.15/0.4	8.6
			Oval Cone				
6.75	−8.00	6.5	7.25/0.3	8.28/0.3	9.75/0.3	11.75/0.4	9.1
6.62	−8.00	6.5	7.10/0.3	8.10/0.3	9.60/0.3	11.60/0.4	9.1
6.49	−10.00	6.5	7.00/0.3	8.00/0.3	9.50/0.3	11.50/0.4	9.1
6.37	−10.00	6.5	6.85/0.3	7.85/0.3	9.35/0.3	11.35/0.4	9.1
6.24	−12.00	6.5	6.75/0.3	7.75/0.3	9.25/0.3	11.25/0.4	9.1
6.14	−12.00	6.5	6.65/0.3	7.65/0.3	9.15/0.3	11.15/0.4	9.1
6.03	−14.00	6.5	6.50/0.3	7.50/0.3	9.00/0.3	11.00/0.4	9.1
5.92	−14.00	6.5	6.40/0.3	7.40/0.3	8.90/0.3	10.90/0.4	9.1
5.82	−16.00	6.5	6.30/0.3	7.30/0.3	8.80/0.3	10.80/0.4	9.1
5.72	−16.00	6.5	6.20/0.3	7.20/0.3	8.70/0.3	10.70/0.4	9.1
5.63	−18.00	6.5	6.10/0.3	7.10/0.3	8.60/0.3	10.60/0.4	9.1
			Globus cone				
6.75	−8.00	7.0	7.25/0.3	8.28/0.3	9.75/0.3	11.75/0.4	9.6
6.62	−9.00	7.0	7.10/0.3	8.10/0.3	9.60/0.3	11.60/0.4	9.6
6.49	−10.00	7.0	7.00/0.3	8.00/0.3	9.50/0.3	11.50/0.4	9.6
6.37	−11.00	7.0	6.85/0.3	7.85/0.3	9.35/0.3	11.35/0.4	9.6
6.24	−12.00	7.0	6.75/0.3	7.75/0.3	9.25/0.3	11.25/0.4	9.6
6.14	−13.00	7.0	6.65/0.3	7.65/0.3	9.15/0.3	11.15/0.4	9.6

BCR : base curve radius, OZD : optic zone diameter, PCR : peripheral curve radius (2PCR: secondary PCR, 3 PCR; third PCR, 4PCR; 4th PCR, 5PCR; 5th PCR), OAD : overall diameter

되지 않을 때 사용하면 된다. 기존의 디자인대로만 처방을 하면 구형 원추에는 적용이 제한적일 수 있으나[35] 렌즈의 파라미터를 변형한 100% custom made 렌즈를 제작하면 처방 범위를 많이 넓힐 수 있다.

④ Rose K lens

Paul Rose에 의해 개발된 렌즈로 BOZD가 4.0∼6.5 mm로 기존의 렌즈보다 작아서 원추기저에 공기가 차는 것을 최소화 하며,[45] 주변부는 컴퓨터에 의해 형성된(computer-generated) 비구면양(aspheric like periphery) 처리를 한 렌즈로 3 point touch fitting을 기본 장착으로 한다. 유두상 원추에 효과적이며 난원형 원추에도 적용 가능한 렌즈이다(표 13-7).

⑤ NiCone Lens

3개의 BC(base curve, 기본커브)와 12.25 mm의 한 개의 주변부커브(peripheral curve)를 가지고 있으며 2번째 BC가 정상각막과 비정상각막의 이행존의 완충역할을 하게 구성되어 있다(표 13-8). 경도 원추뿐 아니라 진행된 원추에도 적용 가능하도록 디자인되어 있다.[46]

표 13-7 Rose K 진단렌즈 세트의 파라미터

BCR	Power	OAD	CT
5.10	−20.75	8.7	0.10
5.20	−22.00	8.7	0.11
5.30	−20.75	8.7	0.12
5.40	−20.75	8.7	0.10
5.50	−19.25	8.7	0.11
5.60	−18.50	8.7	0.11
5.70	−17.25	8.7	0.12
5.80	−16.00	8.7	0.13
5.90	−15.00	8.7	0.10
6.00	−14.25	8.7	0.13
6.10	−13.00	8.7	0.14
6.20	−12.00	8.7	0.14
6.30	−11.00	8.7	0.14
6.40	−10.12	8.7	0.14
6.50	−9.00	8.7	0.15
6.60	−8.00	8.7	0.16
6.70	−6.87	8.7	0.17
6.80	−5.87	8.7	0.18
6.90	−5.00	8.7	0.19
7.00	−4.12	8.7	0.19
7.10	−3.00	8.7	0.20
7.20	−3.00	8.7	0.19
7.30	−3.00	8.7	0.20
7.40	−2.00	8.7	0.20
7.50	−2.00	8.7	0.19

BCR : base curve radius, OAD : overall diameter, CT : central thickness

표 13-8 Ni-Cone 진단렌즈 세트의 파라미터

BCR	Power	OZD	OAD
Trial Ni-Cone set: No 1 cone			
7.00	−5.00	7.5	9.5
7.10	−5.00	7.5	9.5
7.20	−4.00	7.5	9.5
7.30	−4.00	7.5	9.5
7.40	−3.00	7.5	9.5
7.50	−3.00	7.5	9.5
7.60	−2.00	8.0	10.0
7.80	−3.50	8.0	10.0
8.00	−4.50	8.0	10.0
8.20	−2.00	8.0	10.0
Trial Ni-Cone set: No 2 cone			
6.00	−9.00	7.0	9.5
6.20	−8.00	7.0	9.5
6.40	−7.50	7.0	9.5
6.50	−7.00	7.5	9.5
6.60	−6.50	7.5	9.5
6.70	−6.00	7.5	9.5
6.80	−5.00	8.0	10.0
7.00	−4.00	8.0	10.0
7.20	−3.00	8.0	10.0
Trial Ni-Cone set: No 3 cone			
5.00	−10.00	7.0	9.0
5.20	−9.00	7.0	9.0
5.40	−8.50	7.0	9.0
5.60	−8.00	7.0	9.0
5.80	−7.50	7.5	9.5
6.00	−7.00	7.5	9.5
6.25	−6.00	7.5	9.5

BCR : base curve radius, OZD : optic zone diameter, OAD : overall diamete

⑥ Menicone decentered optic zone

원추가 아래쪽으로 많이 치우친 환자들을 위해 개발된 렌즈로 각막지형도 촬영시 환자를 위쪽으로 보게 하고 얻어진 Sim K를 기본으로 렌즈장착을 시도한다. 3-point touch fitting 을 기본 장착으로 하며, 1~1.5Δ이 기저하방 (Base Down)으로 삽입되어 있어 후면광학부가 아래쪽 원추에 작용하도록 한 렌즈이다. 원추의 위치가 하측으로 많이 변위되어 있을수록 프리즘양이 높아져서 minus power 가 증가한다.[26,47]

⑦ CLEK lens

CLEK (Collaborative Longitudinal Evaluation of Keratoconus) 연구의 일환으로 표준화하여 제작된 시험렌즈로 초기 또는 중등도 원추각막에 적용 가능하다. 가파른 곡률반경값을 시작점으로 해서 렌즈 장착을 시도하며, FDACL (First definite apical clearance)를 나타낼 때를 기본 장착으로 하고 있다(표 13-9).[26]

(4) 각공막렌즈

렌즈의 지지가 각막 및 공막에 되는 렌즈로 각막 RGP 렌즈가 적용이 잘 되지 않는 경우에 시도 해 볼 수 있다.

표 13-9 CLEK 진단렌즈 세트의 파라미터

BCR	Power	OZD	2PCR/width	3PCR/width	OAD	CT
7.18	−5.00	7.0	8.25	11.00/0.20	8.6	0.14
7.03	−5.00	7.0	8.25	11.00/0.20	8.6	0.14
6.89	−5.00	7.0	8.25	11.00/0.20	8.6	0.14
6.75	−5.00	7.0	8.25	11.00/0.20	8.6	0.14
6.62	−7.00	6.5	8.25	11.00/0.20	8.6	0.14
6.49	−7.00	6.5	8.25	11.00/0.20	8.6	0.14
6.37	−7.00	6.5	8.25	11.00/0.20	8.6	0.14
6.25	−7.00	6.5	8.25	11.00/0.20	8.6	0.14
6.03	−9.00	6.0	8.00	11.00/0.20	8.6	0.14
5.82	−9.00	6.0	8.00	11.00/0.20	8.6	0.14
5.53	−10.00	5.5	8.00	11.00/0.20	8.6	0.14
5.19	−12.00	5.5	8.00	11.00/0.20	8.6	0.14
4.82	−15.00	5.5	8.00	11.00/0.20	8.6	0.14

BCR : base curve radius, OZD : optic zone diameter, PCR : peripheral curve radius (2PCR : secondary PCR, 3 PCR; third PCR), OAD : overall diameter, CT : central thickness

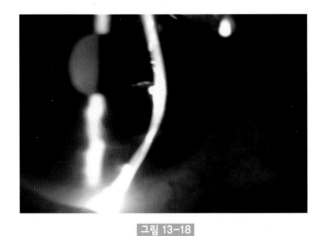

그림 13-18
매우 심한 원추각막으로 소프트 하드든 어떤 렌즈도 부착되지 않는다.

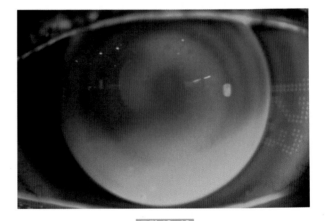

그림 13-19
피기백(piggyback) 렌즈 장착 고분자의 플루레신으로 소프트렌즈 및 하드렌즈의 각막 접촉상태를 볼 수 있다.

(5) 공막렌즈(scleral lens)

각막 RGP렌즈 장착이 어려운 경우 하나의 선택이 될 수 있으며, 렌즈의 지지가 공막에 된다. 정점부틈새를 기본 장착으로 하며, 렌즈가 크고 움직임이 적고, 각막에 자극을 주지 않음으로 각막 RGP렌즈를 적응 못하거나, 원추각막이 너무 심하여 각막 RGP렌즈의 장착이 불가능하거나(그림 13-18), 각막 RGP렌즈에 의해 각막 부작용이 생긴 경우에도 처방이 가능하다. 각막난시가 눈물층에 의해서만 교정이 되므로 각막 RGP렌즈보다 시력교정 효과는 다소 떨어진다. TD (total diameter, 전체직경)가 크므로, 렌즈의 장착 및 제거 시 환자가 다루기가 어려운 단점도 있고 가격이 비싸므로 각막 RGP렌즈가 처방이 불가능할 때 처방을 해야 환자의 만족도가 높아진다. 더 자세한 내용은 공막렌즈 분야에서 다루어 진다.

(6) 피기백렌즈(Piggyback lens)

각막이 짓무르거나, 적응이 잘 되지 않아서 각막 RGP렌즈를 착용하지 못하는 경우에 처방하는 방법으로(그림

13-19), 과거에는 Flexlens (Paragon Vision Sciences, Mesa, AZ)처럼 14.2 mm의 직경 내에 9.2 mm 직경의 RGP를 놓을 수 있게 중심에 직경 10.2 mm를 cut-down 하여 특수 제작한 소프트렌즈를 사용하거나 일반 소프트렌즈를 병합 사용하여 피기백 하였는데, 소프트렌즈 부작용에 의한 각막 신생혈관 및 부종이 심해 그 적용이 매우 제한적이었다. 최근에는 Dk(산소투과율, oxygen permeability) 값이 매우 높은 실리콘하이드로겔렌즈가 개발되면서 피기백의 적용이 다시 주목을 받고 있다. 소프트렌즈는 일반적으로 8.4 mm의 곡률반경에 14.0~14.2 mm 직경의 렌즈를 많이 사용하고 굴절값은 −5 D~−15 D까지 넣게 되는데, 소프트렌즈에 고굴절력을 넣으면 렌즈 주변부가 상대적으로 두꺼워지면서 RGP렌즈를 지지하여 상대적인 안정성을 가져오기 때문이다. 각막 RGP렌즈를 착용하다가 각막이 짓무르면 도수가 없는 소프트렌즈를 착용하고 그 위에 착용하던 각막 RGP렌즈를 착용하여도 무방하며, 각막이 나아지면 소프트렌즈 없이 착용하는 임시 방법을 시도 해도 된다. 피기백 시에는 소프트렌즈의 적절한 움직임이 매우 중요한데, 렌즈가 눈에 유착되면 합병증이 많이 발생할 수 있기 때문이다. 그에 비해 RGP렌즈 장착은 조금 가파르게 처방하는데 눈물의 순환은 소프트렌즈 아래쪽으로 이루어지므로 RGP렌즈 장착 자체에 의한 영향을 받지 않기 때문이고, 가파른 처방은 눈에서 쉽게 빠지는 것을 방지할 수가 있다. 일반 플루레신은 소프트렌즈에 염색이 되기 때문에 고분자의 플루레신을 점안하여 패턴을 보아야 하며(그림 13-19) 중심부에 공기방울이 존재하면 가파른 처방임을, 주변부에 공기방울이 존재하면 편평한 처방임을 시사하는 소견이다.[26,48]

(7) 소프트렌즈

불규칙난시가 심하지 않고 하드렌즈에 도저히 적응을 못 할 때는 일반 근시교정용이나 난시교정용 소프트렌즈를 착용하여 교정할 수 있다. 원추각막용 소프트렌즈인 케라소프트(Bausch+Lomb)가 수입되므로 소프트렌즈를 꼭 착용하여야 하는 경우 사용할 수 있다.

4) 경과 관찰 시 주의사항

원추각막환자는 장기 관찰해보면 안구표면의 변화가 오면서 결막 술잔세포의 수도 감소하고 결막상피의 수 감소, 변질 등이 발생하게 된다. 이는 원추가 진행함에 따라 눈물의 분포가 미만성이지 못하고 불규칙하게 되기 때문이라는 주장도 있고,[49] 원추각막 환자들이 오랜 기간 렌즈 착용을 하기 때문에 이로 인한 이차적인 눈물의 정상적 분포의 손상일 가능성도 있다.[50] 안구표면의 이러한 변화는 건성안을 유발할 수 있고, 콘택트렌즈 착용의 불편감을 증대할 수 있으므로, 주의 깊은 관찰과 대증적 치료를 필요로 하겠다.

원추각막 환자의 일부는 아토피피부염을 동반하고, 눈에도 아토피성 각결막염을 보이는 경우가 있다. 이러한 경우에 아토피 각결막염에 대한 적절한 치료가 동반되지 않으면 지속적 눈비빔에 의한 원추 각막의 진행이나 콘택트렌즈 착용에 문제가 발생할 수 있으므로, 관심을 기울여서 경과관찰 하여야 하며, 이러한 동반질환 치료에 소홀함이 없어야 한다. 일반적으로 2~4%의 cromolyn sodium을 점안하고, 증상이 심할 경우 비만세포 안정제와 항히스타민제의 이중 역할을 하는 약제(anti-histamine effect + mast cell stabilizer)와 부신피질 호르몬제를 투여할 수 있다.

렌즈를 착용 중에 원추각막자체가 진행할 수 있으므로 6~12개월에 한 번은 각막지형도의 추적관찰을 통해 진행 여부를 경과관찰 하여야 하며, 진행함에 따라 렌즈의 곡률반경을 변경하여 주어야 한다. 또한, 렌즈 착용 자체에 의한 각막 뒤틀림(corneal warpage)이 발생할 수 있으므로 주의 깊은 관찰을 필요로 한다. 일반적으로 각막곡률 중 편평한 축이 1년에 0.8 mm 이상 가파르게 되면 이것은 정상적인 원추의 진행보다는 렌즈의 의한 각막의 뒤틀림을 시사하는 소견이다.[51] 이 경우는 렌즈의 장착 정렬이 너무 가파른 경우에 많이 발생하며, 너무 편평한 경우에도 발생 가능하므로 확인 후에 가파른 경우는 편평하게, 편평한 경우는 가파르게 장착 정렬을 변경하여야 한다. 렌즈의 장착 정렬을 변경 후에도 각막 뒤틀림이 좋아지지 않으면 렌즈 장착을 중지하여야 한다.

렌즈의 중심부 장착 정렬의 상태의 장기간 변화를 주의 깊게 경과 관찰 하여야 하는데, 원추각막자체로 인해 발생

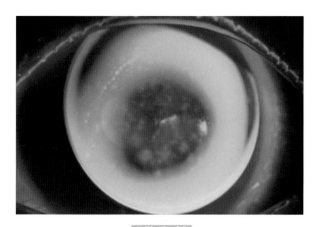

그림 13-20

렌즈와 각막이 접촉되어 각막미란이 생긴 상태

한 중심부의 각막상피미란이 렌즈 착용 후에 더 진행하지 않는지 확인하여야 하며, 정점부접촉이나 3-point touch에 서 각막상피미란이 증가하게 되면 정점부틈새로 장착 정렬 을 변경하여야 한다(그림 13-20). 그러나 정점부틈새의 경 우에도 주변부커브의 봉쇄가 심하게 되면 대사장애에 의한 중심부 각막상피미란이 발생할 수 있으므로 이 경우 시야 부를 더 작게 하여 각막에 자극을 줄이고 주변부커브를 편 평하게 하여 눈물의 순환을 증가시키는 것이 상피미란 해 소에 도움이 된다.

▶ **참고문헌**

1. Fiol-Silva Z. Keratoconus. in HA Stein, BJ Slatt, RM Stein, MI Freeman Fitting Guide for Rigid and soft contact lenses Mosby 2002 4th ed, 307-322.

2. Pearson AR, Soneji B, Sarvananthan N, Sandford-Smith JH. Does ethnic origin influence the incidence or severity of keratoconus? Eye. 2000 Aug;14 :625-8.

3. Demirbas NH, Pflugfelder SC. Topographic pattern and apex location of keratoconus on elevation topography maps. Cornea. 1998 Sep;17(5):476-84.

4. Bisceglia L, Ciaschetti M, De Bonis P, Campo PA, Pizzicoli C, Scala C, Grifa M, Ciavarella P, Delle Noci N, Vaira F, Macaluso C, Zelante L. VSX1 mutational analysis in a series of Italian patients affected by keratoconus: detection of a novel mutation. Invest Ophthalmol Vis Sci. 2005 Jan;46(1):39-45.

5. Heon E, Greenberg A, Kopp KK, Rootman D, Vincent AL, Billingsley G, Priston M, Dorval KM, Chow RL, McInnes RR,

Heathcote G, Westall C, Sutphin JE, Semina E, Bremner R, Stone EM. VSX1: a gene for posterior polymorphous dys- trophy and keratoconus. Hum Mol Genet. 2002 May 1;11(9):1029-36.

6. Joo CK, Rho CR, Mok JW, Lee YJ, Kim DH, Park YK. Epi- demiologic and genetic studies of keratoconus patients in Korea. J Korean Ophthalmol Soc 2012;53:839-41.

7. Shen JF, McMahon TT, Cheng EL, Sugar J, Yue BY, Anderson RJ, Begley C, Zhou J; Collaborative Longitudinal Evaluation of Keratoconus (CLEK) Study Group. Lysosomal hydrolase staining of conjunctival impression cytology specimens in keratoconus. Cornea. 2002 Jul;21(5):447-52.

8. Zhou L, Sawaguchi S, Twining SS, Sugar J, Feder RS, Yue BY. Expression of degradative enzymes and protease inhibitors in corneas with keratoconus. Invest Ophthalmol Vis Sci. 1998 Jun;39(7):1117-24.

9. Fukuchi T, Yue BY, Sugar J, Lam S. Lysosomal enzyme activities in conjunctival tissues of patients with keratoconus. Arch Ophthalmol. 1994 Oct;112(10):1368-74.

10. Sawaguchi S, Yue BY, Sugar J, Gilboy JE. Lysosomal enzyme abnormalities in keratoconus. Arch Ophthalmol. 1989 Oct;107(10):1507-10.

11. Kaldawy RM, Wagner J, Ching S, Seigel GM. Evidence of apoptotic cell death in keratoconus.Cornea. 2002 Mar;21(2):206-9.

12. Kim WJ, Rabinowitz YS, Meisler DM, Wilson SE. Keratocyte apoptosis associated with keratoconus.Exp Eye Res. 1999 Nov;69(5):475-81.

13. Wilson SE, He YG, Weng J, Li Q, McDowall AW, Vital M, Chwang EL. Epithelial injury induces keratocyte apoptosis: hypothesized role for the interleukin-1 system in the modu- lation of corneal tissue organization and wound healing.Exp Eye Res. 1996 Apr;62(4):325-7.

14. Seiler T, Quurke AW. Iatrogenic keratectasia after LASIK in a case of forme fruste keratoconus. J Cataract Refract Surg. 1998 Jul;24(7):1007-9.

15. Seiler T, Koufala K, Richter G. Iatrogenic keratectasia after laser in situ keratomileusis. J Refract Surg. 1998 May- Jun;14(3):312-7.

16. Maguire LJ, Bourne WM Corneal topography of early kera- toconus Am J Ophthalmol. 1989 Aug 15;108(2):107-12.

17. Maguire LJ, Lowry JC. Identifying progression of subclinical keratoconus by serial topography analysis. Am J Ophthal- mol. 1991 Jul 15;112(1):41-5.

18. Wilson SE, Klyce SD. Advances in the analysis of corneal topography. Surv Ophthalmol. 1991 Jan-Feb;35(4):269-77.

19. American Academy of Ophthalmology. Corneal topography. Ophthalmology 1999;106:1628-38.

20. Rabinowitz YS, McDonnell PJ. Computer-assisted corneal topography in keratoconus. Refract Corneal Surg 1989;5:400-8.

21. Maeda N, Klyce SD, Smolek MK, Thompson HW. Automated keratoconus screening with corneal topography analysis. Invest Ophthalmol Vis Sci 1994;35:2749-57.

22. Rabinowitz YS, Rasheed K. KISA% index: a quantitative videokeratography algorithm embodying minimal topographic criteria for diagnosing keratoconus. J Cataract Refract Surg. 1999 Oct;25(10):1327-35. Erratum in: J Cataract Refract Surg 2000 Apr;26(4)480.

23. Buxton JN, Keates RH, Hoefle FB. The contact lens correction of keratoconus. In: Dabezies OH Jr, ed. Contact lenses: The CLAO guide to basic science and clinical practice Orlando, FL: Grune & Stratton, 1984:55,1,55.

24. Perry HD, Buxton JN, Fine BS. Round and oval cones in keratoconus. Ophthalmology. 1980 Sep;87(9):905-9.

25. Burger DS. Contact lens alternatives for keratoconus: an overview. CL Spectrum 1993;8(3):49-55

26. ES Bennett, Barr JT. Keratoconus. In ES Bennett, VA Henry Clinical Manual of contact lenses Lippincott Williams and Wilkins 2000 2nd ed. 493-530.

27. Korb DR, Finnemore VM, Herman JP. Apical changes and scarring in keratoconus as related to contact lens fitting techniques. J Am Optom Assoc. 1982 Mar;53(3):199-205.

28. Barr JT, Wilson BS, Gordon MO, Rah MJ, Riley C, Kollbaum PS, Zadnik K; CLEK Study Group. Estimation of the incidence and factors predictive of corneal scarring in the Collaborative Longitudinal Evaluation of Keratoconus (CLEK) Study. Cornea. 2006 Jan;25(1):16-25.

29. Barr JT, Zadnik K, Wilson BS, Edrington TB, Everett DF, Fink BA, Shovlin JP, Weissman BA, Siegmund K, Gordon MO. Factors associated with corneal scarring in the Collaborative Longitudinal Evaluation of Keratoconus (CLEK) Study. Cornea. 2000 Jul;19(4):501-7.

30. Zadnik K, Barr JT, Steger-May K, Edrington TB, McMahon TT, Gordon MO; The Collaborative Longitudinal Evaluation of Keratoconus (CLEK) Study Group. Comparison of flat and steep rigid contact lens fitting methods in keratoconus. Optom Vis Sci. 2005 Dec;82(12):1014-21.

31. Gundel RE, Libassi DP, Zadnik K, Barr JT, Davis L, McMahon TT, Edrington TB, Gordon MO. Feasibility of fitting contact lenses with apical clearance in keratoconus. Optom Vis Sci. 1996 Dec;73(12):729-32.

32. Edrington TB, Szczotka LB, Barr JT, Achtenberg JF, Burger DS, Janoff AM,Olafsson HE, Chun MW, Boyle JW, Gordon MO, Zadnik K. Rigid contact lens fitting relationships in keratoconus. Collaborative Longitudinal Evaluation of Keratoconus (CLEK) Study Group. Optom Vis Sci. 1999 Oct;76(10):692-9.

33. Woodward EG. Contact lenses: In A text book for practitioner and student. Butterworths Heinemann, London: Phillips and Speedwell; 1997, Chapter 20, p693-706.

34. Edrington TB, Szczotka LB, Begley CG, et al. Repeatability of two corneal curvature assessments in keratoconus: Keratometry and the first definite apical clearance sens. Presented at the Annual meeting of the American Academy of Optometry. San Antonio ,TX ,December 1997.

35. Lee JL, Kim MK. Clinical performance and fitting characteristics with a multicurve lens for keratoconus. Eye Contact Lens. 2004 Jan;30(1):20-4.

36. Park YK, Lee JE et al. The effect of the YK lens in keratoconus. Ophthalmol Physiol Opt. 2010;30:271.

37. Szczotka LB, Thomas J. Comparison of axial and instantaneous videokeratographic data in keratoconus and utility in contact lens curvature prediction. CLAO J. 1998 Jan;24(1):22-28.

38. Pullum K. A keratoconus fitting system using the axial profile to establish optimum lens parameters. Cont Lens Anterior Eye. 2003 Jun;26(2):77-84.

39. Edrington TB, Barr JT, Zadnik K, Davis LJ, Gundel RE, Libassi DP, McMahon TT, Gordon MO. Standardized rigid contact lens fitting protocol for keratoconus. Optom Vis Sci. 1996 Jun;73(6):369-75.

40. Owens H, Watters G, Gamble G. Effect of softperm lens wear on corneal thickness and topography: a comparison between keratoconic and normal corneae. CLAO J. 2002 Apr;28(2):83-7.

41. Chung CW, Santim R, Heng WJ, Cohen EJ. Use of Soft-Perm contact lenses when rigid gas permeable lenses fail. CLAO J. 2001 Oct;27(4):202-8.

42. Bennett ES. Keratoconus. In Bennett ES, RM Grohe (eds). Rigid Gas-Permeable Contact lenses. New York: Professional Press, 1986; 297-344.

43. Mandell RB, Barsky BA, Klein SA. Taking a new angle on keratoconus. CL Spectrum 1993;8(3):49-55.

44. Mannis MJ, Zadnik K. Contact lens fitting in keratoconus. CLAO J. 1989 Oct-Dec;15(4):282-9.

45. Caroline PJ, Norman C, Andre M. The latest lens design for keratoconus. Contact Lens Spectrum 1997;12:36-41.

46. Siviglia N, Fiol-Silva Z. Keratoconus-fitting with the Ni-Cone contact lens. In Dabazies OH: Contact lenses: The CLAO guide to basic science and clinical practice update 7. Boston: Little, Brown and Company, 1990:55C1-55C6.

47. Cutler SI. Newer designs for keratoconus. In MH Hom: Manual of contact lens prescribing and fitting with CD rom. Butterworth & Heinemann 2000 2nd ed; 427-449.

48. MH Hom. Keratoconus In MH Hom: Manual of contact lens prescribing and fitting with CD rom. Butterworth & Heinemann 2000 2nd ed;311-325.

49. Dogru M, Karakaya H, Ozcetin H, Erturk H, Yucel A, Ozmen A, Baykara M, Tsubota K. Tear function and ocular surface changes in keratoconus. Ophthalmology. 2003 Jun;110(6):1110-8.

50. Moon JW, Shin KC, Lee HJ, Wee WR, Lee JH, Kim MK. The effect of contact lens wear on the ocular surface changes in keratoconus. Eye Contact Lens. 2006 Mar;32(2):96-101.

51. McMonnies CW. The biomechanics of keratoconus and rigid contact lenses. Eye Contact Lens. 2005 Mar;31(2):80-92.

수술 후 각막의 콘택트렌즈 피팅
Post surgical fitting of contact lens

현 준 영

1. 각막이식수술

각막이식수술은 비정상적인 환자의 각막을 건강한 공여각막으로 대치하여 시력을 개선하고자 하는 시술이다. 표층각막이식술(LK)은 공여각막의 기질과 상피세포를 이식하는 방법으로 1886년 von Hippel에 의해 처음 성공적으로 시행되었다. 최근에 수술기법의 많은 발전이 이루어지고 있으나, 기술적으로 더 어렵고 적응증이 제한되어 있어 아직까지는 전층각막이식수술이 각막이식수술의 대부분을 차지하고 있다. 심부표층각막이식술(DLK)은 1984년에 소개되어 LK의 장점을 유지하면서 수술후 시력을 개선할 수 있는 방법으로 주목받고 있다. DLK의 원리는 수여각막에서 데스메막까지의 모든 기질조직을 제거하고 그 위에 공여각막을 이식하는 것으로 전층각막이식이 필요한 많은 질환에서 시행될 수 있으나 기술적으로 어렵고 수술시간이 오래 걸린다는 단점이 있다.

전층각막이식수술은 수술기법의 발전에도 불구하고 수술 후 발생하는 굴절이상이나 고도부정난시가 흔하게 나타나게 되는데 보고에 따라 각막이식수술을 받은 환자의 9~65%에서 더 나은 시력교정을 위해 콘택트렌즈의 착용이 필요한 것으로 알려져 있다.[1,2]

1) 이식수술 후의 각막

(1) 각막두께

각막이식수술 직후에는 공여각막에 심한 부종이 나타나서 수 일에서 수 주에 걸쳐 정상상태로 돌아오게 된다. 각막이식수술 후 1년이 경과하였을 때 봉합사가 남아있고 스테로이드를 사용하고 있는 경우 정상각막에 비해 각막두께가 얇은 것으로 알려져 있으나 치료가 끝나고 모든 봉합사가 제거되고난 뒤에는 대부분의 경우 두께가 증가한다.[3]

(2) 각막내피세포의 형태

전층각막이식수술 과정에서 일부 각막내피세포가 손상을 받을 수 있는데, 각막중심부보다는 주변부의 공여각막과 수여각막경계부분이 쉽게 손상을 받게 된다. 이러한 경우에 중심부분의 세포가 주변부로 이동하게 되어 중심주위 각막내피세포수는 감소하는 것으로 나타나게 된다. 각막내피세포 수가 정상의 약 1/3로 감소 하여도 각막두께가 정상을 유지할 수 있는데, 이런 경우에 정상각막에 비해 쉽게 각막부종이 발생할 수 있으므로 충분한 Dk/t (oxygen transmissibility, 산소전달률)값을 갖는 콘택트렌즈를 사용하여야 한다. 높은 Dk/t값을 갖는 RGP렌즈를 적절히 착용하였을 때 이식편의 내피세포에 거의 영향을 미치지 않는 것으로 알려져 있다.[4]

(3) 각막지각

정상각막에서 중심각막의 지각은 주변부에 비해 민감하

지만 각막이식수술 후에는 이와 반대로 중심부의 지각이 떨어지게 된다. 이식된 각막의 감각은 3~5년에 걸쳐 회복되게 되는데 환자에 따라 회복되는 기간과 정도가 다르게 나타나 일부 환자에서는 각막지각이 없는 경우도 있다.[5] 그러나 대부분의 환자에서 각막지각이 감소되어 있지만, 눈꺼풀의 지각은 정상이며 각막이식수술 후에는 심리적인 영향에 의해 더 예민하게 느끼는 환자들도 있다.

(4) 각막형태검사

각막이식수술을 받은 환자에게 RGP렌즈를 처방할 때에는 각막이식편에 대한 여러 가지 요인을 고려하여야 한다.

각막형태검사에 의해 중심부 및 주변부각막에 대한 세밀한 평가를 하여야 한다. 각막이식수술 후 각막의 모양은 정상각막에 비해 크게 변화하는데 각막난시가 15 디옵터까지도 나타날 수 있다. 각막형태검사는 prolate하게 나타날 수 있는데 중심부 각막이 가파르고 주변으로 갈수록 편평

해 진다. 약 30% 정도에서는 수여각막에 비해 공여각막의 두께가 두꺼워 주변부에서 공여각막이 수여각막에 비해 약간 앞으로 나오게 되며, 다른 30% 정도에서는 각막편에 중심부에서 편평한 형태를 취하게 되어 각막형태검사에서 중심부에 푸른색의 나비넥타이모양(blue bow tie pattern)으로 나타날 수 있다. 18% 정도에서는 prolate한 형태와 oblate한 형태가 함께 나타날 수 있는데 많은 형태에서 비대칭적인 난시를 보인다. 어떤 각막이식편은 난시의 양이 크지 않음에도 콘택트렌즈가 중심에 위치하지 못하고 가장자리의 특정한 부위가 들리게 되는데 이는 이식편이 수여각막에 대해 기울어져 있기 때문이다.

Phillips는 이러한 각막형태를 임상적으로 기술하는 용어를 사용하여, 'nipple' 혹은 'steep'; 이식편이 수여각막표면보다 올라온 'proud'; 이식편이 수여각막표면보다 내려가 있는 'sunken'; 'tilted' 그리고 'eccentric'으로 정리하였다

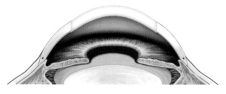

Nipple-like graft

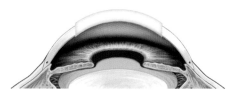

Proud graft

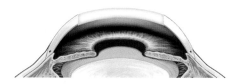

Sunken graft

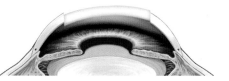

Tilted graft

Eccentric graft

그림 14-1

Graft profiles

(그림 14-1).[6]

봉합 기법과 이식편의 크기가 각막형태검사에 크게 영향을 미칠 수 있다.[7] 단속봉합은 당기는 힘의 방향이 방사상으로 작용하여 각막이 편평해지게 되고, 반대로 연속봉합이나 이중연속봉합은 당기는 힘의 방향이 접선방향으로 작용하여 purse-string 효과를 가져와 가파른 각막형태를 보인다.

각막이식편은 보통 7.5 mm에서 8.5 mm 정도의 크기를 갖는데 7.5 mm보다 작거나 8.5 mm보다 큰 경우에는 이식편의 생존율이 떨어지게 된다. 각막이식편의 크기는 각막의 크기, 병변의 범위, 거부반응에 대한 위험인자 등과 같은 여러 가지 요인에 의해 결정된다. 공여각막은 각막원형절제를 내피세포 방향에서 하게 되는데, 상피세포 방향에서 각막원형절제가 이루어지는 수여각막에 비해 0.25 mm 정도 작게 잘려지게 된다. 그러므로 일반적으로 공여각막의 각막원형절제는 수여각막에 비해 0.25 mm 크게 하는 것이 일반적이다. 원추각막, 감염, 투명각막가장자리변성 등의 원인에 의해 각막 주변부가 심하게 얇아져 있는 경우에는 이식편이 중심에서 치우치게 되거나, 병변을 포함하기 위해 크게 만들어질 수 있다. 이런 경우에는 이식편을 동공 중심부에 맞추는 것이 불가능하게 되는데, 적은 양의 중심이탈은 심각한 문제를 일으키지 않으나 중심이탈의 양이 많아지면 심한 난시를 유발할 수 있다.

일부에서는 각막이식수술 후 원추각막이 재발하는 경우가 있는데, 안경으로 시력을 교정하는 환자에서는 갑자기 난시가 증가하게 되며 콘택트렌즈를 사용하는 환자에서는 렌즈 처방이 바뀌게 된다. 각막이식편 부근의 수여각막이 얇아지는 것을 관찰할 수 있으며 압박봉합(compression suture), 쐐기절제(wedge resection), 혹은 재이식수술이 필요할 수 있다.

2) 각막이식수술 후 콘택트렌즈 장착

각막이식수술 기법의 발전에도 불구하고 수술 후에 나타나는 굴절이상이나 심한 부정난시는 여전히 문제로 남아 안경에 의한 시력교정보다는 콘택트렌즈에 의한 시력교정이 좋은 경우가 많이 있다. 수술 후 난시가 규칙적인 경우 안경교정으로 충분하거나 이완절개, 쐐기절제 혹은 레이저굴절수술을 통해 난시를 줄이거나 교정할 수 있다.

콘택트렌즈의 착용이 필요한 경우 한 가지 장착 방법이 모든 경우에 적용될 수는 없다. RGP렌즈가 가장 흔하게 사용되며 특히 부정난시가 있는 경우 시력교정 효과가 가장 좋다. 그러나 각막이식수술 후에는 환자마다 알맞은 렌즈 디자인이 모두 달라 적합한 디자인을 찾기 위하여 여러 차례 시도를 해 보아야 하므로 가능한 많은 종류의 렌즈를 사용할 수 있어야 한다.

(1) 콘택트렌즈의 착용 시점

각막이식수술 후 각막 전체가 회복되는데 적어도 18~24개월이 소요되지만 상피세포는 4일 정도면 치유가 이루어진다. 콘택트렌즈 착용은 일반적으로 수술 후 6~12개월 째에 시작되지만 시력의 조기 회복을 위해 빠르면 수술 후 3개월 경에도 콘택트렌즈 착용을 시작할 수 있다. 그러나 이러한 경우에는 봉합사를 제거해 가는 과정에서 콘택트렌즈를 여러 차례 교체해야 할 수 있으며 거부반응의 위험이 높아질 수 있다.

각막이식수술 후 콘택트렌즈의 착용은 아래와 같은 합병증의 위험을 높인다.
① 상피결손
② 각막궤양
③ 각막신생혈관
④ 거부반응 혹은 이식수술 실패

콘택트렌즈 착용 중 세심한 경과관찰이 필요하며, 특히 술 후 초기에 봉합사가 남아있고 스테로이드를 사용하고 있는 도중에는 유의하여야 한다. 환자에게 통증, 충혈, 시력감소 등이 발생하는 경우 지체하지 말고 안과검사를 받아야 함을 충분히 설명하고 정기적으로 검사를 받아야 함을 교육하여야 한다.

(2) RGP렌즈 착용

각막이식수술 후에는 시력개선을 위하여 일반적으로 콘택트렌즈를 착용하게 되는데 RGP렌즈 착용의 주요한 이유로는 부정난시(62.9%), 구면부등시(57.1%), 난시성부등시

(52.3%) 등이 있다.[8] 콘택트렌즈 착용 전 다음과 같은 검사를 시행하여야 한다.

- 굴절검사 및 최대교정시력
- 세극등현미경검사
- 각막곡률계
- 각막형태검사

초기에는 사용할 수 있는 렌즈의 재질이 PMMA (Poly[methyl methacrylate], 폴리메틸메타크릴레이트)뿐이었으므로 각막이식편의 경계 안쪽에 렌즈를 장착하였는데, 이는 종종 심한 각막부종을 일으켰다. 이식편의 크기가 8.0 mm 이상인 경우에는 이식편 경계 내에 렌즈를 장착하는 것이 가능하지만 성공적이지 못한 경우가 많이 있다. 이식편과 공여각막의 경계는 불규칙한 경우가 많고 이에 따라 렌즈가 기계적인 자극을 주거나 이식편에 각막신생혈관을 일으킬 수 있는데, 이를 피하기 위하여 직경 10 mm 이상의 큰 렌즈를 장착하여 렌즈가 이식편 위로 걸쳐져 주변부의 수여각막이나 공막과 닿도록 한다.

① 일반적인 RGP렌즈

K값(K value)이 거의 정상에 가까운 규칙적인 이식편에서는 고식적인 장착 기법이 적용될 수 있으며 후면토릭렌즈가 필요한 경우가 흔하다. 이러한 단순한 방법이 성공적인 경우가 종종 있으므로 처음에는 고식적인 방법에 의해 렌즈 착용을 시도해 보는 것이 좋다. 또한 일반적인 RGP렌즈를 착용한 후 형광염색을 통해 각막표면에서 튀어나오거나 기울어진 부분을 평가할 수 있으므로 다음 단계를 판단하는데에도 도움이 된다.

② 큰 직경을 갖는 RGP렌즈

많은 경우에 각막이식편이 수여각막에 비해 앞으로 나와 있거나 이식편-숙주 경계 부위에 올라온 부분이 있어 일반적인 직경을 갖는 렌즈는 쉽게 중심이탈이 된다. 그러므로 전체직경이 큰 렌즈를 사용하는 것이 필요하며, 이식편이 앞으로 나와있거나, 기울어져 있거나, 중심이탈이 되어 있는 경우에 도움이 된다. 더 낮은 질의 시력을 위해서는 BOZD (back optic zone diameter, 후면광학부직경)이 이

식편의 크기보다 적어도 같거나 커야 한다. 이러한 목적으로 제작된 여러가지 특수 렌즈들이 있는데, 가능한 렌즈가 위치를 유지하면서 최대한의 접촉을 갖도록 하는 것을 목표로 한다. 직경이 큰 렌즈를 사용할 때의 문제점은 렌즈의 움직임이 적절하지 않아 렌즈 뒤쪽에서 충분한 눈물의 순환이 이루어지지 못해 각막에 손상이 올 수 있다는 점인데, 이를 해결하기 위해 인공눈물을 자주 점안하여야 한다. 각막이식수술 후 사용되는 렌즈의 일반적인 직경은 10.50~12.00 mm이며 높은 Dk/t를 갖는 재질을 사용하는 것이 좋다.

형광염색형태를 중심부와 주변부에서 평가하여야 하는데 다음과 같은 사항을 점검하여야 한다.

- 우선 BOZD이 이식편과 잘 일치하여야 한다.
- 수술 후 이식편은 거의 대부분 반흔에 의해 중심부 각막보다 더 가파른 부분을 보이는 이식편-숙주 경계보다 편평하게 되고 이는 렌즈가 각막에서 더 가파른 쪽으로 치우치게 되는 원인이 된다. 이를 극복하기 위하여 가파르거나 직경이 더 큰 렌즈가 도움이 되는데 직경을 0.5 mm 정도 크게 하면 유의한 효과를 보인다.
- 주변부에서 수여각막조직 위쪽으로 최적의 상태에서는 0.5~0.7 mm 넓이의 형광띠가 균일하게 관찰되며 과도한 들림이 관찰되지 않는다.
- 렌즈가 너무 위쪽으로 올라가서 위쪽의 공막으로 들어가는 경우에는 렌즈의 직경을 줄이도록 한다.

처음 렌즈를 장착할 때에는 술 후 난시를 무시하고 구면렌즈를 시도한다. 토릭렌즈가 필요한 경우에는 렌즈전체에 필요한지 혹은 이식편 위의 부위에만 필요한지를 결정하여야 하며 이식편 위의 부위에서만 토릭렌즈에 의한 교정이 필요한 경우에는 구면주변부커브(spherical peripheral curve)에 토릭후면광학부반경(toric back optic zone radius)를 갖는 렌즈를 사용하는 것이 도움이 된다.

③ 역기하렌즈

역기하렌즈는 일차 주변부커브반경이 BOZR (back optic zone radius, 후면광학부반경)보다 가파른 렌즈를 말한다. 앞서 언급한 바와 같이 이식편이 경계부위에서 앞쪽

으로 나온 부분이 있는 경우에는 중심부에서 주변부로 갈수록 점차 편평한 곡률을 갖는 일반적인 RGP렌즈는 이식편과는 좋은 일치를 보이나 주변부에서 과도한 틈새(clearance)를 보여 성공적이지 못한 결과를 가져온다. 마찬가지로 이식편 중심부가 주변부 각막에 비해 상대적으로 편평하여 주변부 각막이 4 디옵터 이상 가파른 경우에는 주변부는 적절하게 렌즈가 위치하지만 중심부의 틈새가 과도하게 되고 기포가 형성될 수 있다.

역기하렌즈는 이러한 문제점들을 해결할 수 있는데 중심부에서 이식편과 좋은 일치를 보이고 주변부의 수여각막 부위에서는 이차 주변부커브(secondary peripheral curve)와 일치하도록 제작할 수 있다.

역기하렌즈는 원래 각막교정술(orthokeratology)에서 사용하는 용도로 개발되었으나 이후 굴절수술 후에도 사용되었으며 다음과 같은 특성을 갖는다.

- 일반적으로 이차 역커브(secondary reverse curve)는 BOZR보다 0.60 mm (3.00 D)에서 1.60 mm (8.00 D) 가파르다.
- BOZR는 6.0~8.5 mm이다.
- 전체 직경은 렌즈의 안정적인 장착을 돕기 위해 10.5~11.5 mm의 범위를 갖는다.

역기하렌즈를 처방할 때에는 다음과 같은 사항을 목표로 하여야 한다.

- 중심부일치 혹은 약간의 틈새를 보이며 중심일치가 좋아야 한다.
- 이식편 경계에서 좁은 띠 형태의 틈새를 보인다.
- 중간주변부에서 일치를 보인다.
- 적절한 가장자리틈새(edge clearance)를 보인다.

대부분의 경우 일차 BOZR에서 가파른 정도는 바깥쪽 곡률이 수여각막과 좋은 일치를 보일 수 있도록 달라지게 된다. 앞서 언급된 것처럼 보통 8 mm 정도로 BOZD가 이식편의 직경과 비슷하거나 약간 큰 것이 좋다.

역기하렌즈의 단점은 중간주변부의 두께가 증가하여 렌즈의 착용감을 더 느끼게 되고, 직경이 크고 두꺼운 렌즈를 사용하는 경우 움직임이 적절치 않으면 각막신생혈관의 위험이 있으며, 토릭 디자인을 사용할 수 없다는 것이다.

④ 피기백렌즈(piggyback lenses)

RGP렌즈에 대해 과민반응이 있거나 눈꺼풀에 닿는 느낌이 심하여 문제가 되는 경우에는 소프트렌즈가 필요할 수 있다. 그러나 소프트렌즈만으로는 좋은 시력을 얻을 수 없으므로 소프트렌즈 위에 RGP렌즈를 착용하는 피기백렌즈 개념의 도입이 실리콘하이드로겔렌즈의 보급에 따라 늘어나고 있다.[9] 실리콘하이드로겔렌즈는 향상된 강성(rigidity)과 높은 Dk/t로 피기백 조합을 사용할 때 가장 좋은 선택으로 여겨지고 있는데, 2세대 실리콘하이드로겔렌즈가 더 많이 사용되고 있다.

장착 방법은 아래와 같다.

- 플라노 혹은 약한 플러스 파워를 갖는 실리콘하이드로겔 혹은 일반적인 소프트콘택트를 착용한다.
- 소프트콘택트렌즈를 착용한 상태에서 각막곡률계를 시행하고 K값 보다 약간 편평한 RGP렌즈의 BOZR을 결정한다.
- BOZD는 7.8 mm~8.0 mm로 한다.
- 전체직경은 처방자의 선호도나 눈꺼풀간격에 따라 결정한다.
- RGP렌즈는 소프트콘택트렌즈 위에서 중심부위에 잘 위치하여야 한다. 형광염색을 통하여 염색형태를 평가한다.
- 렌즈 소독을 위하여 과산화수소 용액을 사용한다.

⑤ 하이브리드렌즈

SoftPerm 렌즈(CIBA vision)는 silicone acrylate tertiary butylstyrene 공중합체로 되어있는 8.0 mm의 RGP 중심부와 주변의 친수성 HEMA (Hydroxyethyl methacrylate, 하이드록시에틸메타크릴레이트) 스커트(함수율 25%)로 이루어져 있으며 전체 직경은 14.3 mm이다. 이 렌즈는 중심이탈된 이식편이나 심하게 불규칙한 각막지형형태, 기울어진 이식편, 민감한 눈에서 유용하다. 그러나 제한적인 Dk/t로 인해 불가피하게 시간이 지나면 이식편에 신생혈관이 자라게 된다. 과도한 렌즈 조임으로 인한 불충분한 렌즈 움직임도 흔하게 발생하므로 착용시간을 짧게 하는 것이 바람직하다.

⑥ 소프트콘택트렌즈

이식편의 난시가 어느 정도 규칙적인 경우에는 일반적인 토릭소프트렌즈에 의해 만족스러운 시력교정 효과를 얻을 수 있다. 더 복잡한 렌즈 처방을 시도하기 이전에 소프트렌즈가 도움이 되는지 시도해 보는 것이 필요하다. 소프트렌즈를 처방할 때에는 산소공급이 충분한지, 각막신생혈관이 발생하지 않는지 주의를 기울여야 한다. 함수율이 높은 재질을 사용하거나 실리콘하이드로겔렌즈를 사용하는 것이 좋으며, 충분한 시력교정을 얻을 수 있는 범위에서 가장 얇은 디자인을 사용한다. 착용시간을 제한하는 것이 필요할 수 있다.

⑦ 공막렌즈

Dk/t이 좋은 공막렌즈가 지속적으로 개발됨에 따라 각막이식수술 후 환자에게 선택할 수 있는 방법으로 생각할 수 있다.[10] 공막렌즈는 거의 전반적으로 공막에 의해 지지되는데 일반적으로 중심위치는 잘 이루어진다. 또한 다루기 쉽고, 유지가 간편하며, 잃어버릴 가능성이 적은 것이 장점이지만, RGP렌즈에 비해 신생혈관 발생의 위험이 크고, 렌즈 뒤쪽에서 눈물의 순환이 원만하지 않으며, 장착에 소요되는 시간이 길고 렌즈가 두꺼워 미용상 문제가 될 수 있다는 단점이 있다.

⑧ 치료용렌즈

치료용렌즈는 각막이식수술 후, 특히 수술 후 초기에 흔하게 처방되는데 각막의 면역력이 약해져 있고 완전한 탈신경(denervation) 상태에 있으므로 주의를 기울여야 한다.[11]

치료용 렌즈는 다음과 같은 경우에 처방할 수 있다.

- 수술 후 6~7일 후에도 상피결손이 감소하지 않거나 지속되는 경우
- 봉합사가 노출되어 불편감을 유발하거나 점액이 붙는 경우
- 눈꺼풀에 병변으로 인한 각막표면의 손상을 예방하거나 눈꺼풀 감김이 완전하지 않은 경우
- Seidel 검사 양성으로 누출이 있는 경우

또한 각막이식편에 천공이 발생하는 경우 일회용 하이드로겔 혹은 실리콘하이드로겔 치료용렌즈가 전방을 형성시키기 위해 사용될 수 있다.

각막을 잘 덮을 수 있는 렌즈를 처방하는 것이 중요한데, 수술 후에 이식편이 수여각막보다 편평한 경우가 많으므로 전체직경이 15.0 mm, 뒷면광학부반경이 9.0 mm 이상인 크고 편평한 렌즈가 좋다. Woodward et al.은 각막이식수술 후에 치료용렌즈를 사용하는 것이 기계적인 지지를 제공하고 각막표면을 형성하는데 영향을 미쳐 각막의 불규칙성을 줄이는데 도움이 된다고 보고하였다.[12]

일회용소프트콘택트렌즈를 사용하는 것은 치료용렌즈를 사용하는 것에 비용면에서 장점이 있으나 일회용소프트콘택트렌즈는 전체직경이나 광학부반경에 제한이 있어 직경이 크고 편평한 렌즈가 필요한 경우에 제한이 있을 수 있다.[13-15]

3) 장착 후 관리

각막이식수술 후 거부반응은 수술 후 2년 내에 발생빈도가 가장 높으나 그 후에도 어느 시점에서라도 일어날 수 있다. 거부반응을 유발할 수 있는 위험인자는 염증, 내피세포부전, 안압상승, 감염 등이 있는데, 잘못 장착된 콘택트렌즈는 충분하지 못한 산소공급, 눈물순환의 부족, 신생혈관 등으로 인해 염증을 유발할 수 있다. 정기적인 장착 후 관리는 필수적이며 안압을 포함한 전반적인 안과검사를 시행하여야 한다. 그림 14-2는 각막의 재이식에 따라 이식편의 생존율이 현저하게 감소되는 것을 보여주는데, 따라서 가능한 첫 번째 이식수술의 성공율을 높이기 위하여 모든 노력을 기울여야 한다.

4) 결론

수술기법의 발전에 따라 각막이식수술 후 콘택트렌즈가 필요한 환자가 감소하였으나, 아직도 보다 나은 시력교정을 위해 많은 환자에서 콘택트렌즈의 처방이 필요하며 적절한 렌즈 디자인 및 재질을 선택하기 위하여 유연성을 가지고 대처하여야 하며, 감염, 신생혈관, 거부반응에 대한 위험을 염두에 두어야 한다.

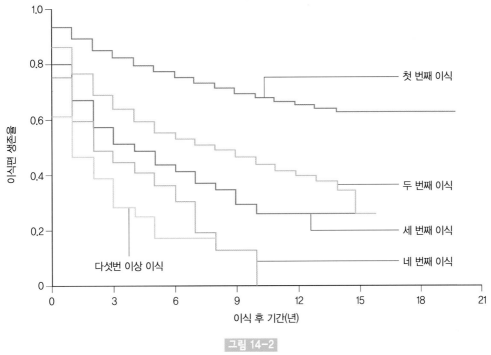

반복된 각막이식에 따라 이식편의 생존율이 현저하게 감소한다.

2. 굴절수술

지난 수십년 동안 굴절이상을 수술을 통해 교정하고자 하는 많은 노력들이 있어왔고 최근 눈부신 발전이 이루어졌지만 수술에는 그에 따르는 합병증의 위험이 내재해 있어 수술을 꺼리는 환자들이 있는데, 이런 경우 콘택트렌즈에 의한 시력교정은 시기능의 회복을 위해 최선의 방법이라고 할 수 있다.[16,17]

또한 최근에 굴절교정레이저각막절제술(PRK)이나 레이저각막절삭성형술(LASIK)과 같은 수술기법으로 인해 향상된 수술결과를 얻게 되었으나 아직까지도 3~4%의 환자들은 수술 후 시력회복에 문제를 가지고 있는 것으로 알려지고 있다. 해마다 굴절교정수술을 받는 환자의 수가 늘어남에 따라 술 후 콘택트렌즈에 의한 시력교정이 필요한 환자의 수도 늘어나게 되는 것은 필연적이라 할 수 있다.

대부분의 현대적인 굴절수술은 각막의 모양을 변형시켜 원하는 굴절력의 변화를 가져오는데, 각막곡률반경의 적은 변화도 큰 굴절력의 변화를 가져올 수 있다. 수술 후 각막의 모양은 교정된 굴절이상의 종류, 수술기법, 창상치유반응의 개인간의 차이, 수술 중 혹은 수술 후 합병증과 같은 여러 가지 요인에 의해 영향을 받는다.

1) 일반적인 굴절수술 후의 각막형태검사

굴절수술 후 콘택트렌즈의 착용은 술 후 각막형태검사에 맞는 콘택트렌즈 디자인을 결정하는 것이 가장 중요한 단계인데, 다음 세 가지 기준을 염두에 두어야 한다.

① BOZR은 각막정점부에서 약간의 틈새를 가질 수 있을 정도로 가파르게 한다.

② 렌즈가 접촉하는 부위는 수평경선을 따라 각막중심으로부터 약 3.0~4.0 mm 정도의 중간주변부에 위치해야 한다.

③ 수직경선을 따라 렌즈의 움직임이 방해를 받지 말아야 한다.

정점부틈새는 콘택트렌즈가 각막정점부에 닿아 흔들림이 없도록 하는데 필요한데, 정점부에서 접촉이 있으면 렌즈의 중심이탈이 일어나게 된다. 접촉부위는 3시와 9시 방향에서 렌즈의 위치를 잡아 측면으로 렌즈가 이탈하는 것을 막아준다. 이러한 정점부틈새와 중간중심부에서의 접촉은 렌즈를 디자인함에 있어 중심위치에 중요한 요소이다.

또한 BOZR은 렌즈가 눈을 깜박일 때마다 수직경선을 따라 움직임을 제한하지 않아야 한다.

굴절수술 후 각막형태검사를 평가할 때는 다음 사항을 유의해야 한다.

- 각막형태검사는 축지도에서 검사하고 평가해야 한다.
- 각막형태검사에서 곡면의 데이터는 각막중심에서 4 mm 떨어진 이측, 비측, 상측 그리고 하측의 중간주변부에서 각각 측정하여야 한다.
- 적절한 BOZR은 네 값의 평균으로부터 위에 언급한 세 가지 기준을 만족할 수 있도록 결정한다.

2) RK(radial keratotomy, 방사상각막절개술) 후 각막형태검사의 변화

RK에서는 동일한 간격을 갖는 4~16개 정도의 방사상의 깊은 절개가 이루어지는데, 절개는 각막중심부로부터 1.5~2.5 mm에서 윤부에 조금 못미치는 부분까지 확장된다.

방사상 절개를 하면 각막중심부가 편평해지고, 호상(arcuate) 절개를 하면 난시에 영향을 미치게 된다. Holladay와 Waring은 수학적 모델을 이용하여 창상이 벌어짐에 따라 RK 후 중심부 주변이 편평하게 된다고 설명하였으며 Salz는 RK 후에 전반적인 각막표면면적이 증가한다고 하였는데, 이러한 결과들로 미루어 RK는 윤부에서 윤부까지 걸쳐서 일어나는 전반적인 편평화 과정이라고 생각할 수 있다.[18,19] 수술 후 각막형태검사는 각막중심부가 가장 심하게 편평해지고 각막 주변부로 갈수록 편평해지는 정도가 감소하는 모습을 보인다. 창상이 벌어짐에 따라 발생하는 각막의 편평화는 환자의 나이, 절개창의 수, 길이, 깊이, 안압, 각막 조직내의 생화학적 특성, 개인간에 따른 창상치유반응의 차이에 따라 영향을 받는다.

3) RK 후 RGP렌즈의 착용

RK 후의 각막은 중심부와 중간주변부각막의 관계에 변화가 오고, 부등시나 부등상시, 부정난시 등이 발생할 수

있으며, 절개창 부위의 반흔에 따라 각막표면이 불규칙해지고, 각막신생혈관이 발생하며, 굴절이상이 불안정하게 변화하고 수술 후 눈부심이나 빛번짐 등이 발생하여 콘택트렌즈를 처방하는 데 어려움이 있을 수 있다.

콘택트렌즈의 착용은 절개창의 창상치유가 완료되고 완전한 상피화가 이루어지며 각막형태검사와 굴절검사가 안정화된 후에 시도하는 것이 좋다. 형광염색을 하면 절개 부위에 형광염색이 고일 수 있으나 상피층은 완전해야 한다. 일반적으로 6주 정도가 지나면 렌즈 착용을 시작할 수 있으며 렌즈의 움직임이나 렌즈 착용과 제거에 따라 일어날 수 있는 각막손상에 유의해야 한다.

앞서 언급한 바와 같이 RK 후에 중심부 각막은 유의하게 편평하게 되고 중간주변부에는 각막형태검사의 변화가 크지 않으므로 각막중심에서 4.0 mm 떨어진 중간주변부에서 접촉이 있도록 BCR (base curve radius, 기본커브반경)을 선택하는 것이 중요하다. 이는 필연적으로 편평해진 각막중심부를 따라 정점부틈새를 보이게 된다.

RK 후 대부분의 경우 절개창의 창상치유가 고르게 일어나지 않는데, 방사상의 절개를 하면 절개창이 벌어지고 상피가 채워진 후 각막실질의 콜라겐이 형성된다. 절개창의 양쪽이 정확하게 맞지 않으면 표면의 융기가 발생하게 되는데 RGP렌즈는 이러한 융기부위를 축으로 움직여 중심이탈이 될 수 있으므로 전체직경이 큰 렌즈를 사용해야 한다.

10.0~11.0 mm의 전체직경 및 9.0 mm의 광학부직경을 갖는 렌즈를 이용하면 렌즈를 안정적으로 장착하는데 도움이 된다. 중간주변부의 K값과 같은 진단용 렌즈를 장착하고 형광염색 형태를 평가하여 각막중심부에서 틈새를 보이고 중심으로부터 4~5 mm의 중간주변부에서 접촉이 이루어지며 중심위치를 잘 유지할 수 있는 BCR을 선택한다. 중심이탈이 있는 경우 중심위치가 잘 될 때까지 점차 가파른 BCR을 시도해 본다. 렌즈가 위쪽으로 치우치는 경우 아래쪽 가장자리가 앞쪽으로 들리게 되어 눈을 깜박일 때 아래 눈꺼풀에 자극을 주게 되는데 이런 경우 기포가 발생하거나 뮤신의 생성이 증가할 수 있다. 덧댐굴절검사를 시행하여 렌즈의 도수와 K값을 측정하는데, 측정값이 눈깜박임 불안정한 경우 렌즈의 휘어짐(flexure)을 의심할 수 있으며

중심부 렌즈 두께를 0.05 mm 정도 증가시키는 것이 도움이 된다.

4) PRK와 LASIK 후의 각막형태검사

PRK와 LASIK 후 각막형태검사의 가장 큰 특징은 직경 5~7 mm에 걸쳐 각막중심부가 편평해 지는 것이다. 이러한 절삭부위는 치료부위와 정상각막을 가로지르는 0.5~1.5 mm의 영역으로 둘러싸여 있다. 다른 모든 수술 방법과 마찬가지로 여러 가지 합병증은 절삭부위의 깊이, 위치 및 경계 부위에 영향을 미칠 수 있는데, PRK와 LASIK에서 일어날 수 있는 합병증은 미세절삭기와 관련된 수술 중 합병증과 각막판과 연관된 수술 후 합병증, 그리고 과교정, 부족교정, 부정난시와 같은 굴절관련 합병증이 있다.

5) 렌즈 착용의 적응증

콘택트렌즈의 착용은 각막의 상피화가 완전히 일어나고 굴절이상이 안정될 때까지 미루어야 한다. PRK와 LASIK에서 상피화는 대개 1주 이내에 이루어지지만 굴절이상과 각막형태검사의 변화는 6주 정도까지 안정화되지 않을 수 있으며 이 이후에야 치유된 각막과 각막판 경계면의 안정성이 콘택트렌즈 착용에 의한 자극을 견뎌낼 수 있게된다.

LASIK 수술 후 환자들은 심한 안구건조증 증상을 느낄 수 있는데 콘택트렌즈를 착용하게 되면 이러한 증상의 악화를 초래할 수 있다.[20] 안구건조증 증상은 시간이 지남에 따라 수년에 걸쳐 호전되는 것으로 보이나 일부 환자에서는 수술 전 단계로 회복되지 못할 수 있다.[21]

6) PRK와 LASIK 후 콘택트렌즈의 착용

PRK나 LASIK 수술을 받은 환자의 대부분은 전통적인 구면 혹은 비구면 RGP렌즈를 성공적으로 장착할 수 있다. 근시교정을 받은 경우 중심부 6.0~7.0 mm 바깥쪽의 각막은 변하지 않으므로 가장 고려해야할 점은 편평해진 중심부 각막과 상대적으로 가파른 정상 중간주변부 각막의 상대적인 차이이다. 이 차이는 술전 경도 및 중등도 근시에서는 거의 문제를 일으키지 않는다.

예를 들어 3 디옵터 정도의 근시교정을 받은 환자는 약

36마이크론의 두께를 절삭하게 되는데, 이는 상피세포층의 두께보다 얇으며 중심부와 중간주변부 사이에 큰 차이를 가져오지 않으므로 일반적인 RGP 콘택트렌즈를 사용하는데 있어 중심부 각막에 거의 영향을 미치지 않는다. 반면 9디옵터의 근시교정을 받은 환자라면 약 110마이크론 정도의 두께를 절삭하여 중심부와 중간주변부의 차이가 커서 중간주변부에 일치하는 콘택트렌즈는 과도한 정점부틈새와 기포형성이 나타날 수 있는데, 이러한 경우 역기하렌즈가 도움이 될 수 있다.

각막형태검사를 시행하여 각막중심부로부터 4.0 mm 이측의 각막곡률과 같은 BCR을 선택하고 진단용렌즈세트를 이용하여 렌즈를 장착한 후 형광염색 형태를 평가한다. 최적의 BCR은 3시와 9시의 중간주변부각막에서 수평경선으로 렌즈의 측면 중심이탈을 막을 수 있도록 결정한다. 렌즈의 중심부에 현저하게 형광염색이 고이는 것을 관찰할 수 있는데 이는 굴절수술 시 각막중심부의 절삭양과 직접적인 연관이 있다.

근시교정수술 후 콘택트렌즈 착용이 필요했던 환자들을 분석한 결과 가장 성공적으로 많이 쓰인 RGP렌즈는 비구면주변 디자인을 가지며 0.17 mm의 가장자리들림(edge lift)와 9.2~10.9 mm의 직경을 가지는 것으로 나타났다. 광학부의 크기는 렌즈의 전체직경보다 1.5~2.5 mm 작았으며 콘택트렌즈의 기본커브는 수술 후 각막중심의 simK 값보다 2 디옵터 정도 가파른 것으로 분석되었다.[22]

▶ 참고문헌

1. Efron N. Contact lens practice. 2nd ed. Oxford: Butterworth-Heinemann/Elsevier; 2010.
2. Phillips AJ, Speedwell L. Contact lenses. 5th ed. Edinburgh ; New York: Butterworth-Heinemann; 2007.
3. Bourne WM. Morphologic and functional evaluation of the endothelium of transplanted human corneas. Trans Am Ophthalmol Soc 1983;81:403-50.
4. Speaker MG, Cohen EJ, Edelhauser HF, et al. Effect of gas-permeable contact lenses on the endothelium of corneal transplants. Arch Ophthalmol 1991;109:1703-6.
5. Mathers WD, Jester JV, Lemp MA. Return of human corneal sensitivity after penetrating keratoplasty. Arch Ophthalmol

1988;106:210-1.

6. Pillips AJ. Postkeratoplasty contact lens fitting. In: Harris MG, ed. Contact Lenses for Pre- and Post- Surgery. St Louis, MO: Mosby; 1997:97-132.

7. Assil KK, Zarnegar SR, Schanzlin DJ. Visual outcome after penetrating keratoplasty with double continuous or combined interrupted and continuous suture wound closure. Am J Ophthalmol 1992;114:63-71.

8. Wietharn BE, Driebe WT, Jr. Fitting contact lenses for visual rehabilitation after penetrating keratoplasty. Eye Contact Lens 2004;30:31-3.

9. Edwards M, Clover GM, Brookes N, et al. Indications for corneal transplantation in New Zealand: 1991-1999. Cornea 2002;21:152-5.

10. Pullum KW, Buckley RJ. A study of 530 patients referred for rigid gas permeable scleral contact lens assessment. Cornea 1997;16:612-22.

11. Saini JS, Rao GN, Aquavella JV. Post-keratoplasty corneal ulcers and bandage lenses. Acta Ophthalmol (Copenh) 1988;66:99-103.

12. Woodward EG, Moodaley LC, O'Hagan A. Predictors for likelihood of corneal transplantation in keratoconus. Eye (Lond) 1990;4 (Pt 3):493-6.

13. Gruber E. The Acuvue disposable contact lens as a therapeutic bandage lens. Ann Ophthalmol 1991;23:446-7.

14. Sulewski ME, Kracher GP, Gottsch JD, Stark WJ. Use of the disposable contact lens as a bandage contact lens. Arch Ophthalmol 1991;109:318.

15. Srur M, Dattas D. The use of disposable contact lenses as therapeutic lenses. CLAO J 1997;23:40-2.

16. McDonnell PJ, Caroline PJ, Salz J. Irregular astigmatism after radial and astigmatic keratotomy. Am J Ophthalmol 1989;107:42-6.

17. Szczotka-Flynn L, Jani BR. Comparison of axial and tangential topographic algorithms for contact lens fitting after LASIK. Eye Contact Lens 2005;31:257-62.

18. Holladay JT and Waring GO. Optics and topography of radial keratotomy. In : Waring GO, ed. Refractive Keratotomy for Myopia and Astigmatism. St Louis: Mosby, 1992.

19. Salz JJ. Pathophysiology of radial and astigmatic keratotomy incisions. In : Sanders D, Hofmann R, Salz JJ, eds. Refractive Corneal Surgery, New Jersey: Slack, 1986; chap. 8.

20. Toda I, Asano-Kato N, Komai-Hori Y, Tsubota K. Dry eye after laser in situ keratomileusis. Am J Ophthalmol 2001;132:1-7.

21. Benitez-del-Castillo JM, del Rio T, Iradier T, et al. Decrease in tear secretion and corneal sensitivity after laser in situ keratomileusis. Cornea 2001;20:30-2.

22. Ward MA. Visual rehabilitation with contact lenses after laser in situ keratomileusis. J Refract Surg 2001;17:433-40.

공막콘택트렌즈
Scleral contact lenses

이 상 목

1. 공막콘택트렌즈

공막콘택트렌즈는 각막이 아니라 공막에서 지지가 되는 콘택트렌즈를 말한다. 렌즈가 공막에서 지지를 받기 위해서 공막콘택트렌즈의 크기는 최소 지름 12.5 mm 이상으로 커야 하고 크게는 결막 원개(fornix)에 의해 제한이 되는 26 mm 정도까지 가능한 것으로 알려져 있다(그림 15-1).[1] 소프트콘택트렌즈의 경우도 크기로는 이 범위에 해당하지만 재질의 특성상 각막의 접촉에 의해서 어느 정도 지지를 받기 때문에 일반적으로 공막콘택트렌즈에 포함시키지는 않는다.[1]

1) 공막콘택트렌즈의 분류[2]

최근에는 처방과 착용이 비교적 쉬운 작은 크기의 공막

그림 15-1

소프트콘택트렌즈와 공막콘택트렌즈. 왼쪽은 직경 14.2 mm인 일반적인 소프트콘택트렌즈이고, 오른쪽은 직경 18.5 mm인 공막콘택트렌즈이다.

콘택트렌즈들이 속속 상품화되어 등장하고 있다. 2010년 Scleral Lens Education Society에서는 이러한 다양한 사이즈의 공막콘택트렌즈를 렌즈가 눈에 지지 되는 부위에 따라서 각공막콘택트렌즈(corneal-scleral), 미니공막콘택트렌즈(mini-scleral), 공막콘택트렌즈(large scleral) 등으로 분류하였다(표 15-1).[2] 렌즈의 가장자리(edge)가 윤부 조금 밖에 위치하면 미니공막콘택트렌즈로, 조금 안쪽에 위치하거나 일부는 각막에, 일부는 공막에 위치하면 각공막콘택트렌즈로 정의한다. 12.5~15 mm 크기의 각공막콘택트렌즈의 경우 구조적으로 일부는 각막에서 지지를 받을 수밖에 없기 때문에, 대략 15 mm 이상의 미니공막콘택트렌즈부터 진정한 공막콘택트렌즈로 보는 것이 타당하다. 하지만 이러한 크기에 따른 명칭은 아직까지 통일되게 쓰이고 있지 않고, 회사에 따라서 다른 용어를 쓰는 경우도 많으므로 명칭만 보지 말고 반드시 렌즈의 크기를 확인하여야 혼동을 피할 수 있다.[3] 실제로 18 mm 크기의 렌즈를 어떤 제품은 공막콘택트렌즈로 분류하지만 어떤 제품은 미니공막콘택트렌즈로 분류하는 경우도 있기 때문이다.

2) 공막콘택트렌즈의 구조

공막콘택트렌즈는 크게 광학부(optic zone)와 공막부(scleral, haptic or landing zone), 그리고 그 두 부분을 연결하는 이행부(transition zone)로 구성되어 있으나(그림 15-2),[1,2] 사이즈가 큰 특성상 각 부분을 한 가지의 곡률반

표 15-1 Gas-Permeable Lens 용어[2]

종류	다른 명칭	직경(mm)	지지부위	보유 눈물층(tear reservoir)
Corneal 각막		8~12.5	모든 부위가 각막에서 지지 받음	없음
Corneoscleral 각공막	Corneal-limbal Semi-scleral Limbal	12.5~15	각막과 공막 모두에서 지지 받음	제한됨
(Full) Scleral 공막	Haptic	15~25 Mini-scleral 15~18 Large scleral 18~25	모든 부위가 공막에서 지지 받음	약간 제한됨 제한없음

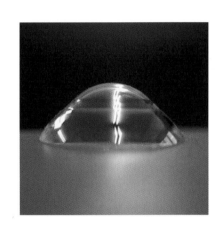

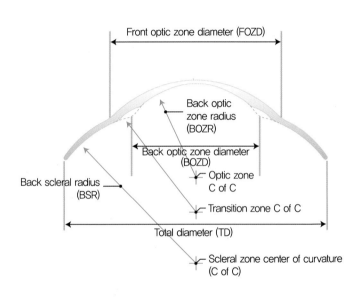

Front optic zone diameter (FOZD)

Back optic zone radius (BOZR)

Back optic zone diameter (BOZD)

Optic zone C of C

Back scleral radius (BSR)

Transition zone C of C

Total diameter (TD)

Scleral zone center of curvature (C of C)

그림 15-2

공막콘택트렌즈 측면 사진과 기본 디자인 및 용어

경을 가지는 구면으로 제작하기에는 어려움이 있어서 실제 구성은 제품에 따라서 차이가 있다.

2. 공막콘택트렌즈의 역사

공막콘택트렌즈는 콘택트렌즈의 역사의 시작부터 쓰였던 오래된 디자인의 렌즈이다. 의학논문에 보고된 첫 콘택트렌즈는 1888년 Fick, 1888년 Kalt, 1889년 Muller에 의해 따로 보고되었는데, 이 렌즈들의 지름이 11 mm~22

mm로 현재의 공막콘택트렌즈와 유사한 디자인을 가지고 있었다고 알려져 있다.[2,4-7] 하지만 공막콘택트렌즈 디자인을 가지고 있었던 당시의 콘택트렌즈는 많은 문제를 불러일으켰다. 그 이유는 초창기의 콘택트렌즈는 유리로, 그 이후에는 PMMA (Poly[methyl methacrylate], 폴리메틸메타크릴레이트)로 만들어졌기 때문이다. 공막콘택트렌즈 디자인은 안구표면 거의 전체를 덮고 있는데, 두 재질 모두 Dk (oxygen permeability, 산소투과율)가 매우 낮아서 심한 각막의 저산소증을 초래했고, 장기 착용 시 많은 환자에서 각막부종, 각막 신생혈관 등의 문제를 일으켰다.[1,3,8] 그 때문

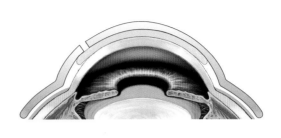

그림 15-3

창을 뚫은(fenestrated) 공막콘택트렌즈. PMMA 재질의 공막콘택트렌즈의 경우 Dk가 낮기 때문에 저산소증을 막기 위하여 대부분 창(fenestration)을 만들었는데 대개 이측 윤부에 만들었다. 대부분의 경우 창을 통하여 공기방울이 렌즈 뒤로 들어가게 되는데, 오른쪽 모식도에서 보듯이 각막의 틈새(clearance)가 너무 크면 공기방울이 전체 각막을 덮어서 시력에도 영향을 줄 수 있다.

에 사람들은 다른 방안을 찾을 수 밖에 없었고, 그 중 하나가 각막보다 사이즈가 작은 각막콘택트렌즈(corneal contact lens)로 1950년대에 등장하게 된다. 하지만 1950년대 이후에도 공막콘택트렌즈는 영국과 미국을 중심으로 창(fenestration, 공기가 들어갈 수 있도록 렌즈에 뚫은 작은 구멍) 등의 방법으로 명맥을 유지하고 있었다(그림 15-3).[1,3,9] 1960년대에 하이드로젤(hydrogel)을 재질로 한 소프트콘택트렌즈가 개발되었을 때 그 디자인의 모델이 된 것도 바로 공막콘택트렌즈이다.

이처럼 콘택트렌즈의 역사와 같이 하는, 오랫동안 서서히 잊혀왔던 공막콘택트렌즈가 최근에 다시 각광을 받게 된 것은 콘택트렌즈 재질의 발달에 힘입은 바 크다. 최근에 높은 Dk 렌즈 재질들이 획기적으로 발달하면서 안구 전체를 덮는 공막콘택트렌즈의 치명적인 단점인 저산소증 문제가 어느 정도 해소되었기 때문이다.[3,8-14] 1983년에 Ezekiel이 처음으로 gas-permeable 공막콘택트렌즈를 성공적으로 착용한 것을 보고한 이래로,[11] 각막화상, 안검포창, 스티븐스존슨 증후군(Stevens-Johnson syndrome)과 같은 난치성 각막표면질환과 각막확장증이나 각막이식, 라식이나 라섹에 의한 각막형태 이상에 대한 시력재활 등에서 점차 적응증을 확대하며 발전해 나가고 있다.[15]

하지만 환자의 눈의 모양을 찍어서 같은 모양으로 렌즈를 만드는 압착(impression)이 가능했던 PMMA 재질이 RGP 재질로 바뀌게 되면서 공막콘택트렌즈 제작 방법도 변화를 겪게 되었다. 창을 만들 필요가 없어지면서 일부 디자인의 변경이 이루어졌고, 선반을 이용하여 깎게 되면서 (preformed, lathe-cut) 좀더 정밀한 광학적 가공은 가능해졌지만 환자 눈에 맞는 맞춤 처방은 조금 더 어려워졌다.[1,2,8,9]

공막콘택트렌즈와 관련된 보고는 2000년대 후반까지는 공막콘택트렌즈를 주로 제작하고 처방하는 몇몇 클리닉에 국한되어 있었다. 영국의 Moorfields Eye Hospital/Innovative Sclerals Ltd., 미국 Harvard Medical School의 Massachusetts Eye and Ear Infirmary/Boston Foundation for Sight, 네덜란드의 University of Nijmegen/Visser Contact Lens Practice 등이 주된 선발 주자였다.

영국의 Pullum KW이 주축이 된 Innovative Sclerals (http://www.sclerals.com) 그룹은 Moorfields Eye Hospital에서 시작되어 현대화된 공막콘택트렌즈 개념의 정립에 큰 역할을 한 그룹이다. 그뿐 아니라 매년 3~4회 공막콘택트렌즈에 대한 교육과정(training course)을 개설하고 있어 영국, 유럽을 중심으로 공막콘택트렌즈의 보급에 큰 역할을 하고 있다. PMMA재질의 공막콘택트렌즈 시절부터 공막콘택트렌즈 처방을 하였는데, 이후에 높은 Dk RGP렌즈 재질이 도입됨에 따라 렌즈 재질을 바꾸어 주었을 때 환자의 각막부종과 각막신생혈관이 감소하거나 더 진행하지 않았음을 보고하여 공막콘택트렌즈의 부작용을 많이 개선시킬 수 있음을 보여주었다.[16] 또한, 공막콘택트렌즈의 다양한 두께와 Dk값에 따른 각막부종 발생에 대한 연구를 통하여 두 가지 파라미터가 각막부종에 영향을 미칠 수 있음을 보여주었다.[14] 2000년대 초반에는 각막노출, 방사선 치료 후 각막합병증, 스티븐스존슨 증후군, 반복각막진무름, 선천적 또는 수술 후의 눈꺼풀 결손 등의 질환을 가진 환자에서 공막콘택트렌즈를 밤에도 빼지 않고 계속 착용하여 통증이 줄고 노출각막염을 막고 각막상피 치유가 촉진되었음을 보고하여 공막콘택트렌즈가 치료용렌즈 용도로도 효과적으로 쓰일 수 있음을 보여주었다.[17,18] 2005년에는 그 동안의 결과를 집대성하여 1,003명의 환자, 1,560안에서 처방받은 결과를 보고하여 공막콘택트렌즈가 원발성 각막확장증, 각막이식 후, 난치성 안구표면질환에서 중요한 역할을 할 수 있음을 보여주었다.[15]

보스턴 렌즈의 설립자로도 유명한 미국의 Rosenthal P이 주축이 된 비영리단체 Boston Foundation for Sight (http://www.bostonsight.org)는 Harvard 의과대학의 협력클리닉(affiliate)으로, 보스턴공막콘택트렌즈(Boston Scleral Contact Lens)라는 이름으로 1980년대 후반부터 높은 Dk 재질을 공막콘택트렌즈에 도입하였고,[10] 눈을 여러 개의 방사상의 경선으로 나누어 렌즈를 디자인하는데, 시험착용렌즈를 착용한 후에 각각의 경선에 따른 시상높이 (sagittal height) 값을 조정하여 클리닉 내에서 바로 렌즈를 제작하는 시스템을 구축하여 정교한 맞춤 공막콘택트렌즈를 구현했다(그림 15-4). 보스턴공막콘택트렌즈는 후에 명칭을 Boston Scleral Lens Prosthetic Device로 바뀌었다가, 최종적으로 PROSE (Prosthetic Replacement of the Ocular Surface Ecosystem)로 바꾸었다.[19] 2005년에는 그간의 18년 동안 처방된 공막콘택트렌즈 환자 538명 875안에 대한 결과를 정리하여 보고하였으며,[20] 이후 안구의 만성이식편대숙주질환(ocular graft-versus-host disease)으로 인한 안구 통증에서 공막콘택트렌즈 치료가 효과가 있음을 보고하여 공막콘택트렌즈 치료 적응증을 확대하는데 기여하였다.[21,22] 2008년에는 공막콘택트렌즈를 처방했던 소아환자들(7개월부터 13세 미만)의 결과를 보고했고,[23]

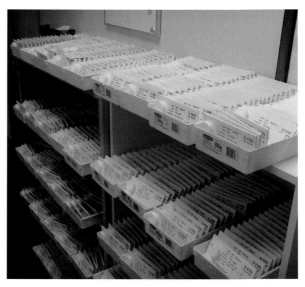

그림 15-4

Boston Foundation for Sight의 시험착용 렌즈. 1,000개가 넘는 시험착용 렌즈가 전산화되어 보관되어 있다. 필요한 다양한 환자 정보를 초진 시에 컴퓨터에 입력하면, 컴퓨터에서 몇 개의 시험착용 렌즈를 추천해 주고, 그 중에서 선택하여 시험착용을 하게 된다. 하지만 이러한 많은 시험착용렌즈가 꼭 필요한 것은 아니어서 해외에 있는 satellite같은 경우에는 60~100개 정도의 시험착용 렌즈를 가지고 시험착용을 한다고 한다.

2013년에는 로체스터대학교의 윤근영 교수와 함께 진행된 원추각막 환자의 공막콘택트렌즈 처방에서 웨이브프런트 기술을 접목시켜 고위수차를 줄여줄 수 있음을 보여줬다.[24]

네덜란드의 Visser Contact Lens Practice 그룹에서는 Procornea라는 회사를 통하여 공막콘택트렌즈를 제작하고 있다.[25] 2000년대 중반에 처음으로 토릭 디자인을 공막콘택트렌즈에 도입하였고,[26] 2013년에는 bitangential periphery 디자인을 공막콘택트렌즈 제작에 도입하였다.[27]

하지만 기존의 공막콘택트렌즈는 비교적 피팅 과정이 어렵고 비용이 비싸고 렌즈의 탈착이 어려워 광범위한 보급이 어렵다는 한계를 가지고 있었다. 2000년대 후반부터 Jupiter Lens (Innovations in Sight), MSD Lens (mini-scleral design, Blanchard lab), SoClear lens (ART Optical contact lens, inc.) 등이 비교적 표준화와 피팅이 쉬운 미니공막콘택트렌즈(mini-scleral)/각공막콘택트렌즈(corneoscleral)를 앞세워 기존의 공막콘택트렌즈 시장에 진입하게 되었다. 이러한 새로운 보급형 렌즈들은 광범위한 유통망을 통하여 시장을 넓혀가고 있으며, 그에 자극을 받아서 기존의 공막콘택트렌즈 제작자들의 보급도 활발해지면서 공막콘택트렌즈 시장은 전세계적으로 확대되고 있다.

한가지 유의할 점은 미니공막콘택트렌즈(mini-scleral)의 개념인데 오랜 전통을 가지고 있는 영국 그룹의 경우 18 mm렌즈를 미니공막콘택트렌즈로 생각하는 반면, 최근에 등장한 Jupiter나 MSD의 경우 미니공막콘택트렌즈의 사이즈가 15~15.8 mm를 갖고 있어서 혼동할 수 있으므로 주의를 요한다. 전반적으로 공막콘택트렌즈의 사이즈가 점차 작아지는 경향이 있고 작아질수록 중심잡기는 좀 더 쉬운 것으로 알려져 있으나, 보유 눈물층(tear reservoir)이 작아져서 안구표면질환에서의 활용도는 떨어진다.[2]

3. 공막콘택트렌즈의 장점과 단점[9,28]

1) 장점

① 렌즈 피팅(fitting)에서 각막의 영향을 많이 받지 않는다.[3,9,25]

각막콘택트렌즈는 각막의 모양에 따라서 피팅이 어려운 경우가 있다. 각막 난시로 인한 피팅의 어려움은 토릭콘택트렌즈의 등장으로 많이 해결되었지만, 비대칭적인 각막 모양을 보이는 원추각막 등 각막확장증(corneal ectasia) 환자들의 경우에는 여전히 피팅이 어려운 경우가 종종 있고, 그로 인한 불편감으로 렌즈를 잘 사용하지 못하게 되기도 한다. 하지만 공막콘택트렌즈의 경우에는 렌즈가 각막이 아닌 공막에서 지지를 받기 때문에 각막의 모양에 영향을 받지 않는다는 장점이 있다. 그 때문에 각막확장증은 현재 공막콘택트렌즈의 가장 큰 적응증이 되고 있다.[3,9,29] 그뿐 아니라 각막이식, 각막고리삽입술에 의한 각막형태 이상에 대한 시력재활 등에서도 점차 그 영역을 확대하며 발전해 나아가고 있다.[2,9]

② 고도 굴절이상도 교정이 가능하다.

RGP렌즈의 경우 근시나 원시가 심할 때 렌즈가 두꺼워지고 무거워지는데, 그에 따라 피팅에 어려움이 생길 수 있다. 하지만 공막콘택트렌즈의 경우 이러한 문제가 발생하지 않기 때문에 보다 심한 근시, 원시도 처방이 가능하다.

③ 각막 앞 눈물층(보유 눈물층, pre-corneal tear reservoir)을 유지해줄 수 있다.

안구표면 전체를 덮는 디자인이 가지는 장점으로, 콘택트렌즈와 각막 사이에 눈물층을 충분히 유지해 줌으로 각막화상, 안천포창, 스티븐스존슨 증후군과 같은 난치성 각막표면질환에 도움이 된다. 그 외에도 치료콘택트렌즈(therapeutic bandage contact lens)의 역할을 할 수 있어 지속각막상피결손(persistent epithelial defect), 신경이상각막염(neurotrophic keratitis) 등의 치료에도 도움이 된다.[30-32] 주목할 점은 단순히 안구표면 상태만 호전되는 것이 아니라, 환자의 최대 교정시력도 어느 정도 호전된다는 점이다.[20] 이러한 시력호전은 각화된 안구표면에서 난반사 되는 빛을 새로운 안구표면(렌즈표면)을 통해서 모아주기 때문에 나타나는 것으로 생각한다. 그 외에도 눈에 오는 이식편대숙주질환에서 안통을 줄여주는 효과가 큰 데, 공막콘택트렌즈에 의한 각막신경 말단에 대한 보호효과 등의 가능성이 제시되고 있다.[21]

④ 각막표면과 눈꺼풀테 사이의 마찰을 차단할 수 있다.

난치성 각막표면질환의 경우 눈꺼풀테의 각화(keratinization)에 의한 반복적인 기계적 손상(mechanical stress)도 중요한 역할을 하는데, 공막콘택트렌즈가 각막표면과 눈꺼풀테 사이의 마찰을 완전히 차단함으로써 이러한 기계적 손상을 줄이고 노출된 각막신경의 자극을 줄여주는 것이 도움이 된다.

⑤ 눈깜빡임의 문제로 인한 국소적 노출(exposure)의 문제가 없다.

⑥ 렌즈 뒤로 이물질이 들어가더라도 문제가 적게 생긴다.

2) 단점

① 큰 사이즈로 인해 렌즈 탈착이 어렵다.

사이즈가 크기 때문에 렌즈를 끼고 뺄 때 어려움이 있다.[2,3] 그 때문에 적절한 탈착법을 알려주고 충분히 교육 및 연습을 시켜서 환자가 자신감을 가지고 렌즈 탈착을 할 수 있도록 준비를 시킨 후에 렌즈를 처방하는 것이 무엇보다 중요하다. 특히 렌즈 착용 시 공기방울이 들어가는 경우 RGP렌즈나 소프트콘택트렌즈에서와는 달리 렌즈를 빼고 다시 착용해야 하기 때문에 정확한 렌즈 착용법을 연습할 필요가 있다. 하지만, 눈과 렌즈의 상태에 따라서는 공기방울을 완전히 제거하기 어려운 경우도 있다.[3,9] 2 mm 이하의 작은 공기방울이 시야를 가리지 않는 경우 꼭 제거할 필요는 없다.[2] 하지만 공기방울이 크거나 시야를 가리는 경우 재착용 해보고, 계속 공기방울이 생기면 착용 전에 생리식염수 대신 무방부제 인공눈물을 채우는 것이 도움이 될 수 있다.[2,9] 지속적으로 공기방울이 생기는 경우 렌즈의 시상높이를 낮추거나, 공막부의 곡률반경(BSR)을 더 편평하게 바꾸어 주거나, 직경을 줄여보는 등 렌즈파라미터 조정을 시도해 볼 수 있다.[3,9]

또한, 렌즈의 직경이 크기 때문에 공막콘택트렌즈가 들어간 느낌이나 외향이 느껴질 수 있다.[2]

② 비싼 비용 문제와 복잡한 처방 과정

공막콘택트렌즈는 일반 RGP렌즈에 비해서 수요가 많지 않고 Dk가 높은 재질을 필요로 하며, 노동집약적인 까다로운 공정을 필요로 하기 때문에 일반적으로 RGP렌즈에 비해서 비싸다.[2,3,9]

처방과정도 일반렌즈에 비해서 복잡한데, 개인 맞춤형 공막콘택트렌즈라고 할 수 있는 보스턴 공막콘택트렌즈의 경우 처음 렌즈를 처방 받는 데에는 최소 3일 이상 걸린다. 이는 최소 3시간 이상 착용한 상태에서 렌즈 피팅을 확인하고 렌즈를 조정하기 때문인데 3시간 착용 후 상태가 만족스러우면 6시간 낀 상태에서 확인한 후에 최종 처방을 받게 되는데 이 과정이 최소 3일, 대략 5일 정도 걸리게 된다. 이후에는 3~6개월마다 경과관찰을 하게 되는데 경과관찰 시에도 이틀 정도는 예상할 것을 권장한다. 이러한 표준적인 처방 방법은 최근에는 조금씩 짧아지고 있다. 그에 비해서 최근에 등장한 보급형 렌즈의 경우 처방과정이 좀 더 간단하기는 하지만, 일반 특수렌즈보다는 시간이 더 많이 걸리고 교체하는 경우도 많은 것으로 알려져 있다.

③ 각막에 대한 산소 공급의 제한[3,9]

최근에는 Dk가 높은 재질의 발달로 인하여 이러한 단점이 많이 해결되기는 했으나 안구표면을 덮는 면적이 커서 여전히 일부 환자에서는 문제가 될 수 있다.

④ 장시간 착용 시 눈물층에 점액이 모여서 중간 세척이 필요한 경우가 있다.

특히 눈물의 분비가 심하게 감소하는 질환의 경우, 눈물층의 순환이 잘 안되면서 렌즈뒤눈물막(post- lens tear film)에 점액이 모여서 시야가 흐려지는 경우가 있다. 이런 경우에는 3~4시간 간격으로 렌즈 세척 및 재착용이 권장되는데, 경우에 따라서는 착용 전에 생리식염수 대신 점도가 높은 무방부제 인공눈물을 채우는 것이 도움이 될 수 있고 Acetylcysteine과 같은 점액용해제(mucolytic)를 렌즈 삽입 전에 추가하는 것도 도움이 될 수 있다.[2,3,9]

⑤ 결막 충혈, 윤부 위로 결막이 편위되는 문제가 발생할 수 있다.

특히 윤부의 공간이 충분하지 못한 경우 잘 발생하고 크게 문제가 되지는 않지만 환자가 미용 상의 문제를 호소할 수 있다(그림 15-5).[3,9]

⑥ 위아래를 볼 때 프리즘효과(prismatic effect)가 발생할 수 있다.[1,3,9]

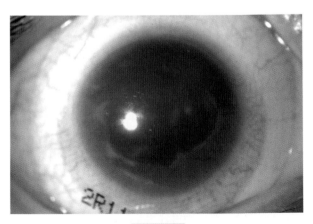

그림 15-5

공막콘택트렌즈 착용 시 발생한 결막편위. 렌즈가 약간 하방 편위 되어 있으나 렌즈의 공막부는 비교적 균일한 정도의 접촉(bearing)을 보여주고 있어 전반적인 공막부의 피팅은 괜찮은 편이다. 하지만 아래쪽 윤부 결막이 상측으로 편위되어 두꺼워져 있는 모습을 볼 수 있다.

⑦ **불편감**(discomfort)

모든 종류의 콘택트렌즈에서 불편감을 완전히 없앨 수는 없는데, 특히 공막콘택트렌즈에서는 원추각막 환자에서 각막정점이 닿는 경우, 윤부가 닿는 경우, 공막부가 잘 맞지 않는 경우에 더 잘 발생한다.[3,9]

4. 공막콘택트렌즈의 적응증

현재 공막콘택트렌즈가 도움을 줄 수 있는 적응증을 정리하여 보면 다음과 같다.[2,3,7,9,10,15,29,33,34]

1) 기존의 콘택트렌즈로 교정이 안 되는 경우

① **각막확장질환**(corneal ectasia)

원추각막, 투명각막가장자리변성(pellucid marginal degeneration),[35] 공모양각막(keratoglobus)[36]

② **각막이식 후의 난시, 굴절교정 수술 후 발생한 의인성 각막확장증**(iatrogenic keratectasia)[1,3,9]

③ **테리엔각막가장자리변성**(Terrien's marginal degeneration)[36,37]

④ **각막표면이 불규칙해지는 질환**[9]

각막흉터, 잘쯔만결절변성(Salzmann's nodular degeneration), 격자각막이상증(lattice corneal dystrophy) 등

⑤ **무수정체안, 고도근시/난시**[1]

2) 심한 안구표면질환

① **각막줄기세포의 결핍**[32]

스티븐스존슨 증후군(그림 15-6),[38] 독성표피괴사용해(toxic epidermal necrolysis), 화학 화상, 안천포창, 무홍채증

② **눈물샘의 손상으로 인한 심한 안구건조증**

쇼그렌 증후군(Sjögren's syndrome), 이식편대숙주질환(GVHD), 방사선 조사, 수술합병증, 마이봄샘결핍(meibomian gland deficiency)

③ **각막 지각 감소**

헤르페스각막염, 선천각막감각결손, 당뇨, 청신경종(acoustic neuroma) 수술 후, 삼차신경절 절제술 후 등

④ **지속되는 비감염성 각막궤양 또는 지속각막상피결손**[30]

⑤ **실모양각막염**(filamentary keratitis)

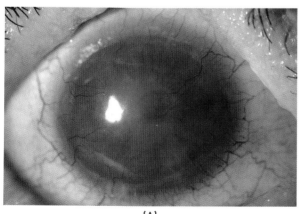

(A)

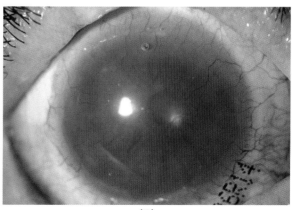

(B)

그림 15-6

스티븐스존슨 증후군 환자에서 공막콘택트렌즈 처방. 4년 전 스티븐스존슨증후군을 앓고 시력이 저하된 43세 남자환자의 우안 렌즈 처방 전(A), 후(B) 사진. 렌즈 착용 전 우안 시력은 0.04였고 전체적으로 점상각막염이 있었으나 렌즈 착용 후 점상각막염이 호전되었고 시력도 0.4까지 호전되었다. 렌즈 착용 후 각막신생혈관도 전체적으로 줄어든 것을 확인할 수 있다.

⑥ **진행된 아토피각결막염**(advanced atopic keratocon-junctivitis)[39]

3) 눈꺼풀 이상

① 노출각막병증(exposure keratopathy)이나 눈꺼풀 결손 시 눈물의 증발을 막음
② 첩모난생이나 눈꺼풀테의 각질화에 대한 각막 보호
③ 눈근육병증(ocular myopathy), 안검하수, 안검경련 (blepharospasm)[1,9,40,41]

4) 미용 목적

공막콘택트렌즈에 채색하여 미관을 좋게 하려고 하는 경우

① 치료가 안 되는 복시
② Cosmetic shells
③ 보이지 않는 실명안
④ 무홍채증
⑤ 소안구증

5) 기존콘택트렌즈의 대체

5. 공막콘택트렌즈의 처방

1) 원칙

처음 공막콘택트렌즈를 접했을 때 처방에 어려움을 겪는 이유 중 하나는 기존의 RGP렌즈와는 다른 공막콘택트렌즈의 처방 개념이다. 특수렌즈라고 하는 Ortho-K렌즈(각막교정렌즈, orthokeratology lens), 원추각막렌즈(keratoconus lens) 등도 기본적으로는 각막에서 지지를 받는 각막콘택트렌즈의 일종이라는 공통점을 가지고 있고 그 때문에 어느 정도는 처방 원리가 공통된 부분이 있다. 하지만 공막콘택트렌즈의 경우에는 각막이 아니라 공막에서 지지를 받기 때문에 각막콘택트렌즈와는 다른 처방 원리를 가지고 있다. 이처럼 각막콘택트렌즈와 다른 공막콘택트렌즈 처방 개념에 대해서 살펴보면 다음과 같다.

첫 번째는 시상높이(sagittal height)가 K값(K value)보다 중요하다는 점이다. 실례로 Pullum KW의 경우 시험착용을 할 때 환자의 옆에서 환자의 눈을 들여다보고 시상높이를 어림해서 처음 시험 착용할 렌즈를 정한다. 그만큼 공막콘택트렌즈에서는 시상높이가 중요하다.

RGP렌즈 처방에서 중요하게 생각하는 BOZR(Back optic zone radius, 후면광학부반경)의 경우, 각막이 주변부로 갈수록 편평해지고 공막콘택트렌즈가 전체 각막을 덮기 때문에 보다 편평한 BOZR을 고려할 필요가 있다.[9] 하지만 실제로 각막지형도를 이용한 검사결과(corneal topographic indices)와 최종적으로 처방된 공막콘택트렌즈의 BOZR을 비교해 봤을 때 아주 낮은 정도의 상관관계만 있었다는 보고도 있어 (r^2=0.5) K값을 이용한 시험착용의 한계를 시사하고 있다.[9,42]

두 번째는 공막에서 지지를 받는 공막부(haptic, landing zone)의 피팅이 중요하다. 현재까지는 공막부의 축곡률(axial radius of curvature)을 측정할 수 있는 좋은 방법이 없어서 주로 시험착용 후 공막의 혈관이 눌리는 양상을 보는 방법에 의존하고 있다. 이러한 과정을 통하여 공막부를 좀 더 가파르게(steep) 해야 할지, 편평하게(flat) 해야 할지, 적절한지를 결정하게 되는데, 꼼꼼한 관찰과 경험이 필요한 부분이다. 최근에는 전안부 OCT (Anterior ocular coherence tomography, 전안부 광간섭단층영상)을 이용하여 공막축곡률을 측정하는 방법을 개발하여 활용하고 있는데, 이 경우 수치화된 비교적 정확한 정보를 얻을 수 있다는 장점은 있지만 여전히 공막의 모든 부분을 측정할 수 없고, 고가의 장비가 필요하다는 한계를 가지고 있다(그림 15-7).[43] 전안부 OCT는 공막콘택트렌즈의 디자인 뿐 아니라 시험착용 후 피팅 상태 확인에도 활용되고 있다.[2,44] 하지만 정확한 공막축곡률을 측정하든, 혈관이 눌리는 정도로 경험적으로 판단하든, 방향에 따라서 공막이 다른 모양을 갖고 있기 때문에 모든 부분이 잘 맞도록 맞추기는 쉽지 않은 경우가 많고, 경우에 따라서는 토릭 디자인이 필요한 경우도 있다.[26,45] 렌즈가 직경이 작아질수록 이 과정은 비교적 수월한 것으로 알려져 있다.[3]

이 과정에서 또 한 가지 중요한 점은 일반적인 렌즈 처

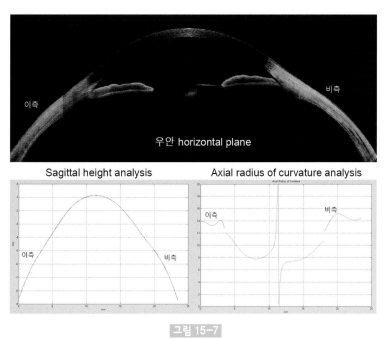

그림 15-7

전안부 OCT를 이용해서 얻은 오른쪽 눈의 수평경선 이미지를 합성한 후 자체 개발한 Matlab 프로그램을 이용하여 안구표면의 시상높이(sagittal height)와 축곡률(Axial radius of curvature)을 분석하였다. 비측의 공막 축곡률이 이측에 비하여 큰(편평한) 것을 시상높이의 모양과 축곡률 분석을 통하여 확인할 수 있다.

방에서는 별로 고려할 필요가 없는 검열반(pingecula)이 공막콘택트렌즈 처방에서는 꽤 문제가 된다는 점이다.[2] 공막콘택트렌즈의 공막부가 안구표면에 닿는 부위의 형태를 변형시키기 때문이다. 환자와 렌즈를 선택하는 과정에서 놓치지 말아야 하는 부분이다.

세 번째는 공막콘택트렌즈는 결막에 안착하는데 시간이 걸린다는 점이다. 물론 개인차이가 있지만 시간이 지나면서 피팅 양상이 변하는 경우가 대부분이다. 그 때문에 렌즈 착용 후 최소 30분이 지난 후에 피팅을 평가할 것을 권장하고 있고, 보스턴 공막콘택트렌즈가 3시간 착용 후 피팅을 평가하는 이유이기도 하다.

네 번째는 렌즈 광학부의 크기가 중요하다는 점이다. 이 부분은 상업적인 렌즈를 쓰는 경우에는 조정이 어렵다. 하지만 사람마다 각막의 크기가 다르고 그 때문에 같은 크기의 렌즈를 이용하더라도 환자에 따라서 좀 더 윤부에 가까운 곳에서 랜딩(landing)을 할 수도 있고 좀 더 먼 곳에서 랜딩을 할 수도 있는데 이 부위가 비교적 곡률반경이 급하게 변하는 부분이기 때문에 그에 따른 편차가 발생할 수 있

다. 따라서 이런 경우 최선의 방법은 각막크기에 따라서 광학부 크기의 변화를 주는 것이 가장 좋은 방법일 수 있다. 하지만 재고관리, 시험렌즈의 수 등의 문제로 쉽지 않다. 차선책으로는 광학부의 크기를 키워서 공막 접촉부위가 최대한 윤부를 지나서 곡률반경이 비교적 일정한 부분에서 닿게 하는 방법인데 렌즈 크기가 커지는 단점이 있다.

2) 처방 과정

실제 공막콘택트렌즈의 처방과정은 렌즈의 크기와 디자인에 따라서 다른데 대개 일반적인 RGP렌즈에 비해서 복잡한 편이다. 처방은 렌즈마다 회사에서 권장하는 방법을 따르면 된다. 하지만 비교적 공통된 과정은 렌즈를 처방할 눈의 파라미터들을 고려하여 첫 시험렌즈를 선택하고 착용한 후 20분~3시간 후에 피팅 상태를 파악한 후 필요시 회사에서 정한 프로토콜에 따라서 시험렌즈를 교체해서 피팅을 보는 과정을 거친다. 최근에는 피팅 과정상의 편의를 위해서 피팅 시간을 줄이는 경향이 있으나 앞서 언급한 바와 같이 시간이 지나면서 시상높이가 낮아질 수 있는 점(settling back)을 고려하여 충분히 착용한 후에 피팅을 판단하는 것이 추후 렌즈의 교환을 줄이는 데 도움이 될 수 있다.

3) 공막부의 피팅

대부분 공막부 축곡률은 0.25 또는 0.5 mm간격으로 12.5~15.0 mm 정도의 값을 가지는데, 시험렌즈를 착용한 상태에서 공막부 아래의 결막혈관이 눌리는 정도를 관찰하여 결정한다.[2,3,9] 그림 15-8은 공막부의 이상적인 피팅 상태의 모식도와 환자 사진이다. 렌즈의 공막부가 가파른 경우 각막의 플로레신이 공막까지 연결되고 렌즈가장자리(edge) 근처에서 결막혈관이 눌리면서 렌즈의 기울어짐이나

중심이탈이 잘 발생한다(그림 15-9).[3,9]

반대로 공막부가 편평한 경우 형광물질이 주변부에 고이고 윤부 바로 바깥의 결막혈관이 눌린다(그림 15-10). 이런 경우 렌즈를 지탱하는 부분이 좁아서 시간이 지나면서 시상높이가 낮아지는 현상(settling back)이 더 심하게 일어날 수 있다(그림 15-11).[3,9]

한 가지 염두해야 할 점은 공막부의 축곡률이 이측, 비측, 상측, 하측이 모두 다르다는 점이다(그림 15-12).[45] 실제로 이측이 가장 가파르고 비측이 가장 편평하며 상측, 하측은 그 중간에서 비측에 가까운 것으로 보고되고 있다.[30,43,45] 가장 이상적인 공막콘택트렌즈는 네 부분의 공막

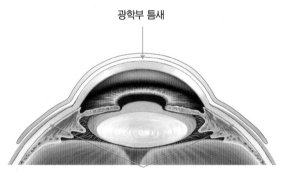

광학부 틈새

최적 공막부 정렬

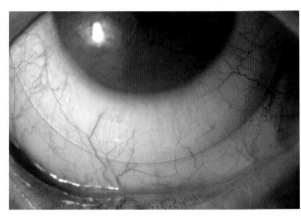

그림 15-8
적절한 공막부 피팅 모식도와 환자 사진. 공막부가 환자의 공막과 잘 맞는 상태로 결막혈관의 눌림이 관찰되지 않고 각막과 윤부 위쪽으로 보유 눈물층에 의한 형광물질(fluorescein)이 관찰되고 있다.

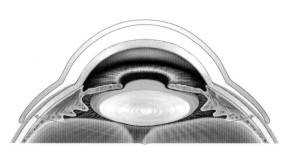

결막눌림이 관찰됨

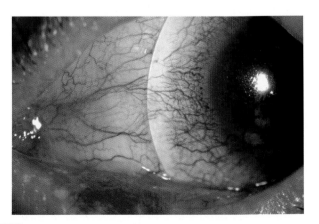

그림 15-9
공막부가 가파른 경우의 모식도와 환자 사진. 렌즈의 공막부가 가파른 경우 렌즈 가장자리(edge) 근처에서 결막혈관이 눌리면서 렌즈의 기울어짐이나 중심이탈이 잘 발생한다.

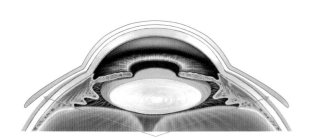

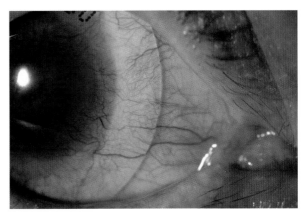

그림 15-10

공막부가 편평한 경우의 모식도와 환자 사진. 공막부가 편평한 경우 윤부 바로 바깥의 결막혈관이 눌리고 형광물질이 렌즈 주변부에 고인다.

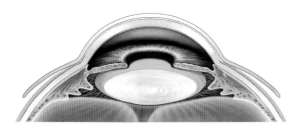

그림 15-11

공막부가 편평한 경우에 발생한 Settling back 모식도. 공막부가 편평한 경우에(그림 15-10) 지지 부위가 좁기 때문에 시간이 지남에 따라서 렌즈의 시상높이가 더 많이 낮아진다(Settling back).

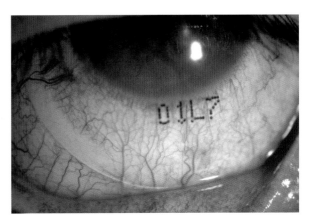

그림 15-12

공막 부위에 따라서 곡률반경의 차이가 큰 경우. 왼쪽 눈으로 눈에 비해서 약간 가파른 공막곡률반경을 가지고 있는 렌즈를 착용한 상태인데 하측, 하이측은 비교적 공막 곡률반경과 잘 맞지만 하비측에서는 렌즈의 공막부가 상대적으로 가파라서(steep) 렌즈가장자리가 공막을 누르고 있는 모습을 보여주고 있다.

부의 디자인을 다른 기본커브로 만드는 것이겠지만 디자인 및 제조 공법상 어려움이 많다. 실제로 보스턴공막콘택트렌즈는 이러한 조건을 만족시키고 있지만 그 때문에 긴 피팅 시간과 특수한 제작 장비가 필요하다.

차선책으로 시도하는 것이 토릭디자인이다. 대개 수직경선과 수평경선 사이에서 차이가 나는 경우가 많기 때문에 토릭디자인으로 어느 정도 이런 어려움을 해결할 수가 있다.[3,26]

마지막 방안으로는 공막콘택트렌즈의 크기를 줄이는 방법이다. 이러한 위치에 따른 공막 틈새의 차이가 윤부에서 멀어질수록 더 증폭이 되어 나타나기 때문에 공막콘택트렌즈의 전체 사이즈를 줄이고 공막부의 넓이를 줄이면 이러한 편차를 최소화할 수 있어 오히려 중심잡기는 쉬워진다.[3] 하지만 지지 부위가 좁아지면서 지지부의 압력이 증가하고 이로 인한 혈관의 압박, 보유 눈물층을 충분히 유지하지 못

하는 등의 문제가 발생한다.[2,5]

4) 광학부의 시상높이

각막의 틈새로 판단하는데 렌즈를 착용하기 전에 렌즈에 담은 식염수에 형광물질 스트립을 살짝 담근 후 렌즈를 착용하고 세극등현미경으로 관찰한다. 이상적인 최종 시상높이는 정점부틈새(apical clearance)가 0.20~0.30 mm로 정상적인 각막 두께의 절반정도가 되는 것이 좋고 각막이 렌즈에 닿지 않아야 한다(그림 15-13).[9] 일단 정점부틈새가

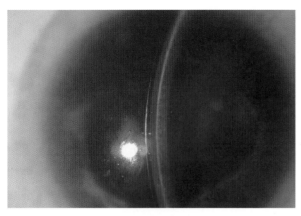

그림 15-13

적절한 광학부의 틈새. 적절한 광학부의 틈새는 정점부틈새가 0.20~0.30 mm로 정상적인 각막 두께의 절반 정도가 되는 것이 좋고 각막의 다른 부분이 렌즈에 닿지 않아야 한다. 공막콘택트렌즈 착용 전에 렌즈에 담은 생리식염수에 형광물질 스트립을 잠깐 담근 후 착용하여 틈새 정도를 평가한다.

적당하다면 윤부의 틈새가 적절한지를 확인할 필요가 있다. 윤부의 틈새가 형성되지 않으면 광학부 BOZR을 편평하게 바꿔주면서 이행부(transition zone)를 가파르게 바꿔주거나 BOZD (Back optic zone diameter, 후면광학부직경)이 더 큰 렌즈로 바꿔줄 필요가 있다.[1,9]

하지만 각막의 틈새는 렌즈 착용시간이 증가하면 대체로 낮아지는 경향을 보이므로(settling back) 이를 고려하여 판단을 해야 한다. 150 μm 정도의 vault가 시간이 지남에 따라서 낮아질 수 있다.[2] 이 때문에 처음 피팅시 충분한 시간 착용한 다음에 피팅 상태를 확인하는 것이 필요하다. 시상높이가 너무 낮아 렌즈가 각막에 닿게 되면 환자가 불편감을 느낄 수 있고, 시상높이가 너무 높게 되면 눈꺼풀에서 렌즈 느낌을 많이 느껴서 불편감을 느낄 수 있으며 눈꺼풀 장력의 영향으로 렌즈의 중심이탈이 될 수 있다.

5) 윤부의 틈새

공막콘택트렌즈가 윤부를 누르게 될 경우 윤부 부전을 초래할 수 있기 때문에 대부분의 공막콘택트렌즈는 어느 정도 윤부의 틈새를 권하고 있다. 하지만 실제로 윤부의 틈새는 렌즈의 크기 등 디자인에 영향을 받을 수밖에 없고 어느 정도의 윤부 틈새가 윤부 부전을 막을 수 있는지에

대해서 정확히 알려진 바는 없다.[2]

6. 공막콘택트렌즈의 합병증[9]

1) 각막찰과, 각막미란

렌즈를 삽입하는 과정이나 각막정점이 닿게 처방된 경우에 잘 발생한다.

2) 각막 탈수(Corneal dehydration)

렌즈 뒤에 공기방울이 있는 경우에 국소적인 탈수가 생겨 각막상피의 건조(desiccation)가 나타날 수 있다. 심한 경우 신생혈관이 유발될 수도 있다.

3) 저산소성 변화

RGP 재질의 도입으로 각막의 저산소성 합병증은 많이 줄었고 각막부종도 훨씬 줄었다.[14] 각막부종으로 인한 불편감이 발생할 경우 착용시간을 줄여주는 것이 도움이 될 수 있다. 최근에는 재질의 Dk가 높아짐에 따라 수면착용(overnight wear)도 가능해졌다.[17,18,30]

4) 신생혈관

공막콘택트렌즈의 가장 심각한 합병증 중 하나가 장기적인 저산소증으로 인한 신생혈관의 발생이다. 다른 대안이 없다면 가벼운 신생혈관발생은 어쩔 수 없는 경우도 있다. 하지만 Dk가 좋은 RGP 재질이 사용되면서 신생혈관 발생의 빈도는 많이 줄었고 이전에 PMMA 재질의 공막콘택트렌즈로 발생한 신생혈관이 RGP 재질 사용 후 줄어들었다는 보고도 있다.[16] 하지만, 나중에 각막이식을 해야 할 가능성이 있는 원추각막 등의 질환에서는 신생혈관이 이식 각막의 생존율에 영향을 미칠 수 있으므로 유의하여 살펴볼 필요가 있다.

5) 지질각막병증(Lipid keratopathy)

신생혈관에 의한 부작용 중 하나로 신생혈관에서 새어

나온 지질에 의해서 시력저하가 발생할 수 있다.

6) 거대유두결막염

렌즈 끝부분과 검결막의 마찰이 적고 렌즈 유착물이 보다 쉽게 제거되기 때문에 소프트콘택트렌즈에 비해서 거대유두결막염의 발생은 매우 적다.

7) 감염

감염은 매우 드물다.

7. 공막콘택트렌즈의 관리

이렇게 굉장한 장점을 가지고 있는 공막콘택트렌즈가 빠른 속도로 확산되지 못하는 원인 중의 하나가 렌즈 탈착의 어려움이다. 그 때문에 적절한 탈착법을 알려주고 충분히 훈련을 시켜서 환자가 자신감을 가지고 렌즈 탈착을 할 수 있도록 준비를 시킨 후에 렌즈를 착용할 수 있도록 하는 것이 무엇보다 중요하다.[2] 하지만 환자 일인당 진료시간이 제한된 우리나라의 진료환경에서 그처럼 장시간 트레이닝이 요구되는 공막콘택트렌즈의 처방은 그만큼 부담이 되는 것은 사실이다.

렌즈 탈착 방법의 경우 그동안 공막콘택트렌즈를 주로 처방해 온 주된 그룹들조차 다른 방법을 사용하고 있는데, 그만큼 한 가지로서 완벽한 방법은 없다는 반증이 될 것 같다. 그 동안의 개인적인 경험을 바탕으로 봤을 때, 우리나라 환자들의 경우 안검력(eyelid force)이 세기 때문에 의안을 넣고 빼는 큰 플런저(plunger)를 이용하는 방법이 가장 효과적이다. Scleral Lens Education Society는 공막콘택트렌즈 탈착법에 대한 비디오를 제공하고 있다(http://www.sclerallens.org/how-use-scleral-lenses).[2]

1) 공막콘택트렌즈의 착용(그림 15-14)

공막콘택트렌즈의 착용을 위해서는 먼저 손을 깨끗이 씻은 후 큰 플런저로 공막콘택트렌즈의 중심부를 고정하고 공막콘택트렌즈에 생리식염수나 무방부제 인공눈물을 담는다. 플런저를 든 반대편 손으로 눈꺼풀을 크게 벌린 후 고개를 숙인 상태에서 공막콘택트렌즈를 위로 올려서 눈에 접근시킨다. 완전히 눈에 들어간 후 눈꺼풀을 벌리고 있는 손을 풀어서 렌즈가 눈꺼풀과 눈 사이에 위치되도록 하고 플런저를 눌러서 떼어낸다. 공막콘택트렌즈를 접근시킬 때 눈을 감지 않도록 주의하고 충분히 힘이 받을 수 있도록 눈꺼풀을 잘 벌리는 것, 그리고 고개를 충분히 숙이는 것이 중요하다. 공막콘택트렌즈에 담아놓은 생리식염수가 넘쳐

(A)

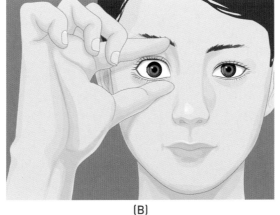
(B)

(C)

그림 15-14

공막콘택트렌즈 착용법. (A) 큰 플런저로 공막콘택트렌즈의 중심부를 고정하고 공막콘택트렌즈에 생리식염수나 무방부제 인공눈물을 채운다. (B) 플런저를 든 반대편 손으로 눈꺼풀의 끝부분을 꽉 누르면서 크게 벌린다. (C) 고개를 숙인 상태에서 공막콘택트렌즈를 위로 올려서 눈에 접근시킨다.

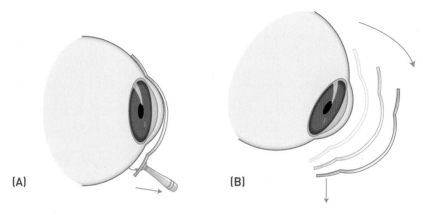

그림 15-15

공막콘택트렌즈 제거법. (A) 정면을 보면서 시선 아래쪽의 공막콘택트렌즈 부분에 흡입컵을 고정한다. 흡입컵을 든 손을 당겨서 아래쪽 공막부가 먼저 들리도록 하면서 동시에 눈은 아래를 본다. (B) 공막콘택트렌즈의 윗부분이 각막을 긁지 않도록 각막과 렌즈 사이의 공간을 충분히 확보하면서 아래쪽으로 렌즈를 천천히 제거한다.

흐르기 때문에 세면대에서 착용하거나 방수포, 수건 등으로 떨어지는 물에 대비를 하는 것이 좋다.

2) 공막콘택트렌즈의 제거(그림 15-15)

공막콘택트렌즈의 제거 전에 반드시 손을 씻고 인공눈물을 점안한 후 제거하는 것이 안전하다. 일반 RGP렌즈용 작은 흡입컵을 깨끗이 씻은 후 정면을 보면서 시선 아래쪽의 공막콘택트렌즈에 고정한다. 흡입컵을 든 손을 당겨서 아래쪽 공막부가 먼저 들리도록 한다. 동시에 눈을 아래로 보면서 천천히 렌즈를 제거한다.

흡입컵을 사용하지 않고 렌즈 끝부분의 위쪽과 아래쪽을 동시에 누르면서 제거하는 방법도 있으나 렌즈가 작고 안검력이 강하지 않은 사람에서는 가능하지만 상기 방법에 비해서는 비교적 시행하기가 어렵다.

3) 공막콘택트렌즈의 세척과 관리[3,9]

일반적인 RGP렌즈 세척과 관리에 준해서 관리하면 된다. 하지만 렌즈에 묻은 보존액이 RGP렌즈에 비해서는 더 오랫동안 각막에 영향을 미치게 되므로 가능하면 생리식염수로 깨끗이 씻어내고 착용하는 것이 권장된다. 생리식염수는 가능하면 소독되어 있고 방부제가 없는 제품을 쓰는 것이 권장된다. Pullum KW은 공막콘택트렌즈를 보관할 때 마른 상태로 보관하거나, 점성이 높은 RGP렌즈용 보존액

보다 소프트콘택트렌즈용 보존액을 사용하여 보관할 것을 권장한다.[3,9]

8. 국내의 공막콘택트렌즈

1) LK 공막콘택트렌즈(LK scleral lens)

서울대학교 안과학교실 연구팀이 루시드코리아와 함께 개발한 공막콘택트렌즈이다. 스티븐스존슨증후군, 화학 화상, 안천포창, 무홍채증, 지속각막상피결손 등의 심한 안구표면질환 환자를 대상으로 하여 17.5~18.5 mm 크기의 공막콘택트렌즈를 개발하였고, 현재는 환자의 전안부OCT 이미지를 이용하여 맞춤 처방을 하고 있다(그림 15-7). 시험 착용렌즈를 이용한 착용방법과 원추각막 등의 각막확장증 환자를 위한 미니공막콘택트렌즈 개발을 진행 중이다.

2013년 1월~8월까지 서울대학교병원과 분당서울대학교병원에서 난치성 안구표면질환 환자를 대상으로 임상시험을 진행하였는데, 지속각막상피결손, 화학화상, 스티븐스존슨증후군, 안천포창, 이식편대숙주환 등의 질환을 가진 21안에 대해서 12주간 경과관찰을 시행하여 유의한 최대교정시력의 호전, 안구표면질환지표(OSDI)의 감소, 주관적 시기능의 호전(한국형 NEI-VFQ 25설문조사)을 보고하였다.

2) MSD lens

MSD lens는 캐나다의 MSD Corp.에서 개발되어 2013년 11월부터 국내에서 판매되고 있는 렌즈로, 14.0~18.0 mm의 크기를 가지고 있으며 원추각막, 투명각막가장자리변성, 공모양각막, 각막이식 후 렌즈 처방, 의인성 각막확장증 등 불규칙한 각막모양을 갖는 눈을 주된 적응증으로 하고 있다.

15.8 mm 크기의 렌즈를 주로 사용하고 있으며, 20개의 다른 시상높이 값을 갖는 광학부와 4가지의 이행부(Decreased, Standard, Increased, Double increased), 3가지의 공막부(Standard, 1 flat, 2 flat) 디자인의 조합을 통해서 240개의 공막콘택트렌즈 처방이 가능하다.

국내에서는 YK안과에서 임상시험을 시행하였고 원추각막 62안, 굴절수술 후 렌즈 처방 10안, 스티븐스존슨증후군 8안, 각막이식 후 5안 등 96안을 대상으로 다양한 크기(15.8 mm 66안, 14.5 mm 11안, 14.2 mm 13안, 14.0 mm 4안, 17.5 mm 2안)의 공막콘택트렌즈를 처방하여 66%에서 교정시력 0.8 이상, 85%에서 교정시력 0.6 이상의 좋은 시력교정 효과를 보였다. 96안 중 10안에서는 렌즈 교체가 필요했으나 최종적으로 91안에서는 렌즈 착용의 순응도가 좋았다.

3) SoClear lens

SoClear lens는 보스턴렌즈의 제조사인 ART Optical Contact Lens Inc.에서 개발한 각공막렌즈(corneoscleral lens)로 각막과 공막에서 동시에 지지를 받는 특징을 가지고 있다. MSD lens와 마찬가지로 원발성 또는 이차성 각막확장증, 각막이식 수술 후, 각막반흔 등을 주된 적응증으로 하고 있다.

14.0 mm 크기의 렌즈(13.5~14.5 mm)를 주로 사용하고 있으며 일반적인 형태의 눈을 위한 12개의 시험착용렌즈 세트(곡률반경 40.50~46.00 D, 0.5 D step)과 원추각막 환자를 위한 12개의 시험착용렌즈 세트(곡률반경 47.00~58.00 D, 1.0 D step)의 두 가지 세트를 가지고 있다.

피팅 과정은 먼저 BOZR를 선택하고 덧댐굴절검사를 통하여 렌즈의 굴절력을 정한 후, 주변부커브가 공막 표면과 일치하는지를 확인하여 조정하면 된다. 주변부 커브는 최적 곡률반경의 시험착용렌즈와 일치할 경우(STD)를 기준으로 하여 가파르거나 편평한 정도를 평가하여 주문하면 된다. 마지막으로 각막의 크기에 따라서 렌즈가 윤부 바깥으로 1.0~1.25 mm 정도 더 덮일 수 있도록 렌즈의 크기를 조정할 수 있다.

▶ **참고문헌**

1. Ruben M. The scleral rigid lens-optical and therapeutic applications. In: Ruben M, Guillon M, eds. Contact Lens Practice, 1st ed. London:Chapman&Hall, 1994; chap. 31.

2. DeNaeyer GW, Jedlicka J, Schornack MM. Scleral lenses. In: Bennett ES, Henry VA, eds. Clinical Manual of Contact Lenses, 4th ed. Philadelphia:Lippincott Williams&Wilkins, 2014; chap. 21.

3. Pullum K. Scleral lenses. In: Efron N, eds. Contact lens practice, 2nd ed.Oxford:ElsevierButterworth-Heinemann, 2010; chap. 23.

4. Pearson RM. Karl Otto Himmler, manufacturer of the first contact lens. Cont Lens Anterior Eye. 2007;30:11-6.

5. Key JE. Development of contact lenses and their worldwide use. Eye Contact Lens. 2007;33:343-5.

6. 한국콘택트렌즈 연구회, 콘택트렌즈 임상학, 1판. 서울: 내외학술, 2007;2-3.

7. Jacobs DS. Update on scleral lenses. Curr Opin Ophthalmol. 2008;19:298-301.

8. Schein OD, Rosenthal P, Ducharme C. Gas permeable scleral contact lenses. In: Ruben M, Guillon M, eds. Contact Lens Practice, 1st ed. London:Chapman&Hall, 1994; chap. 32.

9. Pullum K. Scleral contact lenses. In: Phillips AJ & Speedwell L, eds. Contact lenses, 5th ed. Oxford:ElsevierButterworth-Heinemann, 2007; chap. 15.

10. Schein OD, Rosenthal P, Ducharme C. A gas-permeable scleral contact lens for visual rehabilitation. Am J Ophthalmol. 1990;109:318-22.

11. Ezekiel D. Gas permeable haptic lenses. J Br Contact Lens Assoc,1983;6:158-61.

12. Lyons CJ, Buckley RJ, Pullum K, Sapp N. Development of the gas-permeable impression-moulded scleral contact lens. A preliminary report. Acta Ophthalmol Suppl. 1989;192:162-4.

13. Ruben CM, Benjamin WJ. Scleral contact lenses: preliminary report on oxygen-permeable materials. Contact Lens, 1985;13:5-10.

14. Pullum KW, Stapleton FJ. Scleral lens induced corneal swelling: what is the effect of varying Dk and lens thickness? CLAO J. 1997;23:259–63.

15. Pullum KW, Whiting MA, Buckley RJ. Scleral contact lenses: the expanding role. Cornea. 2005;24:269–77.

16. Tan DT, Pullum KW, Buckley RJ. Medical applications of scleral contact lenses: 2. Gas–permeable scleral contact lenses. Cornea. 1995;14:130–7.

17. Tappin MJ, Pullum KW, Buckley RJ. Scleral contact lenses for overnight wear in the management of ocular surface disorders. Eye (Lond). 2001;15:168–72.

18. Smith GT, Mireskandari K, Pullum KW. Corneal swelling with overnight wear of scleral contact lenses. Cornea. 2004;23:29–34.

19. Shepard DS, Razavi M, Stason WB, et al. Economic appraisal of the Boston Ocular Surface Prosthesis. Am J Ophthalmol. 2009;148:860–8.

20. Rosenthal P, Croteau A. Fluid–ventilated, gas–permeable scleral contact lens is an effective option for managing severe ocular surface disease and many corneal disorders that would otherwise require penetrating keratoplasty. Eye Contact Lens. 2005;31:130–4.

21. Jacobs DS, Rosenthal P. Boston scleral lens prosthetic device for treatment of severe dry eye in chronic graft–versus–host disease. Cornea. 2007;26:1195–9.

22. Takahide K, Parker PM, Wu M, et al. Use of fluid–ventilated, gas–permeable scleral lens for management of severe keratoconjunctivitis sicca secondary to chronic graft–versus–host disease. Biol Blood Marrow Transplant. 2007;13:1016–21.

23. Gungor I, Schor K, Rosenthal P, Jacobs DS. The Boston Scleral Lens in the treatment of pediatric patients. J AAPOS. 2008;12:263–7.

24. Sabesan R, Johns L, Tomashevskaya O, et al. Wavefront–guided scleral lens prosthetic device for keratoconus. Optom Vis Sci. 2013;90:314–23.

25. Kok JH, Visser R. Treatment of ocular surface disorders and dry eyes with high gas–permeable scleral lenses. Cornea. 1992;11:518–22.

26. Visser ES, Visser R, Van Lier. Advantages of toric scleral lenses. Optom Vis Sci. 2006;83:233–6.

27. Visser ES, Van der Linden BJ, Otten HM, et al. Medical applications and outcomes of bitangential scleral lenses. Optom Vis Sci. 2013;90:1078–85.

28. Pullum KW. The unique role of scleral lenses in contact lens practice. Cont Lens Anterior Eye. 1999;22:S26–34.

29. Visser ES, Visser R, van Lier HJ, Otten HM. Modern scleral lenses part I: clinical features. Eye Contact Lens. 2007;33:13–20.

30. Rosenthal P, Cotter JM, Baum J. Treatment of persistent corneal epithelial defect with extended wear of a fluid–ventilated gas–permeable scleral contact lens. Am J Ophthalmol. 2000;130:33–41.

31. Romero–Rangel T, Stavrou P, Cotter J, et al. Gas–permeable scleral contact lens therapy in ocular surface disease. Am J Ophthalmol. 2000;130:25–32.

32. Rosenthal P, Cotter J. The Boston Scleral Lens in the management of severe ocular surface disease. Ophthalmol Clin North Am. 2003;16:89–93.

33. Foss AJ, Trodd TC, Dart JK. Current indications for scleral contact lenses. CLAO J. 1994;20:115–8.

34. Pullum K, Buckley R. Therapeutic and ocular surface indications for scleral contact lenses. Ocul Surf. 2007;5:40–8.

35. Looi AL, Lim L, Tan DT. Visual rehabilitation with new–age rigid gas–permeable scleral contact lenses–a case series. Ann Acad Med Singapore. 2002;31:234–7.

36. Mahadevan R, Fathima A, Rajan R, Arumugam AO. An ocular surface prosthesis for keratoglobus and Terrien's marginal degeneration. Optom Vis Sci. 2014;91:S34–9.

37. Cotter JM, Rosenthal P. Scleral contact lenses. J Am Optom Assoc. 1998;69:33–40.

38. Fine P, Savrinski B, Millodot M. Contact lens management of a case of Stevens–Johnson syndrome: a case report. Optometry. 2003;74:659–64.

39. Margolis R, Thakrar V, Perez VL. Role of rigid gas–permeable scleral contact lenses in the management of advanced atopic keratoconjunctivitis. Cornea. 2007;26:1032–4.

40. Shah–Desai SD, Aslam SA, Pullum K, et al. Scleral contact lens usage in patients with complex blepharoptosis. Ophthal Plast Reconstr Surg. 2011;27:95–8.

41. Salam A, Singh AJ, Innes JR, Melia B. A novel temporary treatment remedy for blepharospasm. Eye (Lond). 2004;18:324–5.

42. Schornack MM, Patel SV. Relationship between corneal topographic indices and scleral lens base curve. Eye & contact lens 2010;36:330–333.

43. Choi HJ, Lee SM, Lee JY, et al. Measurement of anterior scleral curvature using anterior segment OCT. Optom Vis Sci. 2014;91:793–802.

44. Luo ZK, Jacobs DS. Current and potential applications of anterior segment optical coherence tomography in contact lens fitting. Semin Ophthalmol. 2012;27:133–7.

45. Marriott PJ. An analysis of the global contours and haptic contact lens fitting. Br J Physiol Opt. 1966;23:1–40.

V

콘택트렌즈와 합병증

Chapter 16 콘택트렌즈와 각막 생리의 변화

Chapter 17 콘택트렌즈 불편감

Chapter 18 소프트콘택트렌즈 피팅 합병증 및 문제해결

Chapter 19 RGP콘택트렌즈 피팅 합병증 및 문제해결

Chapter 20 콘택트렌즈와 감염

콘택트렌즈와 각막 생리의 변화

Contact lens and changes in corneal physiology

김미금

콘택트렌즈의 착용은 정상 각막의 신경, 상피세포, 실질세포, 내피세포 및 간질의 생리에 영향을 미치고, 결막의 상피세포 및 술잔세포의 생리에도 영향을 미치며 안검의 생리에도 영향을 미친다. 그 기전 중 가장 대표적인 것이 저산소증 및 그에 따른 대사의 변화이고, 그 외 마찰 및 압력에 의한 기계적인 효과로 각결막 표면 및 안검에 미치는 영향이 있고, 콘택트렌즈 재질 자체에 의한 염증 유발 반응인 알러지 또는 독성 반응, 콘택트렌즈 존재 자체에 의한 눈물층 불안정에 의한 영향이 있다.[1] 소프트렌즈, RGP렌즈, Ortho-K렌즈(Orthokeratology lens, 각막교정렌즈) 등 각 재질 및 용도에 따라 이러한 영향이 차이가 있을 수 있다. 이 절에서는 정상적인 각막의 대사를 살펴보고, 콘택트렌즈의 착용이 저산소증, 기계적인 압박 또는 염증반응을 유발하면서 발생할 수 있는 각막의 변화에 대해 고찰한다.

1. 각막의 산소 공급과 대사

각막은 무혈관 조직이어, 산소 및 영양물질의 공급을 윤부혈관, 눈물 또는 전방수에서 받으며(그림 16-1A), 이 중 산소는 눈을 뜬 상태에서는 대기압 155 mmHg가 각막표면에 걸려서 직접 확산에 의해 공급을 받는다(산소 농도 21%).[2] 전방수의 산소 분압은 30~40 mmHg로 알려져 있고,[3] 눈을 감으면 윤부혈관의 산소 분압과 눈물의 산소 분

압이 평형을 이루어 55 mmHg(산소 농도 7.5%) 정도로 알려져 있다(그림 16-1B).

콘택트렌즈 착용은 대기의 산소 분압을 렌즈를 통해 각막에 전달하므로, 렌즈의 Dk/t (oxygen transmissibility, 산소전달률)에 따라서 산소 전달 정도가 감소하게 된다. Dk/t가 낮은 렌즈를 착용 시 산소 분압은 눈을 감은 상태에서의 산소 분압보다 낮을 수 있다(그림 16-2).[2] 또한, 눈을 깜박일 때마다 눈물이 교환되는 양도 RGP렌즈의 경우는 10~20%인데 비해 각막을 전부 덮는 소프트콘택트렌즈는 1% 정도여서, 눈물에 의해 공급받는 산소의 양도 렌즈 종류에 따라 영향을 받게 된다.[4] 산소의 소비는 대사가 활발한 상피세포에서 가장 높으며, 실질 세포, 내피세포 순으로 (40:39:21) 알려져 있다.

각막의 두께는 수면 중에 약 4~5% 증가하며, 눈을 뜨면 한 시간 이내 기저 두께로 다시 환원되는데, 이러한 부종은 눈을 감았을 때 변하는 산소 분압 뿐만 아니라 눈물의 저장성, pH의 낮아짐, 온도 상승 등의 변화도 기여를 하는 것으로 알려져 있다(표 16-1).[1-3]

정상적인 각막은 약 85%를 무산소 해당작용(anaerobic glycolysis)에 의존해 포도당을 분해하여 ATP를 생성하고 (그림 16-3), 나머지 15%를 산소 해당작용(aerobic glycolysis)에 의해 ATP를 생성한다.[5] 산소 해당 작용은 1 mol 포도당을 사용해 36 mol의 ATP를 만들고($C_6H_{12}O_6 + 6O_2 \rightarrow 6CO_2 + 6H_2O$), 무산소 해당작용은 1 mol 포도당

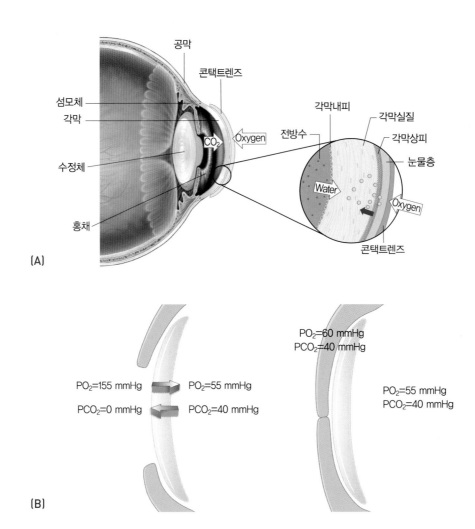

그림 16-1

각막의 산소 공급 경로(A) 및 눈을 뜬 상태와 감은 상태의 산소 및 이산화탄소 분압(B)

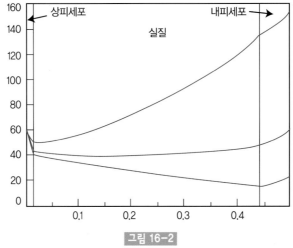

그림 16-2

토끼실험에서 관찰한 다양한 상황에서 산소 분압의 변화. 상위커브와 중간커브는 각각 눈을 떴을 때와 감았을 때
의 변화이고 아래 커브는 Dk/t가 낮은 소프트렌즈 착용 시 산소분압의 변화

표 16-1 눈을 떴을 때와 감았을 때의 대사 변화

지표	감은 눈	뜬 눈
각막 pH	7.39	7.55
눈물 pH	7.25	7.45
온도(°C)	36.2	34.5
긴장성(tonicity, %NaCl)	0.89	0.97
O_2(mmHg)	55~61	155

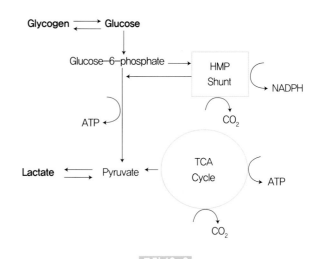

그림 16-3

각막 내 무산소 해당작용

을 사용해 2 mol의 ATP를 만들고($C_6H_{12}O_6 \rightarrow 2C_3H_5O_3^- + 2H^+$), 부산물로 젖산(lactate)과 수소 이온을 만들어 산성화를 유발하는데, 수소이온은 Carbonic anhydrase가 촉매하여 중성화된다($HCO_3^- + H^+ \leftrightarrow CO_2 + H_2O$). 눈을 감았을 때 각막의 pH가 낮아지는 이유는 산소가 줄어들면서 각막의 무산소 해당작용이 더 증가하게 되고, 젖산이 증가하는데, 젖산은 각막 내에서 빨리 확산되지 못하고 상피세포 장벽을 넘지 못하기 때문에 각막 실질 및 전방 내에 축적되면서 각막의 산성이 진행하게 된다. 이러한 산성을 보상하기 위해 HCO_3^-가 전방에서 유입되어 CO_2를 생성하게 되는데, 눈을 감으면 CO_2의 기화가 억제되면서 상피세포-실질 간 확산 농도차가 줄어들게 되어 CO_2의 확산이 줄고 각막전체 내에 머무르게 된다(그림 16-1).

각막의 생리적 수화는 약 78%로 유지되는데, 이러한 유지는 각막내피세포의 장벽기능과 이온 펌프가 중요하고, 각막상피세포의 장벽기능도 일부 역할을 하는 것으로 알려져 있다. 내피세포의 기저 외측부와 실질 연접부에 존재하는 $3Na^+/2K^-$ – ATPase 펌프와 $Na^+/2HCO_3^-$ 이차 펌프가 함께 작용하면서, 배출된 Na^+를 보상하기 위해 Na^+와 HCO_3^-가 같이 유입되고, HCO_3^-는 내피세포의 전방 연접부의 수동 uniporter를 통해 전방으로 배출되면서 내피세포 및 실질 내에 전방보다 낮은 오스몰 경사를 발생시킨다. 이 오스몰 경사를 통해 물이 전방 내로 배출된다. 그러나, 저산소증으로 각막 실질 내 젖산이 축적되면 산성을 보상하기 위해 HCO_3^-의 내피 세포 및 실질 내 유입이 증가하고, 이와 더불어 오스몰 경사가 없어지거나 상대적으로 각막 내 오스몰이 더 높아지면서 오히려 물이 전방으로부터 유입되어 부종이 발생한다.

2. 콘택트렌즈 착용과 저산소증

콘택트렌즈 착용은 재질에 따라 차이가 있으나 8~15%의 산소 공급을 감소시키는 것으로 알려져 있다. 사람 각막의 기저상피세포에 최소 산소 운반을 충족하기 위해서는 콘택트렌즈의 Dk/t가 뜬 눈에서는 23 이상, 감은 눈에서는 75~89 이상은 되어야 하는데, 각막 전체층의 저산소증(anoxia)을 막기 위해서는 콘택트렌즈의 Dk/t가 뜬 눈에서는 35 이상, 감은 눈에서는 125 이상 되어야 한다.[6]

산소가 최소 분압 이하로 내려가면, 무산소 해당 작용이 증가해 각막에 젖산 축적으로 산성화가 진행하는데, 산성화 정도는 콘택트렌즈의 산소투과율과 렌즈 아래쪽에 축적되는 CO_2 농도 두 가지 모두에 의해 영향을 받는다. 저산소증의 영향은 주로 상피세포와 실질이 더 많이 받고, 상대적으로 내피세포에는 직접적인 영향이 적은데 그 이유는 세포 간 대사 활성도의 차이도 있지만, 각막의 산성화가 주로 각막 앞쪽 간질부에 발생하고, 콘택트렌즈가 각막상피 쪽에서의 CO_2 배출을 많이 지연시키기 때문이다. 그러나, 만성적으로 저산소증에 노출되면 각막 내 글리코겐 저장이 고갈되고, 이로 인한 ATP 생성이 줄면서 내피세포의 수분 유출 운반 펌프 기능도 결국 저하되어, 젖산 축적에 의한 오스몰 경사 증가와 더불어 각막부종에 기여하게 된다.

이러한 저산소증을 최소화 하기 위해, 높은 Dk/t의 실리콘하이드로겔렌즈와 RGP렌즈가 많이 개발되었다. 최근 연구 결과에 의하면 Dk/t 125의 연속착용(extended wear)용 실리콘하이드로겔렌즈는 감은 눈 상태에서 임상적으로 필요한 각막 앞쪽 산소 분압(PO₂) 45 mmHg를 충분히 제공하는 것으로 밝혀 졌고, 이에 반해 RGP렌즈는 렌즈 직경에 따라 차이가 있지만 Dk/t가 65~90이어도 각막 앞쪽 산소 분압 45 mm Hg를 충분히 제공할 수 있는 것으로 밝혀졌다.[7] 이는 소프트콘택트렌즈는 윤부까지 덮는 12~14 mm 직경인데 비해 RGP렌즈는 9~11 mm로 각막 주변부와 윤부를 덮지 않기 때문이며, 또 소프트렌즈에 비해 주변부 두께는 RGP렌즈가 덜 두껍기 때문이다.[7]

3. 콘택트렌즈 착용이 상피세포에 미치는 영향

콘택트렌즈 착용자의 각막상피세포는 크기가 커지는 것으로 관찰되는데, 소프트콘택트렌즈의 경우 매일착용보다는 연속착용에서 더 유의한 것으로 알려져 있고, RGP렌즈의 경우는 매일착용의 경우도 10~30% 증가하는 것으로 되어 있어, 상피 세포 증식이 느려진 원인도 있으나 기계적 압박의 영향의 가능성도 있다.[8-11] 콘택트렌즈 장기 착용이 각막상피세포층의 두께에 미치는 영향에 대해서는 소프트콘택트렌즈의 daily-wear 4주 착용에서는 차이가 없다는 일부 보고도 있으나,[11] 대부분의 보고에서 소프트콘택트렌즈와 RGP렌즈 장기 착용 또는 연속착용 모두에서 상피세포층 두께가 감소함을 확인하였다.[8,9,11,12]

이러한 각막상피층 두께의 변화 및 상피세포 크기의 변화는 기저상피세포의 증식능 감소와 연관이 있다. 동물모델에서 높은 Dk/t RGP렌즈를 24시간 착용 후 관찰 시 ΔNp63α 세포가 큰 차이가 없어 증식능에 영향이 없다고 보고한 경우도 있지만,[13] 대부분은 기저상피세포의 증식능 감소를 보고하고 있으며,[8] 특히 Ortho-K렌즈의 경우 각막 중심부 기저상피세포의 증식능이 많이 감소하는 것으로 알려져 있다.[14] 기저상피세포의 증식능 감소는 높은 Dk/t 렌즈보다 낮은 Dk/t 렌즈 착용에서 더 높아, 저산소증이 영향을 끼침을 알 수 있다.[15] 상피세포는 실질세포나 내피세포보다 증식으로 인한 대사기능이 훨씬 활발하기 때문에 산소 요구량이 높아 다른 세포보다 저산소증에 더 취약한 것으로 예측된다. 기저상피세포 증식능 감소와 더불어 세포 이주능(migration)도 저하되어 있는데, 이주능 저하도 저산소증과 연관이 있으며, 이로 인해 콘택트렌즈 착용자는 각막상피의 손상 시 회복이 지연된다.[15] 또한, 콘택트렌즈 착용은 상피탈락도 감소 시키는데,[15] 이는 Dk/t와는 직접적 연관이 없고 렌즈 착용 자체의 기계적 압박에 의한 항고사 작용에 의해 Bcl-2 발현이 줄고, 고사가 줄어 탈락이 감소됨으로 보고되었다.[15,16]

한편, 콘택트렌즈 착용에 의해 유발된 저산소증은 각막상피의 장벽기능 저하에도 영향을 미친다.[8,17] 그러나 Dk/t가 높은 실리콘하이드로겔렌즈의 매일 착용에서도 각막상피 장벽기능 저하가 보고되어, 기계적 압박 자체도 장벽기능에 영향을 미칠 수 있음을 알 수 있다.[18] 내피세포의 펌프 기능 저하 없이도, 심한 상피세포의 장벽기능 저하 시 임상적으로 상피세포 부종 및 각막 앞쪽 간질의 부종을 관찰할 수 있다.

콘택트렌즈 착용자에서 흔히 관찰되는 임상소견 중 하나는 긱막상피염색(corneal epithelial staining) 및 점상각막미란(puctate epithelial erosion)이다. 점상각막미란은 콘택트렌즈 착용에 의해 유발되는 저산소증, 기계적 압박, 염증, 독성 반응, 알러지 반응 등 다양한 원인에 의해 발생할 것으로 추정된다. 최근 413예의 대규모 증례-대조군 연구에서 각막염색소견의 증가에 하이드로겔렌즈의 수분 함유율이 적을수록 관련이 있고, 실리콘하이드로겔렌즈 착용 시 각막미란에 보호 효과가 있음을 보고하여, 저산소증이 점상각막미란에도 중요함을 시사하였다.[19] 그러나, 수분함유율이 높고 두께가 얇은 하이드로겔렌즈 착용의 경우에는 오히려 주변 수분을 렌즈가 흡수하면서 점상각막미란을 발생시킴도 알려져 있어,[20-22] 건성안이 이미 있는 환자의 경우에는 이 점도 고려하여야 한다. 건성안이 있는 경우에는 RGP렌즈 착용 시 3시와 9시에 안검의 Bridge effect가 발생하여 상대적 건조가 더해 져서 흔하게 3시9시각막건조가 발생한다.

콘택트렌즈 착용자에서 드물게 전층각막미란(corneal erosion, corneal abrasion)이 발생하기도 하는데, 원인에는 반결합체(hemidesmosome)의 감소, 렌즈 유착, 매우 얇고 함수율 렌즈 착용, MMP-9의 증가, 박테리아 프로테아제의 증가 등이 의심되고 있다.[21,23] 동물 실험에서도 렌즈착용 후의 반결합체의 감소로 인한 상피세포의 유착 감소가 보고되어 있으나,[24] 저자는 장기간 콘택트렌즈 착용을 한 환자들에서 LASEK 수술을 시행할 때, 오히려 상피층의 유착이 심해 상피판 분리가 어려운 임상 경험을 종종 하였기에, 콘택트렌즈 착용이 상피세포 유착 감소를 유발한다는 보고에 대해 의문을 가지고 있으며, 추가적인 연구가 필요하다고 생각한다.

이외에도 렌즈의 착용은 상피세포의 면역 기능에도 영향을 미치는데, 콘택트렌즈 착용자의 상피세포에서는 Toll like Receptor 4가 적게 발현되는 것이 보고 되었고, 이는 저산소증과 관련이 있을 것으로 추정된다.[25]

콘택트렌즈 착용으로 인한 저산소증에 의해 발생하는 치명적인 손상 중 하나는 상피줄기세포가 손상되어 발생하는 윤부 결핍이다(그림 16-4). 600명의 소프트콘택트렌즈 착용자의 의무기록 후향 분석에서 2.4%의 부분적인 윤부 결핍을 보고하였다.[26] 일반적으로 부분 윤부 결핍의 경우에는 렌즈 착용을 중지하고, 보존 치료를 하면 윤부 결핍 및

각막상피병증이 회복되기도 하는데,[27] 윤부 결핍이 심한 경우는 동반된 각막상피병증이 렌즈 착용을 중지하여도 회복되지 않을 수 있다.

주로 상윤부가 흔하게 침범되는 것으로 알려졌고,[26,27] 윤부 결핍의 주요 인자로는 여성과 긴 착용시간으로 밝혀졌다.[27,28] 그 외에도, 낮은 Dk/t의 렌즈를 장기간 착용하거나, 고도 근시의 경우는 윤부를 덮는 주변부 소프트렌즈 두께가 매우 두꺼우므로 상대적으로 주변부 산소 투과가 더 감소 하여 윤부 결핍의 발생이 가능함을 추정할 수 있다. RGP렌즈의 착용은 윤부를 덮지 않으므로 윤부 결핍이 발생하지 않는다.

4. 콘택트렌즈 착용과 신생혈관

소프트콘택트렌즈의 수면착용(Overnight extended wear)이 장기화 되거나 장착이 너무 주변부를 조일(tight) 때 발생하는 저산소증, 각막의 산성화 또는, 염증에 동반되는 혈관생성촉진인자의 분비 증가, 혈관생성억제인자 분비 감소가 신생혈관 발생과 연관이 있다.[1,29] 저산소증 시 상피세포 내의 arachidonic acid가 nicotinamide adeninedinucleotide phosphate (NADPH)-cytochrome P-450 monooxygenase에 의해 hydroxyeicosatrienoic acid (12

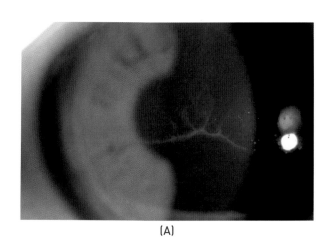

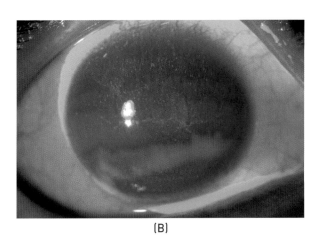

(A) | (B)

그림 16-4

(A) 윤부 결핍과 동반된 상피세포 병증. (B) 형광염색에서 상측부 윤부 결핍으로 인한 상피세포병증이 뚜렷이 관찰되고 있음

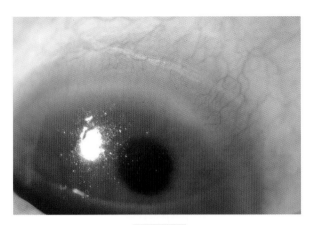

그림 16-5
소프트콘택트렌즈 장기 착용 후 발생한 신생혈관

R HETrE)로 대사되는데, 12 R HETrE는 염증매개체로 신생혈관촉진 작용도 있다. 처음에는 윤부 충혈로 발현되었다가 표피층 신생혈관(그림 16-5)이 발생하고, 저산소증, 염증이 지속되면 심부 신생혈관도 발생한다.

신생혈관은 주로 각막 상부에 흔하게 발생하며, Dk/t가 낮은 소프트렌즈, 근시 도수가 높은 소프트렌즈, 소프트토릭렌즈, 또는 소프트렌즈 곡률반경에 비해 K값(K value)이 가파른 경우의 장착에 동반되는 일이 많다.[30] 이는 고도근시용 렌즈 또는 소프트토릭렌즈는 주변부가 두꺼워 Dk/t가 윤부에서 더 감소되는 것과 연관이 있다고 판단된다. RGP렌즈는 윤부를 가리지 않기 때문에 신생혈관이 잘 발생하지는 않으나, 3시9시각막건조가 심한 경우 여기에 신생혈관이 동반될 수 있다. 표층 신생혈관은 렌즈 착용을 중지하면 일반적으로 퇴행하며, ghost vessel이 남는다.

5. 콘택트렌즈 착용과 각막의 신경감각

콘택트렌즈 착용은 각막의 감각을 저하시키는데, 주로 PMMA 재질 콘택트렌즈나 소프트콘택트 렌즈의 장기 착용 시 그 영향이 크며, RGP렌즈나 높은 Dk/t의 렌즈는 비교적 영향이 적은 것으로 알려져 있다.[1] 이러한 감각의 저하는 저산소증, pH의 저하, 기계적 자극에 대한 각막의 적응현상으로, 상피세포의 acetylcholine 생성 저하와 관련이

있다고 알려져 있다.[1]

동일초점 현미경(confocal microscopy)으로 콘택트렌즈 착용자의 각막신경을 평가하였을 때, 신경 분포는 정량적으로는 정상 대조군과 큰 차이가 없었고, 신경 형태 변화는 일부에서 관찰되었는데 이는 각막부종으로 인한 검사상 오류일 가능성을 시사하였다.[31]

6. 콘택트렌즈 착용이 실질에 미치는 영향

콘택트렌즈 착용은 저산소증 및 고이산화탄소증으로 각막산성화 및 각막실질부종, 각막실질선(striae)의 급성반응을 일으킬 수 있고, 만성반응으로 각막실질의 얇아짐과 각막형태의 변형을 가져올 수 있으며, 염증 반응으로 발생하는 각막침윤 및 각막 부분 혼탁을 유발할 수 있다.[1,5,8,32]

저산소증에 의한 각막산성화 및 각막의 부종은 앞서 자세히 기술하였는데, 일부에서는 저산소증과 관계 없이 RGP렌즈의 연속착용 시 기계적 자극에 의해서도 부종이 발생 가능하다는 보고가 있고,[33] 이와 연관하여 염증 반응물질에 의한 실질세포 소실의 가능성을 제시한 보고도 있다.[34]

급성반응의 각막의 부종은 소프트 또는 RGP렌즈를 착용 후 30분 후부터 발생하여, 3시간이면 최고점에 도달하며, 일일 착용의 경우 전체 각막두께의 1~6%, 연속착용의 경우 10~15%의 부종이 발견될 수 있다. 각막 후부 선(posterior striae) 는 부종이 일반적으로 5 ~7%의 경우에 종종 발견되고, 데스메막 주름은 10~15%의 부종 발생시 완연하게 나타난다.[1] 앞서 언급한대로 Dk/t가 높은 렌즈의 착용 시, 저산소증 유발 각막부종은 감소시킬 수 있다.

한편, 만성 반응으로 각막 두께의 얇아짐이 발생하는데, 실질세포의 수가 렌즈 착용에 의해 줄지 않는다는 보고도 있지만,[12] 렌즈 착용에 의한 실질세포의 감소 및 mucopolysaccharide의 감소를 두께 변화의 원인으로 추정하는 것이 더 일반적이다.[31,35-38] Orbscan을 이용한 각막두께 검사에서 소프트콘택트렌즈 장기 착용자의 각막 두께가 정상 대조군에 비해 30~50 μm 얇음을 보고하기도 하였다.[39]

콘택트렌즈의 장기 착용은 각막의 형태를 변화시켜 뒤틀림(warpage)을 유발하기도 한다. 콘택트렌즈의 착용에 의한 이러한 각막 형태 변화를 잘 조절하고 극대화시켜 치료적 목적으로 개발한 것이 각막교정술(orthokeratology)이다. 각막형태검사상 이상이 발견되는 경우가 정상 대조군은 8%인데 비해, RGP렌즈 착용자에서는 57%, 소프트콘택트렌즈 착용자에서는 23~31%가 보고되었다.[1] Dk/t가 높은 렌즈에서 일반적으로 뒤틀림이 적게 유발된다. 각막곡률 반경이 렌즈 착용 전보다 심하게 가파르게 변했거나, surface asymmetry index (SAI), surface regularity index (SRI)가 정상에 비해 많이 증가한 경우는 렌즈 착용에 의한 뒤틀림을 의심해 볼 수 있다.

콘택트렌즈 착용 시 알려지 또는 독성 반응에 의해 발생하는 각막침윤은 주로 각막 주변부에 발생하고, 다형핵백혈구의 침윤에 의한 것이다. 일반적으로 상피세포 결손은 동반하지 않는다. 이러한 염증 반응 후에 각막창상 치유 반응이 과도한 경우 각막 혼탁이 부분적으로 실질에 남을 수 있다.

7. 콘택트렌즈 착용이 내피세포에 미치는 영향

저산소증과 고이산화탄소증으로 인한 각막 산성화는 내피세포에도 영향을 줄 수 있다. 단기 반응으로 내피세포 수포(bleb) 또는 데스메막 주름을 일시적으로 형성할 수 있고, 장기 반응으로 다세포크기증(Polymegathism) 또는 내피세포 밀도 또는 기능의 변화를 유발할 수 있다. 그러나, 콘택트렌즈의 장기착용이 내피세포에 미치는 영향은 상피세포나 실질에 미치는 영향보다는 적다.

내피세포 수포는 낮은 Dk/t의 렌즈를 처음 착용 시 관찰될 수 있는데, 렌즈를 삽입하자마자 수분 내에 나타날 수 있다고 보고되어 있다.[1] 경면현미경에서 검은색의 반사되지 않는 부분이 내피세포 내에서 관찰되며, 장기적으로 착용시 내피세포의 적응으로 수포는 오히려 소실된다.[1]

다세포크기증(Polymegathism)(그림 16-6)은 콘택트렌

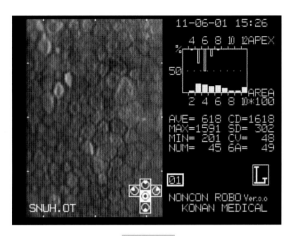

그림 16-6
다세포크기증

즈의 장기 착용 시 관찰될 수 있고, 특히 낮은 Dk/t의 렌즈를 장기 착용 시 종종 관찰된다.[1,8] 내피세포의 크기가 다양화되면서 경면현미경에서 Coefficient of Variation (CV)가 정상보다 증가됨을 관찰할 수 있다. 저산소증시 증가하는 12 R HETrE이 내피세포의 Na-K ATPase 펌프 기능을 저하시키면서 내피세포의 부종을 발생시키고 장기화될 경우 세포뼈대(cytoskeleton)가 변형되어 다세포크기증이 발생할 것이라는 가설이 있다.[1] 내피세포 옆벽면은 깍지낌(inter-digitation) 형태로 수직으로 생겼는데, 콘택트렌즈 착용에 의한 저산소증, 산성화의 영향으로 옆벽면이 깍지낌이 없어지고 비스듬하게 변하면서 2차원 평면검사에서 세포크기가 변한 것처럼 보일 수 있다고 주장하는 보고도 있다(그림 16-7).[40] 다세포크기증의 임상적 의미에 대해서는 아직 논란이 있다. 내피세포 밀도 감소가 동반되지 않는 한 다세포크기증은 임상적으로 의미가 없다는 주장도 있으나, 다세포크기증은 내피세포의 스트레스에 반응하는 기능이 저하되어 있음을 시사하는 소견이며, 안내 수술의 스트레스에 의한 일시적 부종 발생 시 회복 능력이 감소할 수 있다는 주장도 있다.[1] 다세포크기증은 렌즈 착용은 중지하면 천천히 정상화되는 가역반응을 보이는데, 장기착용이 길었던 경우는 착용을 중지해도 회복되지 않기도 한다.

각막 내피세포 밀도 변화에 대해서는 RGP렌즈와 소프트콘택트렌즈 착용자 모두에서 감소한다는 논문이 많이 보고되어 있다.[8] 그러나, 대부분의 연구가 각막중심부에서의

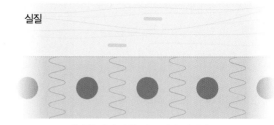

정상 내피세포

이차원 평면 관찰 시 크기가 일정해 보임

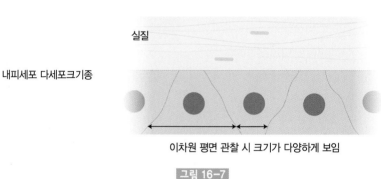

내피세포 다세포크기종

이차원 평면 관찰 시 크기가 다양하게 보임

그림 16-7

내피세포 다크기세포증의 가설

내피세포 밀도 변화만 측정하기 때문에, 중심부가 낮게 측정되어도 주변부로 밀도의 재분포가 되었을 경우에는 감소라고 평가하기 어려운 점이 있다. 실제로 일부 연구에서 콘택트렌즈 착용자의 내피세포 밀도는 정상 대조군에 비해 주변부가 높아 재분포가 되었을 가능성을 시사하였다.[41] 또한, 내피세포는 비교적 저산소증의 영향을 상피세포보다 적게 받기 때문에 변화가 장기간에 걸쳐 천천히 오는 경우는 착용기간이 비교적 짧은 경우에 검사 시점이 있으면 결과가 큰 차이가 없게 나올 수도 있다. 현재까지는 콘택트렌즈의 착용이 내피세포 밀도를 감소시킨다는 데에 확증이 불충분한 상태여서, 아직 논란의 여지가 있다.[1] 최근에는 Dk가 높은 RGP렌즈나 실리콘하이드로겔렌즈 착용이 증가하면서 내피세포 밀도 변화에 대한 영향은 더 적어질 것으로 전망된다.

▶ 참고문헌

1. Liesegang TJ. Physiologic changes of the cornea with contact lens wear. CLAO J 2002;28:12-27.

2. Bergmanson JP, Ruskell, G.L. Anatomy and physiology of the cornea and related structures In : Phillips AJ, Speedwell L Contact lens practice 5nd Ed Edinburgh: Butterworth Heinemann 2007;Chapter 2:21-57.

3. JG L. The anterior eye In : Efron N Contact lens practice 2nd Ed Brisbane: Butterworth Heinemann 2010:10-29.

4. 한국콘택트렌즈연구회. 콘택트렌즈와 각막의 병리. 콘택트렌즈 임상학 1판, 서울 2007;내외학술 197-202.

5. Leung BK, Bonanno JA, Radke CJ. Oxygen-deficient metabolism and corneal edema. Prog Retin Eye Res 2011;30:471-92.

6. Harvitt DM, Bonanno JA. Re-evaluation of the oxygen diffusion model for predicting minimum contact lens Dk/t values needed to avoid corneal anoxia. Optom Vis Sci 1999;76:712-9.

7. Ichijima H, Cavanagh HD. How rigid gas-permeable lenses supply more oxygen to the cornea than silicone hydrogels: a new model. Eye Contact Lens 2007;33:216-23.

8. Efron N, Jones L, Bron AJ, et al. The TFOS International Workshop on Contact Lens Discomfort: report of the contact lens interactions with the ocular surface and adnexa subcommittee. Invest Ophthalmol Vis Sci 2013;54:TFOS98-TFOS122.

9. Ladage PM. What does overnight lens wear do to the corneal epithelium?: is corneal refractive therapy different? Eye Contact Lens 2004;30:194-7; discussion 205-6.

10. O'Leary DJ, Madgewick R, Wallace J, et al. Size and number of epithelial cells washed from the cornea after contact lens wear. Optom Vis Sci 1998;75:692-6.

11. Ladage PM, Yamamoto K, Ren DH, et al. Effects of rigid and soft contact lens daily wear on corneal epithelium, tear lactate dehydrogenase, and bacterial binding to exfoliated epithelial cells. Ophthalmology 2001;108:1279-88.

12. Patel SV, McLaren JW, Hodge DO, et al. Confocal microscopy in vivo in corneas of long-term contact lens wearers. Invest Ophthalmol Vis Sci 2002;43:995-1003.

13. Robertson DM, Zhu M, Wu YC, et al. Hypoxia-induced downregulation of DeltaNp63alpha in the corneal epithelium. Eye Contact Lens 2012;38:214-21.

14. Shin YJ, Kim MK, Wee WR, et al. Change of proliferation rate of corneal epithelium in the rabbit with orthokeratology lens. Ophthalmic research 2005;37:94-103.

15. Ladage PM, Jester JV, Petroll WM, et al. Role of oxygen in corneal epithelial homeostasis during extended contact lens wear. Eye Contact Lens 2003;29:S2-6; discussion S26-9, S192-4.

16. Yamamoto K, Ladage PM, Ren DH, et al. Effects of low and hyper Dk rigid gas permeable contact lenses on Bcl-2 expression and apoptosis in the rabbit corneal epithelium. CLAO J 2001;27:137-43.

17. Lin MC, Graham AD, Fusaro RE, et al. Impact of rigid gas-permeable contact lens extended wear on corneal epithelial barrier function. Invest Ophthalmol Vis Sci 2002;43:1019-24.

18. Duench S, Sorbara L, Keir N, et al. Impact of silicone hydrogel lenses and solutions on corneal epithelial permeability. Optom Vis Sci 2013;90:546-56.

19. Nichols JJ, Sinnott LT. Tear film, contact lens, and patient factors associated with corneal staining. Invest Ophthalmol Vis Sci 2011;52:1127-37.

20. Guillon JP, Guillon M, Malgouyres S. Corneal desiccation staining with hydrogel lenses: tear film and contact lens factors. Ophthalmic & physiological optics : the journal of the British College of Ophthalmic Opticians (Optometrists) 1990;10:343-50.

21. Holden BA, Sweeney DF, Seger RG. Epithelial erosions caused by thin high water content lenses. Clin Exp Optom 1986;69:103-7.

22. Orsborn GN, Zantos SG. Corneal desiccation staining with thin high water content contact lenses. CLAO J 1988;14:81-5.

23. Markoulli M, Papas E, Cole N, et al. Corneal erosions in contact lens wear. Contact lens & anterior eye : the journal of the British Contact Lens Association 2012;35:2-8.

24. Madigan MC, Holden BA. Reduced epithelial adhesion after extended contact lens wear correlates with reduced hemidesmosome density in cat cornea. Invest Ophthalmol Vis Sci 1992;33:314-23.

25. Hara Y, Shiraishi A, Ohashi Y. Hypoxia-altered signaling pathways of toll-like receptor 4 (TLR4) in human corneal epithelial cells. Mol Vis 2009;15:2515-20.

26. Martin R. Corneal conjunctivalisation in long-standing contact lens wearers. Clin Exp Optom 2007;90:26-30.

27. Jeng BH, Halfpenny CP, Meisler DM, et al. Management of focal limbal stem cell deficiency associated with soft contact lens wear. Cornea 2011;30:18-23.

28. Chan CC, Holland EJ. Severe limbal stem cell deficiency from contact lens wear: patient clinical features. American journal of ophthalmology 2013;155:544-9 e2.

29. Dillehay SM. Does the level of available oxygen impact comfort in contact lens wear?: A review of the literature. Eye Contact Lens 2007;33:148-55.

30. Lee DS, Kim MK, Wee WR. Biometric risk factors for corneal neovascularization associated with hydrogel soft contact lens wear in korean myopic patients. Korean journal of ophthalmology : KJO 2014;28:292-7.

31. Efron N. Contact lens-induced changes in the anterior eye as observed in vivo with the confocal microscope. Prog Retin Eye Res 2007;26:398-436.

32. Nguyen T, Soni PS, Brizendine E, et al. Variability in hypoxia-induced corneal swelling is associated with variability in corneal metabolism and endothelial function. Eye Contact Lens 2003;29:117-25.

33. Ichijima H, Imayasu M, Tanaka H, et al. Effects of RGP lens extended wear on glucose-lactate metabolism and stromal swelling in the rabbit cornea. CLAO J 2000;26:30-6.

34. Kallinikos P, Efron N. On the etiology of keratocyte loss during contact lens wear. Invest Ophthalmol Vis Sci 2004;45:3011-20.

35. Efron N, Perez-Gomez I, Morgan PB. Confocal microscopic observations of stromal keratocytes during extended contact lens wear. Clin Exp Optom 2002;85:156-60.

36. Bergmanson JP, Chu LW. Corneal response to rigid contact lens wear. The British journal of ophthalmology 1982;66:667-75.

37. Jalbert I, Stapleton F. The corneal stroma during contact lens wear. Contact lens & anterior eye : the journal of the British Contact Lens Association 2005;28:3–12.

38. Ohta K, Shimamura I, Shiraishi A, et al. Confocal microscopic observations of stromal keratocytes in soft and rigid contact lens wearers. Cornea 2012;31:66–73.

39. Liu Z, Pflugfelder SC. The effects of long-term contact lens wear on corneal thickness, curvature, and surface regularity. Ophthalmology 2000;107:105–11.

40. Bergmanson JP. Histopathological analysis of corneal endothelial polymegethism. Cornea 1992;11:133–42.

41. Wiffen SJ, Hodge DO, Bourne WM. The effect of contact lens wear on the central and peripheral corneal endothelium. Cornea 2000;19:47–51.

콘택트렌즈 불편감
Contact lens discomfort

송 종 석

콘택트렌즈 착용과 관련된 안구의 불편감(contact lens discomfort, CLD)은 심각한 합병증은 아니나 가장 흔하게 발생하는 합병증으로 많게는 렌즈 착용자의 50% 정도에서 어느 정도의 불편감을 경험하고 있다. 콘택트렌즈 착용으로 인한 불편감은 결과적으로 렌즈 착용시간이 줄게 되고 심한 경우는 렌즈 착용을 포기하게 만드는 원인이 되지만 이러한 불편감이 생기는 근본 원인이나 기전, 유병률, 치료방법 등에 대한 개념이 체계적으로 적립되어 있지 않은 상태다. 2012년 Tear Film and Ocular Surface Society (TFOS)에서 콘택트렌즈와 관련된 전문가 79명이 참여하는 국제 워크샵을 진행하였고 8개의 소위원회에서 근거중심적으로 CLD에 대한 평가를 진행하여 이를 발표하였다.[1] 본 절에서는 TFOS 워크샵에서 발표된 내용들 중 주요한 내용에 대해 다루어보고자 한다.

1. 정의 및 분류

CLD는 사람에 따라 다양한 증상을 호소한다. 건조감이나 자극감, 불편감, 눈의 피로 등 증상이 다양하지만 공통적인 부분은 렌즈를 착용하고 있을 때 시간이 갈수록 점차 증상이 심해진다는 점이다. 따라서 CLD는 아래와 같이 정의되었다.[2]

"콘택트렌즈 불편감은 렌즈 착용과 관련하여 일시적이거나 지속적으로 나타나는 증상으로 시력저하를 동반할 수 있으며 안구표면이 렌즈에 대한 순응도가 감소하여 렌즈 착용시간이 줄거나 렌즈 착용을 중단하게 만드는 상태"

CLD는 렌즈를 착용하고 있는 상태에서 느끼는 증상으로 렌즈를 뺀 후에는 증상이 경감되는 경우를 얘기하며 처음 콘택트렌즈를 착용하는 사람이 렌즈를 착용한 후 느끼는 불편감과 구분이 되어야 하며 콘택트렌즈 관련 건성안은 콘택트렌즈를 착용하기 이전부터 있었던 건성안이 렌즈 착용으로 인해 악화되는 경우로 CLD와 차이가 있다.

CLD의 분류는 원인에 따라 크게 콘택트렌즈 자체의 요인과 환경적 요인으로 나눌 수 있으며, 콘택트렌즈 요인은 렌즈의 재질, 디자인, 착용, 관리 등 4가지로 세분화 할 수 있고, 환경적 요인도 고정된 환자요인과 바꿀 수 있는 환자요인, 안구환경, 외부환경 등 4가지로 세분화 할 수 있다(그림 17-1).[2]

CLD는 점차 증상이 진행될 수 있으며 초기에는 시력저하나 렌즈 착용이 물리적으로 느껴지는 단계에서부터 렌즈 착용시간이 줄어들며 결과적으로는 렌즈 착용을 중단하는 과정으로 진행될 수 있다(그림 17-2).[2]

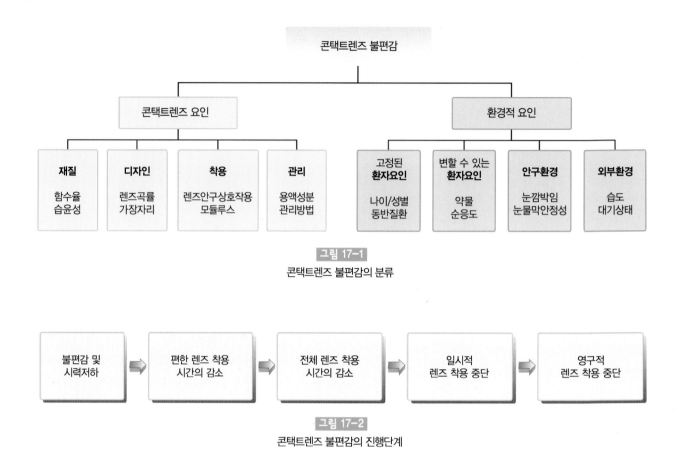

그림 17-1
콘택트렌즈 불편감의 분류

그림 17-2
콘택트렌즈 불편감의 진행단계

2. 역학

CLD를 정확하게 평가할 수 있는 방법은 아직 부족하며 임상양상을 통한 진단이라기 보다는 환자의 증상으로 진단을 내리게 된다. 따라서, 증상에 대한 설문을 통해 환자의 상태를 평가할 수 있으며 Contact Lens Dry Eye Questionnaire-8 (CLDEQ-8) 등의 설문방법이 이용되고 있다 (그림 17-3).[3] 지금까지 몇몇 지역기반 역학연구에 따르면 CLD는 적게는 32.8% 많게는 50.4%의 유병률을 보였다 (표 17-1).[4-8] 또한 렌즈 착용을 중단한 이유가 CLD인 경우는 약 12~51%로 보고되었다.[9,10] 그러나 각 연구에서 평가된 렌즈의 종류가 다르며 과거 50여년의 기간 동안 렌즈의 재질과 디자인, 일회용 렌즈 도입, 관리용액의 개선 등의 발전으로 CLD의 발생 및 유병률에 어떠한 영향을 미쳤는지에 대한 연구가 부족한 실정이다.

3. 콘택트렌즈 재질, 디자인 및 관리방법

소프트렌즈나 RGP렌즈의 재질이 CLD에 어떠한 영향을 미치는지에 대해 논란이 있다. 렌즈의 재질, 특히 중합체의 화학구조에 따라 함수율과 탈수화, 이온화, Dk/t (Oxygen transmissibility, 산소전달률), 모듈루스 및 물리적 성질이 변하므로 불편감에 영향을 미치리라 생각되나 직접적인 연관성을 보인 인자는 아직 알려져 있지 않다. 또한 렌즈표면의 마찰, 습윤성(wettability), 표면개질(surface modification)도 영향을 미칠 수 있다고 판단되나 렌즈 표면의 마찰이 CLD와 어느 정도 연관이 있다는 것 이외에는 알려진 바가 없다.[11,12]

렌즈의 디자인은 렌즈의 착용감에 영향을 미치며 소프트렌즈의 경우 눈을 깜박일 때 중등도의 움직임이 있고, 각막 전체를 덮을 때 착용감이 좋은 것으로 알려져 있다. 또한 RGP렌즈에서는 눈꺼풀과 렌즈가장자리 사이의 관계가

CONTACT LENS DRY EYE QUESTIONNAIRE-8 (CLDEQ-8)

1. Questions about EYE DISCOMFORT:

a. During a typical day in the past 2 weeks, how often did your eyes feel discomfort while wearing your contact leses?

   0   Never
   1   Rarely
   2   Sometimes
   3   Frequently
   4   Constantly

When your eyes felt discomfort with your contact lenses. how intense was this feeling of discomfort...

b. At the end of your wearing time?

Never have it	Not at All Intense				Very Intense
0	1	2	3	4	5

2. Questions about EYE DRYNESS:
a. During a typical day in the past 2 weeks, how often did your eyes feel dry?

   0   Never
   1   Rarely
   2   Sometimes
   3   Frequently
   4   Constantly

When your eyes felt dry. how intense was this feeling of dryness...

b. At the end of your wearing time?

Never have it	Not at All Intense				Very Intense
0	1	2	3	4	5

3. Questions about CHANGEABLE, BLURRY VISION:
a. During a typical day in the past 2 weeks, how often did your vision change between clear and blury or foggy while wearing your contact lenses?

   0   Never
   1   Rarely
   2   Sometimes
   3   Frequently
   4   Constantly

When your vision was blurry, how noticeable was the changeable, blurry, or foggy vision...

b. At the end of your wearing time?

Never have it	Not at All Intense				Very Intense
0	1	2	3	4	5

4. Quesion about CLOSING YOUR EYES:
   During a typical day in the past 2 weeks, how often did your eyes bother you so much that you wanted to close them?

   0   Never
   1   Rarely
   2   Sometimes
   3   Frequently
   4   Constantly

5. Question about REMOVING YOUR LENSES:
   How often during the past 2 weeks, did your eyes bother you so much while wearing your contact lenses that you felt as if you needed to stop whatever you were doing and take out your contact lenses?

   1   Never
   2   Less than once a week
   3   Weekly
   4   Several time a week
   5   Daily
   6   Several times a day

그림 17-3

콘택트렌즈 불편감 설문지(contact lens dry eye questionnaire-8, CLDEQ-8)

표 17-1 콘택트렌즈 불편감의 지역기반 유병률

연구	국가	렌즈 착용자	나이	성별	증상평가	유병률
CANDEES study	Canada	3,285	10~80 y	Not mentioned	건조감	50.1%
Koumi Study	Japan	105	≥ 40 y	남 24% 여 76%	건조감 및 자극감	남 28% 여 35.0%
Japanese VDT users study	Japan	1,390	≥ 22 y	남 60% 여 40%	건조감 및 자극감	50.4%
Japanese high school students study	Japan	1,298	12~18 y	남 77% 여 23%	건조감 및 자극감	남 36.8% 여 37.4%
Chinese senior high school students study	China	122	Not mentioned	Not mentioned	건조감 및 자극감	32.8%

착용감에 중요한 역할을 한다. 그러나 이러한 렌즈 디자인이 CLD에 직접적인 영향을 미치는가에 대해서는 아직 논란이 있다.

콘택트렌즈의 관리방법은 CLD에 중요한 역할을 하는 것으로 알려져 있다. 살균 세척 등 정기적인 렌즈 관리와 올바른 교체주기를 지키는 것이 안구표면의 건강을 유지하며 CLD의 발생을 줄일 수 있다.

4. 콘택트렌즈 불편감의 신경생물학

콘택트렌즈와 접하는 안구표면은 신경분포가 풍부한 각막과 눈꺼풀테 그리고 다소 신경분포가 적은 결막으로 되어 있다. 안구표면에서 느끼는 감각은 3차신경의 분지인 안신경과 상악신경을 통해 전달되며 이 신경은 안구표면의 상피내에 말단부를 두어 자극에 민감하게 반응하게 된다. 각막에 분포한 감각신경은 크게 다형수용기(polymodal receptor), 기계적유해수용기(mechano-nociceptors), 및 온도수용기(thermos receptor)로 구성되어 있으며 약 70%는 다형수용기이다.[13,14] 다형수용기는 유해한 자극이나 기계적 자극, 열이나 냉각, 화학자극 및 다양한 염증매개체에 반응을 하며, 기계적유해수용기는 각막상피에 손상을 줄 정도의 물리적 자극에 반응한다. 온도수용기는 눈물의 증

발에 따른 온도의 감소에 반응을 하며 찬 수용액이나 고삼투압 수용액에 반응을 한다. 이러한 수용체의 활성화는 특정 이온통로(ion channel)에 의해 일어난다.

콘택트렌즈를 착용하는 경우 각막 지각이 변하며 이는 각막에 공급되는 산소공급의 감소나 렌즈로 인한 지속적인 기계적 자극에 감각수용기가 적응하여 나타나는 현상으로 생각된다.[15,16] PMMA 재질의 하드렌즈나 RGP렌즈, 일반 하이드로겔 소프트렌즈, Ortho-K렌즈(orthokeratology lens, 각막교정렌즈)는 모두 각막의 지각을 떨어뜨리며 PMMA렌즈는 착용 후 수시간 내에, Ortho-K렌즈는 하룻밤 끼고 잔 후 바로 각막지각의 감소가 일어난다. 그러나 실리콘하이드로겔 재질의 소프트렌즈나 일회용렌즈의 경우 각막지각에 별다른 영향을 미치지 않는다고 보고되었다.

렌즈에 대한 신경 적응은 콘택트렌즈 불편감을 이해하는데 도움을 준다. 보고에 따르면 콘택트렌즈 착용이 불편한 집단에서는 기계적 자극에 각막이 적응을 보이지 않고 구결막은 도리어 자극에 더 예민해지는 현상을 나타냈다고 한다.[17] 또한 치료용 소프트렌즈는 각막굴절교정수술을 받거나 안구표면에 손상이 있을 때 눈꺼풀에 의해 발생하는 기계적 자극을 줄여주는 효과가 있다. 따라서 소프트렌즈와 연관된 불편감은 기계적 자극 보다는 삼투압의 변화나 안구표면의 온도 변화에 의한 자극으로 발생할 수 있다.

5. 안구표면 및 안구부속기와 콘택트렌즈의 상호작용

콘택트렌즈의 착용으로 각막상피에서 발생하는 형태학적 변화나 세포자멸사, 장벽기능의 변화가 발생하나 이러한 변화가 CLD와 연관이 있지는 않다. 그 외에 각막실질의 혼탁이나 침윤, 각막내피세포와 각막윤부에 일어나는 변화도 직접적으로 CLD와 연관되어 있지 않다. 단 각막상피의 손상으로 발생하는 각막염색은 CLD와 약간의 연관이 있다.[18]

결막의 변화가 CLD의 발생과 더 연관성이 있는데 구결막의 염색은 소프트렌즈의 주변부 디자인에 의해 발생하며 CLD와 연관이 있다. 그러나 구결막의 주름이나 충혈은 연관이 없는 것으로 알려져 있다. 검결막은 안구표면이나 콘택트렌즈와 직접 접하면서 중요한 역할을 한다. 콘택트렌즈의 착용은 마이봄샘의 기능에 영향을 주며 마이봄샘의 변화는 CLD와 연관이 있다. 안구표면과 직접 접하는 눈꺼풀테의 lid-wiper zone의 변화도 CLD와 연관이 있다. 눈꺼풀테에서는 결막에 비해 균이 더 자주 배양이 되며 균에 의해 분비되는 독소가 증상을 유발할 수 있다.

6. 눈물막과 콘택트렌즈의 상호작용

콘택트렌즈의 착용은 눈물막에 생물물리학적으로 또는 생물화학적으로 영향을 미칠 수 있으며 이러한 영향은 CLD을 유발할 수 있다. 콘택트렌즈를 착용함으로 눈물막은 물리적으로 렌즈앞눈물막(pre-lens tear film)과 렌즈뒤눈물막(post-lens tear film)으로 나누어진다. 두 눈물막 간에는 생물화학적 조성에 차이가 발생하며 이러한 변화는 눈물막의 안정성을 저하시킨다. 렌즈앞눈물막은 정상적인 눈물막에 비해 지방층의 두께가 감소하고 눈물량이 줄어들며 눈물 증발속도는 증가한다. 따라서 지금까지의 연구결과를 근거로 보았을 때 눈물막 안정성이 감소하고 눈물 증발속도가 증가하며 눈물막 교환이 줄고 눈물의 양치상형성

(tear ferning)은 CLD와 연관이 있다. 그러나 눈물양, 표면장력, 삼투압농도, pH, 안구표면 온도는 아직까지 CLD와의 연관성이 분명하지 않다.[19]

눈물 성분 중 단백질 총량, 락토페린, 리소자임은 CLD와 연관성이 없으나 CLD를 호소하는 환자에서는 눈물의 리포칼린-1 (lipocalin-1) 농도와 변성된 지질의 농도가 증가하고 포스포리파아제 A2 (phospholipase A2)의 농도와 활성이 증가하며 인지질(phospholipid) 농도는 감소한다. 즉, 렌즈앞눈물막의 지질성분 변화는 CLD와 좋은 연관성을 보인다. 그러나, 렌즈뒤눈물막은 렌즈 뒤쪽에 정체되어 있고 현재로서는 평가하기도 어려워 CLD와 연관성이 있는지에 대해서는 연구된 것이 거의 없다.

7. 콘택트렌즈 불편감의 관리

실제 임상에서 CLD의 관리 및 치료는 쉽지 않으며 개개인에 따라 정확한 원인을 파악하고 그에 맞게 해결을 해야 한다(그림 17-4). 불편감을 일으키는 원인을 찾기 위해서는 세심한 문진이 필요하다. 환자의 나이와 성별에서부터 증상이 주로 언제 발생하는지, 착용하는 렌즈의 종류와 재질, 렌즈 관리방법, 렌즈 교환주기, 사용하는 습윤제의 종류, 착용시간 및 패턴, 렌즈 관리방법을 잘 지키고 있는지, 근무지 환경상태, 동반질환, 사용 중인 약물 등을 확인하여야 한다.

불편감은 비특이적 증상으로 콘택트렌즈와 무관하게 동반된 질환에 의해 발생할 수 있다. 사용하는 안약이나 동반된 자가면역질환이나 알레르기질환, 안검염과 같은 눈꺼풀질환이나 눈꺼풀 이상, 비정상적인 눈물막, 각막이나 결막질환 등은 콘택트렌즈와 무관하게 불편감을 유발할 수 있어 원인이 될 만한 질환에 대해 먼저 치료를 시행하는 것이 중요하다. 이러한 질환을 먼저 치료해도 증상이 좋아지지 않는 경우 사용하는 콘택트렌즈와 렌즈 관리방법에 초점을 둘 필요가 있다. 콘택트렌즈에 손상이 있거나 침착물이 있는 경우, 렌즈의 표면이 쉽게 마르는 경우 등은 CLD의 원

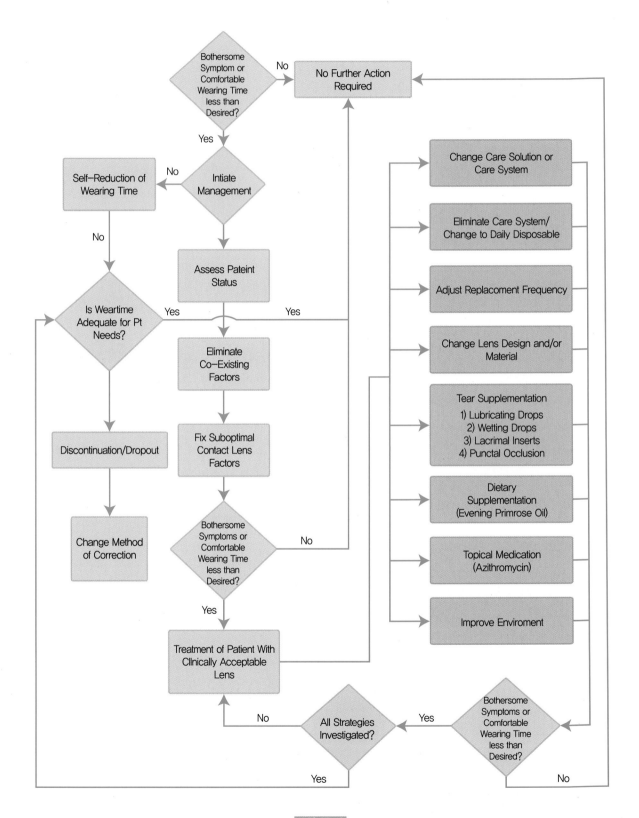

그림 17-4
콘택트렌즈 불편감의 관리

인이 될 수 있다. 렌즈 디자인이나 재질, 렌즈 착용상태도 증상을 유발할 수 있다. 렌즈 관리용액의 종류와 구성성분, 부적절한 렌즈 관리방법도 불편감을 일으키는 원인이 되므로 렌즈를 일회용 렌즈로 바꾸어 보는 것도 좋은 방법이다. 렌즈 교환주기를 지키거나 교환주기보다 좀 더 일찍 바꾸어 주는 것이 침착물을 줄일 수 있으며 렌즈 재질이나 관리용액을 바꾸는 것도 효과를 나타낼 수 있다. 콘택트렌즈의 디자인을 좀더 가파르게 하거나 크기가 좀 더 큰 렌즈로 바꾸거나 안구표면과 접하는 렌즈 뒷면의 형태를 바꾸거나 중심 렌즈 두께를 좀 더 얇게 하는 경우 불편감을 줄일 수 있다. 그러나 디자인의 한 변수를 바꿀 경우 다른 변수에도 영향을 줄 수 있다는 점을 고려해야 한다.

인공눈물이나 습윤제, 필수지방산의 경구복용, 누점폐쇄술, 사이클로스포린이나 azithromycin 등의 국소약물치료는 건성안이 동반된 경우 보조적으로 사용하여 불편감을 줄일 수 있으며 건조한 환경을 바꾸거나 눈깜박임을 올바르게 하는 것도 도움이 된다. 이러한 치료방법에도 불구하고 어느 정도의 불편감은 지속될 수 있으며 때로는 콘택트렌즈 사용을 중단하게 될 수 있다.

8. 향후 연구

CLD와 관련한 지금까지의 임상시험은 연구 디자인이 적합하지 않았고, 연구 참여자의 수도 적었다. 대부분이 회사에서 후원하는 연구였으므로 연구방향이 불편감을 유발하는 원인을 찾기보다는 어떠한 특정 콘택트렌즈나 렌즈 관리용액의 성능에 주안점을 두었다. 또한, 임상시험이 뚜렷한 CLD의 정의가 없이 진행되었고 효과나 차이를 입증하기 위해 필요한 대조군이 없거나 적절한 대조군을 사용하지 않았다. 따라서 앞으로 진행할 임상시험에서는 제시된 CLD의 정의를 적용하여야 연구의 일관성을 유지할 수 있다. 또한 대조군을 두고 무작위 배정을 하며 이중맹검을 시행한 상태로 연구를 진행하는 것이 올바르며, 대상자의 명확한 선택기준과 적절한 대상자 수도 확보하여야 한다.

▶ 참고문헌

1. Nichols JJ, Willcox MD, Bron AJ, et al. The TFOS International Workshop on Contact Lens Discomfort: executive summary. Invest Ophthalmol Vis Sci. 2013;54:TFOS7-13.

2. Nichols KK, Redfern RL, Jacob JT, et al. The TFOS International Workshop on Contact Lens Discomfort: report of the definition and classification subcommittee. Invest Ophthalmol Vis Sci. 2013;54:TFOS14-9

3. Chalmers RL, Begley CG, Moody K, Hickson-Curran SB. Contact Lens Dry Eye Questionnaire-8 (CLDEQ-8) and opinion of contact lens performance. Optom Vis Sci. 2012;89:1435-42.

4. Doughty MJ, Fonn D, Richter D, et al. A patient questionnaire approach to estimating the prevalence of dry eye symptoms in patients presenting to optometric practices across Canada. Optom Vis Sci. 1997;74:624-31.

5. Uchino M, Nishiwaki Y, Michikawa T, et al. Prevalence and risk factors of dry eye disease in Japan: Koumi study.Ophthalmology. 2011;118:2361-7.

6. Uchino M, Dogru M, Uchino Y, et al. Japan Ministry of Health study on prevalence of dry eye disease among Japanese high school students. Am J Ophthalmol. 2008;146:925-9.

7. Zhang Y, Chen H, Wu X. Prevalence and risk factors associated with dry eye syndrome among senior high school students in a county of Shandong Province, China. Ophthalmic Epidemiol. 2012;19:226-30.

8. Uchino M, Schaumberg DA, Dogru M, et al. Prevalence of dry eye disease among Japanese visual display terminal users. Ophthalmology. 2008;115:1982-8.

9. Dumbleton K, Woods CA, Jones LW, Fonn D. The impact of contemporary contact lenses on contact lens discontinuation. Eye Contact Lens. 2013;39:92-8.

10. Richdale K, Sinnott LT, Skadahl E, Nichols JJ. Frequency of and factors associated with contact lens dissatisfaction and discontinuation. Cornea. 2007;26:168-74.

11. Brennan NA. Contact lens based correlates of soft lens wearing comfort. Optom Vis Sci. 2009;86:e-abstract 90957.

12. Coles CML, Brennan NA. Coefficient of friction and soft contact lens comfort. Optom Vis Sci. 2012;88:e-abstract 125603.

13. MacIver MB, Tanelian DL. Structural and functional specialization of Ad and C fiber free nerve endings innervating rabbit corneal epithelium. J Neurosci. 1993;13:4511-24.

14. Gallar J, Pozo MA, Tuckett RP, Belmonte C. Response of sensory units with unmyelinated fibres to mechanical,thermal and chemical stimulation of the cat's cornea. J Physiol. 1993;468:609-22.

15. Millodot M, O'Leary DJ. Effect of oxygen deprivation on corneal sensitivity. Acta Ophthalmol. 1980;58:434-9.

16. Polse KA. Etiology of corneal sensitivity changes accompanying contact lens wear. Invest Ophthalmol Vis Sci. 1978;17:1202-6.

17. Chen J, Simpson TL. A role of corneal mechanical adaptation in contact lens-related dry eye symptoms. Invest Ophthalmol Vis Sci. 2011;52:1200-5.

18. Tran N, Graham AD, Lin MC. Ethnic differences in dry eye symptoms: effects of corneal staining and length of contact lens wear.Cont Lens Anterior Eye. 2013;36:281-8.

19. Craig JP, Willcox MD, Argüeso P, et al. The TFOS International Workshop on Contact Lens Discomfort: report of the contact lens interactions with the tear film subcommittee. Invest Ophthalmol Vis Sci. 2013;54:TFOS123-56.

소프트콘택트렌즈 피팅 합병증 및 문제해결

Soft contact lens fitting related problems and management

김 진 형

콘택트렌즈 피팅 후 정기검진을 하다 보면 안과적 치료가 필요한 중대한 합병증이 아니라 할지라도 여러 가지 증상이나 징후들이 발견될 수 있다. 이때, 이에 대한 인지와 감별이 잘 되어야 적절한 해결 또한 가능해진다. 이런 이상소견들은 소프트콘택트렌즈나 RGP렌즈에서 공통적으로 나타날 수도 있고 렌즈의 종류에 따라 다른 양상으로 나타나기도 하는데, 18장에서는 주로 소프트콘택트렌즈 피팅시 나타날 수 있는 합병증과 문제에 대한 해결을 다뤄보고자 한다. 소프트렌즈의 착용으로 나타날 수 있는 합병증은 일회용렌즈(disposable lenses)와 실리콘하이드로겔렌즈(silicone hydrogel lenses)의 대중화로 인해 그 위험성이 많이 감소하였다. 일회용렌즈를 용어 그대로 한 번 사용하고 재사용하지 않는다면 렌즈 침착물이나 부적절한 렌즈 관리로 인해 일어나는 합병증들을 막을 수 있을 것이고, Dk/t (Oxygen transmissibility, 산소전달률)가 증가된 실리콘하이드로겔렌즈의 사용이 산소투과와 관련된 합병증을 줄일 수 있을 것이다. 그러나, 여전히 기존 재질의 매일착용렌즈(daily wear lenses)를 사용하는 착용자가 다수이고, 점차 10대들의 미용컬러콘택트렌즈 착용이 늘어나면서 임상에서 렌즈 합병증 환자를 만나는 것은 매우 흔한 일이다. 렌즈 합병증 중 감염은 19장에서 기술하므로 제외하기로 하고 증상과 징후 별로 분류, 진단, 해결하는 방법을 제시하고자 한다.

1. 증상

소프트콘택트렌즈를 착용하면서 생기는 문제를 증상 별로 구분하면 시력저하, 불편감, 눈부심, 건조감, 과도한 렌즈 움직임으로 나눌 수 있다.

1) 시력저하

소프트콘택트렌즈를 착용한 환자가 시력저하를 호소할 경우 다양한 원인이 있을 수 있다(그림 18-1). 시력저하가 시작된 시점이나 기간, 안경을 썼을 때도 시력저하가 지속되는지에 대해 문진한다. 렌즈가 지저분해졌는지, 렌즈 돗수나 렌즈 각막간의 부적절한 피팅 등 처방에 문제가 있는지, 렌즈 손상, 렌즈 탈수 또는 과도한 눈물흘림 등이 있는지를 확인하여야 한다. 콘택트렌즈 착용 시뿐 아니라 안경을 착용할 경우에도 시력저하가 지속된다면 굴절력의 변화나 각막부종, 점상각막염 등 각막의 이상이 생겼는지 세극등 검사를 시행해야 한다. 물론 이외의 다른 안과적 이상이 있을 가능성에 대해서도 간과해서는 안된다.

(1) 렌즈침착물(lens deposits)

렌즈표면을 관찰하면 지질, 단백질, 점액의 내인성 침착물이나 담배, 화장품, 약물로 인한 착색, 렌즈 위생이 좋지 않은 경우 진균 등 외인성 침착물 등이 관찰될 수 있다. 렌즈 재질에 따라 잘 침착 되는 물질도 달라지는데, 함수율이

그림 18-1

소프트콘택트렌즈 사용 시 시력저하의 원인들

높으면 라이소자임(lysozyme)이 더 잘 침착되고 이온성 재질의 경우는 모든 단백질이 잘 달라붙게 된다. 주로 라이소자임으로 구성된 점액성단백질 침착물은 렌즈 착용 시 시력저하를 일으키는 가장 흔한 침착물이다.[1] 렌즈침착물이 어떤 종류이냐에 따라 그 해결법이 달라질 수 있는데, 단백질침착물의 경우 전반적으로 침착 된 경우라도 MPS (multipurpose solution, 다목적관리용액)에 포함된 효소세척제만으로도 잘 제거될 수 있고, 두껍게 침착되어 있는 경우에는 여러 번 세척하면 된다. 지질 및 지질칼슘복합체 같은 경우는 렌즈의 재질로 침투하는 특성이 있어, 제거 시 렌즈표면에 흠이 생길 수 있으므로 새 렌즈로 교체하는 것이 좋다. 적절한 교육에도 불구하고 렌즈 침착물이 반복되는 착용자라면 1주, 1개월 또는 3개월 단위로 정해진 교체주기보다 더 자주 렌즈를 교체하도록 교육하거나 일회용렌즈를 사용하도록 하는 것이 좋다.[2]

(2) 부정확한 처방

덧댐굴절검사를 하여 잔여굴절이상이 있다면 처방을 다시 한다. 하지만, 굴절처방오류가 아니라 간혹 렌즈제작과정에서 불량품이 있는 경우도 있고, 양쪽 렌즈를 바꿔 끼는 경우도 흔하므로 렌즈 자체의 굴절력을 측정해 보고 처방을 수정하는 것도 문제 해결의 한 방법이다.

(3) 잔여난시

소프트콘택트렌즈는 하드콘택트렌즈와는 달리 유연하기 때문에 각막렌즈관계로 보상하는 난시교정량이 16%에 불과하다고 알려져 있다.[3] 1 D 미만의 난시는 비구면렌즈를 처방하면 어느 정도 난시를 더 교정하는 효과가 있으나, 이 또한 난시를 직접 교정한다기 보다는 구면수차를 줄여서 시력의 질이 개선됨에 따라 생기는 결과이므로 덧댐굴절검사를 통하여 잔여난시를 확인하고 토릭소프트콘택트렌즈를 처방하거나 RGP렌즈로 바꿔주는 것이 좋다.[4]

(4) 토릭렌즈 회전(rotation of toric lenses)

토릭소프트렌즈 착용 환자가 시력저하를 호소할 때 가장 먼저 확인해야 할 것이 토릭렌즈 회전여부이다. 사난시

그림 18-2

소프트콘택트렌즈 착용 시 불편감의 원인들

의 경우에 축 회전이 잘 일어나고, 특히 근거리 작업을 할 때 내회전과 눈모임이 생기면서 렌즈회전이 생길 수 있으므로 시력저하를 호소할 수 있다. 3 D 이상의 난시인 경우, 적은 양의 회전이라도 심각한 시력저하를 일으킬 수 있다.[5] 이런 경우 회전을 감소시키기 위해 더 가파른 BCR (base curve radius, 기본커브반경) 또는 다른 디자인으로 바꾸거나, 불가피한 경우 RGP렌즈로 교체하는 것이 좋다.

(5) 렌즈결함(defective lenses)

렌즈표면이나 가장자리에 결함이 있는 경우 또는 렌즈의 광학적인 질이 좋지 않은 경우 시력저하를 유발할 수 있다. 또한 렌즈결함으로 인해 자극감이나 불편감을 유발할 수도 있고, 시력저하는 이런 자극감으로 인해 눈물흘림이 증가하거나 렌즈침착물이 렌즈결함부위에 축적되어도 유발된다. 이 경우 당연히 렌즈를 새 것으로 교체하는 것이 해결법이다.

(6) 뒤집힌 렌즈(inverted lenses)

처음 소프트렌즈를 사용하는 경우, 얇은 렌즈의 특성상 렌즈가 뒤집힌 것을 인지하기 어렵고 뒤집힌 채로 피팅된 렌즈는 대부분 자극감, 불편감을 야기한다. 시력저하가 일어나기도 하고 그렇지 않은 경우도 있다. 확신이 들지 않는 경우는 바로 렌즈를 빼고 타코검사(taco test) 등을 통하여 렌즈의 올바른 모양을 확인하거나, 렌즈를 뒤집어서 다시 끼워보는 것이 필요하다.

(7) 각막표면의 손상 및 부종

소프트콘택트렌즈를 장기간 사용하거나 끼고 자는 경우, 또는 연속착용렌즈(extended wear lenses)를 사용하는 경우에 각막표면의 손상이나 부종 등으로 각막의 투명도가 떨어지면 시력저하를 느낄 수 있다. 이때는 렌즈 착용을 중지하고 각막의 상태에 따른 치료를 해야 한다. 자세한 내용은 이후에 기술하기로 한다.

2) 불편감

렌즈를 착용했을 때 불편감이 느껴진다면 렌즈를 즉시 빼는 것이 원칙이다. 렌즈를 빼고 나서도 불편감이 지속되는 경우에 안과의사의 진료가 필요하다. 소프트렌즈 착용시 불편감이 느껴지는 것이 렌즈를 착용하고 있을 때인지, 제거했을 때인지, 탈착과 관계 없이 지속적인지 혹은 갑작스럽게 생겼는지에 따라 그 원인은 다양하다(그림 18-2).

(1) 평소 잘 착용하던 렌즈가 불편해진 경우

평소 착용 시 편안했던 렌즈가 불편감을 유발한다면 렌즈가 손상되었거나 렌즈 후면에 이물이 끼어 있을 가능성이 있으므로 렌즈를 즉시 빼서 관찰해야 한다. 렌즈의 가장자리 혹은 표면이 찢어지거나 흠이 있는 경우는 새 렌즈로 교체하면 된다. 렌즈관리용액에 대한 민감반응인 경우 렌즈를 빼고 나서도 세극등현미경상 전반적인 점상각막염, 결막 충혈이 관찰되는데, 이 경우 렌즈관리액만 교체하는 것보다는 소프트콘택트렌즈 또한 완전히 새 것으로 교체해야 재발을 막을 수 있다. 흔하진 않지만, 프리즘밸러스트(prism-ballast) 기법으로 만든 토릭렌즈 착용 시 프리즘이 들어간 부위가 두껍기 때문에 이물감을 느끼는 경우도 있다. 이때는 다른 공법으로 만든 토릭렌즈로 교체하면 된다.

(2) 렌즈 제거 후에도 불편한 경우

이때는 통증이 동반하는 경우가 많고 대부분 각막미란, 감염이나 궤양 같은 안과의사의 치료가 필요한 각막의 응급상황일 가능성이 높으므로 진단에 따른 즉각적 치료가 필요하다.

(3) 렌즈 착용 내내 불편한 경우

렌즈 피팅이 좋지 않은 경우에 형광염색을 사용하면 감별에 도움이 될 수 있는데, 윤부를 둘러싼 압박고리가 보이는 경우는 렌즈 피팅이 꽉 끼는 경우이다(tight fit). 딱딱한(high-modulus) 실리콘하이드로겔렌즈의 경우 너무 편평하게 피팅되어 가장자리가 들리는 경우도 불편감을 느낄 수 있다. 이 경우 BCR이나 TD (total diameter, 전체직경) 등의 요소들을 변화시키면 증상이 사라진다. 또한 각막에 부종이 생기는 경우에도 불편감이 느껴지는데 이때는 Dk/t가 큰 실리콘하이드로겔렌즈가 장기적으로 볼 때 유리할 수 있다. 그러나, 실리콘하이드로겔렌즈가 반드시 착용감이 좋은 것은 아니므로 환자에 따라 적절하게 적용해야 할 필요가 있다. 렌즈관리가 잘못되거나, 오래된 렌즈 또는, 헤어스프레이나 화장품 등에 오염되어 렌즈침착물이 있는 경우 착용 시 지속적인 불편감을 줄 수 있는데, 실리콘하이드로겔렌즈는 일반 소프트콘택트렌즈보다 지질침착물이 더 잘 달라붙으므로 렌즈세척액에 담가두지만 말고 반드시 문질

러서 침착물을 제거하는 세척방식을 사용하는 것이 좋다. 침착된 렌즈는 새로운 렌즈로 교체하면 증상이 좋아진다.

(4) 착용 시 갑작스런 불편감

가장 흔한 원인은 이물이 렌즈와 각막 사이에 낀 경우인데 이때는 빨리 렌즈를 제거하고 세척하여 끼는 것이 좋다. 이물이 큰 경우는 각막이 벗겨지는 경우도 있으므로 이후에도 통증이 느껴진다면 바로 안과의사의 진료를 받아야 한다. 렌즈 착용시간이 길어짐에 따라 렌즈침착물이 증가하여 불편감을 느끼는 경우도 있다.

(5) 작열감

작열감은 대부분 렌즈관리용액의 방부제 과민반응이나 부적절한 렌즈용액의 사용으로 나타나는데, 방부제의 경우 매우 소량 존재하므로 증상이나 징후도 미세하게 나타난다. 작열감 대신 건조감, 심한 경우는 눈물흘림, 눈부심과 시력 저하가 나타나기도 한다. 화학적 소독제를 연속적으로 사용했을 때 작열감이 나타난다면 이에 대한 과민반응도 의심할 수 있다. 이 경우 무방부제 hydrogen peroxide 소독제를 사용하는 것이 좋다. 그러나 요즘은 MPS를 일반적으로 쓰기 때문에 오히려 이런 렌즈용액으로 인한 작열감이 의심되는 경우에 어떤 요소가 과민반응을 유발하는 것인지 감별하기 어려워지기도 하는데 이때는 일회용렌즈를 사용하는 것이 좋다.

3) 눈부심

여기서 말하는 눈부심(photophobia)은 단순히 과도한 빛에 노출되었을 때 느끼는 불편감을 말하는 것이 아니라 이로 인해 통증까지 유발하는 병적인 상태로 안검경련이나 눈물흘림 등을 동반할 수 있다. 여러 가지 다양한 이유로 생긴 각막상피미란이 흔한 원인이 되지만, 렌즈 착용 적응기간 초기에 눈부심을 호소하는 경우도 있고, 완전히 교정되지 않은 굴절이상이나 잔여난시가 눈부심의 원인이 되기도 한다.[4,6]

표층각막상피미란은 대부분 24시간 내에 회복하는데 이때 항생제 치료가 반드시 필요하지는 않다. 조금 더 깊은 각막미란의 경우는 감염에 대비한 항생제치료가 필요하나

항생제에 포함된 방부제는 각막상피 재생을 지연시키기도 한다는 것을 염두에 두어야 한다. 렌즈와 관련없는 각막미란의 경우는 치료용 렌즈를 사용하여 각막재생을 돕기도 하지만 렌즈로 인해 생긴 각막미란의 경우는 녹농균감염의 위험성 때문에 대체로 치료용렌즈를 사용하지 않는다.[7-9]

4) 건조감

소프트콘택트렌즈사용자가 건조감을 느끼는 것은 매우 흔한데 이는 착용자의 안구 눈물의 질 또는 양이 좋지 않거나 렌즈가 눈물층에 주는 영향에 의한 것일 수 있다. 렌즈를 착용한 눈에서 각막 앞 눈물층의 두께는 절반으로 감소한다고 알려져 있고, 눈물막파괴시간도 더 짧아진다.[9,10] 특히, 소프트렌즈를 착용한 경우, 눈깜박임이 불완전해지면서 각막의 하부가 건조해져서 특징적으로 각막 하부에 점상각막염 또는 결막충혈이 생기면서 건조감을 더 쉽게 느낄 수 있다. 따라서, 소프트렌즈 착용자의 경우에도 초기 적응기간 동안 완전한 눈깜박임(순목운동)을 훈련할 필요가 있다. 일반적인 건조증과 마찬가지로 건조하거나 눈물증발이 쉬운 환경, 약물사용, 컴퓨터, 스마트폰 등의 사용, 운전, 비행기탑승, 임신과 같은 다양한 요소가 소프트콘택트렌즈 사용자들의 건조감을 더 악화시킬 수 있으므로 이에 대한 교육이 필요하다. 건성안이 있는 경우는 고함수율 하이드로겔 렌즈는 눈물이 렌즈 내로 흡수되어 각막표면이 상대적으로 더 건조하게 될 수 있으므로 저함수율렌즈나 중등도 함수율렌즈가 좋다. 그리고 얇은 렌즈보다는 두꺼운 렌즈에서 편안함을 느낀다. 렌즈의 제조과정에서 재질에 polyvinylpyrrolidone이나 polyvinyl alcohol을 함유하게 하여 렌즈착용 시 착용감을 좋게 하고 렌즈의 수화에도 도움을 줄 수 있는 방법도 있다.[11] 안구건조증 발생 시 실리콘하이드로겔렌즈는 함수율이 낮기 때문에 탈수가 덜 된다는 점과 Dk/t가 높아 저산소증으로 인해 생기는 안구표면 염증이나 눈물샘의 손상이 덜하기 때문에 장점이 있다. 하지만, 실리콘하이드로겔렌즈가 건조증을 덜 일으키므로 착용감이 좋을 것이다라고 결론 내리기에는 착용감과 관련된 다른 요소들도 고려해야 하므로 현재로서는 의견이 분분하다.[12-14]

이 외에 렌즈 착용으로 인한 건성안에도 일반적인 건성안과 마찬가지로 무방부제인공누액를 사용하게 하고, 염증반응이 있는 경우 스테로이드제제나 비스테로이드 항염증제 점안, 누관폐쇄 등의 조치가 필요하며 매우 심한 건성안의 경우는 렌즈 사용을 중지하는 것이 좋다.

5) 과도한 렌즈 움직임

렌즈교체주기가 지난 렌즈에 과도하게 침착물이 쌓이는 경우, 렌즈는 쉽게 탈수되고 깜박일 때 눈 밖으로 빠져 나오기도 한다. 또한 뒤집힌 렌즈나 지나치게 편평한 렌즈도 렌즈움직임이 많아질 수 있다. 원인에 따라 그림 18-3과 같이 조치해주는 것이 필요하다.

2. 징후

소프트콘택트렌즈 착용과 관련된 문제 발생시 관찰할 수 있는 징후로는 각막표면염색, 각막부종, 충혈, 각막신생혈관, 각막침윤, 결막거대유두 등이 있다.

1) 각막표면염색

콘택트렌즈 사용에 따라 생긴 각막의 이상을 인지하는데 형광염색은 매우 유용하다. 그러나 하이드로겔렌즈의 경우 간혹 형광염색액에 렌즈 자체가 염색되는 경우가 있으므로 꼭 필요한 경우가 아니면 렌즈를 낀 채로 염색하는 것은 피하는 것이 좋고, 염색검사를 시행한 두 시간 후에 렌즈를 끼도록 교육하도록 한다.

각막의 정상 염색양상은 감염, 기계적손상, 이물질이 낀 경우, 건조, 산소결핍, 부적절한 렌즈 피팅, 렌즈관리용액 과민반응 등에 의해 발생할 수 있다. 렌즈에 의한 기계적 손상은 중심부 각막과 닿는 부위와 렌즈가장자리에서 잘 발생하는데 이로 인해 고리모양의 염색이 생기기도 한다.[6] 렌즈가 찢어지거나 흠이 있는 경우에 각막상피가 손상되어 렌즈 손상 부위와 유사한 모양으로 염색된다.

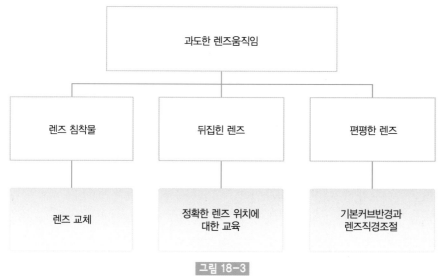

그림 18-3
과도한 렌즈움직임의 원인과 문제해결

상부상피궁상병변
(superior epithelial arcuate lesions; SEALs)

소프트콘택트 착용 시 나타날 수 있는 특이한 각막상피병변으로 보통 각막상부 윤부 근처 10시에서 2시 방향의 상피가 벌어지거나 궁상모양의 각막병증이 생기면서 염색이 되며 윤부와 병변사이에는 이환되지 않은 각막이 존재한다. 원인은 주로 렌즈와 눈꺼풀이 주는 기계적인 원인에 의한 것으로 알려져 있으나 대부분의 환자들의 경우 무증상이거나 경미한 이물감 정도만 느끼므로 반드시 윗눈꺼풀을 들어올려 각막의 상부까지 관찰해야 발견할 수 있다. 눈물의 저장성으로 인해 렌즈피팅이 타이트해질 때 부분적인 건조로 인해 생긴다고 한다. 실리콘하이드로겔렌즈 착용 시에도 생길 수 있는데 이때는 중심주변부에 병변이 생기므로 증상이 있는 경우가 흔하다.[15] 위험요소로 상안검이 타이트한 경우, 동양인, 가파른 각막, 렌즈 재질과 디자인, 눈물막이 좋지 않은 경우, 가파르게 피팅된 렌즈 착용이 있다. 치료는 상피병변이 회복될 때까지 렌즈 착용을 중지하고 렌즈디자인이나 함수율이 다른 재질의 렌즈로 바꾸는 것이다. 실리콘하이드로겔렌즈나 RGP렌즈로 교체할 수도 있다.

렌즈와 각막상피사이에 상피부스러기나 이물, 또는 침착물이 있는 경우 각막염색소견을 보인다. 앞서 기술한 바와 같이 소프트콘택트렌즈 사용 시 불충분한 눈깜박임이나 렌즈탈수 시 각막하부의 점상 염색소견을 보이고, 렌즈관리용액에 대한 과민반응의 경우 미만성 표층점상각막염색소견을 보이는데 이때 양안에서 나타나고 원인물질을 제거하면 호전된다(그림 18-4). 이때 심한 이물감이 동반되는 경우 냉찜질이 도움이 되기도 한다.

렌즈제거 시에 손톱으로 각막상피를 손상시키는 경우는 대체로 렌즈를 잡는 부위 주변부 각막에 궁상 또는 Ⅴ자 모양의 손상이 발견되는데 이런 손상이 의심되는 경우 환자가 렌즈를 제거하는 모습을 관찰하여 재교육하는 것이 필요하다. 부적절한 소프트콘택트렌즈 덮임 또는 렌즈하방이탈의 경우 각결막 접합부위에 염색이 되고 이 부위는 충혈이 있는 것이 보통이다. 이때는 렌즈 직경이 큰 렌즈로 바꾸어 주는 것이 필요하다. 원인에 따른 각막염색양상을 그림 18-5에 정리하였다.

2) 각막부종

16절에서 다루었듯이 콘택트렌즈를 착용하면 각막에 산소공급이 제한적이고, 특히 소프트콘택트렌즈의 경우 산소투과율이 RGP렌즈에 비해 적기 때문에 저산소증과 관련된 각막의 생리 변화가 더 빈번히 생기게 된다. 저산소증은 각막상피부터 내피까지 영향을 주어 결국은 각막의 부종을 유발하게 되는데, 이때 시력 저하, 뿌옇게 보이는 증상, 근시

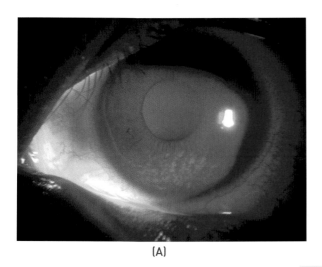
(A)

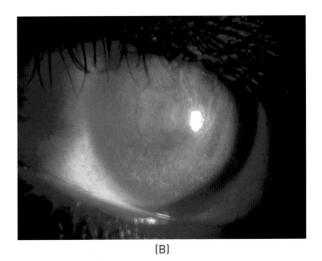
(B)

그림 18-4

렌즈 착용 관련 건성안(A)과 렌즈용액 과민반응(B)

렌즈가 닿는 부위

렌즈가장자리가
찢어진 경우

각막상피 벌어짐

렌즈 후면 이물

각막건조,
불완전눈감박임

렌즈관리용액
과민반응

렌즈제거 시 손상

불충분한 렌즈커버

그림 18-5

다양한 원인에 따른 각막염색양상

전환(myopic creep/shift) 등의 증상이 발생하고 세극등현미경 검사상 각막상피부종을 나타내는 미세낭포(microcyst)와 각막실질부종을 나타내는 선조(striae), 더 진행하면, 데스메막 주름의 순서로 부종소견이 관찰되며 내피세포에도 변화가 생기고 각막곡률이 가팔라지기도 한다.[16,17]

잠자는 동안 눈꺼풀에 덮힌 각막은 일반적으로 4% 정도의 부종이 생기는데, 렌즈를 착용한 채로 눈을 감게 되면 부종은 8~15%로 증가한다고 알려져 있다. 실리콘하이드로겔렌즈는 일반하이드로겔렌즈에 비해 8배 높은 산소투과율을 가지기 때문에 연속착용렌즈로 사용하였을 때에도 렌즈 착용을 하지 않은 대조군과 마찬가지로 4% 정도의 각막부종만 유발시킨다고 한다. 따라서, 연속착용렌즈

(extended wear lenses)의 저산소증으로 인한 합병증 위험성을 낮추었다.[18,19]

일반하이드로겔렌즈 착용 시 각막부종이 관찰되면 렌즈 사용을 중지하고 Dk/t가 높은 실리콘하이드로겔렌즈로 바꾸는 것이 권장된다. 하이드로겔렌즈의 산소투과율은 함수율과 렌즈두께에 의해 결정되는데 함수율이 높을수록, 렌즈두께가 얇을수록 증가한다. 렌즈의 중심두께보다는 렌즈의 평균두께가 더 중요하고, 같은 중심두께라면 도수가 높은 렌즈가 더 부종을 유발하게 된다.[20] 그러나, 장기간 렌즈를 낀 눈은 결국 각막실질세포(keratocyte)의 세포사 또는 압박으로 인해 각막실질이 얇아진다고 보고된 바 있다.[21,22] 이를 바탕으로 렌즈장기착용자에서 각막부종이 관찰된다면 실제 각막부종의 양은 실질이 얇아진 것까지 감안하면 더 심각한 수준임을 짐작할 수 있다.

렌즈유착증후군(tight lens syndrome)

너무 꽉 조이는 렌즈의 경우 렌즈 움직임이 거의 없는데, 이때 렌즈와 각막 사이의 눈물 흐름이 차단되기 때문에 저산소증, 낮은 pH로 인해 각막부종, 특히 상피와 기질의 부종이 일어날 가능성이 높다. 꽉 조이는 렌즈의 경우 렌즈에 의한 음압에 의해 윤부의 혈관이 눌러서 결막충혈이 생긴다. 세극등현미경상에서 렌즈의 가장자리의 혈관은 울혈되고 렌즈 아래에 있는 혈관은 혈류가 통하지 않아 창백한 것을 확인할 수 있다(그림 18-6). 눈을 깜박여도 렌즈는 움직임이 없고 대신 결막이 움직이는 것을 관찰할 수 있다(conjunctival drag). 이런 현상이 보이면 렌즈의 BCR을 편평하게 또는 렌즈의 직경을 줄이는 것이 예방에 도움이 된다. 주로 연속착용 하이드로겔렌즈를 착용하는 동안 또는 자고 일어나서 급작스런 통증과 충혈, 시력저하를 동반하여 나타나며 이때는 즉시 렌즈를 빼야 하며 실리콘하이드로겔 재질의 연속착용렌즈로 바꿔주는 것이 좋다.[23]

컬러콘택트렌즈에 의한 각막 변화

최근 사용 증가 추세에 있는 미용컬러콘택트렌즈의 경우 각막의 기계적 손상과 저산소증으로 인한 징후들이 좀 더 빈번하고 심각하게 일어나는 경향이 있다. 특히, 저가의

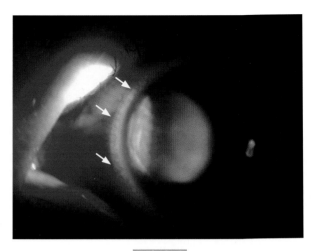

그림 18-6

렌즈유착증후군에서 보이는 렌즈 제거 후 윤부 압박소견

허가 받지 않은 경로로 판매하는 렌즈들은 렌즈자체의 불량, 주요 사용층의 렌즈 위생에 대한 인식 부족, 이로 인한 합병증 발생시 적절하게 조치하기 힘든 점등이 복합적으로 작용하여 좀 더 심각한 상태에서 내원하는 경우가 많다.[24] 이런 저가렌즈 중 각막과 닿는 렌즈 후면에 색소가 노출되어 있는 경우, 각막의 점상각막염이 전반적으로 발생하고 심한 경우에는 각막상피의 광범위 찰과상이 생기기도 한다(그림 18-7A). 각막의 광범위한 손상이 지속되면, 각막상피의 회백색변화, 상피능선의 형성 등 각막표면의 불규칙성이 증가하여 불규칙난시가 발생하고 이로 인해 안경으로도 시력교정이 안 되는 상태로 내원하는 경우도 흔하다(그림 18-7B). 이런 현상은 윤부세포결핍으로 인한 징후이기도 한데, 10~20년간의 일반소프트콘택트렌즈 착용자에서 드물게 관찰되는 현상으로 대부분의 컬러콘택트렌즈 사용자가 10대임을 감안하면 컬러콘택트렌즈 착용자에게는 더 짧은 착용기간내에 윤부세포결핍도 생길 수 있음을 시사한다.[25,26] 제대로 된 컬러콘택트렌즈의 경우 Dk/t가 일반 소프트렌즈와 다르지 않다고 보고된 바 있으나(라미네이트 공법은 예외임)[27], 다수의 각막상피공포와 미세낭포가 공존하며 각막의 심한 부종으로 홍채가 관찰되지 않을 정도의 저산소증 증상도 흔히 관찰된다(그림 18-7C, D). 증상이 있는 또는 무증상의 컬러콘택트렌즈 착용자에서 각막신생

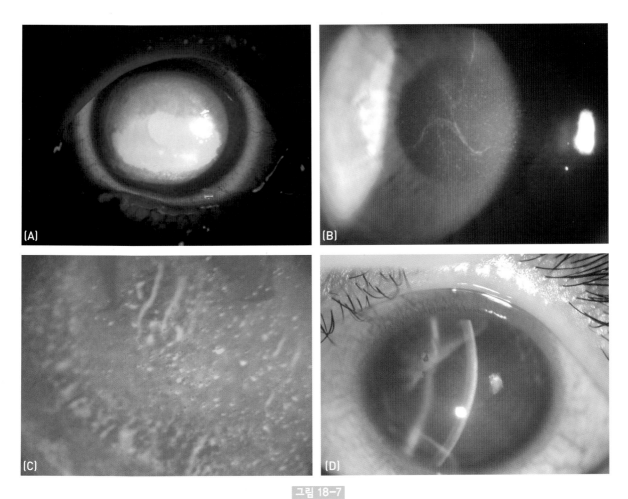

그림 18-7

컬러콘택트렌즈 사용 후 합병증. 광범위한 각막찰과상(A), 상피능선을 동반한 각막표면불규칙소견(B), 상피미세낭포와 공포의 혼재소견(C), 각막부종(D)

혈관이 360도 윤부에 관찰되는 것도 드물지 않다. 이 경우 렌즈 사용을 각막의 변화가 회복될 때까지 중지하고 무방부제 인공누액이나 인공누액겔, 혈청을 포함한 인공누액등을 사용하며, 증상에 맞게 항염증안과용제를 사용하는 것이 도움이 된다. 그러나, 무엇보다도 대부분 어린 연령대인 컬러콘택트렌즈합병증 환자들에게 렌즈 합병증으로 인해 영구적인 시력저하까지 유발될 수 있음에 대해 강력히 경고하고 부모에게도 이런 상황에 대해 설명하여, 되도록 렌즈 착용을 부모의 관리감독 하에서 할 수 있도록 교육하는 것이 중요하다.

3) 충혈

(1) 전반적인 충혈

일반적으로 렌즈 착용자가 임상적인 증상이나 징후를 호소할 때 충혈을 호소하는 경우가 많다. 이때 충혈이 렌즈와 관련된 것인지, 렌즈와 관계 없이 알레르기, 건성안, 수면부족, 외상 등에 의한 것인지를 면밀한 문진으로 감별해 내는 것이 필요하다. 렌즈와 관련되었다고 판단되면 렌즈와 각막의 피팅 문제, 렌즈 상태, 렌즈 착용시간 등에 대한 확인이 우선적이다. 원인에 관계 없이 중등도 이상의 충혈은 감염과 각막궤양의 가능성을 염두에 두고 응급상황으로 간주하며 치료해야 한다.

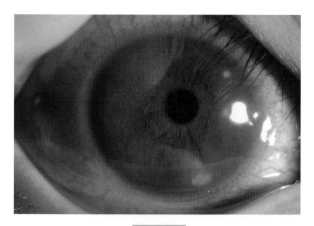

그림 18-8
콘택트렌즈관련 급성 충혈안

렌즈를 끼자마자 충혈이 된다면 렌즈관리용액에 대한 과민반응을 먼저 고려해야 하며 렌즈 소독 후 충분히 헹구지 않거나 부적절한 렌즈용액을 사용했는지 등을 확인할 필요가 있다. 이 경우, 렌즈관리용액을 기존 사용하던 것과 다른 종류의 방부제 또는 무방부제 용액으로 교체하거나 렌즈를 일회용으로 바꾸는 것이 좋다.

매일착용렌즈를 끼는 시간이 늘어나거나 연속착용렌즈를 끼는 경우 각막저산소증, 타이트렌즈, 렌즈침착물의 증가, 렌즈의 손상으로 인한 충혈이 일어날 수 있다. 원인에 따라 앞서 기술된 원인 제거로 조치를 취하면 된다. 물론 렌즈 제거 후 각막의 상태를 확인하고 각막의 병변이 확인되면 이에 대한 치료도 필요하다.

콘택트렌즈유발 급성충혈안

(contact lens-induced acute red eye)

이 또한 렌즈유착증후군과 마찬가지로 연속착용렌즈를 끼고 잔 후 일어났을 때 충혈과 눈물, 자극감 또는 통증을 느끼는 질환이다. 3분의 1의 환자들은 자다가 심한 통증 때문에 깨어나기도 한다. 세극등 검사상 결막과 윤부주변부의 충혈, 미만성으로 환상으로 분포하는 다수의 국소적 침윤, 심한 경우 전방의 염증 소견이 나타나며 침윤이 각막중심부에 생겼을 때는 시력저하가 있을 수 있다(그림 18-8). 증상을 느끼는 환자는 즉시 렌즈를 빼고 심한 경우에는 냉찜질을 하며 인공누액을 자주 사용하고 심한 전방염증이

있을 때는 항염증제재를 사용할 수 있다. 일반적으로 렌즈를 뺀 즉시 증상은 호전을 보이고 3일내로 완전히 좋아진다. 각막침윤소견은 2주 정도까지는 지속될 수 있으나 6주 후에는 거의 없어진다.[28] 각막이 깨끗해지면 다시 연속착용렌즈를 시작할 수 있으나 같은 증상이 재발할 수 있음을 주지시켜야 한다. 렌즈에 군집하는 *P.aeruginosa*와 같은 그람음성세균이 콘택트렌즈 유발 급성 충혈안 발생과 연관이 있다는 보고도 있다.[29,30]

(2) 부분 충혈

결막의 일부만 충혈되어 있다면 해당 부위에 자극이 있는 상태라고 해석하면 된다. 렌즈의 일부가 손상되어 있거나 렌즈침착물이 부분적으로 있는 경우에 해당 인접 부위의 부분 충혈이 관찰된다. 렌즈가 검열반을 눌러서 자극하면 해당 부위의 부분충혈이 생길 수 있다. 이때는 더 작거나 큰 직경의 렌즈로 교체하여 렌즈가 직접 검열반을 누르지 않도록 해야 하고 이것이 잘 되지 않는 경우 RGP렌즈로 교체하는 것이 좋다.

콘택트렌즈관련 상윤부 각결막염

흔히 알려져 있는 상윤부 각결막염(Superior limbic keratoconjunctivitis of Theodore)은 상윤부 결막의 국소적인 충혈과 결막염색소견, 상윤부 각막의 필라멘트각막염, 해당부위와 닿는 상안검판결막의 국소적인 유두반응이 특징적으로 상윤부의 결막이 느슨해지거나 늘어져 있는 것이 관찰된다. 원인은 안검과 안구간 기계적 자극에 의한 것으로 알려져 있다. 이와 유사하게 소프트콘택트렌즈를 착용하는 사람에서 나타나는 상윤부각결막염은 렌즈 가장자리의 기계적인 자극 및 저산소증과 연관되어 있다고 알려져 있고, 예전에 사용하던 thimerosal 첨가 렌즈용액의 사용시 관찰되기도 하였다. 이환 시 환자는 렌즈 착용이 점점 불편해지고 상윤부 결막의 충혈과 염색소견, 상부각막의 침윤과 부종이 관찰되며 미세판누스가 생기고 상안검판결막의 유두반응이 생긴다(그림 18-9). 렌즈를 중지하고 방부제가 없는 렌즈용액을 사용하며 무방부제 인공누액을 사용하는 것이 치료법으로 완치되는데 수개월이 소요되기도 한다.[31]

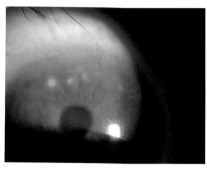
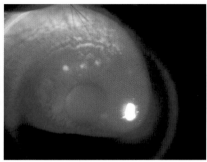
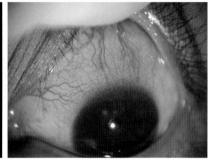

그림 18-9

콘택트렌즈관련 상윤부각결막염의 각막소견. 상윤부 부종과 상부각막침윤, 판누스 형성, 상윤부결막 충혈이 관찰된다.

4) 각막신생혈관

가파른 피팅의 렌즈 착용 시 윤부의 혈관이 눌리게 되면 기존에 있던 윤부의 모세혈관들이 울혈된다. 또한 저산소증으로 인해 주변부 각막의 부종이 일어나게 되면 주변부 혈관이 산소를 공급하기 위해 각막으로 침투하게 된다. 따라서, 연속착용 소프트콘택트렌즈 사용이나 주변부가 두꺼운 고도근시용 렌즈 또는 프리즘밸러스트 공법의 소프트 토릭렌즈 착용 시 각막신생혈관이 더 잘 발생하게 된다. 이처럼 콘택트렌즈로 인해 생기는 각막신생혈관은 혐기성 대사, 각막 내 염증세포, 손상된 각막상피세포들이 분비하는 혈관자극물질이 관련되고, 락틱산(lactic acid)이 쌓이고 이러한 찌꺼기들을 제거해내야 하는 결막의 정맥시스템이 렌즈에 눌려서 제대로 작동하지 않은 것 등에 의해 발생하게

된다.[32,33]

신생혈관의 유무 및 길이는 윤부에서 결막이 완전히 끝난 부위의 투명한 각막부위에서 관찰해야 한다. 소프트 콘택트렌즈 착용자들에서 윤부에서 1.0~1.5 mm 길이의 각막신생혈관은 매우 흔하며 고리를 만들고 있고(looped vasculature) 저절로 없어지기도 한다(그림 18-10A). 이런 신생혈관은 발생해도 대개는 아무런 증상이 없다. 그러나, 가지를 내며 뻗어나가는 신생혈관은 저산소 자극이 지속되는 경우 각막의 중심부까지 진행 될 수 있고 신생혈관이 출혈을 유발하거나 투과성이 증가하여 주위로 지방침착이 되는 경우가 있어 주의를 요한다(그림 18-10B).[34]

신생혈관의 치료로는 무엇보다도 렌즈 사용을 중지하거나 렌즈 착용시간을 줄이고 좀 더 Dk/t가 높은 재질의 렌

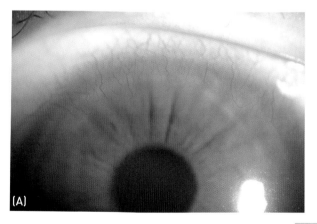
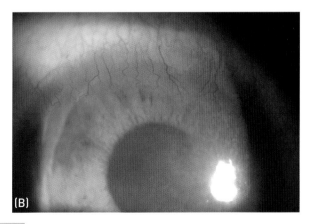

그림 18-10

초기 신생혈관(A)과 진행되어 가지를 내며 뻗어가는 신생혈관(B)

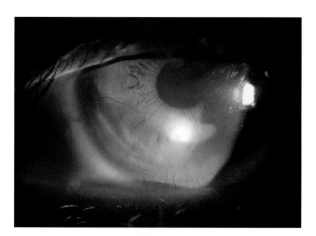

그림 18-11
지질각막병증

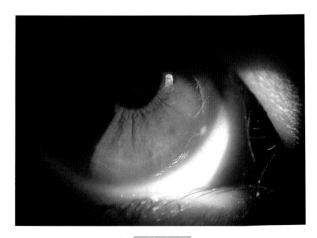

그림 18-12
주변부각막침윤

즈 또는 RGP렌즈로 바꾸는 방법이 있다.

지질각막병증

각막신생혈관으로 인해 혈청 성분 중 지질성분이 각막에 침착 되면 각막의 영구적인 혼탁이 생기게 된다(그림 18-11). 이를 막기 위해 점안스테로이드 제재를 사용하거나 아르곤레이저 또는 광역학치료로 혈관의 흐름을 막기도 하고 항VEGF 제재를 결막이나 병변에 주사하여 혈관을 줄이기도 한다.[35,36] 시축을 침범하는 지질각막병증으로 심각한 시력저하가 일어났을 경우는 각막이식술을 시행해야 한다.

5) 각막침윤

각막감염과 구별해야 하는 각막침윤은 윤부혈관에서 배출된 염증세포가 각막실질에 침투하여 생긴 급성염증반응이다. 침윤에는 대식세포와 림프구가 포함되어 있긴 하지만 대부분 다형핵백혈구로 이루어져 있다. 백혈구침습의 화학주성자극은 외상, 바이러스성, 알레르기, 독성자극과 관리용액의 방부제, 부적절한 렌즈 피팅이나 상태, 독성환경요인, 만성안검염에서 발생하는 세균성 독소등과 관련되어 있다. 소프트콘택트렌즈와 관련된 각막침윤은 심각한(serious), 임상적으로 유의한(clinically insignificant), 임상적으로 의미 없는(clinically insignificant) 침윤으로 나눌 수 있는데, 심각한 침윤은 시력저하를 유발할 수 있는 감염성각

막염에 국한된다.[37] 임상적으로 유의한 침윤은 증상이 있는 콘택트렌즈유발 주변부궤양(contact lens-induced peripheral ulcer)과 앞서 언급된 콘택트렌즈유발 급성충혈안, 침윤성 각막염 등이 있고 증상이 없는 침윤성 각막염이나 각막침윤은 임상적 의미 없는 침윤으로 분류된다.

콘택트렌즈유발 주변부궤양
(contact lens-induced peripheral ulcer)

콘택트렌즈유발 주변부궤양은 주로 소프트콘택트렌즈 착용자에서 발생하고 특히 밤에도 끼고 자는 연속착용렌즈 착용 시 많이 발생한다(그림 18-12). 증상이 없는 경우도 있으나 대부분의 경우 약간의 불편감, 경도의 국소충혈, 눈부심과 경도의 분비물이 동반된다. 세극등현미경 소견상 주변부의 원형 또는 선형의 침윤이 상피결손 없이 관찰되며, 1 mm 이하의 작은 크기로 때로는 다발성으로 나타나기도 하고 전방염증은 드물다. 이런 병변은 대부분 무균성이므로 세균배양 검사를 하는 경우는 드물다. 하지만, 이 병변은 방부제, 세균, 세균성산출물, 콘택트렌즈 침착물 등에 대한 염증성 과민반응에 의하므로 염증세포는 존재한다. 조직학적으로 보우만막은 침범하지 않은 것으로 알려져 있다.[38]

세균성 각막염과의 감별진단이 중요한데, 세균성 각막염은 증상이 보다 급성이고 병변은 보다 중심부 쪽이며 크기가 크고 전방염증소견이 흔하게 보인다.

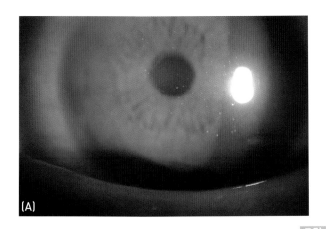
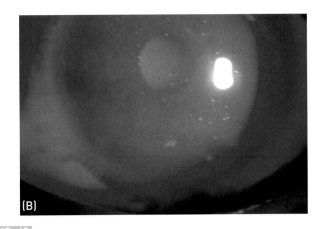

그림 18-13

렌즈를 낀 상태에서 관찰되는 뮤신볼과 렌즈 제거 후 형광염색 되는 상피오목

렌즈 착용을 중지하고 무방부제 인공누액과 필요한 경우 조심스럽게 스테로이드 점안제를 사용하면 증상완화에 도움이 된다.

6) 각막상피 또는 상피 내에서 관찰되는 다수의 점상 소견의 감별진단

콘택트렌즈 착용자를 정기검진 하다 보면 증상은 없으나 각막표면 또는 각막과 렌즈 사이에 다수의 점상 소견이 관찰되는 경우가 종종 있다. 이는 렌즈표면에 침착된 렌즈 침착물 중 지질이나 점액에 의한 것일 수도 있고, 이런 침착물이 각막표면을 눌러서 렌즈를 제거해도 표면에 눌린 자국이 상피오목(epithelial pit)으로 남아 있어 형광염색시 고임으로써 관찰될 수도 있다. 특히 실리콘하이드로겔렌즈 착용자에서 많이 발견되는 뮤신볼(mucin ball)은 렌즈를 착용하고 나서 수 분 내에 생길 수 있고 그 크기가 10~50 μm로 다양하며 200 μm까지 보고된 경우도 있다(그림 18-13A).[39,40] 일반적으로 동그랗거나 도넛모양으로 관찰된다. 이는 실리콘하이드로겔렌즈를 가파른 각막에 착용했을 때 더 잘 생긴다고 하는데, 이로 미루어 콘택트렌즈가 각막에 닿으면서 눈물층의 점액질이 붕괴되어 각막상피를 함입시키면서 생기는 것으로 추정한다(그림 18-14).[41] 따라서, 렌즈가 움직여도 뮤신볼의 위치는 변하지 않으며, 렌즈 제거 후 상피오목이라는 함입된 부위를 형광염색으로 인지할 수 있다(그림 18-13B).

또 어떤 경우에는 각막상피의 미세낭포(epithelial microcyst)나 공포(epithelial vacuole)가 유사하게 보이기도 하는데 이들은 저산소증에 대한 반응으로 생기는 것으로 미세낭포의 경우 비정상적인 대사에 의해서 무질서하게 상피증식이 된 것으로 역광에서 잘 관찰되며, 공포는 내부에 액체로 채워져 있어 직접조명에서도 잘 보인다.[42,43] 둘 다 터지지 않는 경우 염색이 되지는 않으나 형광염색 처리 시 울퉁불퉁한 표면이 잘 드러나 보여 관찰하기 쉽다. 표 18-1에 이들의 감별법에 대해 정리하였다. 상피물집(epithelial bullae)이나 홈 광막(dimple veiling)은 유사한 소견이나 주로 RGP렌즈 착용 시에 나타난다.

7) 결막유두반응

콘택트렌즈유발 유두결막염

(contact lens-induced papillary conjunctivitis)

콘택트렌즈유발 유두결막염 또는 거대유두결막염(Giant papillary conjunctivitis)은 저명한 유두 비대와 윗눈꺼풀 판결막 충혈 및 과도한 점액질 분비물, 안구소양감과 불편감등으로 진단된다. 콘택트렌즈유발 유두결막염은 렌즈 착용자가 렌즈를 중지하는 가장 흔한 원인 중 하나로 모든 렌즈 종류에서 발생할 수 있으나 RGP렌즈 보다는 소프트 콘택트렌즈 사용자에서, 매일착용렌즈보다는 연속착용렌즈 사용시 더 빈발한다고 알려져 있다. 일반적인 하이드로겔렌

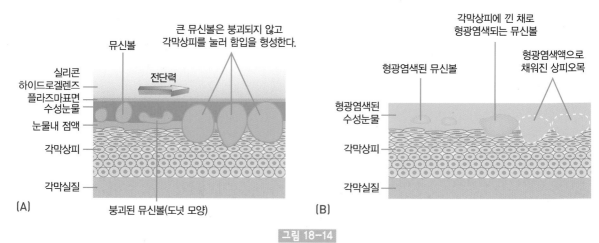

그림 18-14

뮤신볼이 생기는 기전(A)과 형광염색 시 관찰되는 양상(B)

표 18-1 소프트콘택트렌즈 착용 시 나타날 수 있는 각막상피현상의 감별

	크기(μm)	모양	색	분포	광학적 양상	형광염색 유무	관련렌즈 유형
뮤신볼	10~200	구형 또는 도넛 모양	회색	상부각막에 더 많이 분포	역광에 잘 보임	염색됨	실리콘하이드로겔렌즈
상피오목 (뮤신볼 관련)	10~200	구형	투명	상부각막에 더 많이 분포	직접조명	염색됨	실리콘하이드로겔렌즈
상피미세낭포	5~30	구형 또는 불규칙한 모양	회색	전체 각막	역광에 잘 보임	염색 안 됨	Dk/t가 낮은 렌즈
상피공포	5~30	구형	투명	중간주변부	직접조명	염색 안 됨	Dk/t가 낮은 렌즈

즈가 전반적인 눈꺼풀판 결막의 유두반응을 유발하는 것에 비해 국소적인 유두반응이 관찰되는 경우는 실리콘하이드로겔렌즈 사용시에 빈번한 것으로 보고되었다.[44,45] 또한 렌즈 크기와 재질의 차이로 인해서 RGP렌즈와 소프트 콘택트렌즈 사용자에서 유두반응이 발생하는 위치도 차이가 있다. 위눈꺼풀판결막을 상부부터 3등분 하였을 때, 가장 상부 3분의 1구역을 1구역으로 명명하고 차례로 2,3구역으로 나누는 경우(그림 18-15), 소프트콘택트렌즈 사용자의 경우 1구역에서 시작하여 점차 하부눈꺼풀결막으로 진행하는 양상을 보인다.

콘택트렌즈 유발 유두결막염의 원인은 확실하지는 않으나 면역기전과 기계적 자극에 의한 것으로 설명되고 있다. 제 1형 Ig E 매개 과민반응과 제4형의 지연과민반응이 복합적으로 관여하는데 렌즈 재질 자체에 의한 것보다 오히려

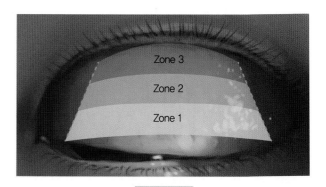

그림 18-15

위눈꺼풀판의 구역

렌즈침착물에 대한 면역반응이라는 연구도 있다.[46] 렌즈에 의한 기계적 자극은 항원이 점막에 접근하기 용이한 환경을 만들어줘서 유두결막염을 일으키는 원인이 된다. 실리콘 재질은 소수성으로 침착물이 잘 생기는데, 초기 실리콘하

이드로겔렌즈는 이런 성질과 더불어 모듈루스가 높아서 기계적 자극도 더 유발하였기 때문에 유두결막염을 일으키기 쉬웠다. 점차 모듈루스가 낮은 실리콘하이드로겔렌즈가 개발되어 유두결막염의 발생은 줄어들고 있다.

윗눈꺼풀판 결막에 경도의 충혈이 보이는 것이 종종 콘택트렌즈유발 유두결막염의 시작징후이며 작은 점액질이 동반할 수 있다. 렌즈의 경한 침착물 소견, 점액의 증가(1단계)로 시작하여 과다한 점액 발생, 거대유두, 심각한 렌즈 침착물(4단계)까지로 점진적으로 진행한다. 이때 환자의 증상이 징후보다 선행할 수도 있는데 아침에 점액성 눈꼽이 끼고 가려움증이 느껴지다가(1단계) 심각한 충혈, 중등도 이상의 가려움증, 잠에서 깨어났을 때 눈꺼풀이 붙을 정도의 과도한 눈꼽, 과도한 렌즈움직임으로 인해 렌즈 착용 시 불편감이 심해져서 렌즈 착용이 힘들어진다(4단계). 가성안검하수가 생기는 경우도 보고되었다. 각 단계별 징후와 증상은 표 18-2에 정리하였다.[2]

치료

콘택트렌즈유발 유두결막염의 치료는 렌즈의 문제점을 교정해주는 것과 눈에 생긴 증상과 징후를 경감시키는 두 가지 원칙으로 시행하면 된다. 렌즈를 사용하지 않으면 경도의 콘택트렌즈유발 유두결막염은 5일 내에 호전되지만, 렌즈 착용자에게 무조건 렌즈를 사용하지 못하게 하는 것보다는 관리를 통해 렌즈를 유지할 수 있도록 하는 것이 좋

표 18-2 콘택트렌즈 유발 유두결막염의 단계별 증상과 징후(그림 18-16)

	증상	징후
1단계	소수의 점액가닥, 경도의 소양감	없음
2단계	경도의 점액가닥 중등도의 소양감 약간의 렌즈불편감 렌즈 착용 시 약간의 시력저하 유두위에 약간의 점액막	경도의 렌즈침착물 정상유두의 상승 거대유두 출현시작 경도의 충혈
3단계	중등도 또는 중증의 점액 중등도 또는 중증의 소양감 간헐적인 시력저하와 눈깜박임의 증가 약간의 렌즈 움직임	중등도 또는 중증의 렌즈 침착물 유두의 수, 크기 및 높이 증가 다양한 정도의 충혈과 부종 다량의 점액
4단계	중증의 점액 중등도 또는 중증의 소양증 과도한 렌즈 착용 시 불편감과 통증 시력저하 과도한 렌즈 움직임	심한 렌즈 침착물 평평한 상부를 가진 거대유두 저명한 충혈과 부종 과도한 점액

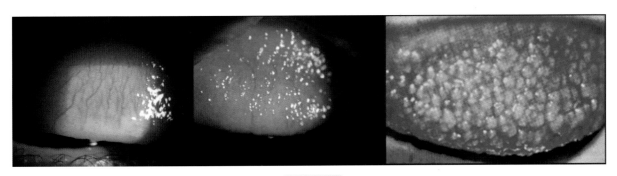

그림 18-16

콘택트렌즈 유발 유두결막염. 좌로부터 2단계, 3단계, 4단계 소견을 보이고 있다.

다. 1단계와 2단계의 콘택트렌즈유발 유두결막염이라면 새 렌즈로 바꾸고 원래 권장되는 교환주기 보다 더 자주 렌즈를 교환해주도록 교육한다. 렌즈세척과 효소세척도 더 자주 해주어 렌즈침착물의 발생을 막는 것이 중요하다. 함수율이 낮고 비이온성 렌즈 재질로 만든 렌즈로 바꾸는 것도 도움이 되고 일회용렌즈를 사용하는 것이 가장 안전하고 효과적인 방법이다. 증상이 있는 경우 점안 비만세포안정제나 항히스타민제재를 렌즈 끼기 전과 후에 사용하면서 렌즈 착용을 계속할 수 있다. 3단계와 4단계의 심한 콘택트렌즈유발 유두결막염은 병적인 변화들이 더 이상 진행하지 않게 하기 위해 원칙적으로 렌즈 착용을 중지해야 한다. 치료로 충혈, 과도한 점액발생, 가려움증이 사라진 후에 다시 렌즈 착용을 시작하는 것이 좋지만 결막유두 반응은 수개월에서 수년간 지속될 수 있으므로 렌즈 시작의 지표로 유두반응이 소실되기를 기다릴 필요는 없다. 또한 이때는 점안 스테로이드 사용이 도움이 된다.[47] 일반적으로 일회용렌즈와 비만세포안정제 및 항히스타민제 점안 사용으로 93%의 환자들이 렌즈 착용을 계속할 수 있게 된다고 한다.[48]

이상에서, 소프트콘택트렌즈 착용 중에 일어날 수 있는 합병증과 그 문제해결법을 알아보았다. 소프트콘택트렌즈 착용 시 합병증을 예방하는 가장 좋은 방법은 일회용, 매일착용, 연속착용렌즈를 권장되는 용도로 바르게 사용하면서 철저하게 관리하는 것이다. 또한 이상이 생겼을 때 무리하게 렌즈 착용을 지속하는 것은 더 심각한 합병증을 유발할 수 있으므로 즉각 렌즈 착용을 중지하고 안과의사의 진료를 받도록 교육하는 것이 중요하다.

▶ 참고문헌

1. Benjamin WJ HR. Surface coating: the fatal facade. Contact Lens Forum 1979;4:107–9.

2. Campbell JB HV, Woo S., ed. Soft Lens Problem Solving. 4th ed. Philadelphia, PA LIPPINCOTT WILLIAMS & WILKINS; 2014.

3. MD S. Vision with hydrophilic contact lenses. J Am Optom Assoc 1972;43:316–20.

4. C. S. Aspheric hydrogels "correct" minimal astigmatism? Contact Lens Spectrum 2000;15:15.

5. P. B. Refining toric soft lens correction. . Contact Lens Forum 1988;13:53–8.

6. Thomas CC, ed. Contact Lens Practice. 4th ed. IL: Springfield; 1988.

7. Clemons CS CE, Arentsen JJ, et al. Pseudomonas ulcers following patching of corneal abrasions associated with contact lens wear. CLAO J 1987;13:1–4.

8. Sindt CW LR. Contact lens strategies for the patient with dry eye. Ocul Surf 2007;5:294–307.

9. Nichols JJ MG, King–Smith, PE. Thinning rate of the precorneal and prelens tear films Invest Ophthalmol Vis Sci 2005;46:2353–61.

10. Epstein AB SR. Surface and polymer chemistry: the quest for comfort. In: Rev Cornea Cont Lens: http://www.reviewofcontactlenses.com.; April 2010.

11. Peterson RC WJ, Nick J, et al. Clinical performance of daily disposable soft contact lenses using sustained release technology. Cont Lens Anterior Eye 2006;29.

12. Dumbleton K KN, Moezzi A, et al. Objective and subjective responses in patients refitted to daily–wear silicone hydrogel contact lenses. Optom Vis Sci 2006;83:758–68.

13. Santodomingo–Rubido J B–NE, Rubido–Crespo M–J. . Ocular surface comfort during the day assessed y instant reporting in different types of contact and non–contact lens wearers. Eye Contact Lens 2010;36:96–100

14. Guillon M. Are Silicone Hydrogel Contact Lenses More Comfortable Than Hydrogel Contact Lenses? Eye & Contact Lens 2013;39:86–92.

15. O'Hare NA, Nauduvilath, T.J., Jalbert, I. et al. Superior epithelial arcuate lesions(SEALs): a case contral study. Invest Ophthalmol Vis Sci 2000;41:S74.

16. Kame RT HJ, ed. Lens evaluation procedures and problem solving. Philadelphia, PA: JB Lippincott Co; 1991.

17. Jalbert I, Stretton, S., Naduvilath, T.j. et al. changes in myopia with low Dk hydrogel and high Dk silicone hydrogel extended wear. Optom Vis Sci 2004;81:591–6.

18. Sweeney D FD, Evans K. Silicone hydrogels: the evolution of a revolution. Contact Lens Spectrum 2006:14–9.

19. Steffen RB SC. The impact of silicone hydrogel materials on overnight corneal swelling. . Eye Contact Lens 2007;33:115–20.

20. Holden BA MG, McNally JJ. Corneal swelling response to contact lenses worn under extended wear conditions. Invest Ophthalmol Vis Sci 1983;24:218–26.

21. Jalbert I, Stapleton, F. Effect of lens wear on corneal stroma: preliminary findings. Aust NZJ ophthalmol 1999;27:211–3.

22. Kallinikos P, Efron , N. On the etiology of keratocyte los during contact lens wear. Invest Ophthalmol Vis Sci 2004;45:3011–20.

23. M.Moodaley LC, ed. Medical aspects of contact lenses, diagnosis and treatment. 5th ed. Philadelphia, PA: Butterworth Heinemann; 2007.

24. Young G YA, Lakkis C. Review of complications associated with contact lenses from unregulated sources of supply. Eye Contact Lens 2014 40:58–64. .

25. Chan CC HE. Severe limbal stem cell deficiency from contact lens wear: patient clinical features. Am J Ophthalmol 2013;155:544–9.

26. Choi HJ Y, Lee JH, et al. . Clinical Features and Compliance in Patients with Cosmetic Contact Lens-Related Complications. J. Korean Ophthalmol Soc 2014;55:1445–51.

27. M BWaR. EOPs of tinted lenses. Contact Lens Spectrum 1986;1:12–6.

28. Sweeny DF, Jalbert, I., Covey, M. et al. Clinical characterisation of corneal infiltrative events observed with soft contact lens wear. Cornea 2003;22:435–42.

29. Holden BA, La Hood, D., Grant, T. et al. Gram-negative bacteria can induce contact lens related acute red eye(CLARE) response. Contact Lens Assoc Ophthalmol J 1996;22:47–52.

30. Sankaridurg PR, Vuppala, N., Sreedharan, A. et al. Gram negative bacteria and contact lens induced red eye. Ind J Ophthalmol 1996;44:29–32.

31. Charles McMonnies RL, ed. After-care. 5th ed. Philadelphia, PA: Butterworth Heinemann; 2007.

32. CW. M, ed. Corneal vascularization. Philadelphia, PA: JB Lippincott Co; 1991.

33. JJ. A. Corneal neovascularization in contact lens wearers. International Ophthalmology Clinics 1986:15–23.

34. 한국콘택트렌즈연구회, ed. 렌즈의 관리와 관련된 합병증. 서울: 내외학술; 2007.

35. Mendelsohn AD, Stock, E.L., Lo, G.G. et al. Laser photocoagulation of feeder vessels in lipid keratopathy. Ophthalmic Surg 1986;17:502–8.

36. Kim JH SH, Han HC, et al. The Effect of Bevacizumab versus Ranibizumab in the Treatment of Corneal Neovascularization: A Preliminary Study. Korean J Ophthalmol 2013;27:235–42. .

37. Sweeney DF, Jalbert,I.,Covey,M.et al. Clinical characterisation of corneal infiltrative events observed with soft contact lens wear. cornea 2003;22:435–42.

38. Holden BA, Reddy, M.K., Sankaridurg, P.R. et al. The histopathology of contact lens induced peripheral corneal ulcer. InvestOphthalmolVisSci, 1997;38:S201.

39. Dumbleton K JL, Chalmers R, et al. Clinical characterization of spherical post-lens debris associated with lotrafilcon high-Dk silicone lenses. CLAO J 2000;26:186–92

40. Tan J KL, Jalbert I. Tear microspheres (TMSS) with high Dk lenses. Optom Vis Sci 1999;76:226.

41. Dumbleton K J, L., Chalmers, R. et al. Clinical characterization od spherical post-lens debris associated with lotrafilcon high –Dk silicone lenses Contact Lens Assoc Ophthalmol J 2000;26:186–92.

42. Deborah F. Sweeney SS, Desmond Fonn, et al, ed. Extended and continuous wear lenses. 5th ed. Philadelphia, PA: Butterworth Heinemann; 2007.

43. Efron N. mucin ball. 3rd ed: Elsevier; 2012.

44. Sankaridurg PR, Sweeney, D., Naduvilath, T. et al. papillary response in contact lens paapillary conjunctivitis is either general or localised. Invest Ophthalmol Vis Sci 2001;42:S596.

45. Skotnitsky C, Naduvilath, T. , Sweeney, D.F. et al. General and local contact lens induced papillary conjunctivitis (CLPC). Clin Exp Optom 2002;85:193–7.

46. Fowler SA, Greiner, J.V. Allansmith, M.R. Soft contact lenses from patients with giant papillary conjunctivitis. AmJOphthalmol 1979;88:1056–61.

47. P. K. Contact lens wear and ocular allergy. Contact Lens Spectrum 2012;27:26–32.

48. Ehlers WH DP. Allergic diseases of the lids, conjunctiva, and cornea. Curr Opin Ophthalmol 1994;5:31–8.

RGP콘택트렌즈 피팅 합병증 및 문제해결

Fitting complication and their solutions for RGP lens

이 재 림

1. 시력과 관련된 문제점 및 해결방안

1) 시력감소

(1) RGP렌즈의 도수결정시 발생하는 문제점

RGP렌즈(rigid gas permeable lens)를 처방할 때는 피팅렌즈세트(trial lens set)를 사용하는데 피팅렌즈세트에 있는 렌즈들의 기본커브(base curve) 및 도수가 정확하지 않은 경우 렌즈를 처방했을 때 특히 고도 근시에서 굴절력이 정확하지 않은 경우가 있다. 때로는 정확하게 처방을 했더라도 회사에서 렌즈를 제작하는 과정 중 렌즈의 커브 및 도수에 약간의 오차가 발생하는 경우도 있다.

따라서 피팅렌즈세트는 언제나 잘 관리를 해 놓는 것이 중요하며 기본커브를 0.05 mm 간격으로 해서 처방을 하고 처방한 렌즈를 환자에게 착용시킨 후 바로 정확한 시력이 나오는지를 확인해야 한다.

(2) 휘어짐(flexure)

RGP렌즈의 휘어짐(flexure)은 눈 깜박임 동안 윗눈꺼풀의 견인력(bending force)에 의해 발생되는데 이러한 힘에 의해 렌즈가 휘어져 렌즈에 난시도가 생기는 것이다. 특히 직난시(with-the-rule astigmatism)가 심한 경우에는 이러한 렌즈의 변형에 의해서 난시의 교정이 덜 될 수 있다. 휘어짐의 원인은 가파른 피팅(steep fitting), 중심두께가 얇거나, 광학부직경(optic zone diameter, OZD)이 큰 경우와

Dk (Oxygen permeability, 산소투과율)가 커서 렌즈 재질이 유연한 경우 등이 있다.[1-3]

휘어짐이 생기면 환자들은 부적당한 난시교정으로 인해 전형적으로 눈의 피로감(asthenopia)을 호소하게 된다. 굴곡은 환자에게 렌즈를 착용시킨 상태에서 덧댐각막곡률측정(over-keratometry)을 시행하였을 때 렌즈가 구면이 아니고 토릭변형(toricity)을 보이는 경우에 진단할 수 있다. 이 경우 렌즈를 눈에서 제거하여 렌즈곡률을 측정하면 토릭변형이 사라진다.

휘어짐을 해결하기 위해서는 렌즈의 재질 및 다자인을 교환해 주어야 한다. 형광염색상 렌즈-각막 피팅의 상태가 너무 심하게 편평해지지 않는 범위 내에서 BCR (base curve radius, 기본커브반경)을 0.1 mm 이내로 편평하게 조정하거나,[1] 렌즈의 tc (centre thickness, 중심두께)를 증가시켜 주는 것이다.[4] 또한 재질을 Dk가 높은 물질(high Dk)에서 낮은 물질(low Dk)로 바꾸어 줄 수 있다.

(3) 렌즈 뒤틀림(lens warpage)

일반적으로 RGP렌즈에서 발생하는 또 다른 문제는 뒤틀림(warpage)으로, 렌즈의 변형이 영구적으로 발생하여 기존에 없던 토릭변형(toricity)이 생기는 것이다. 휘어짐과의 차이점은 휘어짐은 일시적인 현상으로 렌즈를 착용한 상태에서는 렌즈의 토릭변형이 나타나지만 렌즈를 벗어서 렌즈의 BCR을 측정하였을 때는 구면(spherical)으로 나타나게 되는 반면, 뒤틀림의 경우에는 렌즈자체에 토릭변형이

발생하여 렌즈를 벗어서 곡률반경을 측정하였을 때에도 기존의 구면과 다른 형태를 띠게 된다. 대개 렌즈 뒤틀림은 시간이 감에 따라 발생하지만, 휘어짐은 피팅 즉시 발생한다. 또한 휘어짐은 일시적이고, 렌즈 뒤틀림은 영구적이다.

렌즈 뒤틀림의 가장 흔한 원인은 렌즈 세척(cleansing)시에 손가락 두 개를 사용하여 렌즈에 과도한 압력을 가하는 것이다. 렌즈를 손바닥에 놓고 세척하는 것보다 손가락 사이에 놓고 세척할 때 약 3.5배 정도 더 발생하게 된다.[5] 또한 렌즈 재질의 Dk에 비례한다.[6] 그리고 렌즈를 렌즈케이스에 넣을 때 렌즈의 볼록한 부분이 위로 오게 하여 넣은 경우 렌즈를 꺼낼 때 과도한 압력을 렌즈에 주게 되어 변형이 발생할 수 있다.[3]

해결방법으로는 환자를 정기적으로 경과관찰을 시행하여 내원시마다 렌즈의 BCR을 측정하며 약간의 변형이 생긴 경우 환자의 불편함이 나타나기 전에 철저하게 렌즈 관리에 대한 교육을 시키는 것이다. 이때 가장 중요한 것은 환자들에게 렌즈를 손바닥에 놓고 주의를 기울이면서 세척하도록 가르쳐야 한다. 또한 렌즈를 케이스에 넣을 때 렌즈의 볼록한 부분이 바닥으로 가도록 놓도록 교육 한다. 만일 교육후에도 뒤틀림이 지속되고 손가락이 거칠고 두꺼워 부드럽게 렌즈를 세척 할 수 없다면, Dk가 낮은(low Dk) 재질의 렌즈를 처방한다.

(4) 표면 습윤성이 나쁜 경우(poor surface wettability)

콘택트렌즈 표면의 습윤성은 RGP렌즈의 특성상 중요한 요소이며 눈물막의 점액질(tear film mucin)이 콘택트렌즈 표면 위에 잘 분포되어 있어야 한다. 습윤성이 나쁜 경우는 사용초기부터 습윤성이 나쁜 경우와 착용 중에 습윤성이 나빠지는 경우가 있다.[7]

① 초기에 습윤성이 나쁜 경우

초기부터 습윤성이 나쁜 원인은 제조상의 문제가 많으며 제조과정 중 연마 시 기계의 회전속도가 너무 빨라 열이 많이 발생한 경우 혹은 연마기술(polishing technique)이 나쁜 경우나 렌즈를 자를 때 부적절하게 잘리거나 렌즈 표면에 남은 잔여경사연마(residual pitch polish)가 있는 경우 등이 그 원인이다.

이러한 문제는 임상적으로도 가끔 볼 수 있는 경우로 세극등현미경을 이용하여 렌즈표면위의 눈물막파괴(tear break-up)를 확인함으로써 진단이 가능하다. 이러한 경우 환자는 착용초기부터 시력이 잘 안 나오고 동요시(fluctuation of vision)를 보이게 된다. 문제점의 해결로는 렌즈를 사용하기 전에 식염수나 보존액(soaking solution)에 최소 24시간 동안 담가 놓고 습윤 용액으로 잘 세척을 해보고 연마세척제(abrasive cleaner)나 용매로 씻어주거나 표면을 연마해본다. 이렇게 해도 잘 안되는 경우도 있으며 그런 경우에는 재 주문을 한다.

② 착용 중에 습윤성이 나빠진 경우

가장 흔히 경험되는 문제는 렌즈 외면에 후천적으로 점액단백질(mucoprotein)막이 끼거나 혼탁이 생기는 것이다. 전형적으로 수주에서 수개월 동안 렌즈를 사용했을 때 발생한다. 이는 세극등현미경하에서 두꺼운 막의 형태가 렌즈 표면에 보여 쉽게 진단되어진다. 이런 막이 생기는 원인들에는 눈물의 질이 나쁜 경우, 부적절한 눈 깜박임, 이물질 오염(foreign contaminant)과 표면 흠집(surface scratches)이 있다.

따라서 눈물의 질이 좋지 않은 환자들은 철저하게 렌즈 관리 요법을 시행해야 한다. 이는 세척력이 강한 연마세척제를 매일 사용하고, 일주일에 한번씩은 단백질 제거제를 사용하며, 습윤점안제(rewetting drop)를 하루에 4번 사용한다.

렌즈를 빼면 즉시 세척을 시행한 뒤 렌즈보관액(soaking agent)에 담그는 것이 중요하다. 그렇게 하지 않으면 눈에서 눈물과 접촉하여 생긴 새로운 침전물이 건조되어 이후에는 제거하기 어렵게 된다. 핸드크림이나 손에 있는 다른 물질들이 렌즈표면에 붙어 습윤성을 악화시킬 수 있으므로, 환자에게 렌즈를 다루기전에 완벽하게 손을 닦도록 해야 한다. 또한 렌즈 관리를 환자들이 잘 하고 있는지 평가하기 위하여 렌즈 관리에 대한 평가양식을 만들어 환자가 내원시마다 질문하여 작성하는 것도 좋다. 매우 심하게 침전된 렌즈는 원내에서 철저하게 세척을 시행해주며 만일 흠집이나 침전물이 렌즈에 있으면 원내에서 가볍게 연마해

주면 된다. 가장 중요한 것 중에 하나는 눈깜빡임에 대한 교육을 많이 시키는 것이다. 이런 방법들이 실패한다면, 렌즈 재질을 습윤성이 좋은 재질로 바꾸어 준다.

(5) 착용 중 도수 변화(power change)

RGP렌즈 사용자 중 일부에서 렌즈의 중심두께가 감소되면서 마이너스도수의 증가가 되는 경우가 있다.[8-11] 이러한 변화는 −2.0 D까지 보고 되어있다.[9] 연마세척제를 사용하면서 두 손가락사이에 렌즈를 끼워 힘 있게 문지르는 것이 이러한 변화를 일으키는 원인이다. 환자는 시력변화를 호소하게 되며, 이런 경우는 렌즈의 도수 및 기본커브반경을 측정함으로 진단할 수 있다. 이러한 현상을 방지하기 위해서는 환자에게 렌즈를 손바닥위에 놓고 부드럽게 세척하도록 교육시키고 렌즈 세척용액을 계면활성제 세척액으로 바꾸어 준다.

2) 눈부심(Photophobia)과 불빛의 흐름(Streaming of light)

번쩍임(glare)이나 눈부심(photophobia)은 일단 정상적으로 발생하는 소견은 아니며 콘택트렌즈를 사용시 나타나면 우선 각막부종이 있는지 확인하여야 한다. 최근에는 Dk가 높은 재질의 렌즈를 주로 사용하면서 이러한 현상이 많이 감소하고 있다. PMMA렌즈에서는 렌즈의 직경을 감소시켜 문제를 해결했는데 최근의 RGP렌즈 재질들은 각막에 더 많은 산소를 공급해 줄 수 있을 뿐 아니라 오히려 렌즈의 직경 감소는 결과적으로 다른 문제를 유발 시킬 수 있기 때문에 이러한 문제가 나타났을 때 반드시 렌즈의 직경을 감소시킬 필요가 없다. 최근의 RGP렌즈 재질들은 심각한 각막부종을 거의 일으키지 않으나, 렌즈가 각막에 유착되는 경우 각막부종이 발생 할 수 있다. 따라서 렌즈가 너무 가파르게(steep) 처방되지 않았는지 확인하여 렌즈의 처방을 조정해 준다.

섬광(flare, 불빛주변 번짐 현상)은 종종 동공이 큰 사람에게 광학부(optic zone)가 작은 렌즈를 착용시키는 경우 발생한다. 보통 이런 환자들은 빛 주위에 발생하는 빛의 흐름(stream)현상으로 인해 운전할 때 불편함을 호소한다. 흐린 조명아래에서 동공이 커질 때, 렌즈 주변부에서 들어오

는 빛의 분광이동(prismatic displacement)이 발생한다. 이런 효과는 렌즈가 중앙을 벗어난 경우(decentered lens)에도 발생할 수 있다. 광학부(optic zone)가 이동하게 되면 렌즈의 광학부가 동공을 완전히 덮을 수 없게 되기 때문이다. 또한 각막부종이 있는 경우에도 섬광이 나타날 수 있으므로 세극등으로 각막부종을 확인해야 한다.

섬광을 느낄 때, 빛의 흐름이 나타나는 부위는 항상 렌즈가 이탈된 방향의 반대편이다. 예를 들어 렌즈가 아래로 이동되면 렌즈 위쪽으로 빛의 줄무늬가 나타나게 된다.

섬광의 진단은 어두운 검사실에서 불을 켠 시력판 위의 사각형도형을 주시하게 하고 왜곡이 발생하면 말하도록 한다. 섬광이 사각형 주변에 일정하게 나타난다면 렌즈의 광학부가 너무 작기 때문에 발생하는 것으로 광학부를 크게 조정해주어야 한다. 만일 빛의 흐름이 일정한 방향으로 발생한다면 렌즈가 중심부로 오도록 조정해주어야 한다. 렌즈의 광학부보다 동공이 큰 경우는 펜라이트를 비추어 동공을 축동시켰을 때 섬광이 사라지는 것을 관찰할 수 있다. 또한 가까운 곳을 볼 때는 동공이 축동되어(synkinetic near reaction) 불빛 주변의 섬광이 사라지게 된다. 따라서 동공크기가 4.0 mm 이상이며 희미한 불빛 아래에서 5.0 내지 6.0 mm 이상으로 커진다면 RGP렌즈의 직경을 크게 하면 도움이 된다.

3) 안경흐림현상(Spectacle blur)

안경흐림현상(Spectacle blur)이란 환자가 콘택트렌즈를 빼고 난 뒤 시력이 선명치 못한 상태를 말한다. 선명치 못한 시력은 렌즈를 빼고 안경 착용 뒤 몇 분간 지속될 수 있으며 심지어 수주간 지속될 수도 있다. 안경흐림현상은 RGP렌즈를 착용 후 발견되는 일반적 현상으로 렌즈를 뺀 후 나타나는 정상적인 후유증으로 생각되어져 왔다. 하지만 0.50 D 이상의 안경흐림현상은 문제가 될 수 있다.

렌즈를 뺀 후 수 시간동안 지속되는 과도한 안경흐림현상은 잘못 처방된 렌즈로 인한 각막부종에 의해 발생할 수 있는데 이런 경우에는 환자들이 주로 저녁에 불편함을 호소한다. 각막부종, 각막곡률측정치의 변화와 굴절의 변화(더 근시로 가는 경향이 있다) 여부를 검사하여야 한다. 정

도가 심한 안경흐림현상은 렌즈 착용 후 정상적으로 나타나는 사소한 문제로 간과하지 말고 눈물교환(tear exchange)을 개선시켜 주고, 렌즈가 너무 편평(flat)하거나 조이는(tight) 경우 등에는 적당한 렌즈로 디자인을 교체해 주어야 한다.

각막부종이 발생하면 각막곡률(corneal curvature)의 반경(radius)이 감소하게 되고, 근시 쪽으로 굴절변화가 발생한다. 각막부종에 의한 안경흐림현상은 Dk가 더 좋은 렌즈(high Dk RGP lens)를 사용함으로써 해결될 수 있다. 어떤 경우에는 매우 드라마틱하게 해소되기도 하나 안경흐림현상을 모두 치료할 수 있는 것은 아니다. 고도의 굴절이상에서 안경의 수차(aberration) 그 자체만으로도 시야 흐림과 불편감이 유발된다. 이러한 안경흐림현상은 해결할 방법이 없다. 예를 들어 −8.0 D의 환자에서는 렌즈의 Dk에 상관없이 렌즈를 빼고 안경을 착용하였을 때, 시력의 질이 떨어지는 것을 볼 수 있다. 이러한 환자들은 색수차(chromatic aberration), 구면수차(spheric aberration), 시야 제한(restriction of visual field), 근시용 렌즈에 의한 상의 축소와 안경의 렌즈가 안구의 움직임을 따라가지 못해 발생하는 시차(parallax) 등으로 인한 불편함을 느끼게 된다. 이렇게 고도의 굴절이상을 가진 환자들은 그들의 처방이 잘못되었다는 생각을 가질 수 있으므로 렌즈를 착용하다 안경을 착용 시 시력이 떨어질 수 있음을 환자에게 미리 설명하는 것이 좋다. 고도근시 환자에서 안경흐림현상의 주원인은 렌즈의 기본커브(base curve)가 편평하게 처방되었거나 렌즈표면의 수화(hydration)로 인해 렌즈가 1.0~2.0 D 정도까지 편평하게 되거나 렌즈로 인한 각막의 스트레스에 기인한다. 고도근시 렌즈는 중심부가 다소 편평해져서 각막 중심부를 변형(molding)시킬 수 있다. RGP렌즈를 착용 후 과도한 안경흐림현상을 호소한다면 일차적으로 렌즈의 기본커브를 검사해야 한다. 렌즈가 각막의 중심을 벗어나 있으면서 움직이는 렌즈는 일반적으로 편평하게 피팅되었음(flat fit)을 의미한다. 또한 형광 염색(fluorescein staining) 시 과도한 중앙부 접촉이 있음을 알 수 있다. 이런 환자에서는 렌즈 착용전의 원래 각막곡률값으로 돌아가 원래의 각막곡률값에 근거하여 각막틈새(corneal clearance)를 주

기위해 Dk가 높은 재질의 렌즈로 디자인을 해서 교체 해야 한다.

어떤 경우에는 각막곡률값이 처음으로 되돌아가는 데, 몇 주일이 걸리기도 한다. 중등도에서 고도의 난시를 가진 환자의 경우 편평한 구면렌즈를 착용하였다면, 각막이 원래 모양으로 돌아 올 때까지 렌즈 착용을 중단하고 기다려야 한다. 때로는 렌즈가 각막에 유착되어 과도한 안경흐림현상을 유발하기도 한다. 이때 각막부종이 수반되고 종종 렌즈가 각막을 누르게 되기도 한다. 원인은 눈꺼풀 견인력의 약화에 기인한다. 이는 통상적인 방법으로는 극복하기가 어렵다. 아직 대중적으로 시행할 수는 없으나 Dk가 낮은 재질의 렌즈로 렌즈 앞면의 가장자리 약 1.0 내지 2.0 mm 부근에 얇은 동심의 홈을 새겨 렌즈를 변형(modification)해 줄 수 있다. 또한, 고도의 습윤 재질(super wetting materials)의 경우 눈꺼풀견인력을 떨어뜨려 이러한 문제를 악화시킬 수 있으므로 렌즈의 재질을 교환해 준다.

4) 렌즈 착용 후 독서의 어려움

(1) 조절과 폭주에 미치는 근시의 Base in prism 효과

근시안경은 환자들에게 base in prism 효과를 제공하여, 요구되는 폭주(convergence)양을 감소시킨다. 굴절이상이 클수록, 안경 렌즈에 의한 프리즘 편위(prismatic deviation)가 커진다. 심한 근시환자가 안경에서 콘택트렌즈로 바꾸어 착용할 때, 처음에는 폭주운동(convergence)이 필요하여 자주 불편함을 느끼게 된다. 광선은 마이너스 안경렌즈에 의해 각막 도달 전 개산(divergence)된다. 따라서 같은 배율의 안경과 비교해 볼 때, 콘택트렌즈는 더 많은 조절(accommodation)이 요구된다. 콘택트렌즈의 경우 콘택트렌즈와 각막에서의 빛의 폭주는 사실상 같다. 결과적으로 처음 근시용 콘택트렌즈를 착용하는 사람들은 이전에 안경을 쓰고 독서를 할 때보다 초점을 맞추는 데 더 많은 노력이 필요하게 된다.

(2) 중심이탈된 렌즈(Decentered lens)

만일 독서를 할 때 처음으로 시야가 흐려진다면, 렌즈의 중심이탈을 의미한다. 독서시 안구가 아래로 내려왔을 때,

렌즈는 아래 눈꺼풀테에 의해 위로 이동되게 된다. 이 경우에서는 렌즈의 직경을 감소시키는 것이 렌즈의 상방이동을 줄여서 도움이 될 수 있다.

2. 중심이탈(Decentration)의 원인 및 해결방안

RGP렌즈를 착용 시 렌즈가 각막의 중심에서 이탈되는 경우는 각막 건조(corneal dessication),[12] 각막뒤틀림(corneal warpage),[13] 잘못된 렌즈-각막 정렬(poor corneal alignment)[14]과 시력감소 등의 문제점이 발생한다. 렌즈가 각막에 부적절하게 정렬되면, 렌즈는 더 편평한 곳에 위치하려고 하기 때문에, 각막 주변부로 이동하게 된다. 따라서 눈물교환이 나빠지고 심지어는 렌즈와 각막의 유착(adherence)이 발생할 수도 있다.[15] 이런 경우 환자들은 섬광이나 동요시(fluctuating vision) 같은 증상을 호소하게 된다. 렌즈의 중심이탈은 각막정점의 중심이탈(decentered corneal apex)되어 있거나, 각막지형도상 비정상각막인 경우, 눈꺼풀 장력이 너무 세거나 너무 낮은 경우, 렌즈의 디자인이 각막에 맞지 않는 경우 혹은 특정한 렌즈 재질에 기인한다. 이러한 중심이탈을 진단하기 위해서는 각막지형도검사(topography) 및 형광 염색 검사가 매우 중요하다.

1) 하방이탈(Inferior decentration)(그림 19-1)

렌즈의 하방이탈의 원인으로는 렌즈의 크기가 크거나 무거운 경우, 고도 원시인 경우, 안검력(eyelid force)이 너무 낮을 때, 비중이 높은 재질인 경우, 렌즈가장자리가 너무 두껍거나 너무 얇을 때에 발생할 수 있다. 또한, 각막의 윗부분이 더 평편한 경우 역시 하방이탈이 발생할 수 있다.

렌즈 디자인이 RGP렌즈의 하방위치를 감소시키는데 중요한 역할을 한다. 특히 마이너스 도수인 경우에는 각막곡률값에 일치하거나 각막곡률값보다 편평한 렌즈 디자인이 윗눈꺼풀과의 상호작용을 증가시킬 수 있어 하방이탈을 억제하는데 가파른 디자인보다 더 좋을 수 있다.[1]

tc의 증가는 전형적으로 Dk에는 적은 영향을 미치지만, 렌즈 질량에는 큰 영향을 미쳐 렌즈의 중심잡기에 영향을

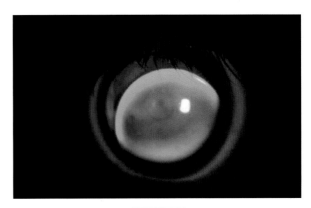

그림 19-1

하방 전위된 렌즈

준다.[16,17] 렌즈의 중심잡기에 영향을 미치는 가장 중요한 변수는 렌즈의 가장자리(edge)이다. 원시 또는 낮은 근시에서는 마이너스렌즈모양의 렌즈(minus lenticular lens)를 사용하면 윗눈꺼풀과의 상호작용을 증가시켜 좋은 효과를 볼 수 있다.[17]

렌즈재질의 비중(specific gravity)도 중요한 역할을 한다. 비중이 높은 RGP렌즈 재질(대략 1.50)은 중간(대략 1.27)이나 낮은(대략 1.12) 재질과 비교할 때, 무거워 렌즈를 하방으로 이동시킨다.[17]

일반적으로 윗눈꺼풀이 정상인 경우는 마이너스렌즈모양을 사용하며 렌즈의 직경을 크게 하고 BCR을 평평하게 하거나 비구면렌즈를 사용한다. 만약 윗눈꺼풀이 헐거워서 장력이 낮은 경우에는 렌즈 직경을 줄이고 비중이 낮은 재질을 사용하거나 비구면 디자인의 렌즈를 사용한다. 렌즈가 하방이탈이 될 경우는 3시9시각막건조(3,9o/c dessication)가 잘 발생하고 시력이 감소하며 시력의 동요(fluctuation)가 생긴다.

2) 상방이탈(Superior decentration)(그림 19-2)

한국인에서는 상방이탈이 더 잘 발생하는데 원인으로는 윗눈꺼풀장력이 크거나 고도근시나 고도의 직난시가 있는 경우, 렌즈가 너무 평평하게 처방되었거나 렌즈의 크기가 너무 큰 경우, 렌즈가장자리가 높은 경우(high edge lift), 불완전한 눈의 깜빡임과 경도의 안구건조증이 있을 때가 그 원인이다. 만일 렌즈가 경미하게 상방으로 중심이탈 된

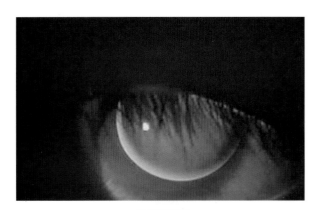

그림 19-2
상방 이탈된 렌즈

다면, 윗눈꺼풀아래 렌즈가 살짝 잡힌 lid attachment fit 이 되기 때문에 좋은 시력과 함께 편안함을 가질 수 있다. 그러나 만일 중심이탈이 과도하다면, 각막과 렌즈간에 유착(adherence)이 일어 날 수 있다. 또한 각막지형도검사(topography) 시 렌즈가 접촉하는 상부 각막에 왜곡(distortion)이 발생하는 것을 볼 수 있다.[13,18-20]

해결방법은 윗눈꺼풀의 영향을 최소화 하기 위해서 플러스렌즈모양을 사용하여 렌즈가장자리(edge)를 얇게 하거나 렌즈의 크기를 작게 한다. 만약 피팅이 편평하다면 렌즈를 가파르게 처방하고, 만약 각막의 정점 자체가 중심에서 벗어나 있다면 비구면렌즈를 사용한다. 혹은 렌즈중심두께를 두껍게 해서 전체적인 부피(mass)를 증가시키고, 눈깜박임 운동을 시키고 안구건조증을 치료한다.

합병증으로는 위쪽으로 렌즈에 의해 지속적으로 압박이 받는 부분에 각막의 뒤틀림(warpage)이 발생하거나, 상윤부각막염(superior limbal keratitis), 렌즈유착(lens adherence), 밤에 흐림현상, 아래쪽 각막의 상대적 건조 등이 발생할 수 있다.

3) 외측이탈(Lateral decentration)

원인으로는 각막정점의 중심이탈(decentered corneal apex) 혹은 도난시(against-the-rule astigmatism) 환자에서 주로 발생한다. 후자에서는 렌즈가 좀더 가파른 경선을 지나 이동하는 경향 때문에 눈깜박임 시 더 외측으로 이동하게 된다. 또한 눈꺼풀의 장력이 커서 눈꺼풀에 의해서 렌즈가 눌리는 경우나 현저한 내안각 주름이 있거나 안구가 돌출된 경우, 렌즈의 가장자리들림(egde lift)이 큰 경우 및 렌즈가 너무 작거나 클 때 외측으로 중심이탈이 발생한다.

해결방법으로는 눈꺼풀의 압력에 의해 렌즈가 밀리는 경우는 작은 렌즈를 사용하여 눈꺼풀에 밀려도 중심에 올 수 있도록 해보고 렌즈가장자리를 낮추어 본다. 그리고 각막의 정점이 중심 이탈된 경우나 도난시의 경우에는 렌즈의 직경을 크게 하거나 곡률반경을 가파르게 하거나 비구면렌즈를 처방한다.

합병증으로는 기계적으로 접촉되는 부위에 각막미란과 신생혈관이 발생할 수 있다.

3. 각막건조(Corneal desiccation)의 원인 및 해결방안

3시9시각막건조는 RGP렌즈 착용 중 주변부 각막의 건조와 탈수가 발생하는 것으로 형광 염색상 각막 가장자리에 삼각형모양 쐐기형태로 3시와 9시 방향 쪽으로 염색을 일으키는 것으로 이는 RGP렌즈로 인해 발생하는 매우 흔한 합병증으로 RGP렌즈를 사용하는 환자들 중 50% 이상에서 발생하는 것으로 보고 되기도 한다.[12] 초기에 대부분은 분리된 점상염색(punctate stain)으로 나타난다. 그러나 어떤 경우에는 합쳐지는 염색 양상을 보이면서 인접한 결막혈관의 울혈을 동반할 수 있다. 더 심한 경우에는 주변부 각막이 얇아져 궤양(ulceration), 신생혈관증식(neovascularization)과 흉터형성(scarring)이 발생하기도 한다.[3,21] 증상은 전형적으로 건조와 충혈로 나타나게 된다.

1) 발생원인

3시9시각막건조와 관련된 두 가지의 가설은 bridge effect (or lid gap) theory와 tear meniscus theory가 있다.

(1) Bridge effect 또는 lid gap theory

눈을 깜빡이는 동안 렌즈가장자리(edge)와 각막사이에 윗눈꺼풀에 의하여 다리가 형성되어 안검밑쪽으로 공간

(gap)이 형성되고 다리아래에는 점액(mucin)의 분포가 불완전하게 된다(그림 19-3).

(2) Tear meniscus theory

렌즈가장자리(lens edge) tear meniscus에 바로 인접한 부위의 눈물층이 부분적으로 얇게(thinning) 된다(그림 19-4).

RGP렌즈에서 3시9시각막건조의 원인으로는 렌즈가장자리(edge)가 너무 높거나 너무 두꺼운 경우에 흔히 발생하며, 렌즈의 직경이 작은 경우에도 발생할 수 있다. 또한 Dk가 좋은 재질들이 렌즈에 침착물(deposit)들이 잘 붙는 경향을 보이기 때문에 침착물에 의한 표면 습윤성(surface wettability)이 감소하고 눈물층 파괴가 증가되어 발생하기도 한다. 이로 인해 잘 노출되는 부위인 3시와 9시에 불충분한 눈물층(inadequate tear film)을 만들고 그 부위에 각막건조로 인한 점상각막미란을 일으키게 된다.[22-26]

2) 해결방법

정상적인 눈물의 상태를 유지시키고 눈물의 순환이 잘되게 하기 위하여 렌즈파라미터를 바꾸어야 한다.

(1) 렌즈가장자리(edge)가 두꺼운 경우에는 얇게 한다

이는 주변부 눈물양 감소를 막고, 각막과 눈꺼풀사이 주변부에서 공간(gap)을 없애며, 윗눈꺼풀과 렌즈가장자리(edge)사이 상호작용으로 눈 깜박임이 잠재적으로 나빠지는 효과를 줄여준다.[1,22-25] 이외에도, 비구면 디자인은 렌즈 내면의 각막에 대한 정렬(alignment)을 좋게 하기 때문에, 유리할 수 있다.[27]

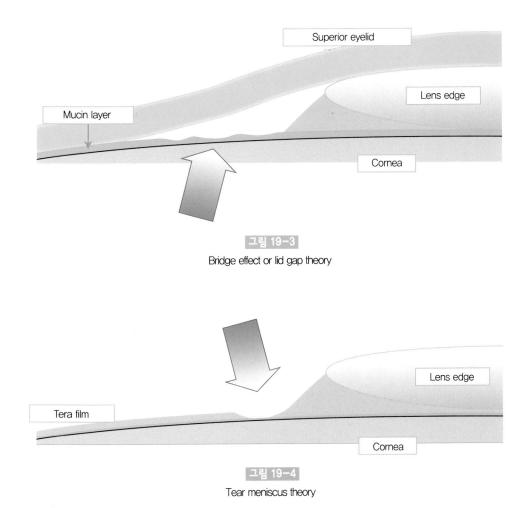

그림 19-3

Bridge effect or lid gap theory

그림 19-4

Tear meniscus theory

(2) 눈깜박임 운동(blink exercise)을 시행한다

특히 초기에 렌즈를 적응할 때 렌즈가장자리와 윗눈꺼풀 사이의 마찰(interaction)로 인하여 눈깜박임(blinking)이 감소하는 경우 결국 tear evaporation이 증가하게 되므로 철저하게 눈깜박임 운동을 시행하여 정상적으로 눈깜박임이 이루어지게 해야 한다. 눈깜박임 사이간격은 전형적으로 4~6초이기 때문에, 콘택트렌즈를 착용하려는 환자들은 BUT가 적어도 5초는 되어야한다. 눈물의 질이 낮거나 경계성(BUT 5~9초)인 환자는 RGP렌즈를 착용하는 경우 주변부 각막에서 각막건조가 발생하여 주관적인 건조증상을 느끼게 된다. 특히 자신의 렌즈를 의식해서 눈깜빡임을 하지 않으려는 환자들이 있는데 이런 경우 특히 도움이 된다. 눈꺼풀을 과도하게 수축하는 것을 막기 위해 환자에게 천천히 그리고 자연스럽게 눈을 감도록 지시해야한다. 눈을 감은 뒤 잠시 멈추었다가 자연스럽게 눈을 뜨게 하고, 잠시 멈춘 후 다시 계속하도록 한다. 일반적으로 한번에 연속적으로 10회를 하루에 10번 정도 시행하도록 하면 잘못된 깜박임 패턴을 교정할 수 있다. 렌즈를 착용하기 전에 눈깜박임이 좋지 않은 경우와 렌즈를 착용 후 눈깜박임 나빠진 경우를 구분해야 하는데 후자의 경우는 눈깜박임 훈련을 통해 쉽게 교정할 수 있다.

(3) 렌즈의 직경이 너무 작은 경우는 크게 해준다

그러나 전체직경을 증가시키면 각막을 덮는 양이 많아지므로 각막의 건조 부위가 줄어들게 될 수 있지만 직경의 증가는 렌즈의 질량이 커져 렌즈의 하방위치 가능성이 증가되므로 조심하여야 한다.

(4) 렌즈의 움직임을 좋게 하기 위하여 lid attachment fit를 사용한다

즉 렌즈-각막 피팅 관계(lens-to-cornea fitting relationship)측면에서 렌즈가 윗눈꺼풀 아래에 살짝 묻힌 상태가 되는 것이 심한 각막건조 발생을 줄이는데 도움이 된다. 이는 눈꺼풀과 렌즈가장자리(edge) 사이의 상호작용을 최소화 시켜주기 때문에, 정상 눈깜박임이 가능하게 한다.[22]

하방에 위치한 렌즈는 렌즈가장자리가 윗눈꺼풀과 상호 작용하여, 자극을 하게 되고 정상 눈 깜박임 반응을 나쁘게 한다. 12개월간 RGP렌즈를 연속착용(extended wear)한 연구에서 각막건조의 발생은 상방위치렌즈와 비교 시 하방위치렌즈에서 2배 높았다.[12]

(5) 방부제가 없는 인공누액 점안제를 자주 반복해서 넣거나 고도의 습윤성을 지닌 렌즈 재질을 사용하면 도움이 될 수 있다

(6) 치료가 잘 안되는 경우에는 임시누점 폐쇄(temporary collagen punctal occulsion)를 시행하여 호전되는지 관찰하고, 영구누점 폐쇄를 고려할 수 있다

(7) 낮은 Dk의 불소실리콘아크릴 재질을 가진 렌즈를 처방해 볼 수 있다

(8) 상기 방법으로 전혀 도움이 되지 않으면 RGP렌즈의 착용을 중지한다

3) 합병증(complication)

증상이 심하지 않은 경도의 3시9시각막미란은 경과를 관찰해 볼 수 있으나, 지속적이거나 심한 경우는 dellen (thinning of the epithelium) 또는 보우만막(Bowman's membrane)이 손상되어 신생혈관이나 궤양을 만들 수 있다.

4) 기계적 마찰에 의한 3시9시각막미란과의 감별

각막 건조에 의한 3시9시각막미란과 원인 및 치료가 반대이므로 잘 구별하여 치료하여야 한다. 렌즈가 너무 가파르게 처방되면 렌즈가장자리가 낮아지고, 렌즈가장자리와 주변부 각막사이에 마찰이 생기게 된다. 따라서 렌즈의 기본커브가 가파르면 기본커브를 편평하게 하고, 기본커브는 정렬이 좋으나 가장자리가 낮은 경우는 주변부커브(peripheral curve)를 편평하게 하여, 충분한 가장자리틈새(edge clearance)를 확보하여 눈물교환을 충분하게 만들어서 기계적 마찰을 줄여준다. TD (total diameter, 전체직경)가 너무 큰 경우는 작게 하는 것이 주변부 각막과의 기계적 마찰을 줄여 준다.

4. 소프트콘택트렌즈에서 RGP콘택트 렌즈로의 교체 처방 시 문제점 및 해결방안

1) 적응증

하이드로겔렌즈(hydrogel lens)착용자가 RGP렌즈로 교체착용(refitting) 받는 것이 이득이 되는 몇 가지 이유가 있다. RGP렌즈로 교체착용은 하이드로겔렌즈로 시력 교정이 잘 안될 때와 거대유두결막염(giant papillary conjunctivitis)이 발생하거나 산소 결핍으로 인한 주변부 각막에 신생혈관이 발생할 때 고려해 볼 수 있다. 소프트렌즈로 시력 교정이 잘 안되는 경우는 부족 교정된 굴절 난시(uncorrected refractive astigmatism), 표면 침착물(surface deposits)이 심하거나, 각막부종(corneal edema)이 있거나 소프트토릭렌즈(soft toric lens)로 난시교정이 불충분할 때 발생 할 수 있다.

거대유두결막염은 점액(mucin)의 분비 증가, 착용시간 감소, 시력감소, 가려움과 작열감등을 발생시킨다. 거대유두결막염은 모든 종류의 콘택트렌즈재질에서 유발될 수 있지만 하이드로겔렌즈에서 가장 흔히 발생한다.

그 외 안검열이 너무 작아서 소프트렌즈를 다루기 힘들어 할 때도 고려할 수 있겠다.

소프트렌즈에서 RGP렌즈로의 전환시 중요한 점은 환자에 대한 설명으로 RGP렌즈의 장점에 대하여 충분한 설명을 해주고 처음에는 소프트렌즈와는 다른 느낌으로 이물감이 있고 적응기간이 필요함을 이해시켜야 한다. 실제 임상적으로 콘택트렌즈를 전혀 착용하지 않은 사람들보다도 소프트렌즈를 착용하던 사람들이 더 RGP렌즈에 적응하기 어려워하는 경향을 보인다.

2) 교체 처방 방법

심각한 각막 손상이나 눈꺼풀 염증이 존재하지 않는 경우는 바로 RGP렌즈로의 교체착용을 시도해 볼 수 있다. 이런 환자들은 점차적으로 RGP렌즈 착용을 증가시키면서 동시에 하이드로겔렌즈 착용시간을 줄여나가는 방법을 시행할 수 있다. 교체착용 과정은 새로운 환자들에게 시행하

는 것과 같지만 다른 점은 적응단계 동안 새로운 환자보다 오히려 더 세심한 관심을 기울이는 것이 필요하다. 만일 거대유두결막염이 RGP렌즈로 교체착용하게 된 원인이라면 유두비후가 grade 1 정도로 좋아진 후에 재착용을 해야 한다.[28] 대부분의 경우에 처음 착용 과정동안 점안마취제를 사용하지 않는 것이 좋으나 때로는 필요한 경우가 있는데 마취를 시행해서 렌즈를 처음 낀 몇 분간 편안하다면, 비교적 쉽게 교체를 할 수 있다.

또한 소프트렌즈를 오랫동안 착용하게 되면 각막부종이 발생하여 각막의 기본커브가 가파르게 되는 경우가 있는데 이때 바로 RGP렌즈를 처방하게 되면 나중에 가파른 처방이 되므로 일주일 이상 렌즈 착용을 중지한 후에 처방하는 것이 좋다. 또한 렌즈를 일단 끼워준 후에도 반드시 추적 관찰하여 가파른 처방으로 변하지 않는지 확인한다.

5. 렌즈 착용 시 착용감의 문제점 및 해결방안

RGP렌즈를 사용하던 환자들에게 불편함을 유발하는 가장 흔한 원인은 렌즈 손상이다. 환자의 렌즈를 전용광학 현미경(Contact Scope)또는 중등도로 확대한 세극등현미경 아래에서 표면에 흠집(scratches), 가장자리결손(edge defect), 렌즈에 붙어 있는 이물질들이 있는지 관찰한다. 세극등현미경 검사를 통해 환자의 각막에 손상이 있는지 확인한다. 불편함의 다른 원인은 각막염 및 결막염과 같은 눈에 염증이 있는 경우 및 정확하지 않은 처방으로 렌즈가 각막에 잘 맞지 않아 중심이탈이 있는 경우이다.

RGP렌즈를 처음 시작하는 새로운 착용자들에게는 처음에는 적응해야 하는 다소 가벼운 불편함을 느낄 수 있지만 착용시간이 길어질수록 불편함이 감소할 것이라고 설명하고 심한 불편함이 발생 시 렌즈 착용을 중단하고 내원하도록 한다.

만약 환자가 렌즈를 처방받은 후 불편함을 호소하면 렌즈가 좌우가 바뀌지 않았는지 정확히 주문이 되었는지 확인하고 렌즈를 착용하고 즉시 불편했는지 아니면 시간이

경과 후 불편했는지 물어보며 환자가 불편해하는 증상을 묘사해 보도록 하고 렌즈를 뺀 뒤에도 눈이 아픈지 그리고 아프다면 얼마간 아픈지 확인한다.

만일 처음 렌즈를 꼈을 때는 편안하고 위치도 좋았지만 후에 불편하게 된 것이라면, 렌즈의 손상을 의미한다. 증상으로는 착용 시 심한 눈물흘림에서 눈 깜박일 때 가벼운 불편함까지 다양하다. 만일 눈물흘림이 심하게 나타난다면, 렌즈를 빼서 세척한 뒤 다시 착용을 했을 때는 어떤지 환자에게 물어봐야 한다. 만일 이물질이 렌즈 아래 끼어 각막미란이 발생한 경우라면 세척 후 다시 착용하더라도 심하지는 않지만 여전히 다소의 불편함이 남아 있을 것이다.

정확한 렌즈가 주문되었는데도 약간의 불편한 증상이 있다면, 렌즈가장자리가 높아 윗눈꺼풀과의 접촉으로 인한 불편감일 수도 있으므로 가장자리는 높지 않은지 확인한다.

또한 환자가 어느 방향을 볼 때 불편한지 알아야 하는데 예를 들어 환자가 외측을 볼 때 불편함이 심해진다면, 형광 염색을 한 뒤 좌측 우측을 보게 하면서 가장자리 조임(tight)이 없는지 검사해 봐야 한다.

▶ 참고문헌

1. Bennett ES. Silicone/acrylate lens design. Int Contact Lens Clin 1985;12:45.

2. Herman JP. Flexure. In: Bennett ES, Grohe RM, eds. Rigid gas-permeable contact lenses. new York: Professional Press 1986;137-150.

3. Bennett ES, Egan DJ. Rigid gas-permeable lens problem-solving. J Am Optom Assoc 1986;57:504-512.

4. Egan DJ, Bennett ES. Trouble shooting rigid contact lens flexure-a case report. Int Contact lens Clin 1985;12:147.

5. Carrell BA, Bennett ES, Henry VA, Grohe RM. The effect of rigid gas permeable lens cleaners on lens parameter stability. J Am Optom Assoc 1992;63:193-198.

6. Ghormley NR. Rigid EW lenses: complications. Int Contact Lens Clin 1987;14:219.

7. Grohe RM, Caroline PJ. RGP non-wetting syndrome. Contact Lens Spectrum 1989;4:32-44.

8. Friedman DM. Too much lens cleaning can also be destructive. Contact Lens Forum 1989;14:80.

9. Boltz KD. The overzealous contact lens cleaner. Contact Lens Spectrum 1989;4:53-54.

10. Bennett ES, Henry VA. RGP lens power change with abrasive cleaner use. Int Contact Lens Clin 1990;17:152-153.

11. Caroline PJ, Andre MP. Inadvertent patient modification of RGP lenses. Contact lens spectrum 1999;14:56.

12. Henry VA, Bennett ES, Forrest JF. Clinical investigation of the Paraperm EW rigid gas-permeable contact lens. Am J Optom Physiol Opt 1987;64:313-320.

13. Wilson SE, Lin DTC, Klyce SD, et al. Rigid contact lens decentration: a risk factor for corneal warpage. CLAO J 1990;16:177-182.

14. Kikkawa Y, Salmon TO. Rigid lens tear exchange and the tear mucous layer. Contact Lens Forum 1990;15:17-24.

15. Schnider CM, Bennett ES, Grohe RM. Rigid extended wear. In : Bennett ES, Weissman BA, eds. Clinical contact lens practice. Philadelphia: JB Lippincott Co, 1991:1-14 (vol56).

16. Hill RM, Berzinski SD. The center thickness factor. Contact Lens Spectrum 1987;2:52-54.

17. Bennett ES, Gibbons G. Clinical grand rounds. Video-aides presentation at RGP Lens Practice Today and Tomorrow, St. Louis, MO, July 1990.

18. Kalin NS, Mqaeda N, Klyce SD, et al. Automated topographic screening for keratoconus in refractive surgery candidates. CLAO J 1996;22:164-167.

19. Wilson SE, Lin DTC, Klyce SD, et al. Topographic changes in contact lens-induced corneal warpage. Ophthalmology 1990;16:177-182.

20. Ruiz-Montenegro J, Mafra CH, Wilson SE, et al. Corneal topographic alterations in normal contact lens wearers. Ophthalmol 1993;100:128-134.

21. Bennett ES. How to manage the rigid lens wearer. Rev Optom 1986;123:102-110.

22. Korb DR, Korb JE. A new concept in contact lens design. I and II. J Am Optom Assoc 1970;40:1-12.

23. Musset A, Stone J. Contact lens design tables. London: Butterworth-Heineman, 1981:1-12.

24. Bennet ES. The effect of varying axial edge lift on silicone/acrylate lens performance. Contact lens J 1986;14:3-7.

25. Lowther GE. Review of rigid contact lens design and effects of design on lens fit. Int Contact Lens Clin 1988;15:378-389.

26. Schnider CM, Terry RB, Holden BA. Effects of lens design on peripheral corneal dessication. J Am Optom Assoc 1997;68:163-170.

27. Ames KS, Erickson P. Optimizing aspheric and spherical rigid lens performance. CLAO J 1987;13:165-169.

28. Henry VA, Bennett ES, Sevigny J. Rigid extended wear problem solving. Int Contact Lens Clin 1990;17:121-133.

콘택트렌즈와 감염

Contact lens-related microbial keratitis

윤 경 철

1. 콘택트렌즈와 미생물

1) 눈의 상재균

일반적으로 눈의 외부 표면에는 미생물 군락이 거의 형성되지 않으며, 시간이 흐르면서 군락이 지속되고 증가하기보다는 안구의 정상적인 방어기전을 통해 병원균이 제거되는 것으로 알려져 있다. 눈꺼풀과 결막에서 분리되는 가장 일반적인 미생물은 *coagulase-negative staphylococci*, *Corynbacterium* spp., *Propionibacterium* spp.와 같은 그람−양성 세균이다. 그 외 *Staphylococcus aureus*, *Micro-coccus* spp., *Bacillus* spp., *Bacteroides* spp. 등이 분리되기도 한다. 결막 구석(fornix)에는 소수의 혐기성 균이 분리되기도 하며 Peptostreptococus와 Propionibacterium이 가장 흔히 발견되는 균주이다.[1] 각막과 앞방은 무균 영역으로 알려져 있다. 그람−음성 미생물은 5% 미만에서 분리되는데, 정상적인 건강한 눈에서 지속적인 군집을 형성하기보다는 일시적으로만 존재하는 경향이 있다. 정상 성인의 안구에서 진균이 검출되는 경우는 거의 없다.[2] PCR을 이용할 경우 안구표면으로부터의 진균 분리율이 증가한다는 보고가 있다.[3]

2) 콘택트렌즈의 착용이 눈의 미생물 군에 미치는 영향

이론적으로는, 렌즈를 착용하는 동안 눈의 상재균에 변화가 발생하고, 이는 눈의 방어기전을 억제하여 병원균의 군집 형성을 용이하게 한다. 그러나 콘택트렌즈 착용이 실제 어떤 영향을 미치는 지는 아직 연구마다 이견이 존재하며, 이는 각 연구마다 방법론, 샘플링 기법, 참가자, 렌즈의 종류, 착용 방식, 착용의 종류 및 기간상의 차이에서 기인하는 것으로 생각된다.

매일 하이드로겔콘택트렌즈를 착용하는 경우 결막 내 미생물 수의 증가가 보고되었지만, 균주의 종류에는 차이가 없는 것으로 밝혀졌다.[14] 결막 미생물 수의 이러한 증가는 눈꺼풀테에 상재하는 미생물 수의 양적 변화에 의한 이차적 결과일 것으로 생각된다.[15] 한 연구에서는 결막 내 미생물 수의 증가가 렌즈 보관 용기의 오염과 연관이 있다고 보고 하였지만, 이후 연구에서는 그러한 관계가 확인되지 않았다.[16] 또 다른 연구에서는 경성과 연성 콘택트렌즈 착용자와 연속착용 하이드로겔콘택트렌즈 착용자(extended wear hydrogel wearer)에서 미생물 종류가 유의하게 달랐음을 보고하였으나,[17,18] 다른 연구에서는 콘택트렌즈 착용자와 비 착용자 간에 결막 미생물의 수와 종류에 차이가 없다고 보고하였다.[19-21]

RGP콘택트렌즈(Rigid gas−permeable contact lens, 가스투과성콘택트렌즈)를 장기 착용하는 집단에서는 결막에서 병원성 비정주형 미생물의 군락 증가가 증명되었다.[22] 콘택트렌즈 관련 각막염 환자에서 렌즈에 유착하는 병원성 미생물의 군락증가 보고되었으며 급성 유해반응 에피소드

에서 많은 수의 병원성 미생물들이 렌즈에서 분리된 바 있다.[18,23]

병원성 미생물들은 렌즈에는 쉽게 유착되고 군락화하는 경향이 있으며 눈의 상재균 처럼 쉽게 제거되지 않는 것으로 알려져 있다.[22]

3) 렌즈와 미생물의 상호작용

무증상 렌즈 착용자에서는 착용자의 손, 눈꺼풀, 렌즈 보존액, 보관 용기, 기타 주위 환경에서 유래하는 소수의 미생물에 의해 콘택트렌즈가 드물게 오염될 수 있다.[18,24-28] 콘택트렌즈는 각막으로 병원균을 전달하는 벡터의 역할을 할 수 있으며 동시에 미생물을 각막표면에 오랫동안 정체시키는 역할을 하기도 한다. 또한 보관기간 동안 렌즈표면에 미생물의 군락화를 촉진하기도 한다. 실제로 감염각막염이 있는 환자의 렌즈에서 많은 세균이 분리되었다. 특히 렌즈 보존액은 곰팡이나 아메바와 같은 병원성 균주의 또다른 오염원이 되기도 하는데, 2004~2006년에 ReNu Moisture-Loc과 연관된 Fusarium각막염의 폭발적 발생이 보고되기도 하였다.

콘택트렌즈유발 급성충혈안(contact lens-induced acute red eye)에서 많은 수의 그람-음성 세균(*Pseudomonas aeruginosa, Serratia marcescens, Hemophilus influenza*)과 *Streptococcus pneumonia*에 의한 군락화가 보고되었다.[29] 콘택트렌즈유발 주변부궤양(contact lens-induced peripheral ulcer)은 렌즈의 그람-양성 감염, 특히 *Staphylococcus aureus* 및 *Streptococcus pneumoniae*와 상관관계를 보임이 밝혀졌다.[29,30] 감염각막염에서는 각막과 콘택트렌즈에서 동정된 균주가 일치하는 경우가 흔하다.[31]

세균은 착용 렌즈와 미착용 렌즈 모두에 유착할 수 있다.[32] 흡착된 눈물 성분, 렌즈 물질과 표면 특성, 세균 종, 균주 등 군락화를 위해 반드시 필요한 단계인 유착이 성공적으로 이루어지기 위한 조건에 대해 많은 문헌들이 발표되었다. 자연적 생태계 내에서 세균 성장의 가장 우세한 방식에는 불활성 표면을 형성하는 것 외에도 점막 표면, 당질층(glycocalyx)으로 둘러싸인 군락을 형성하거나, 생물막(biofilm)을 형성하는 것 등이 있다.[33-35] 렌즈표면에 형성된 이러한 생물막은 병원균 수의 증가 및 각막에 대한 노출 시간을 연장시키는 역할을 하게 되며, 이는 동물 모델과 실제 착용되었던 렌즈, 그리고 배양 입증된 미생물각막염을 가진 환자가 착용했던 렌즈 등에서 증명되었다.[37-40]

콘택트렌즈와 연관된 질병에서 생물막 형성의 역할은 아직 불분명하다. 그러나 콘택트렌즈의 또는 보관 용기 내의 세균 생물막은 미생물 및 병원균이 항균 효과에 더욱 저항성을 가지도록 하며 또한 미생물이 직접적인 또는 독성 생산을 통한 조직 손상 가능성을 가지면서 렌즈표면에 유지될 수 있도록 해 준다.

2. 콘택트렌즈의 종류에 따른 감염각막염

연속착용 콘택트렌즈(extended wear contact lens)의 경우 매일착용 콘택트렌즈(daily wear contact lens)에 비해 감염 위험도가 10~15배 정도 높은 것으로 알려져 있다. 렌즈표면의 침착을 줄임으로써 세균의 유착을 줄여 연속착용콘택트렌즈에 의한 각막염을 감소시키기 위해 개발된 일회용 렌즈의 효과는 당초의 기대에 미흡하여 매일착용콘택트렌즈나 RGP렌즈보다 각막염의 발생률이 더 높은 것으로 조사되었다. 실제로 일회용 렌즈에 의한 각막염의 발생 빈도는 연속착용콘택트렌즈와 거의 비슷한데, 이는 많은 일회용 렌즈 착용자들이 수면 시 렌즈를 착용하기 때문이다. 과거 여러 해 동안 렌즈 제조에서 많은 발전이 있었으나 세균각막염의 발생 위험에서는 수면 시 렌즈 착용 여부가 가장 중요한 인자이다. RGP렌즈를 착용하는 경우에도 렌즈를 착용한 채로 자게 되면 역시 감염각막염이 발생할 위험성이 증가하게 된다. 최근의 새로운 초산소투과성 렌즈는 세균 유착을 대조군보다 증가시키지 않아 예전의 렌즈보다 좀 더 안전한 것으로 알려져 있다.

3. 각막교정렌즈(orthokeratology lens, Ortho-K렌즈)와 감염각막염

Bullimore 등의 후향적 연구에 의하면 Ortho-K렌즈와 관련된 감염각막염의 유병률은 10,000명당 7.7명이었다. Ortho-K렌즈와 연관된 감염각막염의 유병률은 수면시 콘택트렌즈를 사용하는 사람(overnight contact lens wear)에서 발생하는 감염각막염의 유병률과 비슷했으나, 매일착용렌즈를 사용하는 사람에서의 감염각막염의 유병률보다는 유의하게 높았다.[41]

2008년 10월부터 2011년 5월까지 1년 8개월 동안 대한안과학회 회원을 대상으로 한 설문지 분석의 연구에서 부작용이 보고된 렌즈의 종류는 소프트렌즈(46%), 미용 컬러렌즈(42%)가 대부분을 차지하였고, RGP렌즈(11%)와 Ortho-K렌즈(1%)가 그 뒤를 이었다.[42]

Ortho-K렌즈와 관련된 여러 합병증 중 가장 심각한 것은 각막 감염이다. Ortho-K렌즈는 중심 각막을 편평하게 하도록 고안되었으며 이는 각막상피 부종, 각막찰과상, 착색 등의 변화를 일으키며 감염의 위험을 높이는데 영향을 미치게 된다. 이뿐 아니라 수면시 렌즈를 착용하는 사용방법이 또 다른 중요한 감염의 위험요인으로 생각된다. 정상적으로 수면 중 눈꺼풀이 안구를 덮고 있는 경우, 각막은 저산소 상태가 되며, 따라서 쉽게 붓고 찰과상에 취약해진다. Ortho-K렌즈 착용은 미세한 상처의 찰과상을 일으키는 자극요인이 될 수 있다. 즉, Ortho-K렌즈 관련 감염의 기전은 미세상처, 저산소증 등의 각막 방어기전의 변화와 미생물의 각막상피 유착이라는 두 가지 요인의 복합적인 영향으로 발생하는 것으로 보인다.

흔한 원인 균주로는 P. aeruginosa, Serratia spp., Fusarium spp.와 가시아메바(Acanthamoeba)가 대표적이다. Lee 등이 발표한 Ortho-K렌즈와 관련한 가시아메바각막염에 대한 네 건의 임상보고에 의하면 이들은 모두 수돗물을 이용한 불규칙한 렌즈세척을 하였고, 특히 1년 이상 장기간 렌즈 착용을 한 자들이라고 하였다.[43] Kirk, et al 역시 Ortho-K렌즈를 착용하였던 16세 남자에서 가시아메바에 의한 원형 기질침윤 및 시력저하를 보고 하였고, P. aeruginosa에 의한 감염각막염 외에도 가시아메바에 의한 감염각막염을 고려해야 한다고 하였다.[44]

4. 콘택트렌즈의 보관과 감염각막염

렌즈 보관용기는 진균과 아메바에 의한 렌즈 오염의 중요한 원인이 될 수 있다. 무증상 렌즈 착용자들의 용기 중 24%에서 선상 진균(filamentous fungi)과 효모에 의한 오염이 보고된 바 있다.[45] 분리되는 가장 일반적인 종들은 Cladosporium spp., Candida spp., Fusarium solarni, Aspergillus spp., Exophiala spp., Phoma spp.였다. 가시아메바에 의한 보관용기의 오염은 착용자의 4~10%에서 보고되었다.[46] 그러나 용기의 수돗물 세척을 피하고 매달 교체하는 경우에는 어떠한 가시아메바 오염도 보고되지 않았다.[47] 무증상 렌즈 착용자에서 렌즈의 아메바 오염은 흔하지는 않은 것으로 보인다.[48]

렌즈 보존액 역시 감염의 원인이 될 수 있다. 최근에 콘택트렌즈 착용자에서 Fusarium에 의한 진균각막염이 싱가폴과 미국에서 여럿 발생하게 되었고, 미국의 질병관리본부가 이에 대한 역학조사를 시행한 결과 바슈롬사의 다목적 관리용액(multipurpose solution, MPS) 중 하나인 ReNu MoistureLoc과 연관되었다고 보고하였다.

5. 감염각막염의 임상양상 및 감별진단

미생물각막염은 세균, 진균, 원충, 바이러스와 같은 미생물들로부터의 직접 감염으로 인한 각막 조직의 염증으로 정의된다. 콘택트렌즈 착용자들은 유행각결막염(Epidemic keratoconjunctivitis) 또는 단순포진각막염(Herpes simplex keratitis)과 같은 바이러스 감염에 동시에 걸릴 수도 있지만 콘택트렌즈 착용 자체가 바이러스 감염 발생에 대한 기여요인이라고 단정할 수는 없다.

1) 미생물각막염(Microbial keratitis)의 증상 및 증후

(1) 세균각막염(Bacterial keratitis)

세균각막염의 원인으로 1980년대 이전에는 외상이 가장 많았지만, 1980년대 이후로는 콘택트렌즈가 중요한 원인으로 대두되고 있다. 국내 여러 연구에서 전체 세균각막염 중 콘택트렌즈가 원인으로 차지하는 비율이 40~50% 정도로 보고되고 있으며, 콘택트렌즈 착용 자체가 세균각막염 발병의 유의한 위험인자로 알려져 있다.

세균각막염의 초기 증상은 지속적으로 렌즈를 제거하고 싶은 느낌과 눈의 이물감이다. 실제로 안구표면에 이물이 있거나 눈의 불쾌함의 다른 원인이 있는 경우에는 렌즈를 제거하거나 이물을 제거하면 통증이 즉각적으로 완화된다. 렌즈 제거 후에도 불쾌함이 지속되거나 악화되는 경우에는 세균각막염을 의심해야 한다. 관련된 증상에는 통증, 충혈, 눈꺼풀 부종, 눈물흘림, 눈부심, 분비물 생성 등이 있다. 출혈, 눈물흘림과 같은 징후 이외에도, 감염 부위에서는 일반적으로 각막침윤이 관찰된다. 초기 단계에서는 각막침윤이 주로 상피로 한정되나 질병이 진행되면서 각막기질이 점차 흐려지고 각막 침윤 상부의 상피가 파괴되기 시작해 각막 주변과 궤양의 변색으로 이어진다. 세균각막염의 초기에는 콘택트렌즈유발 주변부궤양과의 구분이 어렵다. 결막의 충혈은 초기에는 감염 부위에 인접한 가장자리 및 눈 주변으로 한정될 수 있기 때문에 임상의에게 감염부위에 대한 중요한 단서를 제공하지만 염증이 진행되면서 이 단서는 찾기 어려워 진다.

세균각막염은 매우 급속하게 진행할 수 있다. 최초의 국소성 궤양은 소용돌이형, 원형의 유백색 침윤 형성으로 진행되며 이것이 악화되어 크림색의 농성 궤양, 모양체 발적(ciliary injection), 홍채염, 앞방축농(hypopyon)으로 이어질 수 있다(그림 20-1). 초기 증상부터 크림색 농성궤양까지의 진행은 4~6시간 정도로 빠를 수 있으며 장액 또는 점액농의 분비물이 명확히 관찰되기도 한다. 적절한 치료를 하지 않으면 기질이 녹아 사라져 단 며칠 내로 각막천공으로 이어질 수 있다.

균주 별로 임상양상의 차이가 보이는데, *Pseudomonas*

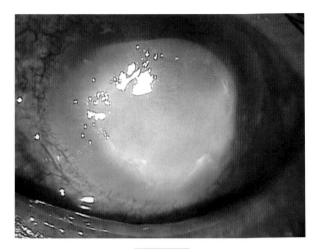

그림 20-1
콘택트렌즈 착용자에서 급속하게 진행된 세균각막염

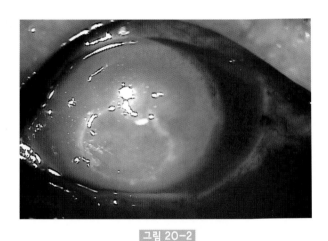

그림 20-2
콘택트렌즈 착용자에서 발생한 *Pseudomonas aeruginosa* 세균각막염

*aeruginosa*에 의한 각막염의 경우 심한 점액농성 분비물이 보이면서, 화농성 기질침윤이 빠르게 진행하며, 염증성 상피부종이 황색의 응고성 괴사를 둘러싸는 소견을 보인다. 전방염증이나 진한 염증성 응고물이 보일 수도 있다. 화농성 염증이 주변으로 빠르게 퍼지면 기질괴사로 인해 천공으로 진행하기 쉬운데, 기질괴사가 빠르게 진행하여 1~2일 내에도 천공이 발생할 수 있으므로 각별히 주의하여야 한다. 각막중심부를 중심으로 고리모양의 기질침윤을 보일 수도 있다(그림 20-2). *Pseudomonas aeruginosa* 등의 그람음성세균에 의한 각막염에서는 Wessley ring이라 불리는 고리모양의 항원-항체 복합체(antigen-antibody com-

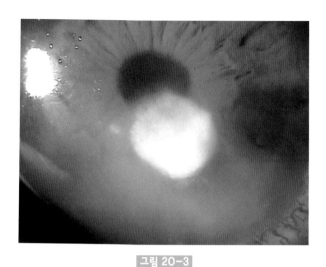

그림 20-3
콘택트렌즈 착용자에서 발생한 *Staphylococcus aureus* 세균각막염

plex)를 간혹 볼 수 있다. 이 경우 콘택트렌즈 착용자에서 나타날 수 있는 무균성 염증 침윤(sterile inflammatory infiltrate)을 우선적으로 감별진단 해야 한다. 때로 침윤이 무균성인지 감염성인지 임상적으로 감별이 어려운 경우가 있는데, 이때는 반드시 배양검사를 시행하고 감염성이면 항생제를 점안해서 치료해야 하며, 배양검사상 음성이 나온다 하더라도 가음성의 가능성을 숙지하고 주의 깊게 치료에 임해야 한다.

*Staphylococcus aureus*에 의한 각막염은 병변 주위에 경한 기질부종을 보이면서, 회백색 또는 미색을 띠는 경계가 명확한 기질 침윤으로 나타나며, 염증이 심해질 경우에는 농성화되고 기질 농양 등을 형성한다(그림 20-3). 간혹 위성병소를 나타내는 경우도 있다. 포도알균에 의한 각막염에서도 천공이 발생할 수 있다. *Staphylococcus epidermidis*에 의한 각막염은 *Staphylococcus aureus*에 의한 각막염보다 각막기질 침윤이 덜 심하다.

(2) 진균각막염(Fungal keratitis)

진균은 콘택트렌즈에 의한 손상으로 발생된 각막상피의 결손부위를 통해 각막 기질까지 침입하며, 각막기질에서 증식하여 조직괴사와 숙주의 염증반응을 일으키게 된다. 비록 데스메막이 상대적인 장벽역할을 한다고는 하지만, 심층부의 각막기질까지 침입할 수 있는 진균의 균사는 온전한

데스메막도 통과할 수 있다. 일단 진균이 데스메막을 통과하여 전방, 홍채, 수정체, 공막, 후방까지 도달하여 염증덩어리를 형성하고 완전한 진균제거가 거의 불가능하게 되면, 진균녹내장이 발생할 수도 있다. 진균에 의한 각막염은 발생까지 2~3주가량 걸릴 수도 있으나, 1~2일 만에도 발생할 수 있다.

진균은 모든 형태의 렌즈에 유착이 가능하며, 소프트콘택트렌즈에는 직접 침투할 수도 있어 소프트콘택트렌즈를 착용하는 사람에서 RGP렌즈 착용자보다 흔히 발생한다. 소프트콘택트렌즈 착용자 중 진균에 의한 각막염 발생이 증가하였다는 보고도 있다. 치료 목적의 소프트콘택트렌즈를 착용하는 경우에서, 미용목적 혹은 무수정체 콘택트렌즈를 착용하는 경우보다 더 많은 진균감염이 발생하였다고 보고된 바 있다. 렌즈 다목적관리용액과 관련해서 대규모의 진균각막염 발생이 보고된 바 있다.

진균은 크게 사상진균과 효모로 나눌 수 있다. 사상진균은 미용목적 혹은 무수정체 콘택트렌즈 착용자에서 각막감염을 흔히 일으키며, 효모는 치료 목적의 콘택트렌즈 착용자에서 흔히 각막 감염을 일으킨다. 사상진균에 의한 각막염과 효모에 의한 각막염은 서로 다른 양상을 보이게 되는데, 일반적으로 사상진균에 의한 감염은 효모에 의한 것보다 진단과 치료가 어렵다.

사상진균에 의한 진균각막염의 경우 결막충혈을 보이면서 각막상피와 표층기질에 미세하거나 거친 과립상의 침윤이 관찰되는데, 각막상피표면은 건조하고 거친 느낌을 주며 회백색을 보이고, 상피는 융기되거나 온전할 경우도 있으나 간혹 궤양이 생길 수도 있다. 즉, 깃털모양의 가장자리, 건조하고 거친 느낌의 침윤, 각막표면으로부터 다소 융기된 듯한 병변 등이 관찰된다면 진균각막염을 의심해야 한다(그림 20-4). 각막기질에 염증이 심하지 않을 경우는 미세한 깃털모양의 침윤을 보이면서 침윤 주위로 불규칙한 경계부를 형성하며, 여러 부위의 화농성 미세농양이나 위성병소, 항원-항체 반응으로 추측되는 면역륜도 흔히 나타난다. 질환의 초기에는 약간의 홍채염이 발생할 수 있으며, 병변의 크기와 정도에 비례하여 나타나는 경향이 있는 전방축농, 내피세포의 흉터 등도 관찰할 수 있다. 진균각막염이 진행

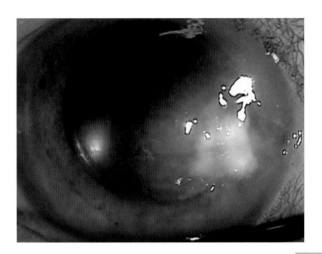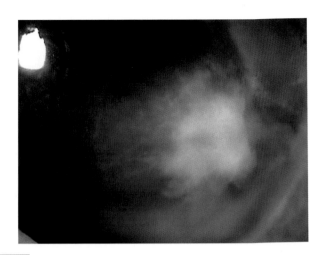

그림 20-4
콘택트렌즈 착용자에서 발생한 진균각막염

되면 전체 각막이 균일하게 황백색을 띄게 되고 심한 세균 각막염과 유사한 양상을 보이게 되며, 각막기질의 궤양 및 괴사는 각막천공과 눈속염증을 유발할 수 있다. *Fusarium solani*에 의한 각막염은 빠른 진행을 보인다.

Candida 등의 효모에 의한 진균각막염은 사상진균에 의한 진균각막염과는 다르다. 선재하는 안염증성질환이 있거나, 쇼그렌증후군, 내분비계질환 등의 전신질환이 있는 환자들이 효모에 의한 진균각막염에 노출되는 경우가 많다. 효모에 의한 진균각막염은 *Staphylococcus aureus*나 *Staphylococcus pneumoniae*에 의한 그람양성 세균각막염과 흡사한 양상을 띄는데, 가장자리의 경계가 분명하고, 각막기질의 황백색 화농을 보이는 작은 난원형 궤양을 흔히 일으킨다.

최근 일련의 콘택트렌즈 관련 진균각막염 환자들에 대한 증례보고를 살펴보면 초기 불쾌감 경험 후 렌즈 제거 시의 급격한 통증을 모든 증례에 공통적인 주요 증상으로 보고했다. 그리고 위와 같은 통증은 눈물, 충혈, 눈부심의 증가로 이어졌다. 시력은 수일 이내에 악화되고 증상은 다양할 수 있다. 각막 심부 궤양에 해당하는 5.0×5.0 mm의 중앙 기질 침윤을 보이는 환자가 있는 반면 형광 착색을 이용한 세극등 검사에서 상부 상피가 완전히 손실된 4×3 mm의 다엽성 중앙 각막 침윤을 보이는 환자도 있었다. 각막

중앙 궤양이 중심부근 혼탁(paracentral opacity)과 함께 관찰된 경우도 있었다. 또한 앞방에는 상당한 결막과 공막 충혈 및 발적이 동반되어 있었다고 하였다.

(3) 가시아메바각막염(Acanthamoeba keratitis)

원생동물 가운데 하나인 가시아메바는 토양, 담수, 수영장, 수돗물, 공기 등 자연환경에 두루 존재하는데, 주변 환경의 변화에 적응을 잘하고 높은 온도에도 잘 견딘다. 이 아메바는 생활환경의 여건에 따라 활동성인 영양형(trophozoite)과 비활동성인 포낭형(cyst)으로 존재하는데, 주변 환경이 좋지 않을 경우에는 포낭형으로 변하여 수년간 생존할 수 있다. 1973년 가시아메바에 의한 각막염이 처음 보고된 이후, 점차 많은 환자가 발견되었고 특히 콘택트렌즈 착용자에서의 감염이 많이 보고되고 있다.

가시아메바가 각막염을 일으킬 수 있는 대표적인 경우로는 오염된 물이 눈에 들어간 경우, 안외상을 입은 경우, 콘택트렌즈를 착용한 경우를 들 수 있는데, 이중에서 콘택트렌즈 착용이 가장 위험하다. 실제로 가시아메바각막염 환자의 70% 이상이 콘택트렌즈 착용자로 알려져 있다. 영양형의 아메바는 모든 종류의 콘택트렌즈에 유착할 수 있으므로 오염된 렌즈가 아메바를 눈에 전달하는 매개물이 된다. 렌즈에 의해 각막에 전달된 아메바는 렌즈 착용으로 발생한 각막상피손상 부위를 통해 각막기질 내로 쉽게 침투하

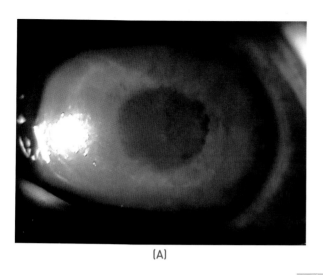

(A)

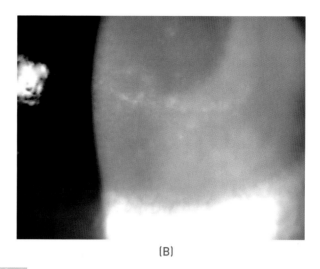

(B)

그림 20-5

Ortho-K 렌즈 착용 후 발생한 가시아메바각막염 환자에서 관찰되는 면역륜(A)과 각막신경염(B)

여 감염을 일으키게 된다. 따라서 가시아메바에 오염된 콘택트렌즈 보존액이나 세척용 식염수를 사용한 경우 및 콘택트렌즈나 보관용기의 세척을 수돗물로 한 경우 발병위험이 높다. Acanthamoeba각막염은 모든 형태의 콘택트렌즈 사용에서 보고되고 있는데, 대개 소프트콘택트렌즈 사용자에서 흔히 발생하는 것으로 알려져 있다. 렌즈의 종류에 따른 발생빈도를 보면 매일착용 소프트콘택트렌즈를 착용했을 경우가 가장 발생빈도가 높고, 그 다음으로 장기 착용렌즈, RGP렌즈 순이다.

아메바성 원충각막염의 진행은 진균각막염과 마찬가지로 세균각막염만큼 급속하지는 않다. 일반적인 징후에는 각막 착색, 가성수지(pseudodendrites) 형성, 상피 침윤, 앞기질 침윤이 있으며 이는 국소적, 확산성, 방사형의 각막신경(keratoneuritis) 형태일 수 있다. 방사형은 원형혼탁(circular formation of opacification)이 질병 진행 중 비교적 초기에 나타나며 각막궤양의 완전한 발달에는 수 주가 걸릴 수 있다. 가시아메바각막염이 있는 환자들은 매우 극심한 통증을 호소하는 것이 특징적이다.

각막상피는 초기에는 정상으로 보이나 점차 점상 상피 탈락이나 가성 가지모양의 병변이 되며, 드물게 가지모양의 병변을 보일 수도 있다. 간혹 상피의 혼탁이나 미세낭 구조

가 보이기도 하고 형광물질 염색 시 각막상피가 융기된 부위와 탈락된 부위가 함께 나타나기도 한다. 초기에는 각막지질의 침윤이 작고 국소적으로 혼탁한 병변 또는 광범위한 회백색의 병변으로 나타난다. 이러한 침윤이 점차 커지면서 융합하여 면역륜 모양을 이루는 경우도 있는데, 이러한 면역륜은 가시아메바각막염의 중요한 각막소견 중 하나이다. 단, 이러한 면역륜은 다른 감염각막염에서도 볼 수 있다. 각막기질의 염증이 진행되면서 각막상피의 탈락과 재생이 반복되어 나타난다. 염증이 진행되면 중심부 각막의 부종과 괴사가 발생하고 궤양으로 진행하여 천공이 발생할 수 있다. 병변에서부터 윤부까지 각막신경주행을 따라 신경의 비후와 주변 침윤이 나타나는 방사상 각막신경염은 가시아메바각막염의 특유한 증상이다(그림 20-5). 초기에는 이로 인한 심한 안통이 있으며 염증이 심해지면 각막 지각이 감소할 수 있다.

아메바가 각막실질의 심부까지 침투할 경우 심한 전방염증을 유발하여 각막내피세포에 많은 precipitate가 보일 수 있으며, 안압상승도 일어날 수 있다. 심한 홍채염, 백내장, 맥락막염, 망막염, 시신경염 등을 일으키기도 한다. 각막에 침범한 아메바가 이동하여 윤부와 공막까지 도달하면 결절성 공막염이 나타날 수 있다.

2) 병인학(Etiology)과 각막염의 진단

(1) 세균각막염

콘택트렌즈와 연관된 세균각막염의 진단을 위해서는 임상적 소견도 중요하지만 더불어 염색 및 배양검사를 병행하는 것이 좋다. 세균각막염의 원인균을 확인하는 가장 좋은 방법은 배양검사이다. 각막의 감염이 임상적으로 강하게 의심될 때에는 병변 부위를 적절히 찰과하여 염색 및 배양검사를 실시하는데, 각막을 찰과할 때는 궤양의 가장자리나 바닥, 염증세포의 침윤이 심한 곳 및 농성괴사가 심한 곳 등의 감염이 가장 심한 병소에서 멸균된 수술칼 등을 이용하여 시행한다. 병변 부위에서 채취한 가검물은 이동배지에 심기보다는 직접 배지에 접종하거나 도말표본을 만드는 것이 바람직하며, 의심이 되는 모든 종류의 세균을 검출하기 위한 다양한 배지를 사용해야 한다. 또한 콘택트렌즈 자체 및 렌즈보관용기나 보관액을 찰과하여 균배양검사를 시행하는 것도 도움이 된다.

콘택트렌즈와 연관된 세균각막염에서 병변부위를 찰과하여 배양하면 여러 종류의 세균들이 검출되는데, *Pseudomonas aeruginosa*, *Staphylococcus aurues*, *Staphylococcus epidermidis* 등이 가장 흔하며, 그 외에도 다양한 그람양성 및 그람음성 세균들이 검출된다.

Fleiszig 등은 관류를 이용해 각막에서 분리한 세포를 이용하여, 하이드로겔콘택트렌즈의 장기 착용은 각막상피세포로의 *Pseudomonas aeruginosa* 유착을 증가시키는 것을 발견했다. 또한 *Pseudomonas aeruginosa*의 지질다당질은 균주가 각막 및 콘택트렌즈에 유착하는 중요한 기여 요인이며, 과거에 유착의 중요한 요인으로 보고되었던 세균선모(pili)의 역할은 미미한 역할만을 한다는 점을 증명하였다. *Pseudomonas aeruginosa* 감염의 병리에서 핵심은 이 세균이 건강한 각막에는 유착되지 않는 반면, 불활성 표면을 비롯한 대부분의 표면에는 왜 쉽게 유착하는지를 이해하는 것이다. 이에 대한 답은 각막표면의 천연 보호층에 있다. 세부적으로 말하자면 눈물막의 점액층과 상피세표 표면의 glycocalyx가 건강한 각막표면에의 *Pseudomonas aeruginosa*의 유착을 억제하는 것이다. 또한 특정 눈물막

요소들이 *Pseudomonas aeruginosa*와 결합할 수 있으며 전체적인 눈물 흐름이 각막상피를 *Pseudomonas aeruginosa*의 병원성기전으로부터 보호할 수 있다. 표면활성 단백질 D는 건강한 안구표면으로부터 *Pseudomonas aeruginosa*를 제거할 수 있으며 단백분해효소가 그러한 제거를 방해할 수 있다. 또한 표면활성 단백질 D의 체내 분해는 단백분해효소가 병원성에 기여할 수 있는 기전이기도 하다.

또 다른 중요한 발견은 임상적 질병을 일으키는 *Pseudomonas aeruginosa*에는 두 종류가 있으며 이 두 종류의 발병기전은 완전히 다르다는 점이다. 한 종류는 숙주 세포를 죽이지 않고 각막에 침습하며 아마도 숙주의 면역 반응을 통해 질병을 발생시키는 반면(침습적 균주), 다른 종류는 각막 및 기타 상피 세포에 대한 세포독성을 가지고 있어서 숙주 세포를 파괴시킨다(세포독성 균주). 이 두 종류의 *Pseudomonas aeruginosa* 간에는 유전적 차이를 통해 두 종류의 병원성 행동의 차이가 설명 가능하며, 이는 세균염색체의 exsA 조절 경로에서 기인한다. 이 경로가 없는 돌연변이를 이용한 실험에서 과거 세포독성이었던 균주들이 침습형 표현형으로 바뀐다는 점이 증명되었다.

(2) 진균각막염

대부분의 진균각막염은 *Fusarium* spp., *Aspergillus* spp., *Candida* spp.에 의해 발생한다. *Fusarium* spp.와 *Aspergillu* spp.는 균사를 생산하는 깃털 모양의 군락을 형성하는 곰팡이(실모양 진균)이고 *Candida* spp.는 가성균사를 생산하는 효모이다. 균사와 가성균사는 가지망을 형성할 수도 있으며 매우 조밀해질 수도 있다. 균사에는 균사를 별개의 세포로 분리시키는 사이막으로 불리는 내부막이 있을 수도 있다. 그러한 구조는 동일초점 현미경을 이용해 쉽게 관찰될 수 있다. 2000년대 중반에 전 세계적으로 콘택트렌즈 관련 Fusarium각막염이 창궐하기 전까지 진균각막염은 콘택트렌즈 착용에 대한 희소한 합병증으로 알려졌었다. 또한 어떤 진균 미생물도 콘택트렌즈 관련 각막염의 역학연구에서 발견되지 않았었다. 공초점 현미경은 이러한 감염의 진단 및 특징파악에서 중요한 역할을 했다.

진균각막염의 진단은 각막찰과나 각막생검을 하여 염색

및 배양 검사를 함으로써 이루어지게 되는데, 각막염 초기에는 상피가 온전하게 결손을 덮고 있는 경우가 흔하고, 각막염이 진행된 경우에는 진균이 심부기질로 침투하여 상층부기질과 궤양의 경계부에서 발견되지 않기 때문에 각막찰과를 실시하여도 진균이 발견되지 않는 경우가 흔하다. 소독면봉보다는 소독된 백금자나 수술칼로 각막궤양 부위를 적극적으로 찰과하고, 각막찰과 시에는 병변기저부와 각막침투 가장자리에서 여러 개의 표본을 얻는 것이 좋다. 유리슬라이드에 도말하여 염색을 실시하는 한편 배지에도 접종하여야 한다. 따라서 사상진균은 고체배지에서 솜털같은 집락을 보이는데, *Fusarium*은 초기에는 집락이 흰색이었다가 후에는 황갈색으로 변한다. 효모인 *Candida albicans*의 경우에는 고체배지에서 우윳빛을 띤 백색의 부드럽고 평활한 집락을 형성한다.

(3) 가시아메바각막염

가시아메바는 콘택트렌즈와 관련된 것으로 알려진 유일한 원충종이다. 가시아메바는 화학요법에 취약한 영양형에서 저항성 낭성으로 전환될 수 있다는 점에서 카멜레온과 같은 성향을 가지고 있다고 할 수 있으며, 주위 환경 어디에나 분포해 있다. 영양형은 다각형으로 직경이 15~45 μm에 달하며 우무배지 위에서 파상의 선을 따라 이동한다. 이 원충종은 세균, 효모 및 기타 단세포 유기체로부터 영양분을 섭취한다. 낭종은 이중벽을 가지고 있으며 길이가 최대 16 μm이다. 가시아메바종은 자연 환경에 폭넓게 분포하여, 수영장, 욕조, 수돗물, 콘택트렌즈 보존액, 토양, 분진, 저수지, 건강한 사람의 코, 인두 그리고 우리가 숨쉬는 공기에서까지도 발견됨이 보고되었다.

영양형들은 특정 조건에 노출되면 이중벽의 낭종을 형성하는데, 가시아메바 낭종은 직경이 약 9~27 μm로서 주름진 외벽(외낭종)과 다면체의 내벽(내낭종)을 가지고 있다. 낭종형에서는 숙주의 면역 반응 및 초고온, pH의 변화, 물에 대한 표준 염소처리, 많은 항균제와 같은 가혹한 환경에 대해 고도로 저항적인 것으로 알려져 있다. 가시아메바각막염에 대한 위험 요인에는 콘택트렌즈 착용, 각막 외상, 오염수에 대한 노출이 있다.

가시아메바각막염은 오진이 많고 진단이 어려운 질병 중 하나이다. 흔치 않은 질환이라 의사들의 경험 및 지식이 부족하고, 발병 초기부터 임상양상이 다양하여 대부분의 경우 세균, 진균 또는 헤르페스각막염으로 오진하는 경우가 많다. 진단검사 의사 및 검사자도 이 균주에 대한 적절한 검사와 판정에 대한 사전지식이 부족하기 때문에 진단은 더욱 어려울 수 있다.

검출률을 높이기 위해서는 도말 및 배양검사를 할 때 각막병변과 구석결막 모두 검사를 하는 것이 좋으며, 렌즈나 보관용기 및 사용했던 세척용 식염수 등을 모두 검사해보아야 한다. 특히 각막찰과에 의한 도말 및 배양검사 결과가 음성인 경우에도 렌즈 및 용기검사에서 아메바가 검출되면 진단적 가치가 매우 높다. 각막상피의 도말검사 중 Calcofluor white 염색은 아메바를 선택적으로 염색할 수 있는 장점이 있으며, 도말표본 및 조직표본에서 아메바를 밝힐 수 있다. 아메바의 배양검사를 할 때는 대장균을 도포한 비영양분의 배지가 가장 추천된다. 형광항체염색법 역시 도말이나 조직표본에서 아메바를 효과적으로 검사할 수 있으나, 염색방법이 다소 복잡하여 형광현미경이 필요하다.

많은 저자들은 콘택트렌즈 착용과 관련된 가시아메바각막염 발견에서 각막 공초점현미경의 유용성을 증명했다. 공초점현미경은 낭종 형태의 가시아메바를 쉽게 발견할 수 있으며 각막세포 반사성의 변화와 같이 기질 내의 모든 변화를 발견할 수 있다. 공초점현미경은 다른 현미경과는 달리 가시아메바각막염 환자에게 통증을 발생시키지 않는다는 장점이 있다. 환자들은 각막 촬영과정에서 추가적인 불쾌함이나 부작용을 경험하지 않는 것으로 보이며 추가적인 각막의 손상도 발생하지 않는다. 그러나 성공적인 촬영을 위해서는 높은 수준의 환자 협조가 필요하며, 이는 소아나 매우 쇠약한 환자에서는 어려울 수도 있다.

6. 감염각막염의 치료와 예방

궤양성 충혈 증상을 보이는 콘택트렌즈 착용력이 있는 환자는 신속한 검사를 통해 미생물각막염 가능성에 대한 잠정적 진단이 이루어져야 한다. ① 콘택트렌즈 착용, ② 눈의 불쾌감, ③ 안구 침윤이 있는 모든 경우는 잠재적 미생물각막염으로 의심되어야 하며, 달리 입증되기 전까지는 집중적으로 관리되고 치료되어야 한다. 콘택트렌즈 관련 감염의 예후는 질병 진단까지의 시간과 치료를 시작한 시점에 비례하므로 증상시작 시점과 치료 시작까지의 기간이 매우 중요하다.

1) 감염각막염의 치료

(1) 세균각막염

세균각막염이 의심되면, 콘택트렌즈의 착용을 중지시키고 바로 치료를 시작한다. 각막 찰과의 결과가 확인되기 전까지는 광범위 항생제를 사용하는 것이 좋다. 간혹 다음과 같은 이유로 각막 찰과의 결과는 신뢰성이 낮은 경우가 많다. ① 찰과 전 항생제 점안이 이루어진 경우, ② 많은 미생물들이 분리되어 실제 원인 미생물의 확인이 어려울 경우, ③ 찰과의 결과가 배양−음성으로 나오는 경우. 따라서 일부 학자들은 콘택트렌즈 관련 감염각막염의 경우 콘택트렌즈 배양을 통해 원인 미생물에 대한 정보를 얻을 것을 주장하기도 한다.

세균각막염에 있어서 가장 중요한 치료법은 항생제 점안인데, 치료 초기에는 가급적 점안 항생제 투여를 자주 하는 것이 좋다. 각막에 작용하는 점안약의 약물농도를 조속히 치료농도까지 높이기 위해서는 5분간 매분 약을 투여하고 이 방법을 30분 후에 다시 반복하고, 그 후 30분 또는 60분마다 점안을 한다. 구석결막이 약물을 함유할 수 있는 용적이 한정되어 있으므로, 점안약 투여 시 약물농도를 높이기 위해 한 번에 여러 방울을 점안하는 것이 한 방울을 점안하는 것과 비교했을 때 그 효과가 더 뛰어나다고 보기는 힘들다. 여러 종류의 점안약을 투여할 때는 점안 간격을 5분으로 하는 것이 좋다. 수면으로 인해 점안약의 잦은 투여가 어려운 야간의 경우에는 항생제 연고를 투여하는 것이 좋다. 천공의 위험이 있는 심한 각막궤양의 경우에는 점안약 투여뿐만이 아니라 전신적인 항생제 투여 및 결막하 항생제 주사의 병행도 고려할 수 있다.

치료를 진행하면서 임상양상의 변화, 배양검사 및 항생제 감수성 검사 결과에 따라 항생제를 변경하는 것이 좋다. 병합요법을 시작한 경우에는 배양검사 결과에 따라 효과가 낮은 점안약의 경우에는 투여를 중단하며, 이는 항생제 감수성 결과에 따른다. 치료를 시작하면서 상피나 기질 괴사의 깊이, 범위 및 각막 침윤 정도 등의 임상소견 변화를 주의 깊게 살펴봐야 하는데, 일반적으로 임상소견의 호전은 항생제를 적절히 투여한지 2~3일 내에 나타나기 시작한다.

감염의 치유가 시작되면 항생제 투여 횟수를 수일 간격으로 줄여 나가며, 공막감염이나 안내감염이 없을 경우에는 전신적인 항생제 투여를 중단하고, 고농도 항생제는 통상적인 농도의 항생제로 대치할 수 있다. 세균각막염 치료를 위해 항생제를 투여하는 기간은 일반적으로 1개월 정도이나, 투여기간과 투여방법은 질환 상태에 따라 조절해야 한다. 만일 치료를 시행함에도 불구하고 계속 병변이 진행하고 악화일로를 걷는다면 각막찰과나 각막생검을 재차 시행하고, 제대로 시행한 배양검사에서도 계속 음성이 나올 경우에는 비세균성 원인도 고려해야 한다.

세균각막염의 치료를 위해 점안 스테로이드를 사용하는 데는 신중을 기해야 한다. 스테로이드를 사용함으로써 다핵구에 의한 각막조직손상을 줄이고, 각막 신생혈관 발생을 최소화하며, 각막염증에 의한 각막혼탁을 줄일 수 있다는 장점이 있는 반면, 단점으로는 부적절한 항생제를 사용할 경우에는 세균 증식을 촉진하여 감염을 지속시킬 수 있고, 항생제 중단 시 감염이 재발할 수 있을뿐만 아니라, 각막의 창상치유를 억제하고 이차적인 녹내장, 백내장을 유발할 수 있다는 점 등을 들 수 있으며, 특히 녹농균에 의한 감염 시 그러한 위험성이 있다. 따라서 스테로이드는 사용하는 항생제의 효능이 확실하지 않거나 배양검사 및 항생제 감수성 검사가 미비한 경우에는 사용하지 말아야 하며, 적절한 항생제를 투여하고 수일 후에 어느 정도 감염이 조절된 후에 사용하는 것이 좋다.

(2) 진균각막염

진균각막염은 효과적인 약제가 극히 제한되어 있기 때문에 세균각막염에 비하여 치료가 매우 힘들다. 적절한 치료제의 선택에도 불구하고 일반적으로 서서히 회복되며 지속적인 치료가 요구된다. 진균이 배양되면 항진균제 감수성 검사를 실시하고 적절한 항진균제를 선택하여, 항진균제를 최소 1개월 이상 투여한다. 각막상피와 괴사조직은 항진균제 점안 시 장벽으로 작용하기 때문에 약제의 각막투과를 용이하게 하기 위해 약제투여와 병행하여 각막상피 및 표재성 괴사조직을 제거하는 것이 필요하다. 특히 초기에는 괴사조직을 제거하면서 진균까지 제거할 수 있기 때문에 가급적 매일 실시하는 것이 좋다.

현재까지 임상에서 가장 많이 사용하는 점안약은 amphotericin B와 voriconazole, natamycin이다. Natamycin은 다양한 종류의 사상진균과 효모에 효과적이고 독성이 적어 많이 사용되는 약제로, 특히 Fusarium에 큰 효과가 있다. 상품화되어 있는 5% natamycin이 사상진균이나 효모가 원인인 각막염의 초기치료에서 많이 선택된다. 그러나 natamycin은 각막의 심층부로는 침투하기 어렵다는 단점이 있어, 주로 표재성 진균감염에 효과가 있다.

Amphotericin B는, 특히 Candida 등의 효모에 효과적이다. 0.1~0.25% amphotericin B 점안약제는 눈에 대한 자극감과 독성이 적어서 많이 사용되고 있으며, 효모나 사상진균으로 인한 각막염의 치료에 0.15% amphotericin B의 점안이 추천되고 있다. 점안약제는 약제를 증류수로 희석해서 만들며, 은박지로 약병을 싸서 4℃ 냉장보관 한다. 전신투여 시에는 신독성 발생가능성에 유의하여야 하며, 전신투여를 해도 약제의 안내침투는 매우 제한적임을 숙지하여야 한다. 따라서 전신투여는 가급적 추천되지 않는다.

Voriconazole은 *Aspergillus* spp.와 *Candida* 등 대부분의 균에 감수성이 높고, amphotericin B에 의하여 각막상피독성이 적고 각막 침투력이 좋다고 알려져, 가격이 비싼 비급여 제제임에도 불구하고 최근 사용이 증가하는 추세이다.

항진균제 투여를 시작하고 2~3일 가량 지나면 대개 각막궤양 및 각막기질의 침윤이 안정되거나 호전되는 양상을 보이는데, 호전 시에는 불규칙적이고 깃털모양인 병변의 소실, 위성병변의 회복, 기질화농 밀도의 감소, 각막상피와 기질부종의 호전 등의 임상양상을 보인다. 임상양상의 변화를 주의 깊게 관찰하면서 점차 점안약의 점안횟수를 줄여 4~6주간 점안한다.

진균각막염의 치료로 부신피질호르몬제를 점안하는 것은 각별한 주의가 요구된다. 부신피질호르몬제는 진균의 병원성을 증가시키고 증식을 유발하기 때문에 진균각막염의 초기치료에는 금기이다. 만일 환자가 각막염 발생 전부터 부신피질호르몬제를 점안한 경우에는 반동반응이 일어날 수 있기 때문에 급작스런 중단은 피하고, 약제를 점진적으로 줄이면서 끊어야 한다.

(3) 가시아메바각막염

가시아메바각막염 역시 치료가 쉽지 않다. 현재까지는 PHMB (polyhexamethylene biguanide)와 chlorhexidine이 우수한 살충효과를 보이는 약제로 알려져 있다. 점안제로 치료할 경우에는 단일약제의 투여보다는 병합적인 치료가 더 추천된다. 대개 살충효과가 뛰어난 hexamindine, PHMB (0.02%) 또는 chlorhexidine (0.02%~0.1%) 제제를 단독 또는 병합하여 투여하고, 2차 세균감염을 예방하거나 세균의 혼합감염 치료를 위해 점안 항생제를 투여한다. 전신적으로는 imidazole 제제를 투여한다. 점안약의 투여는 처음 1~2주 동안은 매 30분 또는 매시간 하는 것이 효과적이며, 깨어 있는 동안 매시간 점안하고, 임상증상의 호전에 따라 점차 횟수를 줄이며, 통상 수개월 이상의 치료를 요한다. 영양형은 약제투여에 의해 쉽게 파괴되나 이중벽을 가진 포낭형은 약제에 저항을 하기 때문이다. 스테로이드제제는 아메바의 대사와 증식을 촉진시키는 효과가 있으므로 사용하지 않는 것이 좋다.

(4) 추가적인 치료 전략

상황에 따라 많은 기타 치료 전략들이 활용될 수도 있으며 다음과 같이 요약될 수 있다.

- 동공확대제(mydriatics) : 홍채후유착(posterior synechia) 예방. (예, Atropine)
- 조절마비제(cycloplegics) : 모양체 연축으로 인한 통증의 감소(atropine도 조절마비 효과를 가지고 있다).
- 콜라겐분해효소 억제제(collagenase inhibitor) : 기질 용해의 최소화

- 비스테로이드성 항염증제 (nonsteroidal anti-inflammatory agents) : 염증의 완화 및 침윤성 반응 제한
- 진통제(analgesics) : 통증 완화
- 조직 접합제(tissue adhesives) : 기질이 극도로 얇아지거나 천공되었을 때에 도포
- 죽은조직 제거술(debridment) : 안구 내부로의 약물의 침투 강화
- 안대 렌즈(bandage lens) : 재상피화에 도움

수술적 중재에는 호전되지 않는 심부궤양 및 각막천공의 경우에 수행될 수 있는 전층각막이식술(penetrating keratoplasty)이나, 층판이식술(lamellar keratoplasty) 등이 사용될 수 있다.

2) 감염각막염의 예방

오염된 콘택트렌즈 보존액 및 식염수가 각막염 발생에 중요한 위험인자이므로 렌즈사용자 교육이 중요하다. 올바른 렌즈의 관리를 위해 매일착용렌즈의 2~3일 사용이나 수면시의 착용을 피하고, 렌즈 취급 전후 물과 비누로 손을 씻으며 렌즈를 세균번식이 쉬운 식염수만으로 세척, 보관하는 것을 금하여야 한다. 특히 진균각막염이나 가시아메바각막염의 위험이 높은 경우에는 세정과 소독을 철저히 하도록 교육한다. 콘택트렌즈의 세척은 렌즈를 손바닥에 올려놓고 다목적관리용액을 떨어뜨린 후 20초 가량 손가락을 이용해 렌즈표면을 문지르고 5초 가량 다목적관리용액으로 헹군다. 각각의 제품에서 권장하는 소독시간만큼 다목적관리용액에 담가 두어야 원하는 소독효과를 얻을 수 있다.

현재 시판되고 있는 콘택트렌즈 보존액의 경우 살균효과가 미미하며 아메바의 살충효과가 없으므로 가시아메바 감염의 위험성이 있으면 일회용 소프트렌즈를 사용하는 것이 좋다. 콘택트렌즈 용기를 80℃에서 10분간 가열소독 하는 것은 영양형과 포낭을 살충하는데 효과적인 것으로 알려져 있으며, 3% hydrogen peroxide에 2시간 정도 소독하거나 benzalkonium chloride, chlorhexidine에 소독해도 효과적이다.

콘택트렌즈 보관용기의 오염을 줄이기 위해서는 렌즈 세척액을 묻힌 면봉으로 깨끗이 닦아내고 뜨거운 물로 10분

이상 소독한 뒤 공기 중에 말리는 것을 주기적으로 시행하며, 3~6개월마다 렌즈용기를 교체하는 것이 좋다.

▶ 참고문헌

1. Perkins RE, Kundsin RB, Pratt MV, et al. Bacteriology of normal and infected conjunctiva. J Clin Microbiol 1975;1:147-9.
2. Ainley R, Smith B. Fungal flora of the conjunctival sac in healthy and diseased eyes. Br J Ophthalmol 1965;49:505-15.
3. Wu T, Mitchell B, Carothers T, et al. Molecular analysis of the pediatric ocular surface for fungi. Curr Eye Res 2003;26:33-6.
4. Brazier JS, Hall V. Propionibacterium propionicum and infections of the lacrimal apparatus. Clin Infect Dis 1993;17:892-3.
5. Galentine PG, Cohen EJ, Laibson PR, et al. Corneal ulcers associated with contact lens wear. Arch ophthalmol 1984;102:891-4.
6. Hyndiuk RA, Skorich DN, Davis SD, et al. Fortified antibiotic ointment in bacterial keratitis. Am J Ophthalmol 1988;105:239-43.
7. Pavan-Langston D, Lass J, Hettinger M, Udell I. Acyclovir and vidarabine in the treatment of ulcerative herpes simplex keratitis. Am J Ophthalmol 1981;92:829-35.
8. Limberg MB. A review of bacterial keratitis and bacterial conjunctivitis. Am J Ophthalmol 1991;112:2S-9S.
9. Schein OD, Ormerod LD, Barraquer E, et al. Microbiology of contact lens-related keratitis. Cornea. 1989;8:281-5.
10. Seal DV, McGill J, Flanagan D, Purrier B. Lacrimal canaliculitis due to Arachnia (Actinomyces) propionica. Br J Ophthalmol 1981;65:10-3.
11. Seal DV, Barrett SP, McGill JI. Aetiology and treatment of acute bacterial infection of the external eye. Br J Ophthalmol 1982;66:357-60.
12. Seal DV, Kirkness CM, Bennett HG, Peterson M; Keratitis Study Group. Population-based cohort study of microbial keratitis in Scotland: incidence and features. Cont Lens Anterior Eye 1999;22:49-57.
13. Wilson LA, Schlitzer RL, Ahearn DG. Pseudomonas corneal ulcers associated with soft contact-lens wear. Am J Ophthalmol 1981;92:546-54.
14. Morgan JF. Complications associated with contact lens solutions. Ophthalmology. 1979;86:1107-19.
15. Larkin DF, Leeming JP. Quantitative alterations of the commensal eye bacteria in contact lens wear. Eye(Lond) 1991;5

(Pt 1):70–4.

16. Morgan JF. Complications associated with contact lens solutions. Ophthalmology. 1979;86:1107–19.

17. Høvding G. The conjunctival and contact lens bacterial flora during lens wear. Acta Ophthalmol 1981;59:387–401.

18. Stapleton F, Willcox MD, Fleming CM, et al. Changes to the ocular biota with time in extended– and daily–wear disposable contact lens use. Infect immun 1995;63:4501–5.

19. Tragakis MP, Brown SI, Pearce DB. Bacteriologic studies of contamination associated with soft contact lenses. Am J Ophthalmol 1973;75:496–9.

20. Shnider HA. The contact lens—part 3. J Am Optom Assoc 1978;49:811–5.

21. Higaki S, Ohshima T, Shimomura Y. Extended–wear soft contact lenses don't change the ocular flora. Acta Ophthalmol scand 1998;76:639–40.

22. Fleiszig SM, Efron N. Conjunctival flora in extended wear of rigid gas permeable contact lenses. Optom Vis Sci 1992;69:354–7.

23. Baleriola 외, 1991

24. Mowrey DP, Matches AG, Preston RL. Technical note: utilization of sainfoin by grazing steers and a method for predicting daily gain from small–plot grazing data. J Anim Sci 1992;70:2262–6.

25. Willcox MD, Power KN, Stapleton F, et al. Potential sources of bacteria that are isolated from contact lenses during wear. Optom Vis Sci 1997;74:1030–8.

26. Sweeney DF, Willcox MD, Sansey N, et al. Incidence of contamination of preserved saline solutions during normal use. CLAO J 1999;25:167–75.

27. Clark BJ, Harkins LS, Munro FA, Devonshire P. Microbial contamination of cases used for storing contact lenses. J. Infect 1994;28:293–304.

28. Hart DE, Reindel W, Proskin HM, Mowrey–McKee MF. Microbial contamination of hydrophilic contact lenses: quantitation and identification of microorganisms associated with contact lenses while on the eye. Optom Vis Sci 1993;70:185–91.

29. Sankaridurg PR, Sharma S, Willcox M, et al. Colonization of hydrogel lenses with Streptococcus pneumoniae: risk of development of corneal infiltrates. Cornea 1999;18:289–95.

30. Jalbert I, Willcox MD, Sweeney DF. Isolation of Staphylococcus aureus from a contact lens at the time of a contact lens–induced peripheral ulcer: case report. Cornea 2000;19:116–20.

31. Martins EN, Farah ME, Alvarenga LS, et al. Infectious keratitis: correlation between corneal and contact lens cultures. CLAO J 2002 ;28:146–8.

32. Dart JK, Badenoch PR. Bacterial adherence to contact lenses. CLAO J 1986;12:220–4.

33. Marrie TJ, Costerton JW. The ultrastructure of Candida albicans infections. Can J Microbiol 1981;27:1156–64.

34. Leake ES, Gristina AG, Wright MJ. Scanning and transmission electron microscopy as tools for the study of phagocytosis of bacteria adherent to hard surfaces. J Leukoc Biol 1984;35:527–34.

35. Gristina AG, Oga M, Webb LX, Hobgood CD. Adherent bacterial colonization in the pathogenesis of osteomyelitis. Science 1985 24;228:990–3.

36. Anwar H, Dasgupta MK, Costerton JW. Testing the susceptibility of bacteria in biofilms to antibacterial agents. Antimicrob Agents Chemother. 1990;34:2043–6.

37. Dart JK. Predisposing factors in microbial keratitis: the significance of contact lens wear. Br J Ophthalmol 1988;72:926–30.

38. Stapleton F, Dart JK, Minassian D. Risk factors with contact lens related suppurative keratitis. CLAO J 1993;19:204–10.

39. Slusher MM, Myrvik QN, Lewis JC, Gristina AG. Extended-wear lenses, biofilm, and bacterial adhesion. Arch Ophthalomol 1987;105:110–5.

40. Fraser MN, Wong Q, Shah L, et al. Characteristics of an Acanthamoeba keratitis outbreak in British Columbia between 2003 and 2007. Ophthalmology 2012;119:1120–5.

41. Chen TC, Li EY, Wong VW, Jhanji V. Orthokeratology-associated Infectious Keratitis in a Tertiary Care Eye Hospital in Hong Kong. Am J Ophthalmol. 2014 Aug 22.

42. Kim JH. A Survey of Contact Lens–Related Complications in Korea: The Korean Contact Lens Study Society. J Korean Ophthalmol Soc 2014;55:20–31.

43. Ji–Eun Lee, Tae Won Hahn, Boo Sup Oum et al. Acanthamoeba keratitis related to orthokeratology. Int Ophthalmol 2007;1:45–9.

44. Kirk R., Wilhelmus. Acanthamoeba keratitis during orthokeratology. Cornea 2005;7:864–6.

45. Gray TB, Cursons RT, Sherwan JF, Rose PR. Acanthamoeba, bacterial, and fungal contamination of contact lens storage cases. Br J ophthalmol 1995;79:601–5.

46. Devonshire P, Munro FA, Abernethy C, Clark BJ. Microbial contamination of contact lens cases in the west of Scotland. Br J ophthalmol 1993;77:41–5.

47. Seal DV, Kirkness CM, Bennett HG et al. Acanthamoeba keratitis in Scotland: risk factors for contact lens wearers. Cont Lens Anterior Eye 1999;22:58–68.

48. Sadiq SA, Azuara–Blanco A, Bennett D et al. Evaluation of contamination of used disposable contact lenses by Acanthamoeba. CLAO J 1998;24:155–8.

VI

콘택트렌즈의 관리

Chapter 21 콘택트렌즈 관리시스템 : 세척, 습윤, 보존액의 이해

Chapter 22 콘택트렌즈 처방 후 환자관리

콘택트렌즈 관리시스템 :
세척, 습윤, 보존액의 이해

Contact lens care system:
understanding of cleaning, wetting, and storing solution

김영진, 송종석

콘택트렌즈 유지 및 관리는 안전하고 효과적인 렌즈 착용을 위해 중요하며, 렌즈 착용을 중지하게 되는 여러 이유 중의 하나이다[1]. 그러나, 최근에는 다음과 같은 이유로 렌즈의 유지관리의 중요성이 감소하고 있다.

잦은 렌즈 교체 및 더 낮은 합병증을 가진 일회용 렌즈가 등장하였고[2], 다목적관리용액(multipurpose solution, MPS)이 개발되어 콘택트렌즈의 세척, 소독, 보관 등의 과정이 한 가지 용액으로 가능하게 되었다.

특히 매일착용 일회용 렌즈는 하루만 렌즈를 착용하고 버리기 때문에 복잡한 콘택트렌즈의 관리가 불필요하게 되었고 심지어는 세균오염의 온상이 되는 렌즈케이스 조차 불필요하게 되었다.

하지만, 이러한 콘택트렌즈 관리시스템의 발전에도 불구하고, 1일 착용 일회용 렌즈는 아직 시장에서 우월적 시장점유를 하지 못하고 있으며, 미래에 일회용 렌즈가 모든 렌즈를 대체할 수 있을 것 같지 않다.

가까운 미래에도, 고도굴절이상자들을 위한 일회용 렌즈를 생산할 가능성이 적다.

또한, 콘택트렌즈 착용자에서 Fusarium에 의한 진균 각막염이 싱가폴과 미국에서 여럿 발생하게 되었고[3], 미국의 질병관리본부가 이에 대해 역학조사를 시행한 결과 바슈롬사의 MPS 중 하나인 리뉴 모이스쳐락(ReNu Moisture-Loc)과 연관되었다고 보고하였다[4]. 그러므로, 콘택트렌즈의 관리는 렌즈 착용자의 순응도(compliance)에 중요한 역할을 함을 알 수 있다.

이번 장에서는 콘택트렌즈를 처방하는 안과의사로서 콘택트렌즈 관리용액 각각의 기능을 이해하고 소프트렌즈와 RGP렌즈 관리용액의 차이점을 알아 콘택트렌즈 착용자들을 바르게 교육하고 그들에게 정확한 정보를 제공하는데 도움이 되고자 한다[1].

1. 소프트콘택트렌즈 관리용액
(Soft contact lens care solution)

소프트콘택트렌즈 관리용액은 크게 렌즈를 세척하는 세척제와 렌즈를 헹구고 보관하는데 사용하는 식염수, 살균작용을 하는 소독제 및 렌즈를 착용한 상태에서 수분을 공급해 주는 습윤제로 나눌 수 있으며 그 외에 세척과 헹굼 소독 및 보관에 필요한 성분들을 모두 포함한 MPS로 나눌 수 있다.

1) 세척(Cleaning)

눈물은 크게 지방층(lipid layer), 수성층(aqueous layer), 점액층(mucous layer)으로 구성되어 있으며, 눈물 안에는 지방, 점액 성분뿐 아니라 백여종 이상의 단백질이 포함되어 있다. 콘택트렌즈 착용 시 렌즈의 표면에 단백질이나 지방이 침착될 수 있으며 이러한 침착물들은 시력의 감소와 이물감, 콘택트렌즈 수명 단축, 감염 등을 일으키는 원인이 되며 적절한 렌즈의 세척은 렌즈 관리의 기본이 되는 과정이다.

소프트렌즈의 세척은 크게 지방과 점액 등의 침착물을 제거하는 계면활성세척제와 단백질 침착물을 제거하는 효소 세척제로 나눌 수 있다.

(1) 계면활성세척제(Surfactant cleaner)

계면활성세척제는 일반적으로 콘택트렌즈를 뺀 후 렌즈에 붙어 있는 미생물 등의 이물질이나 침착물을 제거하기 위해 매번 사용하여야 하며 계면활성제는 미셀(micelle)을 형성하여 침착물을 제거한다. 대부분의 계면활성세척제에는 이온성 또는 비이온성 세척제(detergent)와 습윤제(wetting agent), 킬레이트제(chelating agent), 완충제(buffer), 방부제(preservatives)를 함유하고 있다.

가장 흔히 사용되고 있는 세척방법은 렌즈를 손바닥 위에 올려놓고 렌즈를 헹굼액으로 충분히 적신 다음 렌즈의 앞뒷면에 세척제를 떨어뜨린 후 손가락을 이용해 렌즈표면을 문지르고 헹굼액으로 씻어내는 것이다. 계면활성제가 렌즈표면의 침착물과 결합한 후 렌즈표면을 문지르는 물리적인 작용으로 인해 렌즈와 침착물간의 결합을 느슨하게 만들고 유화시키므로(emulsify) 렌즈표면의 이물질을 제거할 수 있다. 이러한 과정은 렌즈표면에 결합되지 않은 단백질은 물론 단백질 침착물의 1/3~1/2을 제거할 수 있으며 렌즈표면에 있는 미생물을 제거하는데도 도움이 된다.[5,6] 미국의 FDA의 규정에 따르면 소독과정 없이 세척제만을 사용한 경우에도 접종된 세균의 90%를 제거하여야 하며 세척제를 헹굼액으로 씻어낸 후에는 접종된 세균의 99.9%까지 제거하여야 한다.[7-9] 현재 국내에서 사용되는 계면활성세척제의 종류는 표 21-1과 같다.

(2) 효소 세척제(Enzymatic cleaner)

소프트렌즈 침착물은 주로 단백질 침착물로 되어 있으며 리소자임(lysozyme)이 90%를 차지한다. 단백질 침착물 중 30%만이 렌즈표면에 붙어 있으며 나머지 70%는 렌즈 재질 내에 존재한다. 효소 세척제로 이러한 단백질을 제거하여야 렌즈 재질 내에 있는 작은 구멍(pore)을 열어주어

표 21-1 국내에서 사용되는 소프트콘택트렌즈용 계면활성세척제

상품명	회사명	성분
크리너	중외제약	Poloxamer 407
Neo SPC	중외제약	Poloxamer 407, Polysorbate 20, polyoxyethylene dioleic methyl-glucosid
MicroFlow Daily cleaner	CIBA Vision	Poloxamer 407, isopropylalcohol, amphoteric

렌즈의 산소전달률(Oxygen transmissibility, Dk/t)을 최대로 유지할 수 있고 렌즈 침착물에 의한 면역반응을 최소화할 수 있다.

효소 세척제는 단백질분해 효소를 포함하고 있으며 이 효소들은 눈물의 단백질을 폴리펩티드(polypeptide)와 아미노산으로 가수분해 시키므로 렌즈표면에 침착된 단백질을 제거한다. 이러한 효소 세척제는 단백질 침착물을 제거하는데 계면활성세척제보다 훨씬 효과적이며 이러한 과정에 의해 75% 정도의 단백질 침착물을 제거할 수 있다.[10] 효소 세척제는 일반적으로 1주에 1번 사용하나 렌즈 착용자의 눈 상태에 따라 그 횟수는 달라질 수 있다.[11,12] 효소 세척제로 단백질을 제거하는 데 시간이 오래 걸리고 비용도 만만치 않아 원칙 대로 시행하지 않는 경우가 흔하며 이러한 이유로 렌즈의 침착물들이 증가하여 안구표면에 여러 가지 합병증을 유발하게 된다. 콘택트렌즈와 관련된 합병증의 약 80%가 렌즈 침착물에 의해 발생한다고 보고된 바 있다.[10]

최근 들어 매일착용이나 연속착용렌즈들이 보편화되고 단백질 제거가 가능한 다목적관리용액이 사용되면서 효소 세척제의 시용은 점차 줄어들고 있다. 단백질 제거를 위해 사용되는 단백질 분해 효소에는 papain, pancreatin, subtilisin 등이 있으며 용액 형태의 효소세척제가 좀더 편리하게 매일매일 사용될 수 있다. 여러 가지 효소들을 혼합한 칵테일 형태의 효소 세척제는 더 효과적으로 단백질을 제거하기보다 도리어 단백질 성분의 각 효소들을 서로 분해할 수 있으므로 권장되지 않는다. 현재 국내에서 사용되는 효소 세척제의 종류는 표 21-2와 같다.

표 21-2	국내에서 사용되는 소프트콘택트렌즈용 효소 세척제	
품명	회사명	성분
Coolzyme	중외제약	Subtilisian-A
Opti-Freee SupreCLENS Daily pretein Remover	Alcon	Pancreatin

① Papain

가장 먼저 사용된 단백 분해 효소로 파파야 멜론의 유액(latex)에서 추출되었으며 현재 고기 연화제(tenderizer)로도 사용되고 있다. Papain은 단백질에만 주로 작용하므로 먼저 계면활성세척제로 지방과 점액 침착물을 먼저 제거하고 난 후 papain을 이용해 단백질을 제거하는 것이 효과적이다. Papain은 알약 형태로 만들어지며 고함수 소프트렌즈(FDA 2군, 4군)에서 쉽게 렌즈에 흡착되었다가 렌즈를 착용한 상태에서 서서히 방출되므로 표층점상각막염이나 각막부종, 결막충혈 등을 야기할 수 있다. 하드렌즈에서는 papain이 렌즈 재질 내로 들어갈 수 없어 쉽게 씻어지므로 현재는 하드렌즈에서의 효소 세척제로만 사용되고 있다.

② Pancreatin

돼지 소화효소를 정제하여 만든 효소 세척제로 단백질은 물론 지방과 점액을 분해하는 3상성(triphasic) 효소다. 알약이나 용액으로 만들어지며 고함수 소프트렌즈에서도 안전하게 사용되므로 소프트렌즈와 하드렌즈 모두에서 이용되고 있다.

(3) Subtilisin

발효과정을 통해 *Bacillius subtilis*로부터 추출된 단백분해 효소로 소프트렌즈와 하드렌즈 모두에서 사용이 가능하며 소프트렌즈에는 알약 형태로 하드렌즈에서는 용액 형태로 만들어진다. 효소 세척제에 들어있는 potassium carbonate (K_2CO_3)와 citric acid가 이산화탄소를 만들어주므로 효소가 효과적으로 작용할 수 있는 pH로 만들어주어 렌즈 재질 내에 있는 단백질을 제거하는데 도움을 준다.

2) 식염수(Saline)

식염수는 소프트렌즈를 헹구고 보관하는데 사용되며 눈물과 등장액인 0.9% NaCl로 되어 있고 중성의 pH를 갖는다. 크게는 방부제가 들어있는 것과 들어있지 않은 것으로 나눌 수 있으며 방부제가 들어 있지 않은 식염수의 경우 한번 개봉하면 보존기간이 15~30일 정도이므로 가끔씩 렌즈를 착용하는 사람에서는 적합하지 않다. 방부제는 식염수에서 미생물이 자라는 것을 방지하기 위해 사용되며 sorbic acid, edetate disodium, polyaminopropyl biguanide (PAPB) 등이 일반적으로 사용된다. 식염정제(salt-tablet)를 이용하여 식염수를 만들 수도 있으나 희석과정에서 미생물 오염으로 인해 감염각막염의 위험이 높고 특히 아칸토아메바각막염의 위험이 증가하는 것으로 알려져 있다.[13-16]

식염수는 시간이 지나면서 점차 pH가 감소하여 산성으로 가기 때문에 완충성분(buffer ingredient)이 들어있지 않으면 산성화된 식염수를 사용하게 되어 자극감을 느끼게 되며 고함수 이온 중합체(FDA 4군) 소프트렌즈의 경우는 렌즈의 형태가 바뀌게 된다. Harris 등[17]은 완충성분이 들어있는 식염수와 들어 있지 않은 식염수를 14~24일간 pH의 변화를 측정해 본 결과 완충성분이 들어있는 식염수의 평균 pH는 7.30인 반면 완충성분이 들어 있지 않은 식염수는 평균 5.79로 감소하였다고 보고하였다. 따라서 식염수의 pH 유지를 위해서는 완충물질이 필요하며 일반적으로 borate나 phosphate 화합물이 사용되고 있다.

3) 소독(Disinfection)

콘택트렌즈는 사용하는 동안 피부에 상존하는 정상세균이나 수돗물, 또는 지저분한 손에 있는 다양한 미생물에 의해 렌즈가 오염될 수 있으며 소프트콘택트렌즈는 이러한 미생물이 자라는데 좋은 배지 역할을 할 수 있다. 따라서 렌즈 착용으로 인해 발생할 수 있는 감염성 안질환을 예방하기 위해서는 철저한 렌즈의 소독이 필수적이다. 렌즈의 소독은 크게 화학물질에 의한 소독방법과 열소독으로 나눌 수 있으며 그 외에도 자외선이나 초음파, 전자레인지(microwave oven)를 이용하여 소독하는 방법이 있다.

(1) 화학소독(Chemical disinfection)

화학소독 방법은 크게 방부제(preservative)를 이용하는 방법과 과산화수소(hydrogen peroxide)를 이용하는 방법이 있으며 방부제를 이용한 소독방법은 초기에는 thimerosal이나 chlorhexidine과 같은 작은 분자크기의 방부제를 사용하였으나 이런 종류의 방부제는 소프트렌즈 재질 내로 들어가 알레르기반응이나 독성반응을 일으켜 현재는 사용되지 않고 있으며 큰 분자량의 방부제를 낮은 농도로 사용하고 있다.

화학소독방법은 충분한 소독효과를 얻기 위해서는 사용하는 소독제에 따라 4시간에서 길게는 하룻밤을 소독액에 담가두어야 하며 각각의 제품에서 권장하는 데로 소독방법을 지키지 않으면 렌즈를 보관하는 동안 미생물이 증식할 수 있다. 근래에 사용되는 콘택트렌즈의 소독방법은 사용하기 쉽고 편리하게 만들어 사용자의 순응도(compliance)를 증가시키려 하고 있으며 현재 널리 사용되고 있는 MPS는 이러한 목적을 위해 개발되었다. 현재 사용되는 MPS의 방부제는 양이온을 띤 분자량이 큰 방부제를 이용하며 이 물질은 미생물의 세포 표면과 결합하여 세포막을 파괴하므로 살균작용을 한다.

① 방부제(Preservative)

가. Biguanide

강한 양이온 전하(strong cationic charge)를 띠는 긴 사슬 분자구조(long-chain molecular structure)로 되어 있으며 세포벽의 산성 인지질(acidic phospholipid)을 파괴하여 살균작용을 한다. 식염수와 습윤제에도 낮은 농도로 들어있어 미생물의 증식을 억제하며 주로 사용되는 biguanide 방부제에는 polyhexamethylene biguanide (PHMB), polyaminopropyl biguanide (PAPB or Dymed) 등이 있다.

나. Polyquaternium-1 (Polyquad)

Biguanide계 방부제와 비슷하게 긴 사슬의 분자구조를 가지며 PHMB에 비해서는 약하지만 양이온 전하를 가지고 있다. MPS에서는 높은 농도로 사용되고 습윤제나 단백질 제거 효소 용액에서는 낮은 농도로 사용된다.

다. Myristamidopropyl dimethylamine (Aldox)

양이온 전하를 갖는 지방산으로 구성되어 있으며 분자 크기는 PHMB나 PAPB, polyquad보다 작다. 약물 자체가 항진균 효과를 가지고 있으며 polyquad와 함께 사용될 때 아칸토아메바의 영양형(trophozoite)과 포낭형(cyst)에 모두 효과가 있다.

라. Sorbic acid

과실 성분으로부터 만들어진 천연 방부제로 식염수나 계면활성세척제, 습윤제에 사용된다. 알레르기나 독성반응은 비교적 적은 것으로 알려져 있으나 이온 중합체의 소프트콘택트렌즈(FAD group 3, 4)의 경우 sorbic acid가 렌즈 표면의 아미노산과 반응하여 렌즈가 노랗게 변색될 수 있다.[18]

② 과산화수소(Hydrogen peroxide)

3% 과산화수소가 소프트콘택트렌즈의 소독을 위해 사용되며 60 ppm 이하의 농도로는 다른 콘택트렌즈 용액의 방부제로 사용된다. 과산화수소에 의한 소독방법에는 아래와 같은 장점과 단점이 있다.

가. 장점

• 안전하고 매우 효과적인 소독방법이다.

과산화수소는 광범위한 항균작용을 하며 소프트콘택트렌즈 내로 들어가 렌즈를 팽창시키고 렌즈 내의 이물질을 산화시키므로 좋은 소독효과를 가진다.

• 약물에 의한 과민반응을 일으키지 않는다.

과산화수소는 몇몇 다른 화학소독방법과 달리 약물이 소프트렌즈와 결합하거나 렌즈 내에 축적 되지 않는다.

• 소프트콘택트렌즈 세척에 도움을 준다.

과산화수소 용액은 저장성이고 산성을 띠므로 소독 과정 동안 렌즈가 팽창되었다가 다시 수축하게 되므로 렌즈와 결합되어있는 단백질이나 지방의 결합을 깨뜨려 렌즈 세척에 도움을 준다.

나. 단점

• 소독방법이 다소 복잡하다.

고농도의 과산화수소는 눈에 심한 자극을 주므로 소독 후 중화과정이 반드시 필요하다. 중화방법에는 크게

표 21-3 국내에서 사용되는 소프트콘택트렌즈용 과산화수소 소독제

상품명	회사명	성분
Aosept	CIBA Vision	3% H_2O_2 & platinum catalyst
Oxysept	AMO	catalyst 3% H_2O_2 & Delayed-release catalase tablet

세 가지 방법이 있는데 첫째는 효소 카탈라제(enzyme catalase)나 플래티늄 원반(platinum disc)과 같은 촉매 중화제를 사용하는 것이고 두 번째는 sodium pyruvate 나 sodium thiosulfate와 같은 화학물질을 이용해 중화 시키는 것이고 세 번째는 식염수를 이용하여 과산화수 소를 희석시키는 방법이다.

• 소독과정에 시간이 오래 걸린다.

과산화수소를 이용하여 하룻밤이나 오랜 시간 소독 을 하게 되면 소독효과는 좋으나 소독 후 렌즈의 가장자 리가 뒤틀리기(curling) 때문에 중화시키는 목적이외 에 도 렌즈 형태의 회복을 위해 중화제에 장기간 담가두어 야 한다.

최근에 주로 사용되는 과산화수소 소독방법은 소독 과 중화 과정을 한 단계로 시행하므로 소요시간을 줄이 고 소독과정을 간편하게 할 수 있는 장점이 있으나 중 화과정이 보다 빠르게 일어나므로 항균효과가 감소할 수 있다.[19,20] 현재 국내에서 사용되는 과산화수소 소독 제는 표 21-3과 같으며 소독과정을 간편하게 하기 위해 효소 카탈라제나 플래티늄 원반 등의 중화제를 포함하 고 있다.

(2) 열소독(Thermal Disinfection)

소프트콘택트렌즈의 열소독은 경제적이고 빠르며 매우 효과적인 소독방법이다. 열소독을 위해서는 80℃에서 렌즈 를 10분 동안 보관해야 하므로 특별한 장치가 필요하다. 이 러한 이유로 열소독 방법은 현재 보편적으로 사용되지 않 고 있다. 또한 함수율이 높은 렌즈의 경우 반복적인 열소독 은 렌즈를 손상시키며 렌즈에 유착된 단백질을 굽게(bak-ing)되므로 결과적으로 렌즈의 수명이 감소하게 된다.

4) 습윤점안제(rewetting drop)

소프트콘택트렌즈를 착용하는 사람들은 흔히 눈의 건조 감을 느끼곤 한다. 눈이 건조하게 되면 렌즈가 불편하게 되 고 사물도 뚜렷하게 보이지 않는 등 여러 가지 증상이 발생 하게 된다. 렌즈 착용 이전부터 건성안이 있었던 경우 렌즈 를 착용하게 되면 렌즈가 쉽게 마르게 되므로 건조감을 더 자주 느끼게 되어 적절한 습윤제의 사용이 필요하다. 눈의 건조감은 환경적인 요인도 크게 작용하여 건조한 바람이 부는 곳에서 작업을 하거나 습도를 낮게 유지하고 있는 공 장이나 비행기 내에서 근무하는 경우에도 쉽게 렌즈가 마 르게 되어 건조감을 느끼며 독서나 컴퓨터 작업 등에 몰두 하여 눈 깜박이는 횟수가 감소하게 될 때에도 렌즈가 마르 게 되어 건조감 등의 증상이 발생할 수 있다.

소프트콘택트렌즈가 마르게 되면 렌즈의 크기가 감소하 며 렌즈의 휘어짐도 좀더 가파르게 되어 렌즈의 도수도 달 라지므로 습윤제의 사용으로 렌즈에 적절한 수분을 유지 하는 것이 중요하다. 습윤제에는 렌즈의 수분을 유지하기 위해 hydroxypropyl methylcellulose (HPMC)나 car-boxyniethylcellulose (CMC), sodium hyaluronate, poly-vinyl alcohol (povidone) 등과 같은 인공누액 성분과 소 량의 계면활성제, 세척제와 방부제, 완충제 등이 포함되어 있다. 국내에서 사용되는 습윤제는 표 21-4와 같다.

표 21-4 국내에서 사용되는 소프트콘택트렌즈용 계면활성세척제

상품명	회사명	성분
Senju CL drops	중외제약	KCL, NaCl
ReNu Multiplus lubricating and revwetting drops	B&L	EDTA, sorbic acid, povidone, boric acid, KCl, NaCl
Focus lens drops	CIBA Vision	EDTA, sorbic acid, carbamide, LubriClens

5) 다목적관리용액(multipurpose solution, MPS)

MPS는 렌즈의 세척과 헹굼, 소독 및 보관에 필요한 성분들을 하나의 용액에 모두 포함하고 있는 렌즈 관리용액이다. 이뿐 아니라 몇몇 MPS는 단백질 제거와 렌즈에 습윤효과를 주는 성분들도 포함하고 있다. 1980년대 후반에 처음 소개된 MPS는 사용이 간단하고 편리한 장점으로 짧은 시간 안에 가장 보편적으로 사용되는 렌즈 관리방법으로 자리 잡았다. 현재 사용되고 있는 MPS는 렌즈의 소독을 위해 양전하를 띤 고분자량의 방부제를 함유하고 있으며 이 성분이 미생물의 세포막과 빠르게 결합하여 세포막을 파괴하므로 살균작용을 한다. MPS는 렌즈 관리를 좀 더 쉽게 할 수 있도록 만드므로 렌즈 착용자의 순응도(compliance)를 향상시키고자 하였으나 여전히 사용법에 따라 제대로 렌즈 관리를 하지 못하는 경우가 많아 렌즈 착용으로 인한 합병증이 우려되고 있다. 또한 MPS 중 'no rub'으로 승인을 받아 물리적으로 렌즈를 문지르는 과정 없이도 소독효과를 보인 것도 있으나 이 용액들도 MPS에 보관하기 전에 렌즈의 표면에 유착된 이물을 제거하기 위해 5초 동안 헹구어주어야 함에도 불 구하고 이 과정이 필요한 것을 모르거나 가볍게 생각하여 충분한 소독효과를 얻지 못할 수 있다. 따라서 'no rub'로 승인 받은 MPS도 렌즈표면을 문지른 후 헹구는 것이 권장된다. 현재 국내에서 사용되고 있는 MPS는 표 21-5와 같다.

2. RGP콘택트렌즈 관리용액

(RGP contact lens care solution)

RGP렌즈의 관리용액은 크게 렌즈표면에 이물을 제거해주는 세척제와 렌즈를 소독하고 보관하기 위한 보존액(conditioning solution), 렌즈를 착용한 상태에서 수분을 공급해 주는 습윤제로 나누며 소프트렌즈와 마찬가지로 세척과 헹굼, 소독 및 보관을 하나의 용액으로 할 수 있는 RGP렌즈용 MPS로 나눌 수 있다. 다소 논란이 있긴 하지만 소프트렌즈와 달리 RGP렌즈의 경우 렌즈를 헹구기 위해 수돗물을 사용하는 것도 가능하다. RGP렌즈의 소독을 위해 주로 방부제를 사용하며 과산화수소를 이용한 화학소독이나 열 소독은 일반적으로 하지 않는다.

1) 세척(Cleaning)

RGP렌즈의 세척은 소프트콘택트렌즈와 비슷하게 렌즈에 침착되어 있는 단백질이나 지방, 기타 이물질을 제거하기 위해 시행하며 소프트렌즈와 동일하게 계면활성세척제와 효소 세척제로 나뉘어진다.

(1) 계면활성세척제(Surfactant Cleaner)

소프트콘택트렌즈의 세척 과정과 동일하게 렌즈를 뺀 후 렌즈에 붙어있는 미생물 등의 이물질이나 침착물을 제

표 21-5 국내에서 사용되는 소프트콘택트렌즈 MPS

상품명	회사명	소독제	기타 성분
Solo Care	CIBA Vision	PHMB	EDTA Poloxamer 407 Bis-tris propane Aqualube
Opti-Free Express	Alcon	Polyquad & Aldox	Tetronic 1304 AMP-95 Citrate
Complete Moisture Plus	AMO	PHMB	Poloxamer 237 EDTA Sodium phosphate Taurin HPMC Propylene glycol
ReNu Multiplus	B&L	Dymed	EDTA Boric acid Poloxamine Hydranate

거하기 위해 사용하나 RGP렌즈의 계면활성세척제는 그 성분에 따라 비연마(nonabrasive) 계면활성제와 연마(abrasive) 계면활성제로 나누어진다. 국내에서 사용되는 RGP렌즈용 계면활성제는 표 21-6과 같다.

① 연마 계면활성세척제(Abrasive Surfactant Cleaner)

연마용 미립자(abrasive particulate)가 포함되어 있는 세척제로 계면활성제만으로 제거되지 않는 렌즈표면의 침착물을 보다 효과적으로 제거할 수 있으며 크기가 다른 미립자들이 포함된 경우 다양한 종류의 침착물 제거가 가능하다. 연마 계면활성제의 단점은 렌즈표면에 미립자에 의한 손상이 발생할 수 있으며[21] 따라서 렌즈의 습윤력을 높이기 위해 표면 처리된 렌즈의 경우에는 사용하지 않아야 한다. 현재 연마 계면활성세척제가 RGP렌즈 세척을 위해 보편적으로 사용되고 있다.

② 비연마 계면활성세척제

(Nonabrasive Surfactant Cleaner)

연마용 미립자가 포함되어 있지 않은 세척제로 렌즈표면의 침착물을 제거하기 위해 물리적으로 문질러주는 과정이 중요하다. 습윤력을 증가시키기 위해 표면 처리된 렌즈의 경우 비연마 계면활성제 세척제를 사용하여야 한다.

(2) 효소 세척제

소프트콘택트렌즈와 마찬가지로 일주일 간격으로 효소 세척제를 이용해 렌즈표면의 단백질 침착물을 제거하는 것은 매우 효과적인 방법이다. RGP렌즈의 경우 재질에 따라 단백질 침착에 차이가 있어 효소 세척제의 사용 빈도가 달라질 수 있다. 실리콘 아크릴레이트(silicone acrylate) 재질의 경우 렌즈표면이 음전하를 띄므로 양전하를 띤 단백질이 쉽게 침착되는 반면 불소실리콘 아크릴레이트(fluorosilicone acrylate) 재질의 경우 렌즈표면이 끈적이지 않아 단백질 침착물이 쉽게 떨어져 나가므로 효소 세척제의 필요가 상대적으로 덜하다. 소프트렌즈와 마찬가지로 효소 세척제로 pancreatin과 subtilisin이 주로 사용되며 국내에서 사용되는 RGP렌즈용 효소 세척제는 표 21-7과 같다.

2) 보존액(conditioning solution: wetting and soaking solution)

렌즈를 착용하기 전 렌즈에 수분을 공급하는 습윤제(wetting solution)의 기능과 렌즈를 보관하는 보존액(soaking solution)의 기능을 하는 복합 관리용액이다. 보존액의 기능은 크게 네 가지로 첫째는 렌즈표면의 습윤 상태를 일시적으로 향상시켜주며, 둘째는 렌즈를 마르지 않고 충분히 수화된(hydrated) 상태로 유지시켜주며, 셋째는 렌즈를 소독해 주고, 마지막은 렌즈와 각막사이에 완충물질로 작용한다.

렌즈의 습윤 상태를 좋게 하기 위해 polyvinyl alcohol(PVA)이나 methylcellulose 계통의 물질을 사용하며 methylcellulose 계열은 비교적 점도가 높은 편으로 렌즈

표 21-6 국내에서 사용되는 RGP렌즈용 계면활성세척제

상품명	회사명	종류	성분
Boston Advance Cleaner	B&L	abrasive	Alkyl ether sulfate Ethoxylated alkyl phenol Cocca-based phospholipid Titanium dioxide Silica gel
B&L RGP Cleaner	B&L	abrasive	Alkyl ether sulfate Ethoxylated alkyl phenol Cocca-based phospholipid Silica gel
Bescon RGP Cleaner	Bescon		Special cleaning agent SH51 ,YP30 sodium acetate Boric acid, NaCl EDTA

표 21-7 국내에서 사용되는 RGP렌즈용 효소 세척제

상품명	회사명	성분
Boston One Step Liquid Enzymatic Cleaner	B&L	Subtilisin Glycerol
Opti-Free SupraCLENS Daily protein Remover	Alcon	Pancreatin
Menicon Progent	Menicon	A: sodium hypochlorite B: potassium bromide

착용 후 시야가 일시적으로 흐리게 될 수 있다. PVA 성분은 안구에 손상을 주지 않고 점도도 비교적 낮아 시야가 흐려지는 현상이 나타나지 않으며 안구와 렌즈표면에 잘 퍼지고 습윤성(wettability)도 좋은 것으로 알려져 있다.[21] 현재 국내에서 사용되는 보존액의 종류와 성분은 표 21-8과 같다. 모든 보존액에는 방부제가 들어있어 렌즈를 보관하는 동안 미생물의 살균작용을 하며 RGP렌즈에서 주로 사용되는 방부제는 소프트렌즈와 다소 차이가 있다.

(1) 방부제(Preservative)

보존액에 사용되는 방부제는 충분한 소독 효과를 나타낼 수 있는 농도를 가지고 있어야 하며 또한 렌즈를 착용하기 전 적셔주는 기능을 하므로 안구에 독성반응을 일으키지 않아야 한다. 소프트콘택트렌즈에서는 분자량이 적은 chlorhexidine, benzalkonium chloride, thimerosal 등의 보존액은 렌즈 재질 안에 축적되어 알레르기나 독성반응을 일으키므로 사용되지 않았으나 RGP렌즈의 경우 렌즈 재질 내에 축적되지 않으므로 사용이 가능하며 소프트렌즈에서 사용하는 분자량이 큰 PHMB, PAPB, Polyquad 등의 방부제도 사용할 수 있다.

① Benzalkonium Chloride

광범위한 세균과 진균에 효과가 있는 4기 암모늄염으로 안과용 점안액의 방부제로 널리 사용되고 있다. 이 물질은 소프트렌즈와 결합하여 점차 렌즈 내 농도가 축적되어 독성반응을 일으킬 정도로 올라갈 수 있으며 이러한 경우 결막 충혈 및 부종, 표층점상각막염 등을 일으킬 수 있다. 따라서 소프트렌즈의 경우 benzalkonium이 들어있는 RGP용 렌즈관리용액을 사용해서는 안 되며 소프트렌즈를 착용한 상태에서 benzalkonium이 들어 있는 점안액을 사용하지 않는 것이 좋다.

② Chlorhexidine Gluconate

광범위한 세균에 효과가 좋은 것으로 알려져 있으며 RGP용 렌즈관리용액에서만 사용되고 있다. 효모와 진균에는 효과가 적기 때문에 대개 thimerosal이나 EDTA 등 다른 방부제와 함께 사용되고있다. *Serratia marcescens*에도 상대적으로 효과가 적은 것으로 알려져 있다.[21]

③ Thimerosal

살균작용을 하는 유기수은 화합물로 그람 양성 및 음성균에 대한 항균효과가 benzalkonium에 비해 상당히 떨어

표 21-8 국내에서 사용되는 RGP렌즈용 보존액

상품명	회사명	소독제	기타 성분
Boston Advance Conditioning Solution	B&L	Chlorhexidine, Dymed, & Polyquad	EDTA Polyethylene glycol Polyvinyl alcohol Cellulosic viscosifier Buffer
Wetting and Soaking Solution	B&L	Chlorhexidne	EDTA Cellulose derivative polymer

진다. 따라서 단독으로 사용하지 않고 chlorhexidine 등과 같은 다른 방부제와 함께 사용해야 한다. 일부 환자에서는 이 약물에 민감하게 반응하여 안통과 충혈, 표층점상각막염을 일으킬 수 있다.[24,25]

④ Benzyl alcohol

콘택트렌즈 성분의 용매로 처음에는 사용되었으나 좋은 항균효과도 가지고 있다. isopropyl alcohol이나 methyl alcohol과 같은 지방족 알코올(aliphatic alcohol)은 RGP렌즈에 손상을 줄 수 있지만 방향족 알코올(aromatic alcohol)인 benzyl alcohol은 RGP렌즈에 손상을 주지 않아 안전하게 사용할 수 있다.

(2) 습윤점안제(Rewetting drops)

RGP렌즈를 착용한 상태에서 적절한 수분을 공급하여 렌즈가 마르는 것을 방지하므로 착용감을 좋게 하고 착용시간을 연장시킬 수 있다. 렌즈의 수분을 유지하기 위해 소프트콘택트렌즈와 마찬 가지로 methylcellulose나 polyvinyl alcohol 등과 같은 인공누액 성분이 들어있다. polyvinyl alcohol은 친수성(hydrophilic)과 친유성(lipophilic) 부분을 모두 가지고 있어 친유성 부분은 렌즈의 표면과 결합하고 친수성 부분은 밖으로 노출되어 물과 결합하고 물을 끌어당기는 작용을 하여 렌즈의 수분을 유지하게 된다. 사용되는 방부제는 소프트렌즈 습윤점안제와 달리

chlorhexidine이나 benzalkonium과 같은 저분자량의 방부제가 들어있어 RGP렌즈용 습윤제를 소프트렌즈를 착용한 상태에서 넣지 않아야 한다. 현재 국내에서 RGP렌즈용 습윤점안제로 사용되는 것은 바슈롬사의 보스톤 습윤점안제가 있으며 방부제로 chlorhexdine과 EDTA가 들어 있다.

3) 다목적관리용액(multipurpose solution, MPS)

RGP렌즈의 MPS도 소프트렌즈와 마찬가지로 렌즈의 세척과 헹굼, 소독 및 보관을 하 나의 용액으로 할 수 있는 편리함으로 현재 보편적으로 사용되고 있다. 방부제 성분으로 chlorhexidine과 같은 저분자량 방부제를 사용하는 것도 있어 RGP렌즈용 관리용액을 소프트렌즈 착용자가 사용해서는 안 된다.

MPS의 편리함에도 불구하고 렌즈를 안전하고 청결하게 관리하기 위해서는 렌즈 관리의 기본사항은 철저히 지켜야 한다. 렌즈를 뺄 때는 손을 깨끗하게 씻은 후 렌즈를 빼야 하며, MPS를 이용해 20초 동안 손바닥에 두고 문질러 주어야 하고 5초 동안 관리용액을 이용하여 헹구어 주고 회사에서 권장하는 시간만큼 관리 용액에 담가두어야 원하는 소독효과를 얻을 수 있다. 또한 렌즈케이스는 매번 뜨거운 물로 씻고 말려야 하며 한번 개봉된 관리용액은 90일이 지나면 바꾸어 주어야 한다. 현재 국내에서 사용되는 RGP용 MPS는 표 21-9와 같다.

표 21-9 국내에서 사용되는 RGP렌즈용 다목적 관리용액

상품명	회사명	소독제	기타성분
Unique-pH	Alcon	Polyquad	EDTA polyethylene glycol Tetronic 1304 Hydroxypropyl-GUAR Borate
Boston Simplus	B&L	Chlorhexidine & Dymed	Poloxamine Hydranate sodium borate HPMC
Meni Care Plus	Menicon	PHMB	Poloxamer EDTA Buffer Hypromellose

▶ 참고문헌

1. McMonnies, C.W. Is there a way through the maintenance minefield? J.B.C.L.A. (transaction of B.C.L.A Conference) 1988;11:5;47–51

2. Freeman, M.I Guest editorial–Disposable Contact lenses: where we have been–what we have learned. CLAO J., 1997;23:1;10–12

3. Khor WB, Aung T, Saw SM, et al. An outbreak of Fusarium keratitis associated with contact lens wear in Singapore. JAMA 2006;295:2867–73.

4. Chang DC, Grant GB, O'Donnell K. et al. Multistate outbreak of Fusarium keratitis associated with use of a contact lens solution. JAMA;2006;296:953–63

5. Jung J, Rapp J. The efficacy of hydrophilic contact lens cleaning systems in removing protein deposits. CLAO J 1993;19:47–9.

6. Simons PA, Sun CM, Yamamoto BA, et al. Comparison of surfactant cleaning times on protein deposit removal from hydrogel lenses. Int Contact Lens Clin 1995;22:16–8.

7. Houslby RD, Ghajar M, Chavez G. Microbiological evaluation of soft contact lens disinfecting solutions. J Am Optom Assoc 1984;55:205–11.

8. Shovlin JP. Resistant pathogens following disinfection : the significance of contribution of the elements. Int Contact Lens Clin 1989;16:126–8.

9. Horn MM, Simmons PA. Current multi–purpose solution concepts. Contact Lens Spectrum 2001;16:33–7.

10. Franklin V, Tighe B, Tonge S. Contact lens deposition, discoloration and spoliation mechanism. Optician 2001;222:16–20.

11. Cumming JS, Karageozian H. "Protein" conjunctivitis in hydrophilic lens wearers. Contact 1975;19:8–9.

12. Ghormley NR. Soft contact lens cleaning and disinfection system evaluation. Int Contact Lens Clin 1987;14:48–50.

13. Sibley MJ. The jungle of available lenses and care systems. Ophthalmol Clin North Am 1989;2:203–89.

14. Shovlin JP, DePaolis MD, Edmonds SA, et al. Acanthamoeba keratitis : contact lenses as a risk factor–case reports and review of the literature. Int Contact Lens Clin 1987;14:349–58.

15. Stinson EK. Acanthamoeba keratitis in soft contact lens wearers. J Ophtlralmic Nursing Tech 1986;5:132–4.

16. Moore MB, McCulley JP, Luckenbach M, et al. Acanthamoeba keratitis associated with soft contact lenses. Am J Ophthalmol 1985;100:396–403.

17. Harris MG, Higa CK, Lacey LL, et al. The pH of aerosol saline solution. Optom Vis Sci 1990 ; 67 : 84–8.

18. Rakow PL. A guide to contact lens solutions. J Ophthalmic Nurs Technol 1998;7:25–30.

19. Christie C. Contact lens care systems/part 8: a review of soft contact lens care systems. Optician 2001;222:19–23.

20. Hiti K, Walochnik J, Haller–Schober EM, et al. Viability of Acanthamoeba after expo–sure to a multi–purpose disinfecting contact lens solution and two hydrogen peroxide systems. Br J Ophthalmol 2002;86:144–6.

21. Doell GB, Palombi DL, Egan DJ. Contact lens surface changes after exposure to sur–factant and abrasive cleaning procedures. Am J Optom Physiol Opt 1986 ; 63 : 399–402.

22. Hill RM, Terry JE. Ophthalmic solutions: viscosity builders. Am j Optom Physiol Opt 1974;51:847–51.

23. McLaughlin R, Barr JT, Rosenthal P, et al. The new generation of RGP solutions meets increasing demands. Contact Lens Spectrum 1990;5:45–50.

24. Monciino BJ, Groden LR. Conjunctival hyperemia and corneal infiltrates with chemically disinfected soft contact lenses. Arch Ophthalmol 1980;8:1767–70.

25. Binder PS, Rasmussen DM, Gordon M. Keratoconjunctivitis and soft contact lens solutions. Arch Ophthalmol 1981;99:87–90.

콘택트렌즈 처방 후 환자관리

Patients care management after contact lens prescription

이 승 혁, 김 태 진

콘택트렌즈를 처방한 후의 적절한 환자 및 렌즈 관리는 지속적인 안구 건강과 성공적인 렌즈 착용을 위해 필수적이다. 렌즈 착용 방법 및 관리에 대한 교육을 마친 후에도 환자에게 지속적인 외래 추적 검사를 통해 렌즈 상태 및 안구 상태 관리가 필요함을 알려주는 것은 렌즈를 처음 시작하는 환자에게 착용 및 제거 요령을 교육하는 것 만큼 중요하며 이를 통해 초기 렌즈 착용 시에 나타나지 않을 수도 있는 합병증 등을 확인 또는 예방할 수 있다.

외래추적 검사 시 환자로부터 확인할 내용으로는 하루 동안 렌즈 착용시간 및 주당 착용 횟수, 착용 시 불편감 여부와 이의 지속기간 등이며 렌즈 착용 후의 시력 측정 및 달무리와 같은 비정상적인 이상 시력 증세가 있었는지 확인한다.

또한 렌즈를 착용한 상태에서 각막 위 렌즈 위치와 움직임 유무 및 정도, 눈물 순환 상태, 각막과 렌즈의 접촉 상태를 관찰하고, 현미경을 이용하여 콘택트렌즈 자체를 관찰하여 파손여부 확인 및 환자 각결막에 이상이 없는지도 관찰해야 한다.

1. 환자교육 및 순응도(compliance)

콘택트렌즈를 성공적으로 사용하기 위해서는 환자에 대한 적절한 교육과 이에 대한 정기검진이 필수적이다. 순응도란 렌즈 전문가인 의료인의 지시와 교육 받은 내용을 얼마만큼 환자가 잘 따라하는지 평가하는 척도이며, 순응도를 향상시킴으로써 부작용 없는 콘택트렌즈 착용 성공률을 높이는 것이 중요함은 아무리 강조해도 지나치지 않다.

렌즈 처방 초기에 너무 많은 지식을 환자에게 교육하는 것은 오히려 환자의 순응도를 감소시킬 수 있다. 처음 렌즈를 착용하는 환자에게는 필수적인 렌즈 관리 내용만 교육하고 추후 외래 추적검사를 위한 방문시에 단백질 제거방법 등의 내용을 새로 교육함과 동시에 필수적인 내용은 반복 교육하는 것이 더 효과적이다.

2. 소프트콘택트렌즈 관리

1) 소프트렌즈 취급 전 주의사항

소프트렌즈 취급에 앞서서 일반적으로 렌즈를 만지기 전, 렌즈 분실방지를 위해 착용자의 상체를 테이블에 밀착하여 앉도록 한다. 좌우 렌즈가 바뀌는 것을 방지하기 위해 항상 오른쪽 렌즈를 먼저 빼어 렌즈케이스에 넣는 습관을 교육하고 손톱은 짧게, 손은 청결히 해야 한다.

또한, 렌즈를 눈에 넣기 전 렌즈가 깨끗한지를 확인하고 렌즈가 뒤집히지 않았는지 알기 위해 렌즈를 손가락 위에 올려놓고, 바른 상태인지 여부를 확인한다(그림 22-1, 22-2).

그림 22-1
바른 렌즈 상태

그림 22-2
렌즈가 뒤집어진 상태

그림 22-3
바른 렌즈 상태

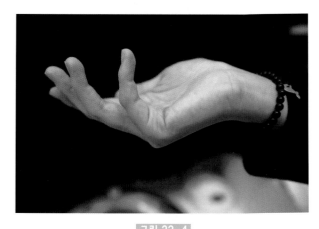

그림 22-4
렌즈가 뒤집어진 상태

또한, 렌즈 앞뒤면의 구분을 좀 더 정확히 알기위해 타코검사(taco test)를 이용하면 렌즈가 뒤집혔는지 아닌지를 확인 하는데 도움이 되는데, 소프트렌즈를 수 초간 탈수 시킨 후 손바닥 손금에 놓고 접었을 경우, 조개껍질이 닫히듯 접히면 올바른 방향이고(그림 22-3), 반대로 렌즈가 뒤집힌 경우에는 렌즈의 양쪽 모서리가 서로 마주 닿지 않고 벌어지게 된다(그림 22-4).

2) 소프트렌즈 착용 방법(그림 22-5)
① 검지 손가락 위에 렌즈를 올려 놓는다.
② 다른 손 중지를 사용하여 윗 눈꺼풀을 위로 당기고 렌즈가 있는 손의 중지로 아래쪽 눈꺼풀을 아래쪽으로

당겨 환자의 시선을 위로 향하게 한다.
③ 렌즈를 눈의 가운데에 살며시 올려 놓는다.
④ 렌즈와 눈 중심을 맞추기 위해 눈을 몇 번 깜박이거나 눈을 감고 눈꺼풀을 살짝 마사지하여 렌즈를 눈 중앙으로 오게 한다.

소프트렌즈 착용 후 환자가 이물감을 느끼고 불편하다면 렌즈와 각막 사이에 눈꼽 등의 이물질에 의한 것일 수도 있다. 이런 경우에는 환자가 코쪽을 보게 하고 검지를 이용하여 각막 위에 있는 렌즈를 이측 결막 쪽으로 이동시키고 눈을 깜박이면 이물질을 쉽게 제거할 수 있다. 그러나 이 방법으로도 불편함이 해소되지 않으면 렌즈를 탈착하여 앞뒤가 바뀌었는지를 확인해야 한다.

그림 22-5
소프트렌즈 착용 방법

그림 22-6
소프트렌즈 제거 방법

만약, 렌즈를 착용했는데도 시야가 흐리다면 렌즈 중심을 맞추기 위해 눈을 감고 눈꺼풀 위를 살짝 마사지 해준다.

3) 소프트렌즈 제거 전 주의사항

① 렌즈 제거 전에는 손을 깨끗이 씻는다.
② 렌즈가 건조하다고 생각되면 렌즈 제거 전에 소독된 식염수 혹은 인공누액을 점안하여 렌즈를 재습윤(Rewetting)시킨다.
③ 렌즈 제거 전 렌즈가 각막 중앙에 위치해 있는지를 항상 확인해야 한다. 즉, 양쪽 눈을 한 눈씩 교대로 가리고 잘 보이는지 확인한다.
④ 렌즈 제거 시에는 각막에 상처가 나지 않도록 주의해야 한다.
⑤ 제거된 렌즈는 깨끗이 세척 후 전용 보존액으로 채운 렌즈케이스에 보관한다.

4) 소프트렌즈 제거 방법

위 쪽을 보면서 중지로 아래 쪽 눈꺼풀을 천천히 당긴 후 검지를 렌즈 아래 쪽 끝 위에 놓고 렌즈를 눈의 아래 쪽 흰자 위로 미끄러지게 당기고 같은 손의 엄지와 검지를 사용해 렌즈를 가볍게 쥐어 눈에서 제거한다(그림 22-6).

5) 소프트렌즈 착용시간

과거 1990년대 중반에는 첫날 렌즈 착용시간을 4시간

이내로 제한하고 이후 하루에 2시간씩 단계적으로 늘려 착용함으로써 단계적인 적응 시간 연장을 모색했으나 최근에는 렌즈의 재질 및 디자인의 개발로 이러한 시간적 제한은 불필요한 것으로 보인다. 단지, 상대적으로 보다 예민한 환자의 효과적인 적응을 위해서는 서서히 렌즈 착용시간을 늘려나가는 것이 필요할 수도 있다. 만약, 적절한 착용법 대로 렌즈를 착용하더라도 눈이 불편하다면 렌즈를 즉시 제거해야 하며, 착용 도중 심하게 눈이 충혈되거나 따갑다면 렌즈를 빼고 세척과 소독과정을 다시 한 후 그래도 증상이 개선되지 않으면 안과 전문의에게 상의한다.

6) 소프트렌즈에 대한 교육 내용

렌즈 착용법을 환자에게 가르치는 교육 장소는 조용하고 편안해야 하며 환기가 잘 되는 곳이 좋다. 또한 너무 춥거나 덥지 않은 곳에서 밝은 조명하에 교육이 이뤄지고 환자가 불안감을 느끼지 않는 환경을 조성하는 것이 교육 효과를 높이는데 도움이 된다(그림 22-7).

- 렌즈 취급 전 손을 씻어야 한다.
- 렌즈를 뺀 후 깨끗이 세척해야 한다.
- 매일 렌즈케이스에 신선한 용액을 사용해야 한다.
- 렌즈케이스는 주기적으로 세척하거나 교체해야 한다.
- 장기간 용액 병을 열어 놓지 말아야 한다.
- 렌즈를 적시게 하기 위해 수돗물이나 침을 사용해서는 안 된다.

그림 22-7
렌즈 사용법 교육

그림 22-8
스스로 RGP렌즈 끼는 방법

- 염증 혹은 감염 증세가 있으면 즉시 의사에게 진료를 받는다.

3. RGP콘택트렌즈 관리

1) RGP렌즈 취급에 있어서 일반적인 주의점

RGP렌즈를 새로 착용하려는 환자에게 렌즈의 취급과 관리에 대해 충분한 교육이 이루어지지 않으면 딱딱한 렌즈를 눈에 넣어도 괜찮을까 하는 불안감이 생길 수 있으므로 숙련된 교육자가 환자에게 렌즈를 끼고 빼는 방법을 충분히 익히게 하여 자신감과 믿음을 갖게 해야 한다.

처음 렌즈 착용 법을 정확히 배운 환자는 착용 성공률이 높으므로 바쁘다고 해서 한번에 여러 명을 같이 교육하기 보다 한 사람씩 개인지도가 효과적이다. 만약 한 번 교육으로 어려우면 2, 3회 다시 내원하여 스스로 렌즈 착용과 제거를 할 수 있도록 도와주어야 한다.

40세 이상 노안이 생긴 환자에게는 근업장애로 인하여 렌즈의 착용 및 관리가 어려울 수 있으므로 이 점을 숙지하여 지도해야 한다.

또한, 소프트렌즈와 마찬가지로 RGP렌즈 취급에 앞서 렌즈 분실을 방지하기 위해 깨끗한 천이나 종이 수건 등을 깔아둔 테이블에 착용자의 상체를 밀착하여 앉도록 한다.

렌즈를 뺄 때는 좌우 렌즈 중 항상 오른쪽 눈의 렌즈를 먼저 제거하여 케이스에 넣도록 하여 좌우가 바뀌는 것을 예방하도록 교육시킨다. 손은 청결히 씻고 손톱은 짧게 하며 만약 환자가 눈 화장을 하고 있다면 지우도록 한다.

2) 환자 자신이 렌즈를 끼는 방법(그림 22-8)

좌우 렌즈 모두 자주 쓰는 검지 손가락에 놓고 끼우는 방법을 소개하면

① 오른손잡이인 경우, 오른손 검지 손가락 위에 렌즈의 오목한 면을 위로 향하게 놓는다.
② 거울을 보면서 자주 쓰는 중지로 사용하고자 하는 눈의 아래 눈꺼풀을 내리고 다른 손의 검지로 윗 눈꺼풀을 위로 당겨 눈을 크게 벌린다.
③ 렌즈를 검은 눈동자 위에 놓은 후 렌즈에서 천천히 검지손가락을 뗀다.
④ 왼쪽 렌즈도 오른쪽 렌즈와 같은 방법으로 렌즈를 눈동자에 대고 천천히 손가락을 뗀 후에는 눈을 급히 깜박이지 말고 천천히 감도록 한다.

3) 타인이 렌즈를 착용해주는 방법(그림 22-9)

어린이 혹은 고령이거나 장애가 있어 렌즈 착용과 제거가 어려운 경우는 보호자가 대신하여 렌즈 착용과 제거를 해줄 수 있도록 교육해야 한다.

착용 방법은 환자 자신이 할 때와 비슷하지만 먼저 환자 머리를 고정하고 먼 곳의 한 지점을 보게 한 후, 환자의 정

그림 22-9

타인이 RGP렌즈를 착용해주는 방법

면이 아닌 옆에서 접근하는 것이 환자의 불안감을 줄이는 데 도움이 된다.

오른쪽 렌즈를 끼울 때는 보호자의 오른쪽 검지 위에 렌즈를 올려 놓고 보호자의 왼손 중지나 검지로 환자의 오른쪽 상안검을, 보호자의 오른손 중지로 환자의 오른쪽 하안검을 당기고 시술자의 검지에 놓여있는 렌즈를 각막에 살짝 올려놓는다. 왼쪽 렌즈도 같은 방법으로 한다.

4) 환자 자신이 렌즈를 빼는 방법

새로운 RGP렌즈 착용자는 렌즈 제거에 두려움을 느낄 수 있으므로 병원을 나서기 전에 스스로 렌즈를 제거 할 수 있어야 한다.

(1) 눈 깜박임을 이용해 렌즈를 빼는 방법

거울을 보면서 눈을 크게 뜨고 렌즈를 뺄 쪽의 눈꼬리에 검지를 댄 후 눈꼬리에 댄 손가락끝을 귀쪽을 향해 잡아당겨 눈꺼풀이 꼭 죄이도록 한다(그림 22-10). 당겨준 사이에 눈을 깜빡거리면 렌즈가 빠지고, 이때 떨어지는 렌즈를 다른 손의 손바닥으로 사진과 같이 받아낸다(그림 22-11). 반대쪽 눈도 같은 방법으로 한다.

(2) 양손을 이용해서 렌즈를 빼는 방법

거울을 보면서 한쪽 손의 검지를 위 눈꺼풀의 중앙에 대고 반대쪽 손의 검지를 아래 눈꺼풀의 중앙에 댄 후(그림 22-12) 살며시 위 눈꺼풀에 압력을 주어 렌즈의 위쪽부분이 안구에서 먼저 떨어져 뒤집어지도록 하여 렌즈를 뺀다(그림 22-13).

이때 위아래 눈꺼풀이 뒤집히지 않도록 해야한다.

(3) 흡입컵(Suction cup)으로 빼는 방법

눈을 크게 뜨고 왼쪽 손가락으로 윗 눈꺼풀을 위로 당겨준 후 오른쪽 가운데 손가락으로 아래 눈꺼풀을 당긴 상태에서 흡입컵을 렌즈에 밀착시키고(그림 22-14) 가볍게 살짝 돌리면서 빼낸다(그림 22-15).

- 흡입컵(Suction cup)을 사용할 때는 장단점이 있는데, 일반적으로 사용을 권장하지 않는 이유는 흡입컵의 소독 상태를 관리해야 하는 문제와 흡입컵에만 의존시 환자가 맨손으로 렌즈를 착용 및 제거하는 요령을 숙지하

그림 22-10

스스로 RGP렌즈 빼는 방법

그림 22-11

RGP렌즈 빼는 방법

그림 22-12
두 손으로 RGP렌즈 빼는 법

그림 22-13
두 손으로 RGP렌즈 빼는 법

그림 22-14
흡입컵으로 RGP렌즈 빼는 법

그림 22-15
흡입컵으로 RGP렌즈 빼는 법

지 않은 경우 문제가 될 수 있기 때문이다. 하지만 실제적으로 환자들이 많이 사용하고 또 사용하기 편안하기 때문에 맨손으로 렌즈를 착용 및 제거하는 방법 뿐 아니라 흡입컵을 이용하는 방법과 주의사항도 알려주는 것이 좋다.

(4) 타인에 의해 렌즈를 빼는 방법

환자 자신이 렌즈를 빼는 방법 중에서 검지와 중지로 위아래 눈꺼풀을 당겨 빼는 방법과 양손의 검지를 위아래 눈꺼풀에 대고 빼는 방법을 동일하게 적용하면 된다. 만약 타인의 도움도 받을 수 없고, 흡입컵(suction cup)을 사용할 수 없는 응급상황에서는 눈을 물에 담그고 눈을 크게 뜨면 렌즈가 눈에서 빠져 나온다.

(5) 돌아간 렌즈를 각막 위에 되돌리는 방법

렌즈 취급이 익숙하지 못한 경우에는 착용하거나 뺄 때 렌즈가 돌아가는 경우가 있다. 그러나 눈의 구조상 눈꺼풀 안쪽으로 들어가서 나오지 않는 경우는 없으므로 당황하지 말고 손가락으로 눈을 크게 벌리고 렌즈가 있는 곳을 확인한다.

거울이 주변에 없더라도 렌즈가 어디에 있는지를 느낄 수 있으므로 각막에서 이탈한 렌즈를 바로 잡을 때는 손가락을 렌즈에 직접대지 않고 눈꺼풀을 이용해 검은 눈동자 위로 밀어 주어야 한다. 그러나 초보자는 거울을 보고 다음과 같은 방법으로 렌즈 위치를 바로 잡아야 한다.

그림 22-16
위쪽으로 이탈된 RGP렌즈위치 교정법

그림 22-17
아래쪽으로 이탈된 RGP렌즈위치 교정법

그림 22-18
귀쪽으로 이탈된 RGP렌즈위치 교정법

그림 22-19
코쪽으로 이탈된 RGP렌즈위치 교정법

① 위쪽으로 돌아갔을 때

i) 거울을 아래 쪽에 놓고 눈만 거울을 본다.

ii) 위쪽 눈꺼풀을 검지로 누르면서 렌즈를 고정한다(그림 22-16).

iii) 거울을 천천히 위쪽(정면)으로 옮기면서 검은 눈동자를 렌즈쪽으로 옮긴다.

② 아래쪽으로 돌아갔을 때

i) 거울을 위쪽에 두고, 눈만 거울을 본다.

ii) 아래 눈꺼풀을 검지로 누르면서 렌즈를 고정시킨다(그림 22-17).

iii) 거울을 천천히 아래쪽(정면)으로 옮기면서 검은 눈

동자를 렌즈쪽으로 옮긴다.

③ 귀쪽으로 돌아갔을 때

i) 거울을 코쪽으로 놓고 눈만 거울을 본다.

ii) 눈꼬리를 검지로 누르면서 렌즈를 고정한다(그림 22-18).

iii) 거울을 정면으로 서서히 옮기면서 검은 눈동자를 렌즈쪽으로 옮긴다.

④ 코쪽으로 돌아갔을 때

i) 거울을 귀쪽으로 놓고 눈만 거울을 본다.

ii) 코쪽 부분을 검지로 누르면서 렌즈를 고정한다(그림

22-19).

iii) 거울을 천천히 정면으로 움직임과 동시에 눈의 코 측 부분에 댄 손끝으로 렌즈를 각막 위까지 옮긴다.

5) 렌즈 세척(Cleaning)

(1) 세척액

렌즈를 보관하기 전에는 반드시 계면활성세척제(Surfactant cleaner)나 혹은 눈에 자극이 없는 다목적관리용액(multipurpose solution, MPS)으로 닦아서 렌즈케이스에 다기능 용액 혹은 보존액(soaking solution)을 채우고 보관한다.

이때 보존액은 일부가 아닌 전부를 교체해야 세균감염을 방지할 수 있다.

세척과 소독, 두 가지 기능과 함께 용액의 ph를 유지시켜주는 완충용액을 포함하는 MPS는 렌즈 세척 시 문지르지 않는 장점이 있기 때문에 렌즈의 뒤틀림과 파손을 방지할 수 있다.

또한 효소제가 들어있는 세척제는 렌즈표면에 단백질, 지방 등의 침착물을 최소화시켜 준다. 렌즈를 착용할 때에는 MPS로 헹구어 착용하면 렌즈표면에 습윤성을 유지하고 침착물 생성을 감소시켜준다.

렌즈케이스는 렌즈를 세척해서 케이스에 넣을 때마다 MPS로 한 번씩 헹구어 사용하고 1주일에 한 번 정도는 세척액으로 닦아 뜨거운 물로 깨끗이 헹구어 자연 건조시켜 재사용한다.

모든 환자들에게 사용하고 있는 RGP렌즈의 관리 용액에 대한 정확한 지식을 갖추도록 해주어야 한다. RGP렌즈 재질에 따라 적합한 세척액과 습윤용액을 사용하면 렌즈표면의 습윤성(wettability) 등을 유지할 수 있어 렌즈 착용자의 충혈, 각막미란 등을 방지할 수 있으므로 렌즈 생산회사의 관리 용품을 사용하는 것이 가장 좋다.

RGP렌즈 세척액을 소프트렌즈에 사용하면 Benzalkonium chloride가 소프트렌즈에 침착되어 독성반응을 일으킬 수 있으므로 소프트렌즈 세척에 사용해서는 안 된다.

(2) 렌즈 세척방법

렌즈를 검지와 중지 사이에 볼록한 면이 아래를 향하도록 올려놓고 엄지 손가락으로 가볍게 문지르며 닦는다(그림 22-20).

겨울철에는 찬물이나 차가운 세정제로 렌즈를 씻어서 착용하면 온도 차이로 인해 렌즈에 서리가 끼는 현상으로 렌즈가 뿌옇게 보일 수 있다. 이 경우 미지근한 용액으로 렌즈를 세척하여 다시 착용하면 문제가 해결된다.

손바닥 위에 올려 놓고 다른 손 검지 끝으로 20초 동안 일직선 방향으로 부드럽게 문지르며 닦는다.

RGP렌즈 장기 착용자들은 대부분 오른쪽 렌즈부터 빼서 닦기 때문에 왼쪽 렌즈는 소홀히 닦아 사용하는 경향이

그림 22-20
한 손으로 RGP렌즈를 세척하는 방법

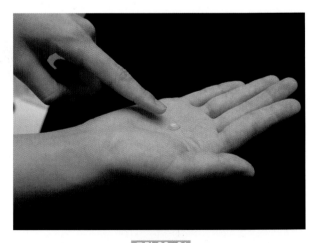

그림 22-21
두 손으로 RGP렌즈를 세척하는 방법

있다(Left lens syndrome). 이 경우 왼쪽 눈에 문제를 일으킬 수 있으므로 왼쪽 렌즈 세척에도 신경을 써 주어야 한다. 렌즈를 세척하여 착용한 후에 일정 시간이 경과 되면서 분비물이 생기고 뿌옇게 되며 건조한 증세가 생길 수 있다. 이 경우 한번쯤 렌즈를 다시 세척하여 착용하는 것이 중요하며 방부제가 없는 인공눈물을 점안해 주면 불편한 증세가 해결될 수 있다.

6) 렌즈 취급시 주의점

(1) 렌즈의 흠집(Scratch)

산소투과성이 높고 비교적 부드러운 RGP렌즈 재질은 표면에 흠집이 생기기 쉽다는 것을 환자에게 알려 주어야 한다. 타월이나 부드러운 헝겊 위에서 취급하도록 해야 하며 콘크리트 바닥에 떨어졌을 때 무리하게 집어 올리려고 하면 렌즈에 흠집을 내거나 파손의 위험이 있으므로 손 끝에 약간의 물을 묻혀 손끝으로 렌즈를 가볍게 건드리면 렌즈가 손끝에 달라붙으면서 들어올려진다.

(2) 렌즈에 낀 이물(그림 22-22)

RGP렌즈와 각막 사이에 먼지나 이물질이 들어가면 눈에 심한 이물감을 느낄 수 있으므로 렌즈 취급시에는 매끈한 면타월을 사용해 렌즈표면에 보푸라기 등이 달라붙어 눈 속으로 들어가지 않도록 주의해야 한다.

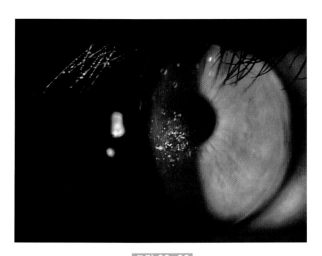

그림 22-22
렌즈에 낀 이물질

RGP렌즈와 각막 사이에 이물질이 들어갔을 경우에는 렌즈를 빼서 다시 세척 후 착용한다. 만약 렌즈 세척 후에도 이물감이나 통증이 지속되는 경우는 의사에게 진료를 받아야 한다.

(3) 수영

RGP렌즈를 착용한 상태에서는 원칙적으로 수영을 해서는 안되며 금지이유는 분실의 위험과 안구 감염임을 사용자에게 주지시켜야 한다.

(4) 화장품(Cosmetic)

화장품은 RGP렌즈의 탈색, 표면 침착 등을 일으킬 수 있으므로, 화장품을 사용하는 모든 렌즈 착용자에게 반드시 주의사항을 알려주어야 한다. 화장은 렌즈를 착용 한 후에 해야 하며 화장을 지우기 전에 먼저 렌즈를 탈착해야 한다. 마스카라의 나일론 섬유는 눈물막을 파괴시켜 각막에 상처를 일으키기도 하고 아이라이너(eyeliner)는 내측 안검연에 염증을 일으킬 수 있으므로 렌즈 착용 중에는 사용하지 않는 것이 좋다.

얼굴이나 손에 바르는 로션이나 크림 등이 렌즈표면에 묻게 되면 시력이 흐릿하게 보이거나 눈에 이물감을 일으킬 수 있으므로 손을 깨끗이 씻고 렌즈도 다시 세척하여 착용한다. 또한, 손을 씻을 때에는 가능한 향과 크림이 포함되어 있지 않은 비누를 사용하도록 한다.

4. RGP콘택트렌즈 장착 후 환자관리

1) 환자 교육

(1) 적응(adaptation)

RGP렌즈의 적응기간은 10~14일 정도 필요하나, 경우에 따라서는 4주 또는 그 이상 소요되는 경우도 있다. 또한 잘못된 눈 깜박임 습관으로 인해 잘 맞는 RGP렌즈도 여러 불편한 증세를 일으켜 렌즈 착용에 실패할 수 있으므로 바른 눈 깜박임 습관은 RGP렌즈 착용의 성공과 함께 적응기간을 단축 시킨다.

표 22-1 적응 증세

정상적인 적응 증세	비정상적인 적응 증세
• 눈물 • 약간의 자극감 • 가끔 흐리게 보임 • 바람, 먼지에 민감함 • 경미한 충혈	• 갑작스런 통증 • 불빛 주위에서 심한 희미한 달무리(halo)증세 • 심한 충혈 • 안경 착용 후 1시간 이상 흐리게 보임 • 분비물 증가 • 눈에 렌즈가 들러 붙는다(렌즈 움직임이 없다).

적응기간 동안에는 눈물과 불편함을 호소한다. 정상적인 적응 증세와 비정상적인 적응 증세는 표 22-1과 같다.

(2) 5단계 눈 깜박임 운동(blinking exercise)

근육 이완을 중요시하는 눈깜박임 운동과 눈의 회전 운동을 하는 눈 깜박임 운동 두 가지 중 어느 것을 선택하여도 좋으나, 눈의 근육을 이완시킨 상태에서 회전 운동을 병행하면 보다 더 효율적으로 RGP렌즈에 적응할 수 있다.

① 이완(Relax)

눈의 근육을 이완시키기 위해서는 전신적으로 이완하고 마음을 편하게 해야 한다. 하안검이 만나는 측두측 바로 옆에 집게 손가락을 대면 힘이 들어간 눈의 움직임을 느낄 수 있으며, 힘이 들어간 눈의 움직임은 안근육의 긴장을 일으키고 안면을 찌푸리게 한다. 눈 깜박임 운동을 하는 동안 머리는 정면을 향하고, 양안은 부드럽고 자연스럽게 떴다 감았다 해야한다.

② 감는다(Close)

깊은 잠을 자는 것처럼 눈은 천천히 온화하게 감아야 한다. 하안검과 상안검이 만나는 외측 모서리에 양손 끝을 대면 근육 장력을 느낄 수 있다. 만약 장력을 느낀다면 천천히 눈을 감는다.

③ 휴지(Pause)

약 3초 동안 완전히 눈을 감고 쉰다. 상안검과 하안검이 완전하게 감기는 느낌을 배우기 시작할 수 있다.

④ 뜬다(Open)

눈을 크게 뜬다.

⑤ 휴지(Pause)

잠시 동안 눈을 크게 뜬 상태로 쉰다.

5단계 눈깜박임운동은 10~15분이 적당하다. 눈깜박임 운동을 계획에 따라 행하면 3~8주 내에 눈깜박임 습관이 많이 좋아진다.

(3) 착용 스케줄

RGP렌즈는 처음부터 장시간 착용하면 눈에 과도한 부담을 주게 되므로 첫날은 2시간 정도 착용하고 이후 날마다 2시간씩 착용시간을 늘려나감으로써 서서히 눈에 적응시켜야 한다.

착용을 일정기간 중지했을 경우는 착용시간을 줄였다가 조금씩 늘려야 한다. 1주일 이상 중지했을 경우는 최초의 착용자에 준해 서서히 착용시간을 늘려야 하며 장기간 중지했을 경우에는 반드시 눈과 렌즈의 재검사를 받은 후 착용하도록 한다.

(4) 교육 방법

렌즈 사용자를 위해 병원에서 시행하는 교육에는 책자 정보를 이용하는 교육, 구두로 하는 교육, 비디오를 이용하는 교육, 재방문 교육을 포함한다.

RGP렌즈를 착용하기 전 체크 항목을 읽어보고 보관하

표 22-2 RGP렌즈 착용자 교육 체크 항목

1. RGP렌즈의 구성물질, 장점, 적용범위
2. 끼고, 빼는 방법, 돌아간 렌즈를 바로 잡는 방법
3. 세척방법
4. 정상 비정상의 적응증세
5. 착용 스케줄의 중요성
6. 착용시간 단축의 원인(건조열, 감기, 약복용 등)
7. 정해진 세제 사용의 중요성
8. 렌즈표면의 손상을 최소화하는 방법
9. 여분의 렌즈와 안경의 장점
10. 수영과 샤워할 때 주의점
11. 화장품 사용
12. 렌즈케이스의 관리
13. 병원 방문 스케줄
14. 병원 전화번호

게 하여 렌즈 사용 중이라도 본인이 참고하여 웬만한 문제는 스스로 해결할 수 있도록 한다.

① 책자 정보를 이용하는 교육

교육을 위해 쉬운 말로 쓰여져 있는 소책자를 준비하여 환자가 손쉽게 읽을 수 있게한다.

② 구두로 하는 교육 방법

환자들은 책자 정보를 모두 이해하기 어려울 수도 있으므로 구두로 교육 과정을 다시 한번 주의깊게 설명 해야 한다.

③ 동영상을 이용한 교육 방법

동영상 비디오를 보면서 하는 교육 방법은 아주 효과적인 교육 방법이다. 최근에는 인터넷 웹 사이트에서도 교육 과정을 볼 수 있다.

④ 재 방문 교육방법

렌즈 사용자에게 초기에 너무 많은 지식을 제공할 경우 지레 겁을 먹고 렌즈를 멀게 느낄 수 있다. 따라서 재 방문 교육시에는 반복교육을 시행하고 예를들어, 단백질 제거방법과 같은 새로운 정보를 줄 경우 더 쉽게 이해할 수 있고, 올바른 렌즈 착용을 위한 방문의 필요성을 환자가 스스로 느낄 수 있어 순응도가 높아진다.

그러므로, 렌즈 사용자로 하여금 정기적인 방문을 통하여 새로운 정보도 듣고 또 자신의 렌즈 취급 및 용품들에 대한 확인을 받도록 하는 것이 좋다. 정기적인 방문시에는 어떤 종류의 세정용액을 사용하고 있는가, 렌즈를 얼마나 자주 닦는가, 어떤 방법의 세정을 하는가, 착용 스케줄을 잘 지키는가, 렌즈케이스의 상태는 어떠한가, 환자가 궁금한 것은 없는가 등을 확인하여야 한다.

2) RGP렌즈 착용자의 정기검사

RGP렌즈 착용 후 좋은 시력유지와 렌즈 유발 부작용 방지를 위해 첫 수개월동안은 정기적인 검사가 필요하다. RGP렌즈를 연속착용하는 경우는 각막부종, 렌즈 유착 등의 부작용이 없는지를 관찰하기 위해 아침 일찍 병원에 방문한 환자의 눈과 렌즈를 검사함으로써 더 많은 정보를 얻을 수 있다.

낮시간에 사용하는 일반적인 소프트렌즈와 RGP렌즈인 경우 착용 1~2주 후와 1, 3, 6개월째 외래 통원 체크하며 이후 렌즈 관리에 문제가 없다고 판단되면 6개월마다 안과에 방문하도록 권장한다.

수면시간에도 착용하는 extended lens인 경우 시술 다음날 오전에 안과에 방문하여 확인한 후 시술 1, 2주째와 한 달째, 이후에는 3개월마다 병원을 방문하도록 한다.

(1) 문진

과거 렌즈 착용과 부작용의 경험, 렌즈 착용법, 관리법, 소독방법, 렌즈 세척액 및 관리 용액에 대한 정보를 수집하여 잘못된 사항은 즉시 상세하게 설명해주고 교정해 주는 것이 중요하다. 특히 환자가 잘못하고 있는 상황을 의무기록지에 기록해서 다음 정기 검사 때 다시 확인하는 것이 좋다.

(2) 시력 검사

시력은 눈 검사 전 밝은 백열등에서 측정해야 하고 항상 오른쪽, 왼쪽 각각의 눈을 측정해 단안시력과 양안시력을 방문시마다 기록해야 한다.

(3) 굴절 검사

렌즈 착용상태에서 검영용 막대, 자동굴절 측정기로 검사 후 주관적 덧댐 굴절검사를 시행하여 시력 변화를 검사한다.

(4) 세극등 검사

① 렌즈 착용상태에 대한 검사

렌즈의 착용상태를 세극등을 이용하여 관찰할때는 눈을 뜬 상태의 렌즈 위치(렌즈는 각막의 중심부에 대칭적으로 위치)와 눈깜박임도중 렌즈의 움직임(1~2 mm 정도)을 관찰한 후 플루레신을 점안하여 플루레신 염색양상을 코발트 청색의 광원을 이용하여 관찰한다. 가장 이상적인 플루레신 염색양상은 중심부는 각막과 렌즈 사이에 틈이 약간 있어 희미한 초록색을 보이며 그 사이 중간주변부는 렌즈와 각막이 닿아 검게 보이게 된다. 가파르게 처방된 경우는 중심부가 밝은 초록색으로 보이고 그 옆의 검은 부분이 넓게 나타나며, 편평하게 처방된 경우는 중심부가 검게 나타나고 주변부로 갈수록 밝은 초록색으로 나타난다.

② 렌즈표면에 대한 검사

렌즈표면에는 점액, 지방 단백과 외적 물질, 눈물 성분의 불순물 침착이나 긁힌 자국과 같은 물리적 손상 부위를 세극등의 백색 광선을 이용하여 관찰하는 것이 좋다. 또한 렌즈표면이 쉽게 마르는 환자의 렌즈표면을 살펴보면 눈을 감았다 뜬 후 매우 짧은 시간 안에 눈물이 마르는 부위를 세극등 검사로 직접 확인할 수 있다.

(5) 렌즈를 제거한 후 시행하는 전안부 검사

렌즈 제거 후 각막을 관찰할 때는 세극등 광원의 조도를 최대로 하고 배율을 최소 40배로 하여 초점을 각막상피, 실질 내피의 순서로 후방으로 진행하며 관찰한다. RGP렌즈 착용으로 생기는 각막 부종은 주로 각막상피에서 생기며 세극등의 간접 조명이나, 공막 산란조명, 역 조명, 직접 국소 조명으로 관찰할 수 있다.

백색광을 이용한 검사가 끝나면 플루레신을 점안하고 정상적으로 눈을 깜박이도록 한 후 청색광을 이용하여 더욱 정밀한 세극등 검사를 하면 각막부종 부위가 염색된 것을 관찰할 수 있고 상안검결막의 유두비대도 백색광으로 관찰할 때 보다 더욱 잘 관찰할 수 있다. 각막 윤부, 구결막, 상안검결막, 안검연도 세극등 검사를 해야 한다.

(6) 각막곡률 측정

RGP렌즈 착용 환자의 각막곡률계와 각막 형태검사로 각막곡률의 변화를 검사하면 각막표면 손상과 뒤틀린 렌즈 착용 시 생긴 각막곡률 변화를 관찰할 수 있다.

각막곡률계는 각막 중심 3 mm 광학부 만의 정보를 얻을 수 있으나 각막 형태검사는 각막 중심에서 8 mm 정도 부위에서 정보를 얻을 수 있어 RGP렌즈에 의해 생긴 각막 하측 각막 뒤틀림(corneal warpage), 원추각막을 쉽게 진단 가능하다.

렌즈 착용 전과 착용 후 각막곡률에 변화가 생긴 경우는 굴절력 변화와 렌즈에 의해 생긴 변화로 감별이 가능하다.

(7) 각막두께측정

각막두께는 수분상태(hydration)와 대사작용에 의해 변화가 생긴다.

대부분 콘택트렌즈는 저산소증과 삼투압에 의해 각막부종을 일으키고 눈을 감고 렌즈를 착용하는 동안 10~15% 각막두께가 증가한다.

각막두께는 RGP렌즈와 Ortho-K렌즈의 역학적인 압력에 의해 변화하며 각막형태검사상의 각막부종이 측정되어도 각막전반부 혹은 후반부 변화인지 구별하기 어려우나 ORB scan은 각막 전반부와 후반부 융기를 감별할 수 있다. 각막상피두께는 RGP렌즈의 저산소증에는 변화가 적으나 역학적인 영향에 의해 변화가 더 많다.

(8) 렌즈 자체에 대한 검사

렌즈는 세척 후 부드러운 종이로 잘 말린 후 검사해야 한다. RGP렌즈표면에 세척되지 않은 침착물과 가장자리(edge)를 어두운 배경에서 가장 밝은 조도로 7배 혹은 10배로 확대 루뻬(loupe)혹은 세극등으로 관찰해야 한다.

곡률반경측정계(radiuscope)는 RGP렌즈곡률을 측정하여 렌즈의 형태 변화가 생기지 않았는지를 확인할 수 있다.

(9) 동의서(informed consent)

수술 동의서처럼 콘택트렌즈의 처방에 관계된 서면 동의서는 환자의 렌즈 관리 및 사용에 대한 교육 효과를 높이는 것뿐 아니라 향후 법적인 측면에서도 점차 필요성이 더해질 것으로 보인다. 특히 최근 사용량이 증가하는 각막교정렌즈(orthokeratology lens, Ortho-K렌즈)는 고비용인데다가 야간 착용 시에 관리 소홀로 인한 감염 등의 부작용 발생시 동의서 작성이 필수적이다.

모든 의료행위가 그러하듯 환자와 의료진 간의 소통은 매우 중요한데, 렌즈 관리 교육 후 환자의 순응도를 높임으로써 합병증 발생을 최소화하며 발생 시에도 즉각적인 치료가 가능해지며 최근에는 법적인 측면에서도 동의서 작성 요구가 높아지고 있다.

동의서에 수록될 내용으로는 콘택트렌즈의 장점과 단점에 대한 설명 및 렌즈로 인한 문제가 생겼을 때 도움을 얻을 수 있는 병원 연락처를 기재하여 복사 후 원본은 병원이 보관하고 복사본은 환자가 지참 하도록 한다.

동의서를 통해 환자들이 흔히 겪는 적응 증상에서부터

드물지만 관리 소홀로인해 발생한 각막궤양이 심각한 시력 손실로 이어질 수 있음을 환자에게 알려주어야 한다. 다만, 모든 합병증을 일일이 설명함으로써 환자들이 가질 수 있는 렌즈에 대한 편견을 최소한으로 줄이고 정기적인 안과검진을 통해 이를 예방하는 것이 중요함을 주지시키는 것이 좋다.

▶ 참고문헌

1. Charles W. McMonnies. Improving patient education and attitude toward compliance with instructions for contact lens use. Contact Lens & Anterior Eye 2011;34: 241-8.

2. Charles W. McMonnies. Improving contact lens compliance by explaining the benefits of compliant procedures. Contact Lens & Anterior Eye 2011;34: 249-52.

3. 한국콘택트렌즈 연구회, 콘택트렌즈 임상학, 1판, 서울:내외학술, 2007;239-53.

4. Anthony J Phillips & Lynne Speedwell. Contact Lneses, 5th ed. Oxford:Elsevier Butterworth-Heinemann, 2007.

5. Nathan Efron. Contact Lens Practice, 2nd ed. Oxford: Elsevier Butterworth-Heinemann, 2010.

VII

콘택트렌즈의 미래

Chapter 23 콘택트렌즈 발전과 미래

콘택트렌즈 발전과 미래

Application and future of contact lens

이 윤 상

콘택트렌즈는 1508년 레오나르도 다빈치에 의해 고안된 가장 오래된 의료기구 중의 하나라고 할 수 있으며 오랜 역사를 거치면서 수많은 변화를 하여 오늘날에 이르고 있다.

모든 역사가 그러하듯 콘택트렌즈도 반복되고 수정되고 다시 반복되는 역사를 가지고 있다. 즉 최초의 직경이 큰 공막렌즈에서 직경이 작은 각막렌즈로, 또 다시 직경이 커진 공막렌즈로 변하고 있으며 렌즈의 재질도 딱딱한 재질(PMMA)에서 부드러운 재질(HEMA)로, 그리고 다시 딱딱한 렌즈(RGP)에서 다시 부드러운 렌즈(silicone hydrogel)로 변화되고 있다.

콘택트렌즈는 외관상, 안경의 불편함, 시력의 개선을 위하여, 스포츠나 여가활동 시, 그리고 특수한 직업에 따른 목적으로 사용되어 왔다. 앞으로는 콘택트렌즈를 착용하는 목적도 보다 다양해져, 그에 따른 렌즈의 재질과 디자인이 발달될 것이며 무한한 변화가 예상된다.

첨단 과학의 발달과 학업량 및 근거리 작업의 증가로 근시 환자가 증가하고 있으며 진행 또한 아주 빨라져 전 세계적으로 큰 문제점으로 부각되고 있다. 따라서, 근시의 예방과 진행억제가 아주 큰 과제로 예상된다.

그리고 현재에도 제한적으로 사용되고 있지만 이제까지 사용되어 온 콘택트렌즈와는 전혀 다른 목적의 콘택트렌즈도 예상된다. 즉, 안질환 및 전신질환의 진단과 치료 목적의 다양한 콘택트렌즈가 개발되어 의학의 발전에 크게 이바지할 것으로 예상된다.

1. 콘택트렌즈 발전과정

콘택트렌즈는 비교적 크기가 큰 이물을 눈에 유착하는 것이기 때문에 이물감을 어떻게 감소시키는가가 최대의 과제가 되어 왔으며 앞으로도 영원한 숙제라고 생각한다.

또한 각막은 자체적으로 혈관이 없는 조직이기 때문에 얼마나 많은 산소를 공급할 수 있는가가 부작용을 감소시킬 수 있는 가장 중요한 요소라고 할 수 있다.

이러한 부작용을 감소시키기 위한 산소투과율(oxygen permeability, Dk) 재질의 발달은 1970년대부터 끊임없이 연구되어 최근에는 각막이 요구하는 충분한 산소를 공급하는 재질로 제조된 RGP (Rigid Gas Permeable) 렌즈가 이러한 목적으로 많은 장점을 가지고 널리 착용되고 있다.

RGP렌즈는 시력의 질이 우수하고, 안전하며, 오랜 기간 착용하여도 편안하고, 내구성도 뛰어나며 관리도 쉽다.[1] 이러한 많은 장점에도 불구하고 초기 착용감이 나쁘고 적응이 어려워 다소의 단점이 있어도 Dk가 좋고 함수율이 높은 소프트렌즈(silicone hydrogel)로 대체되어가고 있는 추세이다.

콘택트렌즈를 하루 종일 착용한 후에도 눈이 충혈되지 않고 건조해지지도 않는 렌즈가 가능할까? 만약 가능하다면 미래의 콘택트렌즈는 이러한 렌즈가 될 것이라 생각한다.

어떻게 가능할까? 렌즈 재질의 변화와 기존의 재질에 어떠한 물질이 이식되거나 화학적으로 처리된 아주 특수한 표면을 가진 렌즈[2] 또는 습윤성 물질이 렌즈의 특수물질에서 렌즈표면과 눈물 속으로 유리되는 렌즈[3]라면 가능할 것으로 생각된다. 또한 렌즈의 전면과 후면이 서로 다른 특성을 가져 즉 안검결막과 각막상피의 특성에 서로 다른 기능을 하는 렌즈도 생각해볼 수 있다.

렌즈의 어떠한 재질은 특수한 성분을 눈물로 배출하여 특정성분 예를 들면 특수 지방 같은 것을 눈으로부터 사라지게 한다.[4] 또는 항염증제 성분이 배출되어 정도가 심하지 않은 염증을 억제하기도 한다.[5,6] 또 어떤 재질은 필수지방산을 안구표면에 배출하여 이 지방산의 항염증작용으로 안구건조증의 치료에 응용될 수도 있다.[7]

2. 콘택트렌즈의 다양성

앞으로의 삶은 우리가 이제까지 경험하지 못했던 아주 다양한 영역에서 보다 다양한 활동들이 이루어질 것으로 예상된다. 또한 과학의 발달로 안과적 수술 또한 이제까지 상상하지 못했던 다양한 수술들이 예상된다.

스포츠나 연예활동 등이 사회에 큰 영역을 차지하기 때문에 그 영역에서 필요로 하는 콘택트렌즈 즉 실리콘하이드로겔렌즈나 아주 다양한 미용렌즈 등이 사용되어질 것으로 보인다. 영화나 무대 출연을 위한 특수분장이나 컴퓨터 그래픽에 사용되어지는 특수 착색렌즈 등도 미용목적 외에 앞으로 많이 사용되어질 것으로 예상된다.

근시와 난시 그리고 노안과 같은 굴절이상을 가진 환자가 증가함에 따라 이제까지 경험하지 못했던 다양한 수술이 예상된다. 그러나 수술 받은 모든 사람이 만족할 만한 결과를 얻을 수는 없을 것이다. 따라서, 그러한 환자를 위한 다양한 렌즈 즉 맞춤형 소프트렌즈(Kerasoft), 특수비구면렌즈, 공막렌즈, 역기하렌즈 등과 같은 특수렌즈들이 필요하리라 예상된다.

특수렌즈를 필요로 하는 가장 흔히 보는 질환 중에 하나인 원추각막이나 선천적이거나 수술 후 생긴 각막확장증 등에서도 최근에는 다양한 시도들이 이루어지고 있다. 각막링 삽입술이나 교차결합술 등이 이루어지며, 아주 심한

경우에는 표층 또는 전층각막이식 수술 등이 흔히 이루어진다. 하지만 이러한 수술 후에도 아주 만족할만한 결과가 나타나지 않는 경우가 흔하여 별도 처방을 위한 다양한 렌즈를 필요로 하게 된다.

가장 보편적인 렌즈로는 원추각막을 위하여 특수디자인된 원추각막용렌즈, 편심률이 높은 비구면렌즈, 렌즈의 직경이 커서 착용감이 좋고 피팅이 다소 쉬운 공막렌즈, 그리고 소프트렌즈의 재질과 RGP 재질이 공존하는 하이브리드렌즈나 피기백렌즈(Piggyback) 그리고 최근의 맞춤형소프트렌즈(Kerasoft) 등, 이제까지 사용되어 왔으나 렌즈의 재질과 디자인의 발달로 보다 피팅이 쉽고 결과가 좋은 렌즈들이 널리 사용되리라 예상된다.

3. 근시의 조정(Myopia control)

어린 연령층에서 콘택트렌즈를 이용해 잠재적으로 안구의 성장을 느리게 하여 근시를 조정할 수 있다는 것은 역동적이고 흥미로운 부분이다.

1) 근시의 발달(Myopia development)

전세계적으로 근시의 인구가 아주 빠른 속도로 증가하고 있으며 시작하는 연령 또한 아주 어려지고 있다. 미국의 경우 1971~1972년에 근시 인구가 25%이던 것이 1999~2004년에는 41.5%까지 증가하였다.[8]

학동기 연령에서의 정상적인 안구의 성장과 근시의 발달은 1989년 Orinda Longitudinal Study of Myopia(OLSM)에서 처음 분석되었다.[9,10] 이 연구에 의하면 굴절이상은 6세 때 +0.73 D에서 12세 때 +0.50 D로 감소한다고 되어있다. 또 다른 연구에서도 양부모가 근시인 경우에는 시간이 경과함에 따라 근시로 되는 경향이 있다는 사실을 확인하고 근시의 진행에는 유전적 및 해부학적인 상관관계가 있다는 결론을 내렸으며, 또한 근거리작업 및 도시생활, 그리고 야외생활이 짧을 때에도 근시의 진행에 영향을 미친다는 결론을 내렸다.

근시의 조정은 오랜 기간 동안 연구되어 왔으며, 많은 관

심을 끌고 있다. 왜냐하면 고도근시에서 안축이 증가하게 되면 녹내장, 백내장 그리고 맥락막과 망막에 변성을 초래하게 되며 이는 영구적 시력손상의 으뜸이 되는 원인이기 때문이다.

2) 콘택트렌즈 외의 방법
(Noncontact lens methods aimed at myopia)

근시진행을 늦추는 몇 가지의 방법들이 오랜 기간 시도되어 왔으며 그 결과에는 많은 차이점을 보여주고 있다. 대표적인 것들로는 근시의 저교정, 이중초점 또는 다초점 안경, 점안약 등이 있으나 그 결과는 기대치 이하이다.

그나마 아트로핀이 근시의 진행을 억제하는 효과적인 방법으로 사용되어 왔으나 아트로핀 자체의 부작용, 동공확대와 조절마비로 인한 학업의 지장과 불편함으로 최근에는 거의 처방되지 않는다.

3) 콘택트렌즈를 이용한 방법
(Contact lenses and myopia control)

(1) 매일착용 콘택트렌즈(Conventional daily contact lenses)
RGP렌즈를 각막곡률에 맞추어서 착용하는 것이 근시의 진행억제에 도움이 된다고 믿어 왔으나 안축의 증가를 의미 있게 감소시키지 못해 근시진행 억제에도 충분한 효과를 나타내지 못했다. 또한, 이제까지 착용해온 일반적인 소프트렌즈는 근시진행 억제에 전혀 효과가 나타나지 않았다.

(2) 각막교정렌즈(Orthokeratology lens, Ortho-K렌즈)
앞에서도 언급되었지만 Ortho-K렌즈는 특수 디자인된 RGP렌즈를 이용하여, 잠자는 동안 착용하면 근시와 난시가 일시적으로 교정되어 낮 동안에는 아무것도 착용하지 않아도 일상생활에 불편 없이 활동할 수 있도록 해준다.

또한 근시의 진행을 최대한 억제하고, 활동도 편하며, 항상 좋은 시력을 유지할 수 있어 행복하고, 외형상 보기도 좋아 최근에는 이러한 렌즈를 착용하는 사람이 증가하고 있고 앞으로도 더욱 증가할 것으로 생각한다.

미국, 중국 그리고 호주에서 최근 발표된 연구논문에 의하면 각막교정술(orthokeratology)이 젊은 연령층에서 안축에 상당한 효과가 있다고 결론을 내렸다. 특히, 두 연구논문 The Corneal Reshaping and Yearly Observation of Nearsightedness (CRAYON)[11], The Longitudinal Orthokeratology Research in Children (LORIC)[12]에 의하면 각막교정술이 안축의 성장을 감소시켜 근시의 진행을 조정하는데 큰 영향을 미친다고 되어 있다.

특히 근시의 조정에는 주변망막의 역할이 아주 중요하다고 한다. 즉 망막의 주변부가 원시처럼 망막 뒤에 상이 맺히게 되면(hyperopic defocus) 안축이 증가하고, 반대로 망막의 주변부가 근시처럼 망막의 앞에 상이 맺히면(myopic defocus) 안축이 증가되지 않는다는 이론이다(그림 23-1).

(3) 이중초점 소프트렌즈(Bifocal soft lenses)
우리에게는 다소 생소하지만 미국에서는 소프트렌즈가 RGP렌즈보다 널리 사용되어지기 때문에 성장기 학생에서 이중초점 소프트렌즈를 이용하여 근시의 진행을 억제하는 몇몇 연구가 있다.[13]

이러한 목적의 이중초점 소프트렌즈는 중심부를 멀리

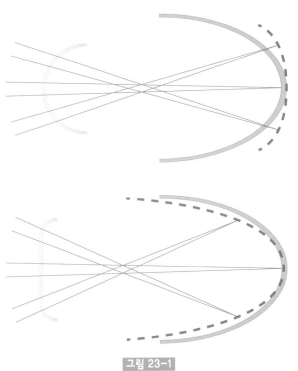

그림 23-1
망막의 상 맺힘과 안축 성장의 상관관계

보게 디자인 된 렌즈로서 이론적 근거는 렌즈의 중심부에서 2 mm 정도 떨어진 지점에 +1.0 D 정도의 도수를 넣으면 주변부의 굴절력이 높아져 망막의 앞에 상이 맺히게 되어(myopic defocus) 위에서 언급한 Ortho-K 렌즈와 같은 이론적 근거로 안축의 증가를 막아주는 이론이다.

우리가 진료실에서 환자와 보호자에 가장 많이 질문을 받는 것은 어떻게 하면 근시의 진행을 막아줄 수 있는가? 이렇게 계속 근시가 증가하면 앞으로 눈에는 어떠한 영향을 미치는가? 또는 성장하여 굴절수술을 받을 때 이상이 없겠는가? 등이다.

이러한 질문에 가장 확실한 답은 어떻게 하던 근시의 진행을 억제하여 망막의 상태를 좋게 하는 것이 중요하며, 굴절수술을 받을 때에도 각막에 무리를 주지 않아 좋은 결과를 얻을 수 있음을 알려 근시진행을 억제할 수 있도록 하는 것이 앞으로 안과의사의 가장 중요한 임무 중에 하나라고 생각한다.

4. 혁신적인 콘택트렌즈(Innovative contact lens)

콘택트렌즈를 사용하는 가장 주된 적응증은 근시나 원시와 같은 굴절이상의 교정이다. 하지만 앞으로 다가올 미래에는 콘택트렌즈가 굴절이상의 교정 뿐만 아니라 질병의 진단에서부터 치료에 이르기까지 다양한 용도로도 활용될 수 있을 것으로 보인다.

실제로 외국은 물론 국내에서도 이러한 시도들이 활발하게 이루어지고 있으며, 다양한 사례들이 제품화를 앞두고 있거나 지속적으로 개발·발표되고 있다.

1) 질병의 추척관찰을 위한 콘택트렌즈
(Disease monitoring contat lens)

일례로 유럽에서는 눈의 안압(IOP)을 측정할 수 있는 콘택트렌즈가 개발되어 제한적 상용화 단계에 접어들었다. 스위스 Sensimed AG에서 개발한 Triggerfish로 불리는 이 특수콘택트렌즈는 마이크로 센서가 삽입된 소프트콘택트렌즈로, 최대 24시간 동안 눈에 유착되어 안압을 측정,

그 기록을 외부 기록 장치에 보내어 녹내장(Glaucoma)의 진단 및 치료에 도움을 줄 수 있도록 고안되었다.

또 다른 예로 혈당 상태를 확인할 수 있는 콘택트렌즈가 개발 중에 있다. 독특하게도 세계적인 인터넷 서비스 업체인 구글(Google)에서 개발 중인 이 콘택트렌즈는 이미 많은 언론에서 공개된 것처럼 눈물 속의 포도당 수치가 혈당 수치와 같다는 사실에 착안, 콘택트렌즈에 내장되어 있는 센서가 눈물 속 포도당 수치를 측정하여 외부로 전송할 수 있도록 되어있다. 이 콘택트렌즈는 향후 혈당 상태에 따라 위험 여부를 표시하는 기능이 추가될 계획으로, 많은 당뇨 환자를 대상으로, 혈당 체크 시마다 바늘로 손을 찔러야만 했던 불편함을 해소해 줄 것으로 예상된다.

이밖에도 암(cancer)과 같은 다양한 질병들을 추적관찰할 수 있는 콘택트렌즈들에 대한 연구 및 개발 또한 진행 중에 있으며, 이러한 질병의 추적관찰을 위한 콘택트렌즈들의 개발은 콘택트렌즈의 활용 범위를 보다 폭넓게 해 줄 것으로 보인다.

2) 약물전달 콘택트렌즈(Drug delivery contact lens)

질병의 추적관찰과 함께 미래의 콘택트렌즈는 더 나아가 안구에 약물을 직접 전달하여 질병을 치료하는 기능도 수행할 수 있게 될 것이다. 콘택트렌즈를 통한 약물 전달이라는 개념은 이미 1960년대 Otto Wichterle와 Drahoslav Lim에 의해 하이드로겔(HEMA)재질이 개발되었을 때부터 등장하였다.

하지만 하이드로겔 재질은 특성 상 눈에 적용 시 콘택트렌즈로부터 약물 성분이 너무 빨리 방출되고 방출된 약물 성분이 너무 빨리 씻겨 나가버리는 문제점을 지니고 있었다.

이러한 문제점을 해결하여 콘택트렌즈를 통한 약물 전달과 이를 이용한 치료 방법의 현실화를 위해서는 약물 성분이 보다 오랜 시간 동안 천천히 지속적으로 콘택트렌즈로부터 방출될 수 있도록 해야 하는 바 이에 대한 다양한 연구가 진행되고 있으며 관련 기술의 급격한 발전과 관심 증가로 가까운 시일 내에 실제 사용이 가능해질 것으로 예상된다.

▶ 참고문헌

1. Edward S. Bennett, Lens design, fitting, and evaluation; Lippincott Williams; Clinical manual of contact lenses, 2nd ed, p75.

2. Thissen H, Gengenbach T, du Toit R, et al. Clinical observations of biofouling on PEO coated silicone hydrogel contact lenses. Biomaterials 2010.

3. Winterton LC, Lally JM, Sentell KB, et al. The elution of poly (vinyl alcohol) from a contact lens: the realization of a time release moisturizing agent/artificial tear. J Biomed Mater Res B Appl Biomater 2007; 80;2: 424–32.

4. Pitt WG, Jack DR, Zhao Y, et al. Loading and Release of a Phospholipid From Contact Lenses. Optom Vis Sci 2011.

5. Andrade–Vivero P, Fernandez–Gabriel E, Alvarez–Lorenzo C, et al. Improving the loading and release of NSAIDs from pHEMA hydrogels by copolymerization with functionalized monomers. J Pharm Sci 2007; 96;4: 802–13.

6. Kim J, Chauhan A. Dexamethasone transport and ocular delivery from poly (hydroxyethyl methacrylate) gels. Int J Pharm 2008; 353;1–2: 205–22.

7. Rashid S, Jin Y, Ecoiffier T, et al. Topical omega–3 and omega–6 fatty acids for treatment of dry eye. Arch Ophthalmol 2008; 126;2: 219–25.

8. Vitale S, Sperduto RD, Ferris FL III. Increased prevalence of myopia in the United States between 1971–1972 and 1999–2004. Arch Opthalmol. 127:1632–1639.

9. Zadnik K, Satariano WA, Mutti DO, et al. The effect of parental history of myopia on children's eye size. JAMA 1994;271:1323–1327.

10. Zadnik K Mutti DO, Friedman NE, et al. Initial cross–sectional results from the Orinda Longitudinal Study of Myopia. Optom Vis Sci. 2003;80(3):226–236.

11. Walline J, Jones LA, Sinnot LT. Corneal reshaping and myopia progression Br J Ophthalmol. 2009;93;1181–1185.

12. Cho P, Cheung SW Edwards M. The longitudinal orthokeratology research in hildren(LORIC) in Hongkong a pilot study on refractive changesand myopia control. Curr Eye Res. 2005;30;71–80.

13. Walline J, Jones–Jordan LA, Greiner KL ,et al. The effects of soft bifocal contact lenses on myopia progression in children ,Optom. Vis Sci.2011;88.

찾아보기
Index

ㄱ

가성근시 43

가성수지 263

가스투과경성콘택트렌즈 257

가스 플라스마 기술 19

가시아메바 258, 259

가시아메바각막염 42, 262

가위반사 43

가장자리 80, 294

가장자리들림 80

가장자리표면장력 77

가장자리 피팅 94

각공막콘택트렌즈 196

각막건조 252

각막고위수차 34

각막곡률 294

각막곡률값 43

각막곡률검사 43

각막곡률계 9, 47

각막곡률측정 43

각막교정렌즈 301

각막교정술 217, 301

각막궤양 295

각막기하계 5

각막난시 103

각막내피세포 183

각막노출 196

각막두께 183

각막 뒤틀림 52, 294

각막렌즈 4, 21

각막링 삽입술 300

각막미란 204

각막변성 126

각막부종 14, 294

각막상피세포 214

각막이상증 122

각막이식 300

각막이식수술 183

각막이식편 185

각막지각 42, 45, 183

각막지형도 9, 25, 43

각막찰과 204

각막천공 124

각막침윤 217, 260

각막콘택트렌즈 195

각막 탈수 204

각막형태검사 47, 184

각막화상 195, 197

각막확장증 195, 300

각막흉터 199

감염각막염 258

갑상선항진증 40

거대단량체 19, 20

거대유두결막염 205

거부반응 188

건성안 125, 277

검안경 43

검열반 41

검영굴절검사 43

격자각막이상증 122, 199

결막결석 40

결막낭 40

결막붙음증 125

경직성 15

계면활성세척제 274, 276, 278, 290

계면활성제 277

고도근시 44, 199

곡률반경측정계 294

공막렌즈 7, 120, 188, 300

공막콘택트렌즈 4, 193

공모양각막 199

공포 241

과민반응 276

과산화수소 276

광학 23

교점 41

교차결합술 300

교차결합제 14, 17, 21

구면 RGP렌즈 104

구면렌즈 82, 87

구면렌즈대응력 51

구면주변부커브 186

구역별 비구면 콘택트렌즈 144

군락화 258

굴절교정레이저각막절제술 189

굴절력 27

굴절력지도 49

굴절률 16

굴절수술 43

규칙난시 103

근거리-중심 비구면렌즈 141

근시 41

근시의 조정 300

근업장애 286

기본커브반경 87, 190

긱막상피염색 214

깃털모양인 병변 267

ㄴ

나비넥타이모양 184

난시 41

난시교정렌즈 104

난시교정 콘택트렌즈 103

내피세포 수포 217

노안 42, 286

노안핀홀 10

노출각막병증 200

노출각막염 196

높이지도 49

눈근육병증 200

눈깜박임 운동 292

눈깜빡임 43

눈꺼풀 결손 196, 200

눈꺼풀연축 40

눈꺼풀염 40

눈꺼풀틈새 40

눈모음 44

눈모음 요구도 28

눈물 43

눈물막압착압력 75

눈물막파괴시간 42

눈물층굴절력 30, 89

눈부심 249

눈피로 43, 247

ㄷ

다목적관리용액 230, 259, 273, 278, 281, 290

다세포크기증 217

다초점 콘택트렌즈 139, 143

단량체 14, 17

단백질제거 40

단백질 침착 16

단색수차 26

달무리 41

당뇨 39, 199

당량산소백분율 16

데스메막 주름 217

도난시 103

독성표피괴사용해 199

동공크기 41

동의서 294

동일초점 현미경 216, 264

뒤틀림 217

따로보기 42, 45, 139, 140

ㄹ

라미네이트 공법 236

라이스-뷔클러이상증 122

레이저각막절삭성형술 189

렌즈가장자리두께 91

렌즈뒤눈물막 14, 198, 225

렌즈 뒤틀림 247

렌즈 보존액 259

렌즈앞눈물막 225

렌즈유착증후군 118, 236

렌즈침착물 229

렌즈케이스 283

리소자임 42, 274

ㅁ

마이너스렌즈모양 81

마이봄샘결핍 199

만성각막상피결손 123

맞춤형소프트렌즈 300

매일착용 14, 18, 59, 229, 257, 258, 273, 301

면역륜 261, 263

모듈루스 15, 19

무균성 염증 침윤 261

무수정체안 41, 42, 199

무통성각막궤양 123

무홍채증 199

뮤신볼 241

미니공막콘택트렌즈 196

미세낭포 241

미용컬러콘택트렌즈 131

ㅂ

반복각막진무름 119, 121, 196

반사장비 48

반투명 방식 131

반흔각결막염 125

방부제 40, 274, 276, 280

방사상각막절개술 190

방사선 조사 199

베타차단제 42

변형된 따로보기 140

보관용기 259

보존액 40, 278, 279, 290

복시 41

복합생중합체 14

부등상시 41, 28

부등시 28, 41

불규칙난시 103

불소실리콘 아크릴레이트 21, 279

블렌드 81

비구면렌즈 82, 88, 104, 142, 300

비연마 계면활성세척제 279

비중 17

ㅅ

산소전달률 13, 61, 229, 274

산소투과율 13, 61, 299

상방이탈 251

상부상피궁상병변 234

상피물집 241

상피오목 241

상하값 51

색각 45

색수차 27

색척도 50

샌드위치공법 133

생물막 258

생중합체 14

생체적합성 5, 15

선천각막감각결손 199

세균각막염 260

세극등현미경 43

세극주사장비 48

세척 278, 290

세척제 274

소독 275

소프트(콘택트)렌즈 5, 6, 42, 59, 188

소프트콘택트렌즈 관리용액 273

쇼그렌 증후군 199

수포각막병증 119, 121

수화도 30

순응도 39, 273, 276, 278, 283

쉬르머검사 43

스티븐스존슨 증후군 125, 195, 196, 197, 199

습윤성 15, 280, 290, 300

습윤점안제 277, 281

습윤제 21, 274, 276, 277, 279

시상깊이 5

시상지도 49

시야 28

시야검사 45

시험렌즈 43

식염수 275

신경영양(이상)각막염 119, 123, 197

신생혈관　204

실록산　21

실리콘　14

실리콘 고무 렌즈　120

실리콘렌즈　6

실리콘 아크릴레이트　21, 279

실리콘 탄성중합체　5, 7

실리콘하이드로겔　18

실리콘하이드로겔렌즈　6, 7, 19, 118, 229

실모양각막염　119, 123, 199

심부표층각막이식술　183

ㅇ

아토피　40

아토피각결막염　126, 200

안검력　86

안검하수　200

안경 확대　28

안경흐림현상　249

안구돌출　40

안대 렌즈　268

안반흔유천포창　125

안천포창　195, 197, 199

약물전달 콘택트렌즈　302

약시　41

양면토릭RGP렌즈　104, 114

양안시　41, 43, 44

양치상형성　225

역기하렌즈　148, 186

연마 계면활성세척제　279

연속착용　6, 8, 14, 18, 19, 42, 60, 231, 257, 258

열소독　277

영양형　265, 267, 276

완충성분　275

완충제　274, 277

외안근 부전　41

외측이탈　252

우세안　105

원거리-중심 비구면렌즈　141

원근 교대보기　141, 142

원근 동시보기　141

원시　41

원추각막　5, 43, 54, 165, 196, 199, 204, 300

원추각막예측지수　52

윗눈꺼풀쳐짐　40

유두비대　294

윤부 결핍　215

윤부의 틈새　204

의인성 각막확장증　199

이식편대숙주질환　196, 199

이중초점렌즈　42, 139, 142, 301

이측 중심이탈　156

익상편　41

일회용렌즈　6, 7, 9, 61, 188, 229

ㅈ

잔여난시　41, 103, 104

잘쯔만결절변성　126, 199

저산소증　204, 213, 294

전면광학부직경　78

전면토릭RGP렌즈　104, 113

전산화비디오각막경　48

전용광학현미경　255

전체직경　68, 78

전층각막이식술　268

점상각막미란　214

접선지도　43, 49

접촉각　15

정난시　103

정점거리　89

정점부접촉　169

정점부틈새　98, 169

조절　41, 44

조절요구도　28

주관적 굴절검사　43

주변부커브　4, 79

주변부커브반경　89

주변부커브폭　90

주변부 피팅　93

주사성 각막염　126

죽은조직 제거술　268

중간주변부접촉　98

중간주변부 피팅　94

중심두께　91, 247

중심부 각막 형광 염색　158

중심부 피팅　94

중심이탈　159, 250

중심잡기 93

중합반응 14

중합체 14

지도점지문모양각막이상증 122

지질각막병증 204, 240

진균각막염 261

ㅊ ───────

차이지도 52

창 4, 7, 8

초산소투과성 렌즈 258

축가장자리틈새 80

축지도 43, 49

층판이식술 268

치료콘택트렌즈 9, 117, 188

친수성 15, 17

친수성 중합체 17

ㅋ ───────

컬러소프트콘택트렌즈 45

컬러하드렌즈 10

콘택트렌즈관련 건성안 221

콘택트렌즈관련 상윤부
　각결막염 238

콘택트렌즈 모듈 55

콘택트렌즈유발 급성충혈안 238,
　258

콘택트렌즈유발 눈꺼풀처짐 40

콘택트렌즈유발 유두결막염 241

콘택트렌즈유발 주변부궤양 240,
　258, 260

콜라겐 렌즈 120

킬레이트제 274

ㅌ ───────

타이거슨표층점상각막염 122

타코검사 231, 284

탄성 15

탈수 42

탈착 284

테리엔각막가장자리변성 199

토릭RGP렌즈 111, 112

토릭변형 247

토릭소프트렌즈 41, 104

토릭후면광학부반경 186

투명각막가장자리변성 199

트라코마 125

ㅍ ───────

파라미터 92

파면수차 26

판누스 41

편심률 25, 53, 74, 300

평형함수율 13

포낭형 267, 276

폭주 41

폴리스티렌 22

표면규칙지수 52

표면불균형지수 51

표면 습윤성 248

표층각막이식술 183

푹스내피세포이상증 121

프레스넬 반사 소실 30

프리즘밸러스트 106

프리즘효과 28, 34, 198

플래티늄 원반 277

플러스렌즈모양 80

플루레신 염색 293

피기백렌즈 178, 187, 300

피팅렌즈 10, 247

ㅎ ───────

하드렌즈 4

하드실리콘콘택트렌즈 6

하드콘택트렌즈 4, 120

하방이탈 251

하이드로겔 14, 17, 302

하이드로겔렌즈 118

하이드로겔 중합체 17

하이브리드렌즈 187, 300

함수율 13, 15, 16, 42, 62, 299

합성중합체 14

헤르페스각막염 199

혼성중합 17

홈 광막 241

홍채 소프트콘택트렌즈 9

홍채염 261

화학소독 276

화학 화상 125, 126, 199

확대율 28

황소눈 154

회절   26

회절 콘택트렌즈   144

효소 세척제   274

효소 카탈라제   277

후광   30, 34

후면광학부반경   79

후면정점굴절력   30

후면토릭RGP렌즈   104, 112

후면토릭렌즈   186

휘어짐   30, 34, 81, 247

흐림   41

흠집   291

흡입컵   287, 288

기타

3시9시각막건조   65, 214, 251, 252

A

Abrasive surfactant cleaner   279

Abrasive   279

Acanthamoeba keratitis   262

Acanthamoeba   259

Acetylcysteine   198

Adaptation   291

Against-the-rule astigma-
tism   103

Alternating vision type   141, 142

Amphotericin B   267

Angle of contact   15

Aniseikonia   28, 41

Annular tinted contact lens
syndrome   135

Apical clearance   98

Aspheric lens   82

Asthenopia   247

Atopic keratoconjunctivitis   126

Axial edge clearance   80

Axial edge lift   80

Axial map   43, 49

B

Back optic zone diameter   78

Back optic zone radius   68, 79

Back vertex power   30, 68

Bacterial keratitis   260

Balafilcon   19

Bandage lens   268

Base curve radius   87, 190

Base in prism 효과   250

BCR   87, 190

Benzalkonium chloride   268, 280,
290

Bifocal soft lenses   301

Biguanide   276

Biofilm   258

Biofinity   20

Bleb   217

Blend   81

Blinking exercise   292

Bow tie pattern   184

C

Calcofluor white 염색   265

Candida   267

Carboxyniethylcellulose (CMC)
277

Cellulose acetate butyrate
(CAB)   5

Centration   93

Centre thickness   247

Chelating agent   274

Chemical disinfection   276

Chlorhexidine gluconate   280

Chlorhexidine   267, 276

Cleaning   278, 290

Color scale   50

Compliance   273, 276, 278, 283

Computerized videokeratoscopy
48

Conditioning solution   278, 279

Confocal microscopy   216

Contact lens discomfort   221

BOZD   78

BOZR   68, 79

Bridge effect (or lid gap) theory
252

Buffer ingredient   275

Buffer   274

Bullous keratopathy   119

BVP   30, 68

Contact lens dry eye questionnaire-8 222

Contact lens-induced acute red eye 238, 258

Contact lens-induced papillary conjunctivitis 241

Contact lens-induced peripheral ulcer 240, 258

Contact scope 255

Continuous wear 60

Conventional daily contact lenses 301

Copolymerization 17

Copolymer 17

Corneal (contact) lens 21, 195

Corneal astigmatism 103

Corneal desiccation 252

Corneal refractive therapy 151

Corneal warpage 52, 294

Corneoscleral 196

Cosmetic tinted lenses 133

Cross-linking agents 14, 17

Cyst 276

D

Daily wear 59, 229, 258

Debridment 268

Decentered lens 250

Detergent 274

Difference map 52

Dimple veiling 241

Disease monitoring contat lens 302

Disinfection 275

Disposable conatct lens 6, 61, 229

Dk/t (oxygen transmissibility) 13, 61, 229, 232, 274

Dk 13, 251, 299

DLK 183

Dot matrix printing 133

Drug delivery contact lens 302

Dynamic stabilization 107

E

E value 74

Eccentricity 25, 74

Edge lift 80

Edge surface tension force 77

Edge thickness 91

Edge 294

Elevation map 49

Enzymatic cleaner 274

Enzyme catalase 277

EOP 16

Epithelial bullae 241

Epithelial microcyst 241

Epithelial pit 241

Epithelial vacuole 241

Equilibrium water content 13, 17

Equivalent oxygen percentage 16

ESTF 77

EWC 13, 17

Extended wear 60, 231, 257, 258, 293

F

Fenestration 4

Filamentary keratitis 119, 199

Flexible wear 59

Flexure 81, 247

Fluctuation 251

Fluorosilicone acrylate 21, 279

FOZD 78

Fresnel reflection loss 30

Front optic zone diameter 78

Frowny face 156

Fungal keratitis 261

Fusarium 258, 262, 273

G

Gas plasma 19

Glyceryl methacrylate (GMA) 18

Gravity 17

GVHD 199

H

Halo 30

Hartmann-Shack 파면센서 26

HEMA 5, 299, 302

Hexamindine 267

Hydrogel polymer 17

Hydrogen peroxide 276

Hydrophilic polymer 17

Hydroxyeicosatrienoic acid
(12 R HETrE) 215

Hydroxyethyl methacrylate 5

Hydroxypropyl methylcellulose
(HPMC) 277

Hyperopic defocus 301

I

Iatrogenic keratectasia 199

Inferior decentration 251

Inferior-superior(I-S) index 51

Irregular astigmatism 103

ISO 14

K

Keratoconus prediction index 52

Keratoglobus 199

Klyce / Maeda keratoconus index
(KCI) 52

KPI 52

L

Lamellar keratoplasty 268

LASIK 189

Lateral decentration 252

Lattice dystrophy 122, 199

Left lens syndrome 291

Lens deposits 229

Lens warpage 247

Lipid keratopathy 204

Lotrafilcon 19

Lysozyme 274

M

Macromere 19

Map-dot-fingerprint dystrophy
122

Meibomian gland deficiency 199

Methacrylic acid (MAA) 18

Methyl methacrylate (MMA)
18, 21

Midperipheral bearing 98

Mini-scleral 196

Minus lenticular 81

Modified monovision 140

Modulus 15, 19

Monomer 14, 17

Monovision 42, 45, 139

MPS 230, 259, 273, 278, 281, 290

Mucin ball 241

Mucopolysaccharide 216

Multipurpose solution 230, 259,
273, 278, 281, 290

Myopia control 300

Myopic defocus 301, 302

Myristamidopropyl dimethyl-
amine (Aldox) 276

N

N-dimethyl acrylamide
(DMA) 19

N-vinyl pyrrolidone (NVP) 17

Natamycin 267

Neuroparalytic keratopathy 119

Neurotrophic keratitis 197

No rub 278

Nodal point 41

Nonabrasive surfactant cleaner
279

O

Ocular cicatricial pemphigoid
125

Ocular graft-versus-host disease
196

Ocular myopathy 200

Opaque backing 133

Ortho-K렌즈 53, 147, 259, 301

Orthokeratology 217, 301

Oxygen permeability 13, 299

Oxygen transmissibility 229, 274

P

p- factor 25

Pancreatin 275

Papain 275

PCW 90

Pellucid marginal degeneration
199

Penetrating keratoplasty 268

Peri-ballast 106

Peripheral curve width 90

Peripheral curve 4, 79

Photophobia 232, 249

Piggyback lenses 187, 300

Platinum disc 277

Plus lenticular 81

Polyaminopropyl biguanide
(PAPB or Dymed) 275, 276

Polydimethyl siloxane
(PDMS) 18

PolyHEMA 62

Polyhexamethylene biguanide
(PHMB) 267, 276

Polyhydroxyethyl methacrylate
(polyHEMA) 17

Polymegathism 217

Polymerization 14

Polymers 14

Polymethyl methacrylate (PMMA)
4, 7, 21, 299

Polyquaternium-1
(Polyquad) 276

Polystyrene 22

Polyvinyl alcohol 277, 279

Polyvinyl pyrrolidone (PVP) 20

Post-lens tear film 198, 225

Pre-lens tear film 225

Preservative 274, 276, 280

Prism-ballast 106

Prismatic effect 198

PRK 189

Prosthetic tinted lenses 133

Pseudodendrites 263

Pseudomonas aeruginosa 258,
260

Q-R

Q factor 25

Radiuscope 294

Reflective device 48

Refractive index 16

Refractive power map 49

Regular astigmatism 103

Reis-Bücklers' dystrophy 122

Residual astigmatism 103

Rewetting drop 277, 281

Rewetting 285

RGP(콘택트)렌즈 5, 7, 21, 42, 73,
142, 257, 299

Rosacea keratopathy 126

S

SA (Silicone acrylate) 21

Sagittal depth 5

Sagittal map 49

SAI 51

Saline 275

Salzmann's nodular degeneration
126, 199

SEALs 234

Settling back 203, 204

Silicone acrylate 279

Silicone elastomer 5, 22

Silicone hydrogel lens 6, 229

Silicone hydrogel 62, 299

Silicon 14

Siloxymethacrylate 18

Sim K 51

Simultaneous vision type 141

Sjögren's syndrome 199

Slit scanning device 48

Smiley face 155

Soaking solution 279, 290

Sodium hyaluronate 277

Sodium pyruvate 277

Sodium thiosulfate 277

Soft contact lens care solution
273

Soft contact lens 59

Sorbic acid 276

Spectacle blur 249

Spherical lens 82

Spherical peripheral curve 186

Spherical equivalent power 51

SRI 52

Staphylococcus aureus 261

Staphylococcus epidermidis 261

Sterile inflammatory infiltrate
261

Stevens–Johnson syndorme 125, 195

Stiffness 15

Streaming of light 249

Subtilisin 275

Suction cup 287, 288

Superior decentration 251

Superior epithelial arcuate lesions 234

Superior limbic keratoconjunctivitis of Theodore 238

Surface asymmetry index 51

Surface regularity index 52

Surfactant cleaner 274, 278, 290

Swell factor 16

Symblepharon 125

T

Taco test 66, 231, 284

Tangential map 43, 49

Tc 247, 251

TD 68, 78

Tear ferning 225

Tear film squeeze pressure 75

Tear lens 30, 89

Tear meniscus theory 252

Terrien's marginal degeneration 199

Therapeutic tinted lenses 134

Thermal disinfection 277

Thimerosal 276, 280

Tight lens syndrome 118, 236

Topogometer 5

Topography 9, 47

Toric back optic zone radius 186

Toricity 247

Total diameter 68, 78

Toxic epidermal necrolysis 199

TPVC 19

Trial lens set 247

Trimethylsiloxy–methacryloxy–propylsilane (TRIS) 18, 19, 20, 21

Trophozoite 276

Truncation 106

V

Vertex distance 89

Viscoelastic 15

Voriconazole 267

W–Z

Warpage 217

Water content 15, 62

Wavefront aberration 26

Wessley ring 260

Wettability 15, 280, 290

Wetting agent 274

Wetting and soaking solution 279

Wetting angle 15

Wetting solution 279

With–the–rule astigmatism 103

Zernike polynomials 26